Michel BOU...  S0-BYG-043

# Dictionnaire
## des oeuvres et des thèmes
## de la Littérature française

*FAIRE LE POINT* ● **Références**

HACHETTE

*Photo de couverture :* Caricature de Victor Hugo par Benjamin / Hachette.

ISBN 2-01010112-X

# Avant-propos

Le présent dictionnaire, revu et augmenté à la faveur d'une nouvelle édition, reste fidèle à son intention : mettre à la disposition des lecteurs une analyse des œuvres marquantes de la littérature française et un répertoire de leurs thèmes.

Pour le choix des œuvres, il s'agissait de faire place aux plus représentatives, depuis la chanson de geste et le roman en vers du Moyen Age jusqu'au roman et au théâtre contemporains, sans se limiter aux textes les plus communément expliqués au lycée ou à l'université, et en retenant le plus grand nombre possible d'œuvres moins lues à ces niveaux. Nous avons même pris le parti d'être parfois très succinct à propos des premières, dans le cas par exemple des tragédies de Corneille et de Racine, ou des Caractères de La Bruyère, afin de consacrer des analyses plus copieuses aux secondes, à Gil Blas et aux Liaisons dangereuses, au théâtre de Claudel et à celui de Giraudoux, au Rhinocéros d'Eugène Ionesco et à La Modification de Michel Butor.

Cette nouvelle édition est augmentée de vingt-cinq notices qui vont de La Confession d'un enfant du siècle de Musset à L'Angoisse du roi Salomon d'Émile Ajar (Romain Gary). Mais le désir de nous borner à un ouvrage de dimensions modestes continue de nous contraindre à omettre des titres et des écrivains dont nous aurions aimé servir la connaissance. En particulier, il a fallu délibérément limiter le nombre des ouvrages de réflexion critique et des essais au profit des œuvres relevant de la création littéraire proprement dite.

L'ouvrage comprend deux parties :

1. Un dictionnaire alphabétique des œuvres destiné à orienter la curiosité et à servir de guide de lecture : en tête de chaque article est signalée une édition courante aisément accessible, car une notice ne saurait naturellement remplacer un contact direct avec les textes.

Dans le cours des analyses, un astérisque (*) désigne les ouvrages qui font ailleurs, à leur place alphabétique, l'objet d'une notice.

A la fin de chaque article sont signalés les thèmes majeurs de l'œuvre, ces mentions renvoyant à la seconde partie.

2. *Un* répertoire des thèmes. *Son établissement supposait que soit définie la notion de thème : nous avons entendu par là un sujet abordé dans l'œuvre, excluant ainsi les genres (épopée, comédie, etc.), les écoles (romantisme, naturalisme, etc.), et les problèmes littéraires (ironie, réalisme, etc.). Cependant, ont été introduits des articles sur l'écrivain, le poète, la beauté, dans la mesure où ils constituent des thèmes des œuvres au même titre que le valet, le saint, la guerre ou la ville.*

*Les articles consacrés aux thèmes signalent exclusivement des œuvres analysées dans la première partie.*

*On peut ainsi aller du dictionnaire des œuvres au répertoire des thèmes pour situer la signification d'une œuvre, et du répertoire des thèmes au dictionnaire des œuvres dans le cas d'un travail de recherche et de lecture sur un thème donné.*

*A la fin de l'ouvrage, une liste alphabétique des auteurs dont les œuvres sont présentées facilitera éventuellement une recherche conduite à partir d'un nom d'auteur.*

*Nous souhaitons que cette organisation soit commode pour l'utilisateur et lui rende les services que nous avons essayé de lui offrir. Puissions-nous surtout l'engager à lire les œuvres elles-mêmes, celles que nous avons citées, et beaucoup d'autres que les limites de notre propos nous ont empêché de retenir.*

*Les œuvres*

**Adolphe**
Benjamin
CONSTANT
1816

*Folio*

*Adolphe* est un roman psychologique issu des expériences sentimentales de Benjamin Constant. La fiction qui fait du récit une confession découverte dans une cassette n'a jamais empêché de reconnaître l'auteur sous les traits d'Adolphe. Quant à Ellénore, elle représente essentiellement Mme de Staël, la fille du ministre Necker, la romancière de *Delphine* (1804) et de *Corinne* (1807). Constant, qui avait fait sa connaissance en 1794, entretint avec elle une liaison agitée jusqu'en 1808. Le souvenir de plusieurs autres femmes vient aussi nourrir l'intrigue.

L'action se déroule à la fin du XVIIIe siècle, dans une petite principauté allemande où réside occasionnellement le héros. Celui-ci est un jeune homme de vingt-deux ans, issu d'une famille aristocratique de Genève, «distrait, inattentif, ennuyé», qui fréquente la cour et cherche à aimer.

Il fait la rencontre d'une femme plus âgée que lui de dix ans, Ellénore, qui est la maîtresse du comte de P. dont elle a deux enfants. D'abord muet par timidité, puis tenu à distance par Ellénore, Adolphe devient, «de la meilleure foi du monde, véritablement amoureux». La passion qu'il montre finit par toucher Ellénore, mais quand celle-ci abandonne le comte de P. pour s'attacher éperdument à lui, le lien qu'il s'est créé se met à lui peser. Il a l'impression de gâcher sa vie, et les remontrances de son père accroissent son malaise.

Cependant, il n'ose pas rompre et se laisse enchaîner par les sacrifices qu'Ellénore accomplit en sa faveur. Leurs relations s'aigrissent car Ellénore est assez lucide pour pénétrer les vrais sentiments d'Adolphe, et leur amour n'est plus que souffrance. Un ami du père d'Adolphe, pour hâter la rupture, communique à Ellénore une lettre où le jeune homme promettait de rompre. Ellénore tombe malade et meurt bientôt, rendant à son trop faible amant, désespéré par cette mort dont il se sent coupable, une liberté qu'il désirait sans avoir la force de la reprendre.

On a souvent fait le procès de Constant en instruisant celui d'Adolphe, et l'on s'est beaucoup préoccupé des clefs du roman. D'une façon immédiate et en somme plus intéressante, celui-ci offre, dans un style sobre, inspiré de l'art classique, une tragédie fondée sur la passion, la lucidité et la faiblesse.

THÈMES
Jeunesse. Ennui, 2.
Amour, 1, e.
Souffrance, 1, a.

**A la recherche du temps perdu**

Marcel PROUST
1913-1927

*Folio*

Vaste composition romanesque en sept parties :
I. *Du côté de chez Swann* (1913); II. *A l'ombre des jeunes filles en fleurs* (1918); III. *Le Côté de Guermantes* (1920-1921); IV. *Sodome et Gomorrhe* (1921-1922); V. *La Prisonnière* (1923); VI. *Albertine disparue* (1925); VII. *Le Temps retrouvé* (1927).

Proust y transpose l'expérience de sa vie dans une autobiographie fictive. Il avait d'abord essayé d'autres modes d'expression : le roman traditionnel, avec *Jean Santeuil* (écrit entre 1896 et 1904, publié en 1952) où le héros, présenté comme le double d'un écrivain, est peint à la troisième personne, et l'essai, avec *Contre Sainte-Beuve* (autre œuvre posthume, composée vers 1908, publiée en 1954) où, s'adressant à sa mère, il réfute la méthode du célèbre critique qui prétendait expliquer l'œuvre par l'homme. Dans cet important essai, Proust développe, à propos de la création artistique, des idées qui sont reprises dans *A la recherche du temps perdu*. Pour rester fidèle à une distinction qui lui est chère, celle de la vie et de l'œuvre, il ne faudra jamais oublier que le *Je* adopté par Proust dans son œuvre définitive est un *Je* romanesque.

Cette œuvre si vaste est rigoureusement bâtie. La vie racontée se divise en deux périodes, l'une très longue qui est celle des tâtonnements et des désillusions du narrateur devant qui l'existence se dépouille peu à peu de ses prestiges; l'autre, réduite à une journée, où il découvre le sens de sa destinée, qui est de fixer, par le moyen de l'art littéraire, le temps passé et perdu que des associations affectives (pavés inégaux, serviette empesée) lui restituent parfois en lui apportant une impression de félicité que ne lui procurent jamais le présent ni la mémoire volontaire (*Le Temps retrouvé*, ch. III, matinée Guermantes). Le roman apparaît ainsi, au dernier volume, comme l'accomplissement de la quête décidée ce jour-là.

Sa quête porte d'abord sur le temps de ses vacances à Combray, tout entières resurgies un jour où il trempait dans une tasse de thé une petite madeleine comme lui en offrait alors sa tante Léonie, dans sa chambre de valétudinaire; temps merveilleux de l'enfance, dominé par le souvenir de sa grand-mère, de la cuisinière Françoise, de son anxiété les soirs où la visite du voisin Swann le privait du baiser de sa mère, des promenades du côté de Méséglise et du côté de Guermantes *(Du côté de chez Swann)*. Puis est venu le temps de la découverte du monde et de la société, des voyages tant désirés à Balbec ou Venise, des plaisirs mondains, de l'amour, des «intermittences», c'est-à-dire des irrégularités, de la vie du cœur (à propos de la mort de sa grand-mère, ou de son amour pour Gilberte Swann ou Albertine), des souffrances de la passion jalouse (à propos d'Albertine) et de la dégradation de tout plaisir. Le narrateur est alors prisonnier de fausses richesses incapables de satisfaire son besoin de bonheur et d'absolu, et ne sait pas encore se fixer une tâche précise, malgré son désir d'écrire, bien qu'il pressente la valeur de l'art que le peintre Elstir, le musicien Vinteuil et l'écrivain Bergotte l'aident à découvrir. L'exemple de Swann dont les expériences préfigurent les siennes n'a pris qu'ultérieurement sa signification pour lui : ce mondain élégant et intelligent, amateur d'art éclairé, use sa vie de façon stérile et s'éprend d'une demi-mondaine, Odette de Crécy, pour ne retirer bientôt que souffrance de cet amour vite désenchanté dont la sonate de Vinteuil lui rappelle douloureusement les souvenirs heureux (*Un amour de Swann*, dans *Du côté de chez Swann*).

Cette analyse d'un itinéraire spirituel se double d'une fresque sociale d'inspiration balzacienne. Elle est limitée aux milieux mondains autour de 1900, mais fortement dessinée : salon bourgeois des Verdurin, hôtel particulier de la demi-mondaine Odette de Crécy, plage de Balbec avec ses jeunes filles en fleurs et le jeune dandy Robert de Saint-Loup, neveu de l'étonnant baron de Charlus, soirées à l'Opéra, milieu aristocratique de la duchesse de Guermantes. La *Recherche* constitue une chronique satirique dont on a comparé la verve à celle de Saint-Simon (*Mémoires*★).

Cependant, le mérite de Proust est surtout dans sa façon d'explorer le domaine des impressions et des sentiments au moyen d'un langage imagé et sinueux qui tantôt se fait analytique, tantôt emprunte ses ressources à la poésie.

THÈMES
Moi, 3. Bonheur, 6.
Rêve. Réalité.
Temps. Souvenir.
Enfance. Adolescence.
Famille. Jeunesse.
Sensibilité. Sensations.
Instant. Nature, 2, b.
Voyage. Ville.
Vie mondaine. Fête.
Mœurs. Classes sociales.
Amour, 1, f. Jalousie.
Art et création
artistique. Musique.

---

Valéry a publié sous ce titre une partie seulement des vers qu'il avait écrits dans les années 1890-1900. La composition du recueil a varié lors des rééditions.

Il règne dans ces «vers anciens» une atmosphère précieuse et artificielle, très caractéristique des modes

**Album de vers anciens**
Paul VALÉRY
1920

*Poésie/Gallimard*

symbolistes. Jardins, marbres, bassins, cygnes, azur et clairs de lune fournissent le décor d'une permanente féerie (deux poèmes portent ce titre) autour de figures féminines rêveuses (cf. *La Fileuse, Naissance de Vénus, Baignée, Au bois dormant, Épisode*).

Aux pures recherches plastiques se mêlent cependant des thèmes typiquement valéryens, promis à de nombreux retours dans l'œuvre du poète. Ainsi voit-on apparaître, dans *Narcisse parle,* ce bel adolescent de la mythologie grecque qui s'est épris de son image découverte dans une fontaine ; son aventure figurera, pour Valéry, les charmes et les pièges de l'attention exclusive à soi-même. Dans *Été,* autour d'une dormeuse, la mer, l'espace, le soleil s'imposent jusqu'à l'accablement comme ils feront dans *Le Cimetière marin* (cf. *Charmes*⋆). Enfin, *Air de Sémiramis* développe l'idée chère à Valéry que l'on existe seulement dans la lucidité qui est, avec les actes créateurs qui en naissent, la réplique de l'homme au monde.

THÈMES
Femme, 1, e. Moi, 3.
Nature, 2, b. Beauté.
Mélancolie.

Ce sont les prémices de l'œuvre à venir que l'on aime chercher parmi ces « vers anciens ».

---

## Alcools
Guillaume
APOLLINAIRE
1913

*Classiques Larousse
Poésie/Gallimard*

Voulant rassembler ses principaux poèmes jusqu'alors dispersés dans des revues, Apollinaire avait d'abord pensé au titre d'*Eau-de-vie ;* il s'est arrêté, en 1912, à celui d'*Alcools,* qui rend plus fortement sa conception de la poésie exprimée justement cette année-là dans *Vendémiaire :* « Je suis ivre d'avoir bu tout l'univers/Écoutez mes chants d'universelle ivrognerie. » Apollinaire semble avoir entendu l'invitation de Baudelaire : « Enivrez-vous » (*Petits Poèmes en prose*⋆), et celle de Rimbaud : « Le poète se fait *voyant...* » (*Poésies*⋆).

Ce sont les derniers poèmes qu'il venait d'écrire qui illustrent le plus directement son programme. *Zone,* au seuil du recueil, donne le ton : le poète s'y met en scène avec gouaille et lyrisme tout à la fois, refusant « le monde ancien » et cherchant la poésie dans l'excitation de la vie moderne ; en vers libres d'allure prosaïque, il juxtapose d'une façon apparemment arbitraire des images saisies au hasard, des souvenirs et des divagations de sa fantaisie. De la même manière, *le Voyageur* semble le produit d'une course dans les rues de Paris. *Cortège* montre encore l'attention extralucide du poète aux signes du monde dont il attend la révélation de lui-même. *Vendémiaire* donne à cette vendange une ampleur cosmique sur laquelle s'achève le volume. *Vendémiaire*, notons-le, a été, en 1912, le premier poème publié sans ponctuation par Apollinaire, qui a étendu le procédé à toute son œuvre lors de l'impression d'*Alcools*.

En mêlant à ses poèmes les plus « modernistes » des œuvres anciennes d'inspiration différente, Apollinaire semble avoir voulu signifier que la poésie est toujours griserie. En vers réguliers, la série de pièces intitulées *Rhénanes* chante son séjour en Allemagne en 1901-1902 au cours duquel il a rencontré une jeune gouvernante anglaise, Annie Playden, qui devait lui inspirer un long amour douloureux. Dans *Les Colchiques,* l'image de ces fleurs s'associe subtilement à celle d'Annie Playden, et dans *La Chanson du Mal-Aimé,* écrite après leur rupture, la douleur lui inspire de savantes divagations lyriques. Un autre amour perdu, celui de Marie Laurencin, et un pont de Paris ont fait naître la plus connue de ses poésies, *Le Pont Mirabeau* : « Sous le pont Mirabeau coule la Seine/Et nos amours/Faut-il qu'il m'en souvienne ».

Apollinaire pratique un lyrisme étroitement subjectif et juxtapose images, idées et allusions — souvent en vers libres seulement assonancés — avec une parfaite indifférence au souci de clarté de la rhétorique classique. Cette rupture, sa façon de concevoir la poésie comme un excitant, son goût de la surprise, de la modernité, de l'ivresse verbale ont fait de lui un modèle pour la génération des surréalistes (cf. Breton, Aragon, Éluard, etc.), tandis que son sens des émotions simples et de la musique secrète de l'âme lui assure une place de choix dans la tradition lyrique française.

THÈMES
Poète, 1, e. Sensibilité. Mélancolie. Amour, 1, f. Souvenir. Temps. Vie moderne. Beauté.

---

Cette comédie en trois actes repose sur l'association de la plus grosse farce et d'une vision de l'homme dominée par le désespoir et le sentiment de l'absurde.

Dans leur appartement petit-bourgeois soigneusement clos, deux quadragénaires, Amédée Buccinioni, qui se dit écrivain mais ne parvient plus à écrire, et sa femme Madeleine, qui exerce à domicile son métier de standardiste, ruminent une angoisse qui prend une réalité matérielle burlesque : il pousse des champignons

## Amédée ou Comment s'en débarrasser
Eugène IONESCO
1954

sur les planchers et, dans la chambre, est caché un cadavre qui ne cesse de grandir et qui, à mesure que tournent les aiguilles de la pendule, va envahir la scène. Quelle mystérieuse faute matérialise-t-il ? Quel remords ? A moins que ce ne soit tout l'irrémédiable de la vie. Comment s'en débarrasser ?

A l'acte II, Amédée et Madeleine ressassent leur impuissance tandis que les pieds immenses du cadavre repoussent les meubles. Est-ce un jeune amant de Madeleine qu'Amédée a tué ? Ou bien le bébé confié par une voisine ? Ou une femme qui s'est noyée sans qu'Amédée lui porte secours ? En rêve, Amédée se revoit jeune marié chantant la vie et l'accord des sens avec le monde alors que Madeleine crie l'horreur de l'existence. « Aimons-nous », dit maintenant encore Amédée. « Ne dis pas de sottises », réplique Madeleine. « Ce n'est pas l'amour qui va nous débarrasser de ce cadavre. » Pour finir, ils le font passer par la fenêtre pour qu'Amédée aille le jeter dans la Seine.

A l'acte III, Amédée, surpris par des agents de police, s'envole vers le ciel, enveloppé dans les vêtements du cadavre dont les souliers tombent sur la scène, l'auteur liquidant la farce et la métaphysique dans un grand jeu bouffon.

La cocasserie et la dérision sont ici les ressorts du jeu théâtral en même temps qu'elles constituent la réponse à l'angoisse.

THÈMES
Absurde. Angoisse.

---

**Amers**
SAINT-JOHN PERSE
1957

*La Pléiade*
*Poésie/Gallimard*

Dans l'esprit et le ton qui sont déjà ceux de ses poèmes antérieurs, *Éloges* (1904), *Anabase* (1924), *Exil* (1944) et *Vents* (1946), Saint-John Perse compose ici « en l'honneur de la mer ». Le titre est fait du nom des repères que les navigateurs prennent au voisinage des côtes.

Sur un ton d'incantation solennelle, usant de versets liés en larges mouvements lyriques, le poète conduit une célébration lente et musicale, sans action autre que l'entrée de témoins et de récitants. Les phrases liminaires nomment les thèmes et les intervenants : « Des villes hautes s'éclairaient sur tout leur front de mer... » (*Strophe*, I), « Les Tragédiennes sont venues, descendant des carrières. Elles ont levé les bras en l'honneur de la mer [...] » (*Strophe*, III), « Les Patriciennes aussi sont aux terrasses, les bras chargés de roseaux noirs [...]» (*Strophe,* IV). Le chant est chargé d'images venant d'un passé sans âge qui donnent un aspect d'éternité à ce que la mer inspire aux intervenants qui se succèdent et, pour finir, aux amants : «O mon amour au goût de mer, que d'autres paissent loin de mer l'églogue au fond des vallons clos [...]» (*Strophe,* IX).

Saint-John Perse a repris le rôle d'officiant dévolu au poète dans la tradition antique des hymnes.

THÈMES
Univers. Mer. Amour.
Poète.

## Les Amours

Pierre de RONSARD
1552-1555-1578

*Classiques Garnier
Poésie/Gallimard*

Tout au long de sa carrière de poète, Ronsard a composé des sonnets d'amour en l'honneur de diverses femmes qui, si elles ont bien une identité précise, ont joué pour lui surtout le rôle de prétexte à exercices littéraires dans la tradition courtoise.

L'inspiratrice des *Amours* de 1552 est Cassandre Salviati, fille d'un banquier florentin, que Ronsard a sans doute rencontrée en 1546 peu de temps avant qu'elle ne se marie, et chantée jusqu'en 1552. Dans le style conventionnel de Pétrarque (1304-1374) et de ses émules, Ronsard se donne pour thèmes la surprise de l'amour («Comme un chevreuil...»), son émotion devant la beauté féminine («Ce ris plus doux que l'œuvre d'une abeille...»), son exaltation de nourrir une passion sans espoir dont il prend la nature à témoin («Ciel, air, et vents...»), se réfugiant pour finir dans l'idéalisme néo-platonicien qui fait de la beauté terrestre le reflet de la beauté éternelle que l'âme aspire à retrouver au ciel («Je veux brûler pour m'envoler aux Cieux/Tout l'imparfait de cette écorce humaine...»).

La *Continuation* (1555) et la *Nouvelle Continuation des Amours* (1556) sont inspirées par une jeune fille de Bourgueil, Marie, «belle et jeune fleur de quinze ans», sur qui ces vers ne disent rien de précis. Abandonnant le pétrarquisme pour un style plus simple et plus naturel, Ronsard use d'images bucoliques («Je vous envoie un bouquet...», «Rossignol mon mignon...») pour dire son amour qui se nuance d'une émotion épicurienne : «Le temps s'en va, le temps s'en va, ma Dame :/Las! le temps non, mais nous nous en allons...». Des odes et des chansons d'inspiration antique se mêlent à ces recueils : «Versons ces roses près ce vin...», «Bel aubépin verdissant...».

Ronsard a chanté d'autres femmes, et parfois sur commande : les *Sonnets sur la mort de Marie* (1578), entre autres «Comme on voit sur la branche...», ont été écrits, non pour Marie de Bourgueil, mais pour Marie de Clèves, dont fut très épris Henri III. Les *Sonnets pour Hélène* (*Œuvres* de 1578) célèbrent Hélène de Surgères, suivante de Catherine de Médicis, toujours dans le même esprit, mais parfois avec une gravité nouvelle qui tient à la vieillesse du poète : «Vivez, si m'en croyez, n'attendez à demain :/Cueillez dès aujourd'hui les roses de la vie.»

Œuvre d'art élaborée dans la fidélité à diverses traditions, mais animée aussi d'un authentique lyrisme, *Les Amours* conservent un charme que le temps n'altère pas.

**THÈMES**
Poète, 1, c.
Amour, 1, b.
Femme, 1, a. Temps.
Mort.
Épicurisme. Beauté.

**Amphitryon 38**

Jean GIRAUDOUX
1929

*Le Livre de poche*

Cette comédie en trois actes est, selon Giraudoux, la trente-huitième interprétation d'une légende mythologique introduite au théâtre par Plaute (254-184 av. J.-C.) : Jupiter, qui ne dédaigne pas les belles mortelles, a choisi cette fois de séduire Alcmène en prenant l'apparence de son époux, le général Amphitryon, qu'il a envoyé faire la guerre pour l'éloigner de Thèbes. Pour servir le maître des dieux, Mercure a pris l'aspect de Sosie, le valet d'Amphitryon. De cette union doit naître Hercule.

Sur ces données déjà exploitées par Molière pour développer une comédie d'intrigue (*Amphitryon*, 1668), Giraudoux a construit un divertissement précieux, riche en mots d'auteur sur l'amour, la fidélité conjugale et les rapports des hommes et des dieux.

Mais il a prêté aussi au couple que forment Alcmène et Amphitryon une solidité et un goût du bonheur simplement humain qui enrichissent la légende d'une signification morale toute moderne. Aux tentatives de Jupiter pour se faire reconnaître et désirer comme amant et comme dieu, Alcmène oppose une parfaite fidélité à son époux et à la réalité terrestre, une sereine satisfaction devant son destin de mortelle (I, 6; II, 2). Quand Jupiter se présente ouvertement comme le maître des dieux, il n'a pas plus de succès : JUPITER : «Pourquoi ne veux-tu pas être immortelle?» — ALCMÈNE : «Je déteste les aventures; c'est une aventure, l'immortalité!» Aussi, devant cette fermeté, prend-il le parti de renoncer à une seconde nuit et de se retirer en laissant à Alcmène l'illusion d'avoir seulement accueilli son époux la nuit précédente, puisqu'elle veut bien lui concéder devant le peuple une satisfaction d'amour-propre (III, 5-6).

Ce jeu brillant s'accompagne ainsi d'une leçon souriante d'humanisme qui est bien dans la manière de Giraudoux (cf. *Intermezzo\**).

THÈMES
Dieux. Homme, 5.
Réalité. Bonheur, 6.
Amour, 1, f.
Femme, 1, f.

---

## Andromaque

Jean RACINE
1667

*Classiques Larousse
Nouveaux classiques
illustrés Hachette*

Dans cette tragédie en cinq actes qui fut son premier grand succès, Racine peint les souffrances de l'amour non partagé en mettant en scène des héros de la légende troyenne.

L'action se passe peu après la chute de Troie, dans le royaume d'Épire où Andromaque, veuve d'Hector, et son fils Astyanax sont prisonniers du roi Pyrrhus. Oreste, fils d'Agamemnon, arrive en ambassade pour réclamer Astyanax au nom des Grecs, mais surtout poussé par son amour malheureux pour Hermione, fille d'Hélène et de Ménélas, qui s'est fiancée à Pyrrhus. Comme celui-ci est épris d'Andromaque, Oreste espère qu'il refusera de livrer Astyanax et renverra Hermione (I, 1). Vains calculs : Andromaque ne consent pas à épouser Pyrrhus (I, 4) qui, par dépit, décide d'abandonner Astyanax aux Grecs et revient vers Hermione (II, 4-5). Oreste projette d'enlever celle-ci (III, 1) qui, toute à son triomphe sur le roi, repousse Andromaque venue lui demander d'intervenir en faveur de son fils (III, 4). Andromaque affronte de nouveau Pyrrhus qui lui adresse un ultimatum : il faut l'épouser pour sauver Astyanax (III, 7).

Après avoir visité la tombe d'Hector, Andromaque s'est résignée aux conditions de Pyrrhus, mais elle se tuera aussitôt après la cérémonie du mariage (IV, 1). Quant à Hermione, saisie d'un dépit aveugle, elle demande à Oreste, comme preuve d'amour, de tuer Pyrrhus et promet de partir avec lui dès que ce sera fait (IV, 3). Il a l'aveuglement de lui obéir. La mort de Pyrrhus jette Hermione dans une fureur désespérée (V, 3) qui la conduit au suicide. Oreste sombre alors dans le délire (V, 5).

L'intérêt de cette tragédie réside dans le mécanisme de la passion qui, tout en laissant aux êtres assez de dignité pour souffrir de leur faiblesse, les conduit à des gestes irréparables.

THÈMES
Destin. Passions, 1.
Amour, 1, c et 2, a.
Femme, 1, a et d. Mère.
Jalousie. Malheur.
Souffrance, 1. Sacrifice.

## L'Angoisse du roi Salomon

Émile AJAR
(Romain GARY)
1979

*Mercure de France*

Après *Gros-Câlin* (1974), *La Vie devant soi* (1975) et *Pseudo* (1976), ce roman est le quatrième publié par Romain Gary sous le nom de Émile Ajar, nom qui est resté celui d'un mystérieux inconnu jusqu'à la révélation de la supercherie après sa mort.

Le narrateur est un certain Jeannot, bon garçon à tête de voyou, chauffeur de taxi à ses heures et autodidacte appliqué, qui mêle d'une façon imprévisible et savoureuse la naïveté et la gouaille, la sentimentalité et l'humour. Il fait la rencontre d'un vieil homme de quatre-vingt-quatre ans qui porte beau, Salomon Rubinstein, ancien roi du pantalon et fondateur de l'association *S.O.S. Bénévoles*. Fasciné par celui qu'il appelle respectueusement le roi Salomon, Jeannot devient son homme à tout faire et le témoin de sa lutte contre la vieillesse, la solitude et l'angoisse. Tout en continuant de chercher des réponses à la vie dans le dictionnaire aux mots « sagesse », « vieillesse », « amour », « stoïcisme », il apprend, à l'exemple de son patron, à se défendre par l'humour. « J'ai, dit-il, attrapé du roi Salomon cette angoisse qui me fait rire tout le temps. »

Le roi Salomon aide les déshérités « pour donner une leçon à Dieu et lui faire honte », tout en affectant de considérer que les timbres-poste sont la seule valeur sûre.

Au nom de *S.O.S. Bénévoles*, Jeannot apporte une corbeille de fruits confits à une ancienne chanteuse réaliste, Cora Lamenaire, que le roi Salomon a aimée autrefois. Il prend en charge ces deux solitaires et parvient à les réunir. Tout finit bien, provisoirement.

Le récit est un prodigieux exercice de style par lequel se trouve surmontée d'une façon émouvante, et pour le temps que durent les mots, l'angoisse qui a conduit Romain Gary au suicide.

THÈMES
Angoisse. Amour.
Solidarité. Vieillesse.
Temps.

---

## L'Annonce faite à Marie

Paul CLAUDEL
1912

*Folio*

Mystère chrétien en un prologue et quatre actes, en prose rythmée, publié et représenté en 1912. Il procède de la refonte d'un drame antérieur, *la Jeune Fille Violaine*. Claudel l'a de nouveau remanié pour la scène en 1948.

Dans l'atmosphère mystique du Moyen Age, c'est la peinture d'une destinée de sainte en qui vient s'incarner l'Esprit. A Combernon, sur le fief paternel, Violaine vit dans la pureté et la paix :

« Je suis Violaine, j'ai dix-huit ans, mon père s'appelle Anne Vercors, ma mère s'appelle Élisabeth.

Ma sœur s'appelle Mara, mon fiancé s'appelle Jacques. Voilà, c'est fini, il n'y a plus rien à savoir.

Tout est parfaitement clair, tout est réglé d'avance et je suis très contente. » (Prologue.)

Mais elle va être arrachée à ce bonheur tout tracé pour connaître le destin des élus de Dieu.

Au prologue, le bâtisseur d'églises Pierre de Craon, qui aime Violaine, lui révèle qu'il est atteint de la lèpre. Par charité, Violaine donne un baiser à cet homme qui souffre. Mais sa sœur Mara a surpris ce geste, et, après le départ d'Anne Vercors pour la Terre sainte (acte I), elle dénonce Violaine à Jacques par jalousie.

A l'acte II, Jacques n'a tout d'abord pas cessé de croire en sa fiancée, mais celle-ci lui déclare qu'elle ne peut nouer avec lui qu'un mariage spirituel, car elle a contracté la lèpre. Il s'écarte, et Violaine, revêtue de l'habit des lépreux, quitte Combernon.

L'acte III se déroule huit ans plus tard, dans la grotte où s'est retirée Violaine que son mal a rendue aveugle. C'est le soir de Noël. Mara, qui a épousé Jacques, vient de voir mourir son enfant ; elle l'apporte à Violaine dans l'espoir d'un miracle. Au terme d'une nuit de prières, la petite fille revit, et ses yeux sont devenus bleus comme l'étaient ceux de Violaine.

A l'acte IV, un an plus tard, Pierre de Craon rapporte à Combernon Violaine mourante qu'il a trouvée ensevelie dans une sablière de la forêt. Jacques conçoit des soupçons sur Mara, mais Violaine lui demande de pardonner et de soumettre sa vie et son travail à Dieu.

Anne Vercors ne revient que pour enterrer sa fille et, à l'heure de l'angélus qui commémore l'annonce faite à Marie, ne pourra que méditer sur son destin :

« Est-ce que le but de la vie est de vivre ? [...]

Il n'est pas de vivre, mais de mourir, et non point de charpenter la croix mais d'y monter, et de donner ce que nous avons en riant ! »

Cette pièce constitue l'expression la plus connue du mysticisme de Claudel.

THÈMES
Tradition. Dieu. Foi, 1. Providence. Sacrifice. Souffrance, 2, a. Mort. Sainteté.

## Antigone

Jean ANOUILH
1944

*Bordas*

Le sujet de cette tragédie en prose est « l'histoire d'Antigone » (Prologue). Anouilh l'a emprunté à Sophocle (496-406 av. J.-C.), allant même jusqu'à imiter le découpage de la pièce grecque (pas de scènes numérotées) et à introduire un chœur. Cependant, Anouilh a supprimé de l'action toute donnée religieuse pour s'en tenir à une réflexion athée sur la pureté et les exigences de la vie.

Les fils d'Œdipe, Étéocle et Polynice, viennent de s'entre-tuer pour le trône de Thèbes. Pour sauver l'ordre, Créon, le nouveau roi, leur oncle, a fait d'Étéocle un héros national, mais interdit, sous peine de mort, d'ensevelir Polynice, désigné comme rebelle. Antigone, leur sœur, par fidélité à la justice, est allée de nuit accomplir les rites funèbres malgré les gardes qui surveillent le corps. Pourtant, elle aime la vie, mais elle la voudrait pure comme l'aube et l'enfance, ainsi qu'elle le dit à sa nourrice, à sa sœur Ismène, à son fiancé Hémon, le fils de Créon. Ce qu'elle ne peut accepter, c'est l'avenir impur que lui propose Créon quand il tâche de la raisonner après son arrestation et lui démontre l'inutilité de son héroïsme juvénile et la nécessité d'une politique réaliste.

Créon n'est ni malhonnête ni brutal. Il assure qu'il comprend Antigone et voudrait la sauver ; mais il a dit « oui » à ses fonctions royales parce qu'« il faut pourtant qu'il y en ait qui disent oui ». Antigone mourra. Hémon et Eurydice, l'épouse de Créon, la suivent dans la mort. Quant à Créon, il continue sa tâche : « Ils disent que c'est une sale besogne, mais si on ne la fait pas, qui la fera ? »

Il s'agit donc d'un conflit entre deux conceptions de l'existence définies sans qu'interviennent les dieux. Alors que, chez Sophocle, Antigone opposait aux lois humaines de Créon l'obéissance aux lois divines, chez Anouilh elle trouve en elle-même les motifs de son héroïsme dans son exigence de pureté qui la conduit à refuser le bonheur et la vie. En face de son intransigeance, se trouvent mis en relief la lucidité de Créon, son absence d'illusions et son sens des responsabilités. Mais on ne peut dire qu'Anouilh choisisse entre eux. Il semble submergé par un pessimisme désespéré et termine par une image symbolique de la veulerie des hommes : les gardes, indifférents à tout, jouent aux cartes.

THÈMES
État. Individu, 3.
Bonheur, 6. Justice, 3.
Révolte. Enfance, 3.
Pureté.

Le titre complet de ce recueil de vers est : *Le Pre-mier Livre des Antiquités de Rome contenant une générale description de sa grandeur et une déploration de sa ruine.* Ce thème, qui est caractéristique de l'esprit humaniste, a déjà été traité par les Italiens Pétrarque (1304-1374) et Balthazar Castiglione (1478-1529), et la forme choisie, une suite de sonnets, est italienne aussi.

La destinée exceptionnelle de Rome fait l'objet d'une méditation en trente-trois sonnets dont les comparai-sons et les ornements sont souvent empruntés à des auteurs grecs, latins ou italiens (sonnets III, VI, XVIII, XXVIII), car c'est une œuvre de culture et un exercice de style.

Cependant la pensée s'élève jusqu'à la déploration de la folie des hommes et de la fragilité de tout ce qui est humain, à la fois selon un sentiment païen de la fata-lité (XV, XXI, XXIV) et un sentiment chrétien de la vanité de toute chose (XVIII).

Une seconde partie, intitulée *Le Songe,* qui est inspi-rée de Pétrarque, reprend les mêmes thèmes dans une vision allégorique en quinze sonnets.

Alliant la culture et l'élévation de la pensée, Du Bel-lay est fidèle aux principes de *Défense et illustration de la langue française*\*.

**Les Antiquités de Rome**
Joachim DU BELLAY
1558

*Poésie/Gallimard*

THÈMES
Rome. Temps. Destin.

---

Ce drame en cinq actes et en prose est l'un des plus extravagants du théâtre romantique.

L'action se déroule au XIXᵉ siècle. Un beau téné-breux, Antony, sur qui pèse la fatalité de sa naissance (il est enfant trouvé et le cache pour sauvegarder sa situation mondaine), s'éloigne de la noble jeune fille qu'il aime afin de lui permettre d'épouser le colonel d'Hervey. Mais le temps exaspère sa passion ; il cherche à revoir Mᵐᵉ d'Hervey, et justement la sauve d'un acci-dent de voiture au moment où elle quittait son hôtel pour le fuir. Touchée par son amour, Mᵐᵉ d'Hervey se compromet avec lui. Pour la sauver du déshonneur au moment où ils vont être surpris par le colonel d'Her-vey, il lui donne la mort ainsi qu'elle le demande, et accueille son mari par ces mots restés célèbres : « Elle me résistait, je l'ai assassinée. »

**Antony**
Alexandre DUMAS
(père)
1831

*Nouveaux classiques Larousse*

Dumas conduit avec virtuosité ces développements hyperboliques du thème de la passion en conflit avec les conventions sociales.

## A rebours

Joris-Karl
HUYSMANS
1884

*Folio*

Huysmans déclare avoir imaginé cet ouvrage «sans idées préconçues», comme «une nouvelle bizarre» (Préface de 1903).

Il apparaît en définitive au lecteur comme le roman d'une révolte et d'une tentative d'évasion dans l'imaginaire, au moyen de tous les artifices capables de masquer la réalité de la vie à un homme qui ne peut plus la souffrir.

Un dandy écrasé sous le spleen, le duc Jean des Esseintes, dernier descendant de sa race, quitte Paris pour s'installer à la campagne dans une maison isolée d'où il ne sort plus.

Pour lui, «la nature a fait son temps : elle a définitivement lassé, par la dégoûtante uniformité de ses paysages et de ses ciels, l'attentive patience des raffinés. [...] Il s'agit de la remplacer, autant que faire se pourra, par l'artifice.»

Le décor et l'éclairage d'une salle copiée sur la cabine d'un bateau suffisent à lui procurer l'illusion du voyage. Il s'entoure d'un luxe agressif et bizarre, fait incruster de pierreries la carapace d'une tortue, se donne des symphonies de liqueurs, collectionne les objets sacrés, les parfums, les maquillages, les fleurs rares, et s'épuise à chercher sans cesse de nouveaux excitants.

Il en demande aussi à la littérature, en particulier aux écrivains latins du Bas-Empire et à certains orateurs sacrés, mais surtout à la poésie contemporaine : à Baudelaire, son maître, dont l'esthétique inspire sa vie ; à Verlaine ; à Mallarmé ; à Corbière ; aux récits de Barbey d'Aurevilly pour leur mélange de satanisme et de mysticisme ; à ceux de Villiers de l'Isle-Adam ; à certains romans de Flaubert, de Zola, des Goncourt, quand ils évoquent «l'éclat asiatique des vieux âges», car il lui faut «des œuvres mal portantes, minées et irritées par la fièvre».

Mais à force de vivre «à rebours» de la nature en torturant son esprit et son corps, des Esseintes parvient aux portes de la mort et son médecin doit le contraindre à reprendre une existence normale.

Aventure expérimentale, où se révèle l'angoisse métaphysique de Huysmans (il devait se convertir au catholicisme en 1892), l'œuvre a pour mérite de traduire dramatiquement les tentations morales et artistiques dites « décadentes » vers 1880.

THÈMES
Ennui, 2. Angoisse.
Évasion. Sensations.
Rêve. Nature, 1 et 2.
Art et création
artistique. Artifice.

---

Boileau a écrit ce traité de *L'Art poétique* après la publication des principaux chefs-d'œuvre classiques. Son point de vue est celui d'un honnête homme cultivé et raisonnable, très attaché aux notions de bon goût, de nature et de vérité par lesquelles il explique le plaisir qu'il prend à une œuvre ; mais il a une haute idée de la dignité de l'art et du poète.

Le chant I de ce poème en alexandrins affirme la nécessité, pour le poète, de la vocation et de l'inspiration, puis expose les règles de l'art d'écrire : vérité, brièveté, clarté, souci de perfection. Le chant II traite des petits genres : poésie pastorale, élégie, ode, sonnet, épigramme, satire ; le chant III, de la tragédie, de l'épopée et de la comédie ; le chant IV, de la sainteté de la poésie et des rapports de l'art et de la morale.

*L'Art poétique* ne mérite ni le culte dont il a été l'objet jusqu'au romantisme ni l'ironie qui a suivi. Considérons-le plutôt comme un témoignage qui aide à comprendre l'esprit classique.

**L'Art poétique**
Nicolas BOILEAU-
DESPRÉAUX
1674

*Bordas
Classiques Larousse*

THÈMES
Poète. Beau. Art.

---

C'est par ce « roman ouvrier », prévu dès les premières notes des *Rougon-Macquart*⋆, que Zola a conquis la célébrité.

Il l'a conçu dans le dessein de corriger les images conventionnelles que la littérature donnait du peuple : « On nous a montré jusqu'ici les ouvriers comme les soldats sous un jour complètement faux. Ce serait faire œuvre de courage que de dire la vérité et de réclamer, par l'exposition franche des faits, de l'air, de la lumière et de l'instruction pour les basses classes. » Il s'agit d'un monde que Balzac a ignoré et dont le développement de Paris sous le Second Empire a aggravé les problèmes.

L'action se passe à Paris dans le quartier de la Goutte-d'Or, qui, aujourd'hui encore, abrite bien des

**L'Assommoir**
Émile ZOLA
1876

*Folio
Le Livre de poche*

parias. C'est l'histoire de la dégradation et de la chute de l'ouvrier parisien, victime des conditions de vie qui lui sont faites. Dans le roman, cette nouvelle forme de fatalité, méconnue jusqu'alors de la littérature, prend bien plus d'importance que l'hérédité dont Zola se promettait à l'origine d'étudier le rôle. Elle est symbolisée par le cabaret du père Colombe qui donne son nom au livre.

L'héroïne principale est Gervaise Macquart. « Montée » de Plassans à Paris avec Lantier, son amant, un fainéant, elle se trouve abandonnée par lui avec deux enfants. Elle lutte pour sortir de la misère, travaille comme blanchisseuse, épouse un zingueur, Coupeau, et ouvre une boutique à son compte. Mais un accident du travail immobilise Coupeau qui prend l'habitude de l'oisiveté, fait société avec Lantier reparu, l'installe chez lui, et mange et boit la boutique que tient sa femme. Gervaise cède à l'avachissement, se met à boire aussi, et tombée dans le dénuement le plus complet, en est réduite à tenter de se prostituer tandis que Coupeau meurt de *delirium tremens* à l'hôpital.

Zola a révélé la grandeur épique du Paris ouvrier. Le flux et le reflux des foules de travailleurs entre les ateliers et les quartiers de taudis, le rythme du travail et des pauvres plaisirs, l'avilissement collectif par la misère sont constamment présents derrière les protagonistes. De nombreux personnages secondaires — compagnons de bordée de Coupeau comme « Mes Bottes » ou « Bibi la Grillade », habitants de la « grande maison » de la Goutte-d'Or, voisins du quartier —, les rues, les cabarets, les bals, les choses mêmes comme l'alambic du père Colombe que Zola peint avec un talent de visionnaire, le style enfin qui exploite le langage populaire et argotique non seulement dans les dialogues mais dans les narrations, tout contribue à la force de cette peinture qui a parfois effrayé, tant ces images du monde ouvrier étaient nouvelles.

THÈMES
Paris. Peuple. Ouvrier.
Femme, 3, b.
Enfance, 2, a.
Travail. Amour, 1, e.
Fête, 1. Misère.
Corruption.
Souffrance, 1, b.
Mort.

## L'Astrée

Honoré d'URFÉ
1607-1627

*Folio*

Ce roman célèbre obéit à une mode devenue alors européenne, celle de la littérature pastorale, qui, dans un cadre artificiel inspiré de la poésie bucolique gréco-latine, peint le libre bonheur et les amours de bergers et de bergères. L'Italie, avec l'*Arcadia* de Sannazar (1502), l'Espagne avec la *Diana* de Montemayor

(1573) et la *Galatea* de Cervantès (1585) en fournissent les principaux modèles.

Urfé y exprime une philosophie de l'amour où la conception courtoise (cf. *Tristan\**, *Lancelot\**) se combine avec la pensée néo-platonicienne qui fait de l'amour un élan vers le beau et le bien, un enthousiasme qui porte la créature vers Dieu.

Il situe son utopie pastorale dans son pays natal, le Forez, au Vᵉ siècle après J.-C. Dans un royaume idéal protégé de la guerre, un peuple de bergers et de bergères, en qui il faut reconnaître une société aristocratique libérée des laideurs de la vie, mène une existence oisive et pure, entièrement consacrée à l'amour. Céladon et Astrée forment le couple principal. Chassé par Astrée à la suite d'un malentendu, Céladon se jette dans la rivière. Les «nymphes», c'est-à-dire les jeunes filles du pays, le sauvent, et l'une d'elles, Galatée, fille de la reine, tombe amoureuse de lui. Mais il aime toujours Astrée et finira par lui faire reconnaître la perfection de son amour après d'innombrables péripéties mêlées d'intrigues secondaires qui sont prétexte à établir toute une casuistique de l'amour.

*L'Astrée* a obtenu un immense succès et exercé une profonde influence morale et littéraire bien au-delà des salons précieux. C'est le code de l'amour courtois pour le XVIIᵉ siècle.

THÈMES
Utopie, 1. Amour, 1, c.
Femme, 1, a.

---

*Atala ou Les Amours de deux sauvages dans le désert* est une petite épopée chrétienne destinée d'abord à figurer dans *Le Génie du christianisme* comme illustration de la «poétique du christianisme». C'est une partie de «l'épopée de l'homme de la nature» que Chateaubriand avait eu dessein de bâtir sur la révolte des Indiens Natchez contre les Blancs, en Louisiane, en 1727.

Assurant qu'il n'est point «comme Rousseau un enthousiaste des Sauvages», il a écrit cet ouvrage dans le double souci d'illustrer la religion chrétienne et d'imiter Homère : «Peignons la nature, mais la belle nature.»

Un prologue évoque dans une langue somptueuse les rives du Meschacebé (le Mississippi), en Louisiane, où un jeune Français, René, arrive chez les Natchez

**Atala**
François-René de
CHATEAUBRIAND
1801

*Classiques Garnier
Folio*

et demande à être «reçu guerrier de cette nation». Un vieux sage aveugle, Chactas, qui a lui-même vécu avec les Blancs, lui conte sa jeunesse.

Retourné à la vie indienne après avoir été élevé par un Espagnol nommé Lopez, Chactas, tombé aux mains d'une tribu rivale, est sauvé de la mort par Atala, la fille du chef, avec qui il fuit dans les déserts. Ils vivent une touchante idylle. Mais Atala, qui est chrétienne (elle est en réalité la fille d'une Indienne et de Lopez lui-même), finit par s'empoisonner pour ne pas manquer à l'engagement de sa mère qui l'a vouée à la virginité. Un missionnaire, le père Aubry, lui révèle trop tard que la religion chrétienne permettait de la relever de son vœu et interdit le suicide. Viennent alors les funérailles d'Atala dont Chateaubriand a fait un tableau pathétique.

L'épilogue nous apprend la fin de Chactas qui est mort chrétien selon le souhait d'Atala.

Chateaubriand doit la naissance de sa renommée et son surnom d'Enchanteur à ce bref ouvrage.

## Athalie

Jean RACINE
1691

Bordas
Folio

Tragédie en cinq actes et en vers. C'est la dernière de Racine. Il l'a composée, comme *Esther,* pour les demoiselles du pensionnat de Saint-Cyr. Le sujet en est emprunté à la Bible.

A Jérusalem règne Athalie qui a tenté d'éteindre la race royale de David en faisant mourir tous les enfants d'Ochosias, son fils, et favorise le culte de Baal. Le grand prêtre hébreu Joad exprime sa foi dans le Dieu des Juifs, qui saura venger son peuple, et confie à Abner qu'il a sauvé du massacre un petit-fils d'Athalie, Joas, élevé dans le temple sous le nom d'Éliacin (acte I).

Athalie, qui a rêvé qu'un enfant juif l'assassinait, vient au temple des Juifs apaiser leur Dieu. Elle croit reconnaître son assassin dans le jeune Éliacin qu'elle interroge. Les réponses de celui-ci, inspirées par Dieu, troublent la terrible reine qui veut emmener l'enfant mais se heurte à un refus (acte II). Athalie fait réclamer Éliacin comme otage. Joad instruit Joas de sa naissance et de sa mission, et le proclame roi des Juifs devant les lévites (ministres du culte) assemblés tandis que la reine Athalie assiège le temple avec ses soldats (acte IV). Feignant de céder, Joad ouvre le temple à la reine pour lui dévoiler Joas sur son trône, entouré des lévites en armes. Abandonnée de tous, Athalie est exécutée sur l'ordre du grand prêtre (acte V).

*Athalie* est tenue pour l'une des tragédies de Racine les mieux conduites.

THÈMES
Dieu. Foi. Pouvoir.

---

Dans cette œuvre conquise sur les dépressions nerveuses qui le conduisirent plusieurs fois dans des maisons de santé, Nerval a retracé, comme il l'avait promis dans la préface des *Filles du feu,* sa «descente aux Enfers». Il a voulu prouver à ses amis qu'il avait recouvré la raison, mais surtout fixer un certain ordre de vérités, celles qui s'offrent, passées les portes du rêve, «ces portes d'ivoire et de corne qui nous séparent du monde invisible». Nerval emprunte cette expression à Virgile qui décrit ainsi les deux portes du songe : la première, de corne, étant réservée aux ombres réelles, la seconde, d'ivoire, aux fantômes illusoires (*Énéide,* VI, v. 893-896).

Les crises racontées sont dominées par la figure d'une femme aimée et perdue, désignée conventionnellement sous le nom d'Aurélia. Cette perte engendre l'idée d'une culpabilité sans pardon possible qui provoque «l'épanchement du songe dans la vie réelle» sous forme de visions interprétées comme autant de pas vers le mystère. La dernière est celle du mariage de son double avec Aurélia (fin de la première partie). La seconde partie est faite de l'analyse d'angoisses religieuses liées au besoin de croire qu'Aurélia existe toujours, malgré sa mort, et au désir de la retrouver.

Ce livre n'est pas seulement un document émouvant ; il est de ceux où les surréalistes, faisant à leur tour du songe un moyen de connaissance, ont cherché un précédent à leur aventure spirituelle au-delà des frontières de la raison.

**Aurélia**
Gérard de NERVAL
1855

*Folio*
*Le Livre de poche*

THÈMES
Réalité. Surnaturel.
Rêve. Amour, 1, e.
Femme, 1, a. Angoisse.
Mort. Souffrance, 2, a.
Faute. Rachat.

---

Comédie en cinq actes et en prose inspirée de *La Marmite* de Plaute (v. 195 av. J.-C.).

Molière a transporté l'action à son époque. Le personnage principal est un bourgeois avare, Harpagon,

**L'Avare**
MOLIÈRE
1668

*Bordas*
*Folio*
*Nouveaux classiques*
*illustrés Hachette*

qui tyrannise sa maison et contrarie les amours de ses enfants. Son fils Cléante aime Marianne ; sa fille Élise aime Valère qui s'est fait intendant pour l'approcher ; mais Harpagon a décidé de donner sa fille à Anselme qui la prend sans dot, de faire épouser à Cléante une riche veuve, et d'épouser lui-même Marianne auprès de qui Frosine, «femme d'intrigue», s'emploie à le servir. L'essentiel du comique tient au caractère d'Harpagon qui vit dans la hantise de la dépense et du vol, et pratique secrètement l'usure. Ainsi, Cléante, condamné à emprunter par la ladrerie paternelle, se trouve tout à coup avoir affaire à son père (II, 1-2). Un autre épisode très connu est la scène où Harpagon, obligé d'offrir un souper en l'honneur de Marianne, donne ses ordres à ses valets et à son cuisinier-cocher Maître Jacques, et où Valère vient, pour le flatter, renchérir sur ses principes d'économie (III, 1). L'imbroglio se dénoue lorsque La Flèche, valet de Cléante, dérobe la précieuse cassette d'Harpagon (IV, fin), et que Valère, accusé de vol par Maître Jacques, avoue sur un quiproquo son amour pour Élise et se révèle être le frère de Marianne et le fils d'Anselme. Ce dernier s'efface au profit de Valère tandis que Cléante obtient, contre restitution de la cassette, l'assentiment de son père à ses amours (V).

THÈMES
Mœurs. Passions.
Avarice. Argent, 1.
Vieillesse. Valet.

## Les Aventures de Télémaque

FÉNELON
1699

*Garnier-Flammarion*

Fénelon a écrit cette épopée didactique en prose vers 1695 pour le duc de Bourgogne, petit-fils de Louis XIV, dont il était le précepteur depuis 1689.

Afin de familiariser son élève avec le monde antique et la mythologie, il a imaginé de développer les voyages entrepris par Télémaque pour retrouver son père Ulysse après la guerre de Troie. Il a visé aussi à inculquer au jeune duc les principes moraux et politiques utiles à un futur roi : amour du genre humain, haine de la guerre, autorité sans despotisme, souci du bien public. Cet idéal est illustré par la réforme de la cité de Salente (Italie du Sud) sous la direction de Mentor, guide et précepteur de Télémaque, qui est en réalité Minerve, déesse de la sagesse : à Salente, les classes sociales demeurent cloisonnées, mais le luxe est banni, et l'on veille à la prospérité de tous, sans oublier les campagnes. Lorsque le texte fut divulgué en 1699 à la suite de l'indiscrétion d'un copiste, l'utopie de Salente fut considérée comme une satire indirecte du gouvernement de Louis XIV et contribua à la disgrâce de Fénelon.

On a fait, dans le passé, un large usage pédagogique de cette œuvre en raison de l'élégance de son style et de son idéalisme moral.

THÈMES
Grèce. Voyage.
Éducation, 2. Utopie.
Gouvernement, 1.

---

Cette comédie en quatre actes et en prose est la première des deux pièces auxquelles Beaumarchais et Figaro doivent leur notoriété.

L'action roule sur le thème classique du vieillard amoureux de sa pupille qui réussit à lui échapper (cf. *L'École des femmes\**). Un vieux médecin de Séville, le docteur Bartholo, prétend épouser une jeune fille noble dont il est le tuteur, Rosine. Elle lui sera enlevée par le comte Almaviva à qui le hasard fait retrouver, à point pour l'y aider, son ancien valet Figaro, maintenant barbier et apothicaire (I, 2). Pour s'introduire auprès de Rosine, le comte se déguise d'abord en officier (II, 13-14-15), puis en maître de musique (III, 2-3-4), et parvient enfin, à la faveur d'un quiproquo, à faire établir son contrat de mariage par le notaire que Bartholo avait appelé pour lui-même (IV, 7).

Dans sa préface, Beaumarchais s'est à juste titre vanté d'avoir créé des personnages plus vivants qu'il n'est d'usage dans la comédie d'intrigue. Le plus original est Figaro qui, par son caractère et son attitude, se distingue des valets de la tradition. Il a d'ailleurs exercé d'autres métiers, mieux en rapport avec sa valeur et ses connaissances, et désire sortir de la condition de valet pour obtenir sa juste place dans la société, puisqu'il a du talent, plus de talent que bien des nobles.

Après son retour dans *le Mariage de Figaro\**, il deviendra le symbole des revendications du peuple contre l'Ancien Régime.

**Le Barbier de Séville ou la Précaution inutile**
BEAUMARCHAIS
1775

*Folio*
*Nouveaux classiques illustrés Hachette*

THÈMES
Amour, 1, d.
Classes sociales.
Mérite.
Justice, 4.
Peuple, 1.
Valet.

---

Ce roman satirique peint l'ascension d'un arriviste dans le monde parisien du journalisme, de la politique et de l'argent vers 1880.

Georges Duroy est fils de cabaretiers normands. Ses parents l'ont envoyé au collège pour faire de lui un « monsieur ». Il a échoué au baccalauréat, s'est engagé

**Bel-Ami**
Guy
de MAUPASSANT
1885

*Folio*

en 1874 dans l'armée d'Afrique, l'a quittée, simple sous-officier, trois ans plus tard, et se retrouve à Paris, petit employé sans le sou, quêtant un signe de la fortune. Il rencontre sur les boulevards un ancien camarade, Charles Forestier, journaliste à *La Vie française,* qui lui propose de le faire entrer à la rédaction de son journal, feuille médiocre appartenant au financier juif Walter. Madeleine, la femme de son ami, lui rédige son premier article, qui plaît.

Cependant qu'il réussit assez vite dans les tâches subalternes du journalisme, Duroy, grâce à son physique avantageux, a du succès auprès des femmes. « C'est encore par elles qu'on arrive le plus vite », lui a prédit Forestier.

Le spectacle du luxe insolent de Paris avive en outre son appétit de plaisir et de puissance, et la pensée de la mort fouette sa hâte. Il fait aisément la conquête de Clotilde de Marelle, dont la fille lui donne le surnom de Bel-Ami. Quand son ami Forestier meurt de tuberculose, il épouse Madeleine, femme résolue et ambitieuse comme lui (elle le pousse à prendre le nom de du Roy de Cantel), et qui, en plus, a du talent et du sens politique. Il séduit aussi, presque malgré lui, Mme Walter qui l'aide auprès de son mari. Son cynisme grandit. Madeleine venant à recevoir du comte de Vaudrec, ami de longue date, un legs d'un million, il parvient à en capter la moitié. Puis, se rebellant contre la liaison de sa femme avec le politicien Laroche-Mathieu, qui lui a pourtant fait obtenir la Légion d'honneur « pour services exceptionnels », il fait constater l'adultère, obtient le divorce et épouse, après l'avoir enlevée, la fille cadette de son patron, dont il convoite la fortune et le journal. Au sortir de l'église de la Madeleine, il pose son regard sur la Chambre des députés.

A côté des ambitieux des périodes monarchiques peints par Stendhal et Balzac, Maupassant introduit celui des temps nouveaux de la République. Son pessimisme semble se nourrir des images qu'il retient de la vie sociale.

**THÈMES**
Arrivisme. Ambition.
Femme. Mœurs. Paris.

---

**Bérénice**
Jean RACINE
1670

Dans cette tragédie en cinq actes, Racine interprète, avec la liberté d'usage au théâtre, la séparation, en 79 après J.-C., de l'empereur Titus et de la reine de Palestine Bérénice, événement ainsi résumé par Suétone : «... *dimisit invitus invitam* » («Il la renvoya, malgré lui, malgré elle.» *Vie des douze Césars.*)

*Folio*

L'action se passe à Rome huit jours après la mort de l'empereur Vespasien. Son fils Titus, qui lui succède, va, pense-t-on, user de son pouvoir nouveau pour épouser la reine Bérénice dont il est épris depuis cinq ans. Toute la cour s'attend à ce mariage que Vespasien interdisait, et le roi de Comagène Antiochus, personnage introduit par Racine comme ami de Titus et amoureux secret et sans espoir de la reine, s'apprête à quitter Rome (I, 4), tandis que Bérénice sourit à son destin (I, 5).

Mais Titus prend conscience qu'il est maintenant dépositaire des traditions romaines qu'il dénonçait du vivant de son père : Rome ne peut avoir une reine pour impératrice. Il décide donc, malgré son chagrin, de renoncer à épouser Bérénice (II, 1). N'osant le lui annoncer lui-même (II, 4), il confie cette mission à Antiochus qui s'en acquitte à contrecœur (III, 3). Bérénice accable Titus de reproches et parle de se donner la mort (IV, 5). Antiochus, malgré les espérances que lui suggère son confident Arsace, travaille à rapprocher les amants désemparés. S'il n'y parvient pas, il leur permet tout au moins, par l'exemple de sa générosité, de surmonter l'épreuve. Bérénice formulera les termes du sacrifice héroïque dans lequel ils trouveront tous trois leur dépassement (V, 7).

Ce sacrifice de l'amour à la raison d'État a été ressenti en 1670 comme une allusion aux amours contrariées de Louis XIV et de Marie Mancini. Après avoir été ainsi goûtée pour son romanesque, la pièce est aujourd'hui louée pour la sobriété de son tragique tout intérieur.

THÈMES
Rome. Amour, 1, c. Femme, 1, a. Sacrifice. Générosité.

Dans cette brève pièce en un acte, Genet développe une action symbolique qui traduit la difficulté d'être soi. C'est son problème permanent. Enfant trouvé, placé à dix ans dans une maison de correction, resté prisonnier de ses premières années, il a tenté dans toute son œuvre littéraire de récupérer sa personnalité et de vaincre l'impossibilité d'une existence authentique — drame exemplaire comme le montre Sartre dans une importante étude intitulée *Saint Genet, comédien et martyr* (1952).

**Les Bonnes**
Jean GENET
1947

*Folio*

Pour incarner la difficulté d'être, Genet a choisi deux bonnes, Claire et sa sœur Solange, qui, pendant l'absence de leur patronne, incapables d'exister indépendamment de celle-ci, miment les rapports dans lesquels elles se sentent emprisonnées par elle. Claire tient le rôle de la patronne, Solange celui de Claire dans ses fonctions de bonne, et toutes leurs paroles expriment à la fois la haine et la fascination que leur inspire Madame. Mais ce psychodrame révèle aussi la rivalité qui oppose les bonnes entre elles, parce que Solange aime le garçon laitier, parce que Claire a écrit des lettres anonymes pour dénoncer Monsieur à la police. De l'insulte, Solange est sur le point de passer à la violence physique quand sonne un réveille-matin réglé sur le retour de Madame. Tout en s'employant à ranger, les bonnes continuent de s'affronter à titre personnel, et Claire accuse Solange d'avoir essayé de tuer Madame : « Ne nie pas. Je t'ai vue. [...] Quand nous accomplissons la cérémonie, je protège mon cou. C'est moi que tu vises à travers Madame... ». Au retour de leur patronne, la parodie précédente se trouve jouée au naturel : la nouvelle de la libération de Monsieur aidant, Claire, qui craint une enquête sur les lettres anonymes, tente de faire boire à Madame du tilleul additionné de gardénal, mais Madame s'échappe pour rejoindre Monsieur.

Alors le jeu initial reprend et Solange met si bien en scène l'assassinat de Madame que sa sœur l'oblige à lui faire boire le tilleul empoisonné.

Les rapports du jeu et de l'être, le pouvoir magique du théâtre trouvent ici une figuration provocante qui anticipe sur les recherches théâtrales contemporaines (cf. Beckett, Ionesco).

THÈMES
Moi. Réalité.

---

**Le Bourgeois gentilhomme**

MOLIÈRE
1670

*Folio*
*Nouveaux classiques*
*illustrés Hachette*

Comédie-ballet en trois actes et en prose, écrite « pour le divertissement du roi », en collaboration avec Lulli pour la musique. L'intrigue est bâtie sur le thème satirique du bourgeois enrichi qui veut jouer à « l'homme de qualité » et se ridiculise.

M. Jourdain, honteux d'être fils d'un marchand de drap, se donne des maîtres de danse, de musique, d'armes, de philosophie, qui l'exploitent (actes I et II), et tombe entre les mains d'un comte douteux, Dorante, et d'une prétendue marquise, Dorimène, qui lui emprutent son argent pour l'honorer (III, 4). Cléonte, qui aime sa fille Lucile, doit, pour être agréé, se faire passer, avec l'aide de son valet Covielle, pour le fils du Grand Turc (IV, 3-4) et élever son futur beau-père à la dignité de «mamamouchi» (4e intermède musical). Après des quiproquos occasionnés par le déguisement de Cléonte, le contrat de mariage est signé à l'acte V sans que M. Jourdain soit détrompé.

Ce divertissement bouffon vaut par sa verve et quelques bons traits de satire.

THÈMES
Bourgeois, 2.
Classes sociales.
Préjugés. Valet.

**Bouvard
et Pécuchet**
Gustave FLAUBERT
1881 (posthume)

*Folio*

En 1872, Flaubert écrit : «Je médite une chose où j'exhalerai ma colère [...]. Je vomirai sur mes contemporains le dégoût qu'ils m'inspirent.» Cette «chose» est *Bouvard et Pécuchet,* sorte de roman philosophique d'un comique grinçant.

Deux employés parisiens vieillissants, qui se sont rencontrés par hasard, se prennent de sympathie l'un pour l'autre. Un héritage étant échu à Bouvard, ils s'installent dans une propriété normande pour vivre à leur guise. Avec un enthousiasme naïf, toujours intact malgré leurs échecs constants, ils étudient et tentent de mettre en pratique sur leur domaine et dans leur village toutes les techniques, toutes les sciences, tous les systèmes. Le récit s'interrompt avant le terme prévu par Flaubert : Bouvard et Pécuchet, dégoûtés de tout — «Tout leur a craqué dans les mains» —, devaient reprendre leur activité de copistes.

La signification de l'œuvre a été parfaitement dégagée par Maupassant : «C'est une revue de toutes les sciences, telles qu'elles apparaissent à deux esprits assez lucides, médiocres et simples. C'est [...] surtout une prodigieuse critique de tous les systèmes scientifiques opposés les uns aux autres, se détruisant les uns les autres [...]. C'est l'histoire de la faiblesse de l'intelligence humaine, [...] de l'éternelle et universelle bêtise.»

THÈMES
Homme, 4.
Sciences. Mœurs.

**Britannicus**
Jean RACINE
1669

Pour cette tragédie en cinq actes à sujet romain, Racine a choisi, à la fin de la dynastie julio-claudienne, le moment où le jeune empereur Néron, parvenu au pouvoir en 54 après J.-C., s'engage dans la voie du

*Folio*
*Nouveaux classiques
illustrés Hachette*

crime où sa mère, la terrible Agrippine, l'a d'ailleurs précédé en faisant périr l'empereur Claude, son époux.

La pièce porte le nom d'une victime, Britannicus, fils de Claude et demi-frère de Néron, qu'Agrippine a écarté du trône et que Néron va faire empoisonner. Cependant, le vrai sujet est le conflit entre une mère ambitieuse et possessive et un fils qui veut conquérir sa liberté (I, 1). Pour braver sa mère, Néron a fait enlever Junie, la fiancée de Britannicus, et maintenant, par caprice d'esthète, il voudrait la séduire ; pourtant il redoute les réactions d'Agrippine malgré les encouragements de l'affranchi Narcisse, gouverneur de Britannicus (II, 2). Sommée d'éloigner son fiancé (II, 3), Junie lutte avec dignité pour le sauver de la jalousie de Néron (II, 6), mais Britannicus, par son aveugle maladresse (III, 7), en déchaîne la colère (III, 8). Devant les reproches d'Agrippine qui protège désormais Britannicus et Junie pour sauver son autorité, Néron semble plier (IV, 2) ; en réalité, il songe déjà à assassiner son rival. Burrhus, son ancien gouverneur, réussit momentanément à l'en détourner (IV, 3), tandis que Narcisse, son mauvais génie, l'entraîne dans le crime (IV, 4). Au moment où Agrippine se réjouit de sa victoire, on verse du poison à Britannicus (V, 3-4). Agrippine prévoit le jour où son fils s'en prendra à elle-même (V, 6).

THÈMES
Passions, 1. Pouvoir, 1.
Femme, 1, d.
Amour, 1, a et c.

Tout en peignant avec force une période dramatique de l'histoire romaine, Racine explore les régions obscures du cœur humain.

## Caligula

Albert CAMUS
1944

*Folio*

Cette pièce en quatre actes, écrite en 1938, fut publiée seulement en 1944 et créée en 1945.

L'empereur romain Caligula, qui a régné de 37 à 41, s'est distingué devant l'histoire par sa folie. Camus en a pris les traits chez Suétone *(Vie des douze Césars)*, mais pour les organiser, écrit-il, en une « tragédie de l'intelligence » (Préface, éd. américaine de son théâtre), en choisissant d'expliquer la conduite de Caligula par la révolte contre la condition humaine.

A l'acte I, à la suite de la mort de sa sœur et maîtresse Drusilla, Caligula prend conscience que « le monde tel qu'il est n'est pas supportable ». Par révolte, il va défier l'ordre romain et toutes les valeurs sur lesquelles il repose. En face de sa vieille maîtresse Caesonia, qui l'aime mais ne le comprend pas, du jeune Scipion scandalisé, de l'honnête Cherea qui veut «plaider pour ce monde», il affirme sa liberté totale et se propose de l'enseigner à Rome. Cette «pédagogie» est annoncée comme «une grande épreuve» qui se développe aux actes suivants.

Caligula bafoue les hiérarchies sociales et fait périr arbitrairement les patriciens, assurant «qu'il n'est pas nécessaire d'avoir fait quelque chose pour mourir» (II, 5), ferme les magasins publics («Demain il y aura famine», II, 9), entretient la débauche (II, 10), se fait adorer sous les traits de Vénus (III, 1-2). Il dévoile enfin son intention : ouvrir les yeux aux hommes sur l'absurdité des dieux et du destin : «J'ai pris le visage bête et incompréhensible des dieux.» Contre ce désespoir, Scipion invoque la valeur de l'homme. Mais Caligula oppose la même incrédulité aux hommes qu'aux dieux, affectant d'espérer inutilement qu'on l'assassine.

Cependant son entourage y songe : les patriciens blessés dans leur amour-propre et aussi Cherea qui, quoiqu'il le comprenne mieux que tout autre, «ne (veut) pas entrer dans sa logique» et désire «vivre et être heureux» (III, 6). Averti, Caligula le laisse libre et continue son œuvre de destruction. Il fait le vide autour de lui, ridiculise les poètes, chasse Scipion qui s'est pourtant peu à peu converti à son désespoir, puis entreprend d'en finir avec sa «tendresse honteuse» pour Caesonia (IV, 13). Mais c'est pour avouer son échec peu avant de tomber sous les coups des conjurés : «Je n'ai pas pris la voie qu'il fallait, je n'ai abouti à rien. Ma liberté n'est pas la bonne.» (IV, 14).

Cette pièce nous conduit au centre de la pensée de Camus qui a commenté ainsi l'aveu de Caligula : «Si sa vérité est de se révolter contre le destin, son erreur est de nier les hommes.» Dans *La Peste*⋆ on trouvera l'expression positive de l'humanisme de Camus.

THÈMES
Absurde. Bonheur, 6.
Mort, 2, b. Destin, 2.
Dieux. Souffrance, 2, b.
Révolte, 1. Liberté, 1, b.
Mal, 1 et 2.
Homme, 5, c.
Humanisme, 2.

Apollinaire a réuni dans ce recueil des œuvres écrites de 1912 à 1917. Le titre désigne à l'attention les plus insolites d'entre ces poèmes, ceux où la disposition typographique du texte est proposée comme un élément de la poésie, soit qu'elle imite le montage d'une affiche ou d'un prospectus *(Lettre Océan)*, soit qu'elle dessine des objets ou des formes symboliques

**Calligrammes**
Guillaume
APOLLINAIRE
1918

*Poésie/Gallimard*

(voiture, botte, cœur, colombe poignardée, jet d'eau), ou propose un graphisme plus abstrait *(Loin du pigeonnier)*. Les recherches typographiques étaient alors à la mode (cf. Mallarmé, *Poésies★*, *Un coup de dés...* ; Cendrars, *La Prose du Transsibérien★*) ; bien qu'Apollinaire ait affecté d'attacher beaucoup d'importance à ses « idéogrammes lyriques », grande est la part du jeu et de l'humour.

Dans sa première section, *Ondes,* ce recueil contient aussi des poèmes composés dans l'esprit moderniste de *Zone (Alcools★),* « poèmes-conversations » comme *Les Fenêtres, Lundi rue Christine,* ou bavardages lyriques à propos des spectacles de la rue parisienne comme *Le Musicien de Saint-Merry, Un fantôme de nuées.* Les sections suivantes correspondent aux années de guerre. Chez l'artilleur Apollinaire, engagé volontaire, la gaieté de convention, les pensées envolées vers de nouvelles amours — Lou, Madeleine —, la contemplation des involontaires beautés de la guerre alternent et se mêlent, comme en témoignent *Fête, Les Saisons, Dans l'abri-caverne, Fusée, Merveille de la guerre.*

Dans la pièce finale, *La Jolie Rousse,* le poète dresse un ironique bilan de sa vie, sollicite l'indulgence pour ses tentatives poétiques et explique ses ambitions : « Nous ne sommes pas vos ennemis / Nous voulons vous donner de vastes et d'étranges domaines / Où le mystère en fleurs s'offre à qui veut le cueillir. » Il devait mourir de la grippe espagnole quelques mois plus tard.

THÈMES
Poète, 1, e.
Vie moderne.
Amour, 1, f.
Guerre, 2, b. Beau.

---

**Candide**

VOLTAIRE
1759

*Folio*
*Nouveaux classiques*
*illustrés Hachette*

*Candide,* le plus brillant des contes de Voltaire, semble marquer un progrès du pessimisme chez l'auteur des *Lettres philosophiques★* et de *Zadig★*, qui, de plus en plus déçu par le spectacle du monde, attaque l'optimisme du philosophe allemand Leibniz.

Le héros est un jeune garçon qui, méritant son nom, croit que tout va pour le mieux dans le meilleur des mondes possibles, puisque le précepteur Pangloss le professe dans le château du baron de Thunder-ten-tronckh chez qui il est élevé. Voltaire s'amuse à le promener à travers le monde pour le détromper.

Chassé du plus beau des châteaux possibles pour avoir voulu embrasser M$^{lle}$ Cunégonde, la fille du baron, Candide est enrôlé de force dans l'armée du roi des Bulgares, participe à la «boucherie héroïque» d'une bataille, s'enfuit en Hollande, y découvre Pangloss malade et réduit à la mendicité, qui lui apprend le massacre de la famille du baron, passe avec lui au Portugal, manque de périr dans une tempête, puis dans un tremblement de terre (celui qui détruisit Lisbonne en 1755), pour être enfin fessé par l'Inquisition tandis que Pangloss doit être pendu. Mais il retrouve Cunégonde que la Fortune, après bien des tribulations, contraint à partager ses charmes entre un banquier juif et le Grand Inquisiteur. Candide tue ces dangereux rivaux, s'embarque pour l'Amérique et s'y voit à nouveau séparé de Cunégonde. Au Paraguay, il rencontre le frère de celle-ci parmi les jésuites, se bat avec lui et croit l'avoir tué : il doit fuir encore. Le hasard le conduit au pays d'Eldorado, utopique paradis égalitaire où l'or et les pierreries abondent et sont méprisés. Il l'admire, mais le quitte pour être riche en notre monde avec les cailloux qu'il emporte. Sorti d'Eldorado, il est de nouveau le témoin ou la victime des maux propres au monde réel : esclavage, vol, piraterie. Dépouillé de sa fortune, cherchant une consolation dans la compagnie d'un vieux savant nommé Martin, qui a connu tous les malheurs et avec qui il peut raisonner sur le bien, le mal et la Providence, il rentre en Europe dans l'espoir de retrouver Cunégonde à Venise. Après un cuisant séjour à Paris, c'est à Constantinople qu'il finit par la rejoindre et que le sort lui permet de s'établir, avec tous les héros de cette épopée picaresque, grâce aux derniers diamants qui lui restent d'Eldorado.

Pangloss, qui a survécu à sa pendaison, raisonne toujours en bon disciple de Leibniz, mais Candide, revenu de ses illusions, a trouvé le secret de la sagesse dans l'exemple d'un bon vieillard turc qui, sans se soucier du monde, vit heureux sur son petit domaine qu'il cultive avec ses enfants : «[...] il faut cultiver notre jardin», décide-t-il, et ses compagnons découvrent avec lui la valeur du travail. La devise qui termine le conte peut sembler égoïste ; en réalité elle engage à l'action dans le domaine du possible.

THÈMES
Mal, 2. Providence.
Souffrance, 2, b.
Destin, 1.
Société, 2. Préjugés.
Classes sociales.
Noblesse.
Religion. Clergé.
Fanatisme.
Guerre, 2, a. Argent.
Esclavage. Corruption.
Paris.
Utopie. Bonheur, 4, a.
Action. Travail.

C'est par cette farce en un acte d'un burlesque provocant qu'Ionesco a débuté au théâtre. Pas d'intrigue, pas de cantatrice chauve : une «antipièce», dont les surréalistes Benjamin Péret et André Breton ont pu

**La Cantatrice chauve**
Eugène IONESCO
1950

dire : «Voilà ce que nous avons voulu faire il y a trente ans.»

Entre des petits-bourgeois anglais, M. et M<sup>me</sup> Smith, bientôt rejoints par M. et M<sup>me</sup> Martin, puis par un capitaine de pompiers, se déroulent les simulacres d'une conversation de tous les jours à laquelle se mêle aussi la bonne. Lieux communs, niaiseries, trivialités, exclamations : on parle parce qu'il faut parler, on se grise de remplir ainsi les rites de la vie sociale, et chacun est parfaitement satisfait de soi.

Eugène Ionesco a truffé les dialogues de coq-à-l'âne, de contradictions, de non-sens. Un de ses procédés consiste à entremêler des répliques de plusieurs conversations possibles sur un thème donné (scène 1). Le jeu peut sembler gratuit, comme la cérémonie de reconnaissance entre M. et M<sup>me</sup> Smith, ponctuée d'un célèbre «Comme c'est curieux! Comme c'est bizarre! Et quelle coïncidence!», mais ces gags révèlent l'absurdité même de l'existence.

**THÈME**
Absurde.

**Capitale
de la Douleur**
Paul ÉLUARD
1926

*Poésie/Gallimard*

Ce recueil poétique fut ressenti comme l'heureuse expression des ambitions surréalistes.

La première section, *Répétitions,* publiée dès 1922, est ainsi présentée par Éluard : «Il s'agissait de recueillir tous les déchets de mes poèmes à sujets, limités et forcément arides, toutes les parties douces comme des copeaux qui m'amusent et me changent un peu.» Éluard livre le lecteur au hasard des mots et des images, faisant dire à la Parole : «J'ai la beauté facile et c'est heureux.»

Dans la deuxième, *Mourir de ne pas mourir* (1924), un chant plus continu s'élève, traduisant la ferveur du poète devant le monde et devant l'amour *(Au cœur de mon amour, L'Amoureuse).* L'invention garde parfois un air classique : «L'eau se frottant les mains aiguise des couteaux. / Les guerriers ont trouvé leurs armes dans les flots / Et le bruit de leurs coups est semblable à celui / Des rochers défonçant dans la nuit les bateaux.» *(Le Sourd et l'Aveugle.)*

La troisième, *Les Petits Justes,* est faite d'esquisses (six vers au plus) qui ont un air d'énigmes.

La section la plus copieuse, *Nouveaux Poèmes,* rassemble des vers et des pages de prose où la disponibilité du poète à l'égard des images, des couleurs, des formes et des mots donne une allure de délire à la quête de la beauté, du rêve et de l'amour. Beaucoup sont dédiés à des peintres — Picasso, André Masson, Max Ernst, Paul Klee — qui pratiquaient une invention de même esprit. Une structure quasiment classique vient aussi souvent discipliner l'élan lyrique *(Les Gertrude Hoffmann girls, Leurs Yeux toujours purs, La Courbe de tes yeux)*.

Pour Éluard, l'important est d'enseigner une attitude plutôt que d'imposer une œuvre.

THÈMES
Poésie. Amour. Beauté.

---

Paul de Musset a défini ces deux actes en prose comme «de la quintessence d'esprit et de fantaisie semée dans un sujet passionné». L'amour en fournit le thème, et Naples le lieu imaginaire, au début du XIXᵉ siècle.

Un jeune aristocrate, Célio, s'est pris d'un amour «triste et immobile» pour Marianne, la femme du vieux podestat Claudio, «une mince poupée qui ne fait rien qu'à sa guise», selon son ami Octave. Ce joyeux libertin se trouve être le cousin de Claudio et promet à Célio de le servir auprès de sa belle (I, 4). Il le fait avec audace (I, 5), mais Marianne dénonce cette intervention à son mari (I, 9).

Octave n'abandonne pas la partie et annonce par ruse à Marianne que le cœur de Célio est désormais à une autre : elle ne réagit que par du persiflage (II, 4). Bientôt cependant, piquée des soupçons de son mari, elle demande à Octave de lui procurer un chevalier servant et lui donne même un ruban (II, 11). Octave le remet à Célio qui se présente sous le balcon de Marianne, pour découvrir que celle-ci attendait Octave et tomber sous les coups des spadassins apostés par le mari (II, 15). Octave se détourne violemment de Marianne (II, 20).

Sur ce canevas de comédie d'intrigue, Alfred de Musset a livré beaucoup de lui-même dans les caractères contrastés d'Octave et de Célio. Ce lyrisme fait la richesse et le charme de cette pièce qui, jouée pour la première fois en 1851, est, depuis, toujours restée au répertoire classique.

## Les Caprices de Marianne

Alfred de MUSSET
1833

*Bordas*
*Classiques Larousse*

THÈMES
Jeunesse. Amour, 1, e.
Femmes, 1, c. Pureté.
Libertin.

## Les Caractères

Jean
de LA BRUYÈRE
1688-1694

*Classiques Garnier*
*Folio*
*Garnier Flammarion*
*Le Livre de poche*

C'est à la suite des *Caractères de Théophraste*, traduits du grec (IVe siècle av. J.-C.) que La Bruyère a modestement présenté *Les Caractères ou les Mœurs de ce siècle*. Mais l'imitateur éclipse son modèle, d'autant que d'édition en édition (on en compte huit de 1688 à 1694), il a considérablement enrichi son ouvrage.

Celui-ci est composé de seize chapitres où se mêlent réflexions, maximes et portraits. Si l'on en croit La Bruyère (*Discours à l'Académie française*, 1693), les quinze premiers découvrent « le faux et le ridicule qui se rencontrent dans les objets des passions et des attachements humains », pour ruiner tous les obstacles à la connaissance de Dieu, et préparent le seizième « où l'athéisme est attaqué et peut-être confondu ». Ce grand dessein a moins d'originalité et d'intérêt que la peinture de la société française méthodiquement conduite (V. *De la société et de la conversation*, VI. *Des biens de fortune*, VII. *De la ville*, VIII. *De la cour*, IX. *Des grands*, etc.).

Attaché à « peindre l'homme en général » (Préface), persuadé de la permanence de la nature humaine, La Bruyère est fidèle à la tradition des moralistes classiques (Montaigne, Pascal, La Rochefoucauld). Mais il a aussi le goût du concret et le sens du trait pittoresque, et il s'apparente par là à la tradition réaliste et satirique à laquelle appartiennent des écrivains comme Régnier, Scarron, Molière et La Fontaine.

Sur la portée critique des *Caractères*, les avis sont partagés. A côté d'un éloge conventionnel de Louis le Grand, La Bruyère examine les rapports du souverain et de ses sujets et dénonce la guerre (X. *Du souverain ou De la république*). Aux privilèges de la naissance et de la fortune, il oppose les droits du mérite et les exigences de la justice. Aussi certains veulent-ils voir dans son attitude l'annonce du siècle des Philosophes, tandis que d'autres se déclarent déçus par la timidité d'un homme qui ne met pas fondamentalement en cause les principes de la société de son temps et se cantonne dans un rôle d'observateur amer.

THÈMES
Homme, 2. Mœurs.
Classes sociales. Cour.
Noblesse. Bourgeoisie.
Peuple. Paysans.
Honnête homme.
Argent, 2, a. Mérite.
Justice, 4.
Guerre, 2,
a. Monarchie.
Religion,
1. Libertin.

Le style de La Bruyère, concis et spirituel, a toujours été universellement loué et imité, particulièrement au XVIIIe siècle, par les écrivains qui, d'ailleurs, dans leur pensée critique, sont allés plus loin que lui (cf. Montesquieu, Voltaire).

Dans cette pièce en trois actes et en prose, Montherlant reprend un thème fréquent dans son œuvre (cf. *La Reine morte\**, *Le Maître de Santiago\**), celui du conflit entre le goût du pouvoir et l'aspiration au dépouillement, entre le sens du service et le sentiment du néant.

Le héros est le cardinal Cisnéros, devenu régent d'Espagne pendant l'enfance du futur Charles Quint, du fait de l'incapacité de la reine Jeanne la Folle, veuve du roi Ferdinand.

Au premier acte, en 1517, le cardinal s'apprête à remettre l'Espagne au jeune roi Charles. Il apparaît dans toute son autorité, persuadé, à quatre-vingt-deux ans, qu'il sert Dieu en servant l'État, indifférent aux haines que suscite son despotisme, particulièrement dur avec son petit-neveu Cardona, capitaine de sa garde, qui désire se retirer de la cour, et cabré quand celui-ci lui reproche d'avoir, à son âge, un tel goût du pouvoir : « A quoi bon étreindre d'une main si ferme, puisque la main d'un moment à l'autre va s'ouvrir ? » (I, 7). Il est encore, selon la comparaison de l'auteur, *levantado*, « la tête levée », comme le taureau dans le premier tiers de la corrida.

Au deuxième acte, Cisnéros est *parado*, « arrêté », par la reine Jeanne lorsqu'il vient la préparer à recevoir son fils. La reine, qui vit cloîtrée depuis son veuvage, anéantit l'assurance du cardinal et lui révèle qu'il a perdu son âme pour une cause vaine (II, 3).

Au troisième acte, on le retrouve *aplomado*, « alourdi ». Il se déclare lui-même « transpercé » : « La reine m'a mis devant ma part la plus profonde, celle que je n'ose regarder... » Cet examen détruit ses forces, et le conduit à un malaise que ses ennemis prennent pour l'approche de la mort (III, 2-3). Le cardinal se domine pourtant et reprend son rôle de maître, car il veut « vivre pour rencontrer le roi » avant de mourir. Arrive alors une lettre du roi qui lui signifie sa disgrâce. Il tombe foudroyé, en présence de Cardona, qui juge qu'« il était bien comme les autres », et d'un courtisan qui conclut sur la vanité de tout : « Un jour on ne le jugera même plus ».

On considère généralement que cette pièce, par sa forme dépouillée, constitue un modèle de tragédie moderne.

## Le Cardinal d'Espagne

Henry
de MONTHERLANT
1960

*Folio*

THÈMES
Espagne.
Christianisme, 2.
Action. Pouvoir.
Néant. Faute. Pureté.

## Le Carrosse du Saint-Sacrement

Prosper MÉRIMÉE
1829

*Garnier-Flammarion
(Théâtre
de Clara Gazul)*

« Saynète » en un acte publiée dans *La Revue de Paris* en 1829, puis incorporée en 1830 à la réédition du *Théâtre de Clara Gazul,* titre sous lequel Mérimée a réuni dès 1825 un certain nombre de pièces de théâtre qu'il attribue par jeu à une prétendue comédienne espagnole.

L'action, qui se passe à Lima (Pérou) au XVIIIᵉ siècle, est inspirée d'une anecdote donnée pour authentique.

Le vice-roi Don Andrès de Ribera est cloué dans son palais par la goutte le jour où il comptait éblouir la ville en se montrant dans un nouveau carrosse. Il est aussi fort tourmenté par la jalousie à propos de sa maîtresse, la comédienne Camila Perichole, et son secrétaire intime Martinez s'emploie à aviver ses soupçons. La Perichole survient au point culminant de sa colère pour lui demander son carrosse dans lequel elle prétend défier les marquises qui l'insultent. Elle manœuvre si bien qu'elle l'obtient et va immédiatement parader à la porte de la cathédrale. Le vice-roi cherche de son mieux à étouffer le scandale quand elle reparaît triomphante, en compagnie de l'évêque très empressé auprès d'elle, car elle vient de lui faire don du carrosse pour porter le Saint-Sacrement aux malades.

Cette amusante comédie de caractères et de mœurs a choqué lors de sa première représentation en 1850 ; depuis elle a été souvent jouée avec succès.

THÈMES
Femme, 1, c. Jalousie.
Mœurs.

## Les Caves du Vatican

André GIDE
1914

*Folio*

Gide a qualifié ce récit de « sotie » par allusion aux pièces burlesques de ce nom qui étaient jouées au Moyen Age à la fête des Fous. Effectivement, tout y est bouffon : le choix des personnages, la conduite de l'action, l'invention des événements.

A Rome, Anthime-Armand Dubois, pseudo-savant franc-maçon, se convertit brusquement au catholicisme à la suite d'un prétendu miracle (livre I). A Paris, son beau-frère Julius de Baraglioul, romancier bien pensant qui brigue l'Académie, est chargé par son père, le vieux comte Juste-Agénor de Baraglioul, de retrouver un certain Lafcadio Wluiki, son fils naturel qu'il désire instituer son héritier (livre II). A Pau, un faux chanoine escroque une comtesse au nom de la délivrance du pape qu'il prétend prisonnier dans les caves du Vatican. Apprenant ce secret, Amédée Fleurissoire, beau-

frère de Julius et d'Anthime, abandonne sa fabrique
d'objets de piété pour aller à Rome «reconnaître ce qui
en est» (livre III). L'action devient bientôt inextricable.
A Rome, Fleurissoire est pris en charge par l'escroc de
Pau, qui entretient et exploite le zèle de ce nouveau
croisé (livre IV). Il rencontre aussi Julius qui s'interroge sur l'impunité dont jouirait un criminel agissant
gratuitement, sans motif. Or, peu après, entre Rome et
Naples, Lafcadio jette un inconnu par la portière d'un
train pour affirmer sa liberté dans un acte gratuit,
et l'inconnu est Fleurissoire. Retrouvant à Rome son
demi-frère Julius, Lafcadio l'entend exposer la théorie
de son geste. Puis son ex-ami Protos, l'escroc de Pau,
lui signifie qu'il est à sa merci : le crime de Lafcadio n'était pas parfait ; Protos a des preuves. Cependant c'est Protos qui est arrêté sur dénonciation de sa
maîtresse Carola qui le croit coupable. Lafcadio avoue
son rôle à Julius qui le pousse à se confesser à un
prêtre, et peut-être se livrerait-il à la police si Gene-
viève, la fille de Julius, ne venait le retenir en s'offrant
à lui (livre V).

Ce jeu constamment parodique porte sur des thèmes chers à l'auteur : les préjugés, les contraintes de la
morale, l'exercice de la liberté.

THÈMES
Préjugés, 1. Liberté, 1.
Immoralisme.

---

*Histoire de la grandeur et de la décadence de C. B.,*
*marchand parfumeur, adjoint au maire du deuxième*
*arrondissement de Paris, chevalier de la Légion d'hon-*
*neur,* etc. Sous ce titre héroï-comique, ce roman constitue, dans la *Comédie humaine\*,* une intéressante peinture de la bourgeoisie commerçante parisienne sous
la Restauration.

**César Birotteau**

Honoré de BALZAC
1837

*Le Livre de poche*

Le parfumeur César Birotteau a gagné de l'argent en
transformant son commerce familial en une entreprise
industrielle dont les ventes sont fondées sur la publicité. Il se lance alors dans la spéculation immobilière,
selon des procédés non pas malhonnêtes mais péril-
leux, et la fuite d'un notaire véreux, M<sup>e</sup> Roguin, va le
condamner à la faillite le 16 janvier 1820. Balzac ne
ménage pas les ridicules de ce bourgeois parvenu :
dans son ascension, Birotteau devient adjoint au maire
de son arrondissement et chevalier de la Légion d'honneur ; malgré sa femme, il transforme sa maison, pour
avoir un salon et donner un bal conformément à sa

nouvelle position sociale, et veut marier sa fille Césarine à un notaire parisien. Mais Balzac prête aussi à son héros une dignité exemplaire dans le malheur : bien que le concordat de la faillite l'en dispense, Birotteau rembourse tous ses créanciers et, l'idéalisation de ce « martyr de la probité commerciale » étant aussi poussée que l'était la caricature de ses travers, il meurt d'émotion le jour de sa réhabilitation par les tribunaux.

Ainsi Balzac mêle-t-il la satire et l'exaltation des vertus bourgeoises, donnant en tout cas un tableau fidèle de l'évolution économique et sociale au début du XIX$^e$ siècle.

THÈMES
Paris. Bourgeoisie.
Argent, 2. Ambition.

## La Chanson de Roland

début du XII$^e$ siècle

*10/18*
*Classiques Larousse*
*Folio*

Cette « chanson de geste », la plus ancienne et la plus connue de la littérature française, chante en quatre mille deux octosyllabes et deux cent quatre-vingt-onze « laisses » (strophes de longueurs inégales) la « geste », c'est-à-dire les exploits, de Roland, neveu de Charlemagne, face aux Infidèles.

On discute encore de la genèse de ce poème épique d'auteur inconnu (Turold?) qui transforme en croisade contre les Sarrasins une expédition du jeune roi Charlemagne outre-Pyrénées, au cours de laquelle son arrière-garde fut massacrée par des montagnards basques chrétiens (778). Le comte de Bretagne, Roland, qui figurait parmi les victimes devient, dans le poème, le neveu de « l'empereur à la barbe fleurie » et le héros d'une lutte épique contre les Sarrasins.

Devant la menace d'invasion, Marsile, le roi musulman de Saragosse, a offert de se convertir. Pour mener les négociations, Roland propose d'envoyer son beau-père Ganelon dans le dessein de l'honorer ; mais Ganelon ne voit que le danger de cette ambassade et, pour se venger de Roland, s'engage dans la trahison : sur ses conseils, Marsile attaque l'arrière-garde de l'armée chrétienne où se trouvent Roland et son ami Olivier. Roland, par point d'honneur, refuse d'abord de sonner du cor pour rappeler Charlemagne. Quand il s'y résigne après un combat gigantesque, il a trop attendu. Il est bientôt seul face aux païens qui n'osent l'approcher, bien qu'il soit blessé à mort. Après avoir tenté de briser son épée, il s'étend sous un pin pour mourir, songeant à Charlemagne, « son seigneur qui l'a nourri » et « demandant à Dieu merci ». Il n'a pas une pensée pour la belle Aude, sa fiancée, qui pourtant mourra de chagrin. Charlemagne le venge en écrasant les Sarrasins, et Ganelon est écartelé après un « duel judiciaire » dans lequel le champion de Roland l'a emporté sur celui du traître, rendant ainsi manifeste le jugement de Dieu.

*La Chanson de Roland* est à étudier comme l'expression la plus accomplie des valeurs morales du monde féodal (culte de l'honneur et piété) auxquelles le merveilleux épique donne ici tout leur éclat.

THÈMES
Honneur, 1. Foi, 1.
Guerre, 1. Héroïsme, 1.
Chevalerie.

---

## Les Chants de Maldoror

LAUTRÉAMONT
1869

*Poésie/Gallimard*

Ces « chants » en prose sont la proclamation agressive et hyperbolique d'une révolte absolue : « Ma poésie ne consistera qu'à attaquer, par tous les moyens, l'homme, cette bête, et le Créateur, qui n'aurait pas dû engendrer une pareille vermine. » Blasphèmes et injures à l'adresse de Dieu et de l'homme s'accompagnent de la célébration non dépourvue d'humour de tout ce qui est hors de la mesure humaine, en particulier des formes étranges, violentes et cruelles de la vie animale : le crabe, l'araignée, le pou, le poulpe, l'aigle, le requin occupent une place de choix dans un bestiaire de cent quatre-vingt-cinq animaux décrits avec une complaisance provocante pour le fantastique et le monstrueux.

Ces longs délires calculés, où se mêlent la grandiloquence et la crudité, comportent une forte part de rhétorique qui rappelle les exercices du romantisme satanique : « Naturellement, j'ai un peu exagéré le diapason pour faire du nouveau dans le sens de cette littérature sublime [...] » *(Lettre)*. Mais ils offrent aussi une richesse et une puissance dans l'invention verbale qui en font un phénomène littéraire hors série. Passés inaperçus au moment de leur publication, ils ont été célébrés par les surréalistes comme une œuvre maîtresse de la poésie visionnaire (*Manifestes du surréalisme**).

THÈMES
Poète, 1, e. Révolte, 1.
Homme. Bêtes, 6.
Satanisme.
Fantastique. Imaginaire.

---

## Charmes

Paul VALÉRY
1922

Après une longue abstention, que *Monsieur Teste** contribue à éclairer, Valéry se laisse persuader en 1912 de revenir à la poésie pour réunir ses vers de jeunesse (cf. *Album de vers anciens**). C'est alors aussi qu'il compose les plus riches de ses poèmes : *La Jeune Parque**

*Classiques Larousse*
*Poésie/Gallimard*

et ceux qu'il a regroupés en 1922 sous le titre de *Charmes* (du mot latin *carmina,* c'est-à-dire *poèmes*).

Ces poèmes traduisent, souvent avec humour, les préoccupations de ses années de silence poétique : exaltation de l'intelligence, effort vers la conscience absolue, antagonisme de la pensée — de l'« âme », comme dit Valéry — et du corps, de la pensée et du monde. Tantôt cette expérience s'exprime directement en des pièces où le poète se met en scène *(Aurore, Les Pas, Le Cimetière marin, Palme);* tantôt elle est formulée sous le masque de mythes ancien repris et aménagés *(Narcisse, La Pythie, Ébauche d'un Serpent)* ou de symboles nouveaux *(Au Platane, Le Rameur).*

Le thème de l'exaltation de l'intelligence est posé dès le premier poème, *Aurore.* Pour Valéry, ce n'est pas le réveil du monde et de la nature, mais celui des mécanismes de l'esprit :

> « Je fais des pas admirables
> Dans les pas de ma raison. »

Narcisse ne se détourne pas des nymphes seulement par amour de sa propre beauté, mais parce qu'il est curieux de son essence : « L'âme croit respirer l'âme toute prochaine... ». La pythie lutte contre l'inspiration étrangère qui monte en elle et loue l'emploi lucide du langage. C'est toute la conception valéryenne de la poésie qui méprise l'inspiration au profit du travail conscient. La conquête d'Ève par le Serpent représente l'intrusion de la pensée dans « l'âme encore stupide »; mais les résultats ne sont pas ceux qu'escomptait le Serpent dans sa révolte malfaisante contre le Créateur : il se flattait de recueillir « des fruits de mort / De désespoir et de désordre »; or la croissance de l'arbre de la science exprime la force inattendue de la créature.

Le thème de la puissance de la nature est aussi partout présent. Narcisse se grise des charmes de la fontaine dans le soir. Le Serpent chante en réalité les beautés du monde qu'il raille. Le rameur tire en vain sur ses avirons, le dos au courant de la nature. Et la méditation du *Cimetière marin* dresse inutilement la pensée contre l'univers; pour finir, le poète entre dans le mouvement du monde : « Courons à l'onde en rejaillir vivant. »

La sensualité de Valéry contribue autant que sa virtuosité intellectuelle à faire la beauté de ces poèmes que rendent souvent difficiles leurs sujets abstraits et leur style savant. Ils constituent la manifestation la plus éclatante de l'intellectualisme dans lequel Mallarmé (*Poésies*★) avait, par son exemple, engagé la poésie française au début de ce siècle.

THÈMES
Moi, 3. Esprit. Corps. Univers. Nature, 2, b. Poète. Art et création artistique.

---

# La Chartreuse de Parme
STENDHAL
1839

*Classiques Garnier*
*Folio*
*Le Livre de poche*

Le plus brillant des romans de Stendhal, écrit en cinquante-deux jours. La source de l'intrigue est un de ces récits du XV<sup>e</sup> siècle d'où il a tiré aussi ses *Chroniques italiennes*. Il en a transposé les éléments dans l'Italie du XIX<sup>e</sup> siècle et les a enrichis de toute son expérience, de tous ses souvenirs et de tous ses rêves.

Le récit commence par l'évocation de l'entrée triomphale de Bonaparte en Italie en 1796 ; le héros principal, Fabrice del Dongo, est, en effet, le fils naturel d'un officier français, le lieutenant Robert, qui a logé au palais du marquis del Dongo. Négligé par le marquis, qui est un partisan fanatique de l'Autriche, Fabrice est élevé dans la liberté par sa mère et par sa tante Gina del Dongo, qui a épousé le comte Pietranera, officier de la République cisalpine. A leur exemple, il admire Bonaparte, si bien qu'il le rejoint à son retour de l'île d'Elbe ; mais la bataille de Waterloo, à laquelle il assiste, brise ses rêves d'héroïsme (ch. II-V).

Le temps de la gloire militaire étant révolu, Gina, dont le mari vient d'être tué en duel par des monarchistes, pousse Fabrice vers l'Église avec pour but l'archevêché de Parme. Elle est elle-même devenue la maîtresse du comte Mosca, ancien officier de l'Armée impériale, maintenant Premier Ministre du prince de Parme, et pour s'assurer une situation mondaine dans la Principauté, elle a, sur le conseil du comte, épousé le vieux duc de Sanseverina (ch. VI). Après quatre années à l'Académie ecclésiastique de Naples, Fabrice revient à Parme en 1821. L'affection de sa tante cause une vive jalousie au comte Mosca, malgré l'assiduité du jeune « monsignore » auprès d'une comédienne, la jolie Marietta, dont le protecteur lui cherche d'ailleurs querelle ; Fabrice le tue en se défendant et doit quitter Parme (ch. XI). Il entreprend alors de séduire une cantatrice, la Fausta ; l'aventure est décevante (ch. XIII). Imprudemment rentré à Parme, il est arrêté et incarcéré à la citadelle, la tour Farnèse, moins pour avoir tué Giletti qu'en raison d'intrigues politiques auxquelles le prince Ranuce-Ernest IV a prêté une oreille complaisante, car, en tenant Fabrice, il espère séduire la duchesse dont il est épris (ch. XIV-XV). En prison, Fabrice tombe amoureux de Clélia Conti, la fille du général commis à sa garde, et goûte un bonheur qu'il désespérait de connaître (ch. XVI-XVIII). Gina souffre cruellement : Fabrice refuse même tout d'abord de s'évader. Clélia concourt finalement à son évasion, mais fait le vœu de ne plus le revoir puisqu'elle a trahi son père (ch. XXI-XXII). Pour se venger de Ranuce-Ernest IV, la duchesse le fait assassiner par un patriote républicain, Ferrante Palla (ch. XXIII), et, pour affirmer sa puissance à Parme, obtient du nouveau prince, Ernest V, la révision du procès de Fabrice qu'elle fait nommer coadjuteur de l'archevêque. Clélia ayant épousé le marquis Crescenzi pour obéir à son père, Fabrice s'est converti à une vie austère et prêche avec talent en pensant à elle, avec l'espoir de l'attirer et de la revoir. Clélia aime toujours Fabrice et tourne l'obstacle de son vœu en le rencontrant la nuit. Cette intimité continue alors même qu'il est devenu archevêque, et ils ont un enfant ; mais celui-ci meurt, et Clélia, persuadée qu'elle est punie d'avoir manqué à son engagement, le suit de peu dans la mort. Fabrice se retire alors à la chartreuse de Parme (ch. XXVIII).

Sous le couvert de ces âmes italiennes, Stendhal a imaginé une chasse égotiste au bonheur menée avec une énergique liberté non dépourvue de cynisme, mais aussi avec une sensibilité, une ardeur à vivre, une jeunesse d'esprit qui font le charme de ses héros. En même temps, il a su donner, de la principauté imaginaire de Parme, un étonnant tableau politique qui lui a valu d'être salué par Balzac comme un disciple de Machiavel.

THÈMES
Bonheur, 5, a. Liberté, 1, b et 2. Égotisme. Sensibilité. Passions, 3. 1° Enfance, 2, b. Adolescence. Jeunesse. Destin.
2° Beauté. Nature, 2, b. Amour, 1, e. Femme, 1, a. Jalousie. 3° Héroïsme. Napoléon. Guerre, 1. Ambition. Énergie.
4° Cour. Despotisme. Révolution, 1. République, 2, a.

---

## Châtiments

Victor HUGO
1853

*Le Livre de poche
Poésie/Gallimard*

Hugo, qui, en 1848, n'avait pas été hostile à la candidature du prince Louis-Napoléon à la présidence de la République, résista au coup d'État de décembre 1851 et, devant l'écrasement des républicains, passa en Belgique, d'où il gagna Jersey en août afin de publier librement son pamphlet *Napoléon-le-Petit*. Le recueil des *Châtiments* est le prolongement poétique de cette œuvre en prose.

Invoquant la « muse Indignation » chère au satirique latin Juvénal (60-140) et au penseur visionnaire Dante

(1265-1321), Hugo dénonce la nuit du coup d'État *(Nox)*, puis déchaîne ses foudres contre le tyran sur des thèmes ironiques : *La société est sauvée; L'ordre est rétabli; La famille est restaurée; La religion est glorifiée; etc.*, son inspiration se faisant tour à tour railleuse, violente, épique, lyrique et même philosophique.

Pour écraser Napoléon III, il exploite le mythe de Napoléon I<sup>er</sup> qu'il dresse dans sa gloire, grand jusque dans ses échecs *(L'Expiation)*. Mais ce sont deux mythes liés à la République qui dominent l'œuvre : celui de la Révolution de 1789 et des soldats de l'an II, déjà détournés de leur mission par Napoléon I<sup>er</sup>, qu'il oppose aux généraux criminels du 2 Décembre *(A l'obéissance passive)*; celui de la marche inexorable du Progrès libérateur qu'il prophétise dans *Stella* et dont la vision termine le recueil *(Lux)*.

Ce livre, qui a consacré devant l'histoire le ralliement de Victor Hugo à la République, esquisse, au-delà du défi lancé au Second Empire *(Ultima Verba)*, la vision du destin de l'humanité que développeront *Les Contemplations\* (Ce que disait la bouche d'ombre)* et *La Légende des siècles\**.

THÈMES
Justice. Despotisme. Liberté, 2. République, 2, a et b. Révolution, 1. Soldat, 1. Guerre, 1. Napoléon. Progrès.

---

Déjà présenté dans *Stello* (1832), à côté d'André Chénier, parmi les poètes victimes de la société dont s'entretiennent Stello et le docteur Noir, c'est-à-dire le « sentiment » et le « raisonnement » de Vigny, Chatterton est un jeune écrivain anglais qui s'est suicidé à dix-huit ans, en 1770, pour échapper à la misère. Vigny en a repris très librement le personnage dans ce drame en trois actes et en prose pour en faire le symbole de l'esprit méconnu dans une société devenue exclusivement matérialiste.

Locataire chez un riche fabricant aussi dur avec sa femme qu'avec ses ouvriers, Chatterton rencontre la sympathie d'un quaker, ami de la maison, et de son hôtesse, Kitty Bell, dont la sensibilité est émue par les malheurs de ce jeune homme pauvre qui est lui-même choqué de la voir victime des plaisanteries de son ancien condisciple, Lord Talbot, et de quelques jeunes nobles. Le quaker est témoin de cet amour naissant qu'il avive chez Kitty en lui peignant le mal de Chatterton comme « la haine de la vie et l'amour de la mort » (II, 5). Chatterton a écrit au lord-maire pour lui

**Chatterton**
Alfred de VIGNY
1835

*Classiques Larousse Garnier-Flammarion*

demander du secours; il a l'humiliation d'être traité avec mépris par ce puissant personnage qui lui propose un emploi de valet de chambre (III, 6). Quand Chatterton découvre en outre qu'on l'accuse de n'être pas l'auteur de ses œuvres, il boit de l'opium et brûle ses poèmes (III, 7). Avant de mourir, il aura le bonheur d'entendre Kitty lui avouer son amour. Elle meurt elle-même en découvrant qu'il s'est empoisonné.

Avec les outrances de son époque, Vigny présente un conflit typiquement romantique, celui de l'idéal et de la réalité. Il a obtenu un grand succès, mais son drame paraît bien désuet aujourd'hui.

THÈMES
Poète, 2. Malheur.
Réalité. Société, 2.
Matérialisme.
Amour, 1, e.
Désespoir. Suicide.

---

## Les Chimères

Gérard de NERVAL
1854

*Le Livre de poche*

Douze sonnets composés de 1843 à 1854 et étroitement liés aux secrètes obsessions de Nerval, toujours en quête d'un inaccessible absolu et déchiré entre la réalité et le rêve (cf. *Les Filles du feu\*, Aurélia\**).

Ces poèmes peuvent paraître ésotériques, c'est-à-dire «réservés aux seuls adeptes», parce que Nerval les a écrits non pas pour répondre à l'attente d'un public, mais pour fixer ses «chimères», nées des épreuves de sa vie sentimentale et nourries de légendes et de mythes religieux. Cependant le lecteur des *Filles du feu\** y reconnaîtra aisément le souvenir de Sylvie, d'Adrienne et d'Aurélie, auprès de qui interviennent d'autres figures féminines, comme celle d'Octavie, associée aux paysages d'Italie. La douloureuse recherche, dans le monde réel, d'un amour rêvé inspire *El Desdichado, Myrtho, Delphica, Artémis*. A toute femme, Nerval demande d'être, bien plus qu'elle-même, une initiatrice, une enchanteresse qui restitue son harmonie au monde, car il quête, en même temps que l'amour, «l'ordre des anciens jours», rêvant du retour des dieux païens *(Delphica)*. Dans la suite de sonnets intitulés *Le Christ aux Oliviers,* les doutes et le désespoir prêtés au Christ viennent figurer l'anxiété et l'état d'abandon du poète. Le dernier sonnet du recueil, *Vers dorés*, développe cependant une profession de foi pythagoricienne en la présence de l'esprit dans le monde.

En établissant ainsi une communication entre la réalité et le songe, entre le monde visible et l'invisible, Nerval ouvre la voie majeure de l'aventure poétique moderne (cf. Rimbaud, *Poésies\**; Breton, *Manifestes du surréalisme\**).

THÈMES
Destin, 1. Réalité. Rêve.
Amour. 1, e.
Femme 1, a. Mort, 1.
Dieux.

Cette «histoire des années soixante», comme dit le sous-titre, est une ingénieuse peinture des comportements engendrés par les mirages du monde moderne.

Les héros, Jérôme et Sylvie, sont deux jeunes Parisiens qui imaginent leur avenir d'après les images de bonheur que propose la société de consommation et qui vivent dans une frustration croissante. Ils ont choisi d'abandonner leurs études et sont devenus «psychosociologues» chargés d'enquêtes de marché et de sondages d'opinion. Mesurant la duperie de leur rêve de possession, ils tentent de fuir Paris et partent enseigner en Tunisie. Mais ils ne parviennent plus à être vraiment eux-mêmes et rentrent en France pour y retrouver les modèles un moment rejetés.

Analyse de la faiblesse de deux médiocres qui «bovarysent», dénonciation de «l'univers miroitant de la civilisation mercantile», le livre vaut par la qualité de la narration, dont le ton et le rythme rappellent la manière de Flaubert.

**Les Choses**

Georges PEREC
1965

*Presses Pocket*

THÈMES
Bonheur. Vie moderne.

---

*Les Chouans* datent de l'époque où Balzac ambitionnait, à la manière de Walter Scott (1771-1832), créateur du roman historique, de mettre l'histoire de son pays entre les mains de tous.

C'est le premier roman qu'il ait signé de son nom, le plus ancien qu'il ait retenu pour *La Comédie humaine\* (Scènes de la vie militaire)*.

Balzac a choisi un sujet à la mode sous la Restauration, la révolte royaliste contre la République en Bretagne en 1799. Il l'aborde avec le souci d'expliquer la guerre d'embuscade menée contre les soldats du gouvernement, les Bleus, par les paysans de l'Ouest, qui satisfont son goût du pittoresque (cf. les Chouans Marche-à-terre et Pillemiche). Mais on peut regretter que l'intrigue soit aussi romanesque. Une belle aventurière, Marie de Verneuil, arrive en Bretagne en compagnie d'un agent de Fouché, Corentin, avec mission de séduire et livrer aux Bleus le marquis de Montauran, chef du mouvement royaliste dans la région de Fougères. Elle s'éprend réellement de lui, mais Corentin, policier sinistre et jaloux, les fait abattre par les soldats du commandant Hulot à la fin de leur nuit de noces.

Étude des mœurs, dramatisation de l'action, tels seront désormais les principes de Balzac.

**Les Chouans**

Honoré de BALZAC
1829

*Folio
Le Livre de poche*

THÈMES
Guerre, 1.
République, 2, b.
Monarchie. Paysans.

**Chronique
des Pasquier**

Georges DUHAMEL
1933-1941

*Folio*

Cette suite romanesque en dix volumes est consacrée à l'histoire d'une famille, comme *Les Rougon-Macquart*\* auxquels se réfère Georges Duhamel tout en récusant leur aspect systématique, et comporte de ce fait une peinture de la société française entre 1890 et 1930.

Mais Duhamel, qui a le goût des destinées individuelles (cf. *Salavin*\*), s'est donné un héros privilégié, Laurent Pasquier, né en 1881, devenu professeur au Collège de France au moment où, en 1931, il entreprend cette chronique de sa famille.

La famille Pasquier, qui est issue d'un jardinier de Nesle-la-Vallée, a commencé son ascension avec le fils de celui-ci, Raymond Pasquier, autodidacte pittoresque, hableur et fantasque, qui a repris ses études à quarante-cinq ans en vue du doctorat en médecine, et végète avec cinq enfants dans une médiocrité que sa femme, modèle d'épouse humble et sacrifiée, s'efforce pourtant d'adoucir.

Ses enfants, sauf Ferdinand qui ne sera qu'un employé obscur, connaissent tous une destinée remarquable. Joseph, l'aîné, dont les appétits matérialistes choquent Laurent, devient un grand brasseur d'affaires ; Cécile, la « Princesse », dont, au contraire, la suprême finesse le fascine, est une pianiste exceptionnelle ; Suzanne fait du théâtre ; quant à Laurent, idéaliste fervent, il se lance avec passion dans la recherche biologique.

Ces carrières sont l'occasion de dépeindre différents milieux de la vie française : l'expérience de vie collective tentée en 1906 à Créteil par un groupe de jeunes intellectuels (Duhamel en fut), désireux de créer une sorte de moderne abbaye de Thélème *(Le Désert de Bièvres)* ; la faculté de médecine et les instituts de recherche *(Les Maîtres, Le Combat contre les ombres)* ; le monde de la musique et de la littérature *(Cécile parmi nous)* et celui du théâtre *(Suzanne et les jeunes hommes)* ; le monde des affaires *(La Passion de Joseph Pasquier).*

Cependant, Duhamel est plus attaché à l'individu qu'à la société, de sorte que la peinture de Laurent, qui est visiblement son double, constitue la part la plus riche et la plus profonde de son roman. Il décrit avec attention et délicatesse l'itinéraire de son héros, son enfance, sa première crise morale quand, à onze ans,

ayant perdu la foi et déçu par ses parents, il déclare :
« Je veux me sauver seul » *(Le Notaire du Havre, Le Jardin des bêtes sauvages)* ; ses apprentissages, sa quête de l'amitié, de l'amour, de la science, ses déceptions, et son refus de suivre Cécile lorsqu'elle se tourne vers Dieu *(Cécile parmi nous)*. Malgré les insatisfactions qu'il avoue, Laurent trouve son accomplissement dans son métier et affirme un optimisme humaniste qui est la leçon de l'auteur : « J'aime la vie, même quand elle me blesse, même quand elle me désespère. Que pourrait-il m'arriver qui me fît dévier de ma route ? » *(Le Combat contre les ombres)*.

La *Chronique des Pasquier* est l'œuvre d'un écrivain qui refuse de désespérer de l'homme et des forces de la raison.

THÈMES
Famille. Mère.
Enfance, 2.
Adolescence.
Jeunesse. Foi, 2.
Amitié. Amour, 1, f.
Argent. Science.
Musique. Métier.
Mœurs. Homme, 5.
Humanisme.

**Chroniques**

Jean FROISSART
Fin du XIVe siècle
(posthume)

*Tallandier*

Les *Chroniques de France, d'Angleterre, d'Écosse, d'Espagne, de Bretagne, de Gascogne, de Flandre et lieux d'alentour* couvrent les trois quarts du XIVe siècle (1325-1400) et la première partie de la « guerre de Cent Ans ».

Froissart, qui avait embrassé l'état ecclésiastique, a été de 1361 à 1372 au service de Philippine de Hainaut devenue reine d'Angleterre, qui l'incita à écrire l'histoire de son temps. C'est ainsi qu'il a conté les guerres franco-anglaises, commencées en 1346 avec la bataille de Crécy.

Parmi les épisodes les plus connus de ses chroniques, notons la déroute de la chevalerie française à Crécy, le sacrifice des six bourgeois de Calais remettant les clefs de leur ville, en chemise et la corde au cou, la défaite de Jean le Bon obligé de se constituer prisonnier à la bataille de Poitiers, les faits d'armes de Du Guesclin contre les Anglais.

Indifférent à toute considération patriotique, Froissart est attentif seulement aux valeurs chevaleresques, dont il fait l'éloge dans son prologue, invitant les jeunes gens à devenir de preux chevaliers. Il ignore le sort du peuple et des bourgeois ainsi que les transformations profondes de son temps. Son livre est essentiellement une chronique épique de batailles et de prouesses, mais il constitue un remarquable document sur l'aventure féodale.

THÈMES
Chevalerie. Honneur.
Guerre, 1.
Courtoisie.

## Le Cid

Pierre CORNEILLE
1636

*Classiques Larousse
Garnier-Flammarion
Nouveaux classiques
illustrés Hachette*

*Le Cid* est une *tragi-comédie* en cinq actes et en vers, c'est-à-dire non pas une tragédie mêlée de comique, mais une *tragédie romanesque* sur le thème de l'amour, où le lyrisme s'associe à l'action dramatique.

Héros espagnol historique, Don Rodrigue Diaz de Bivar s'est illustré au XIe siècle dans la lutte contre les Maures qui l'ont surnommé le Cid (le Seigneur). L'épopée s'est emparée de lui : le poème des *Enfances de Rodrigue* (XIVe s.) conte, entre autres faits, comment, selon la coutume féodale, afin de réparer le tort causé, il a épousé une jeune fille dont il avait tué le père.

Le dramaturge Guillen de Castro, dans *Les Enfances du Cid* (1616), fait du meurtre du père un obstacle à un amour préexistant. Corneille, qui le suit de près, interprète cette situation selon la dialectique romanesque de son temps qui fonde l'amour sur l'estime.

Alors qu'on prépare le mariage de Rodrigue et de Chimène, une rivalité de cour conduit Don Gormas, père de Chimène, à souffleter Don Diègue, père de Rodrigue. Rodrigue doit venger son père sous peine de perdre l'honneur et d'attirer sur soi le mépris de Chimène (acte I). Il tue Don Gormas en duel et Chimène demande justice au roi (II).

Mais jamais les deux amants n'avaient été aussi proches en raison du lien qui unit l'amour à l'estime : « Je t'ai fait une offense, et j'ai dû m'y porter / Pour effacer ma honte, et pour te mériter », dit Rodrigue. « Tu t'es, en m'offensant, montré digne de moi ; / Je me dois, par ta mort, montrer digne de toi », répond Chimène (III, 4).

La victoire de Rodrigue sur les Maures exalte encore l'amour de Chimène (IV). Elle envoie Don Sanche le combattre en duel judiciaire, mais en souhaitant la victoire de son amant. Rodrigue désarme son adversaire et Chimène reconnaît sa générosité. Le roi ordonne leur mariage qui est cependant différé par égard pour Chimène (V).

Passionnément discutée, et pour sa forme (elle ne respecte pas les unités de temps et de lieu) et pour la conduite morale des héros, la pièce a fait néanmoins la gloire de Corneille, et reste l'une des œuvres les plus caractéristiques de l'idéal romanesque au temps de Louis XIII.

THÈMES
Jeunesse. Amour, 1, c.
Honneur. Générosité.
Héroïsme. Passions, 2.
Espagne.

Cette tragédie en cinq actes et en vers offre intrigue romanesque et étude du sentiment de l'honneur.

Émilie, fille adoptive de l'empereur Auguste, conspire contre celui-ci pour venger son père, victime des guerres civiles. Cinna, amant d'Émilie, doit prendre la tête d'un groupe de républicains pour assassiner l'empereur. Il se trouve bientôt partagé entre son amour pour Émilie et son estime pour Auguste qui le traite en confident. Le complot est dévoilé par l'un des conjurés, Maxime, qui est jaloux de Cinna. Auguste pardonne aux conspirateurs.

L'étude psychologique la plus approfondie est celle d'Auguste. Celui-ci, qui a conquis le pouvoir par la violence, est maintenant un homme las, parvenu au seuil de la sagesse (II, 1). Cruellement déçu par la découverte du complot et d'abord hésitant, dégoûté de la violence mais tenté par la riposte (IV, 2), il ne retient pas l'idée d'un pardon politique suggérée par l'impératrice Livie (IV, 3) puis, apprenant qu'Émilie elle-même est du complot et que Maxime n'est qu'un traître, il opte pour le pardon dans un mouvement orgueilleux de défi qui est un appel à l'honneur de ses adversaires (V, 3).

Le personnage d'Auguste est une étape importante dans l'invention des conduites «glorieuses» sur lesquelles Corneille, dépassant le romanesque et s'affranchissant du thème traditionnel de la fatalité, bâtit son théâtre tragique.

## Cinna ou la Clémence d'Auguste

Pierre CORNEILLE
1640

*Classiques Larousse*
*Nouveaux classiques*
*illustrés Hachette*

THÈMES
Rome. Passions, 2.
Honneur. Amour, 1, c.
Pouvoir. Générosité.

---

Récit mythique inachevé où Saint-Exupéry traite des rapports de l'homme et de la cité.

Le tour et le ton sont d'une parabole biblique : dans un royaume aux portes du désert, un jeune prince apprend de son père l'art de gouverner. Il se dégage des épisodes une apologie de la ferveur collective, de l'énergie et de la grandeur.

Ces principes sont dans la ligne de la pensée de Saint-Exupéry, mais il les affirme ici plus nettement que jamais, sans doute par réaction contre la démoralisation de la France vaincue de 1940. Ils lui ont été parfois sévèrement reprochés, bien que son respect de l'homme et son engagement personnel pendant la guerre le situent à l'opposé de la morale des dictatures.

## Citadelle

Antoine de
SAINT-EXUPÉRY
1948 (posthume)

*Folio*

THÈMES
Chef. Action, 1.
Énergie. Solidarité.
Humanisme.

## Clélie, histoire romaine

Madeleine
de SCUDÉRY
1654-1660

*Slatkine*

Fidèle à la recette des romans héroïques librement inspirés de l'histoire et de l'épopée antiques, Mlle de Scudéry, dans ce gros roman en dix volumes, transpose dans la Rome de Tite-Live l'idéal mondain et galant de son temps et peint la société qui fréquentait son salon.

L'action a pour cadre la guerre de Tarquin le Superbe contre Rome après son expulsion, lorsqu'il tente de reprendre la ville avec le concours du roi étrusque Porsenna. L'héroïne est cette jeune Romaine qui, en 507 avant J.-C., se jeta dans le Tibre pour échapper aux Étrusques, mais elle est ici surtout occupée d'amour. Clélie hésite entre deux soupirants : Aronce, fils du roi Porsenna, et Horatius Coclès, le célèbre héros romain. Pour voir clair en son cœur, elle imagine une carte du pays de l'Amour, la *Carte du Tendre*, qui représente allégoriquement les divers chemins qui mènent à l'amour (Inclination, Estime, Reconnaissance). Elle finit par épouser Aronce, mais après mille péripéties, comme le rappelle Molière dans *Les Précieuses ridicules*★ (scène 4). De pseudo-Romains, dans lesquels Mlle de Scudéry peint ses familiers, se livrent à de doctes discussions sur des questions de galanterie, et le roman avait pour les contemporains le piquant d'une œuvre à clefs en même temps que la valeur d'un guide en casuistique galante.

Les railleries de Molière, qui prouvent le succès de ce roman, ne doivent pas en masquer la signification. Mlle de Scudéry, qui plaide pour la liberté des sentiments et l'émancipation de la femme, permet de découvrir la portée du courant précieux dans la société du XVIIe siècle.

THÈMES
Amour, 1, c.
Femme, 1, a.
Vie mondaine.
Préciosité. Féminisme.

---

## Les Cloches de Bâle

Louis ARAGON
1934

*Folio*

Avec ce roman, Aragon commence la chronique pleine de verve satirique et de chaleur que, sous le titre général de *Le Monde réel*, il a consacrée à la vie française au XXe siècle, illustrant ses convictions de militant communiste, mais débordant aussi par son vaste talent les limites étroites du roman à thèse.

Dans ce premier volume, il exerce son ironie sur la société bourgeoise d'avant 1914 et commence de poser le problème de la transformation du monde au nom de la justice sociale. Les héroïnes y tiennent la place prin-

cipale parce qu'il veut montrer comment la condition
féminine reflète le caractère oppressif de l'ordre social
traditionnel.

Diane de Nettencourt, fille de hobereaux prétentieux et hypocrites, se trouve fort à l'aise dans les
conventions de la bonne société des années 1900. Elle
ne défend pas d'autre liberté que celle de ses caprices galants qu'elle sait d'ailleurs monnayer adroitement
tout en ménageant les apparences et en poursuivant son
ascension mondaine. Son mariage avec Georges Brunel, homme d'affaires aux activités obscures mais lucra-
tives, lui assure un bel hôtel particulier et l'amitié
de hauts fonctionnaires, d'officiers comme le général
Dorsch, d'industriels comme le constructeur d'automobiles Wisner. C'est un joyeux tourbillon jusqu'au jour
où le lieutenant Pierre de Sabran se suicide chez elle
pour n'avoir pas pu payer les traites souscrites entre les
mains de Brunel qui pratique l'usure. Le scandale ne
peut être étouffé. Alors Diane, gardant l'hôtel, qui est à
son nom, chasse son mari qui, sur les conseils de Wisner, son bailleur de fonds, entre dans la police.

L'héroïne de la deuxième partie, Catherine Simoni-
dzé, se révolte au contraire contre la condition féminine conventionnelle, et engage le lecteur dans une
réflexion sur la libération de la femme et les injustices
de la société. Catherine a souffert de la vie qu'a menée
sa mère. Épouse d'un industriel géorgien, celle-ci a
quitté Tiflis avec ses filles pour fuir le servage de
la femme russe, mais elle a seulement connu, à San
Remo, Baden-Baden ou Paris, la vie déclassée d'une
cocotte, et reste asservie par la pension que lui verse
son mari. Catherine ne veut pas pour cela retourner au
conformisme bourgeois comme sa sœur qui a épousé le
capitaine Mercurot. Elle exige d'abord la liberté de ses
amours, mais rêve aussi de l'émancipation de la femme
par la révolution socialiste. Témoin d'une grève dans le
Jura, elle sympathise avec les luttes ouvrières contre la
coalition des patrons, de l'Armée et de l'Église, ce qui
la conduit à rompre avec l'un de ses amants, le capitaine Jean Thiébault, qui est instinctivement du côté
de l'ordre. Inquiète et exaltée, elle se met à fréquenter
les milieux anarchistes, mais continue de mener, sous
couleur de liberté, une vie désordonnée qui n'est guère
différente de celle de sa mère. Malade, dégoûtée de la
vie, elle est sauvée du suicide par un chauffeur de taxi,
Victor Dehaynin.

Celui-ci donne son nom à la troisième partie du livre, où Catherine assiste à la grève des taxis en 1912. Victor lui explique la dignité du travail dont ses amis anarchistes lui avaient prêché le mépris, et lui révèle la clef de la liberté féminine : « l'égalité devant le travail fondait la véritable égalité de l'homme et de la femme ».

La leçon du livre est fournie par le congrès international socialiste de Bâle en 1912. Jaurès y fait entendre, dans le son des cloches de la cathédrale, l'espoir de voir les peuples s'unir contre la guerre, et la militante allemande Clara Zetkin y personnifie « la femme des temps modernes », engagée dans les combats du socialisme.

La femme moderne restera l'un des thèmes essentiels d'Aragon dans ses romans suivants, *Les Beaux quartiers, Les Voyageurs de l'impériale, Aurélien, Les Communistes,* qui conduisent le lecteur jusqu'à la faillite de la bourgeoisie française dans la débâcle de 1940.

THÈMES
Bourgeoisie. Argent, 2.
Capitalisme. Corruption.
Femme, 1, c, 2 et 3, b.
Amour, 1, f.
Vie mondaine.
Ouvrier. Travail.
Anarchisme. Socialisme.
Solidarité. Guerre, 2, a.

**Colomba,
Carmen
et autres
nouvelles**

Prosper MÉRIMÉE

*Classiques Larousse
Folio
Le Livre de poche*

Les nouvelles de Mérimée offrent des sujets très variés et paraissent répondre d'abord au désir de bien conter quelque histoire insolite et violente, rehaussée de couleur exotique ou même à l'occasion de fantastique. Nous en retiendrons trois.

Pour *Colomba* (1840), Mérimée s'est inspiré de faits réels dont il avait recueilli le récit en Corse. A son retour de Waterloo, le lieutenant Orso della Rebbia est conduit à prendre en charge la « vendetta » qui oppose sa famille à celle des Barricini qui ont probablement tué son père. Sa sœur Colomba est la plus acharnée à l'y pousser. Un jour les frères Barricini tirent sur Orso, qui, blessé au bras, riposte et tue ses deux adversaires. Colomba le rejoint dans le maquis et l'aide à échapper aux soldats.

*Carmen* (1845) est une histoire espagnole d'amour et de sang dont Mérimée feint d'avoir connu le héros, le bandit Don José et la gitane Carmen, sa maîtresse. Don José, dans sa prison, après son arrestation, lui aurait raconté comment Carmen a fait son malheur, ainsi qu'elle le lui avait prédit, l'entraînant avec une autorité diabolique. Alors qu'il était soldat, il a déserté pour elle, s'est fait contrebandier, bandit de grand chemin, assassin. Il l'a tuée par jalousie. En dépit de ses artifices évidents, ou peut-être grâce à eux, grâce aussi à l'opéra de Georges Bizet (1875), l'histoire a pris place parmi les figurations les plus populaires de la passion.

Dans *La Vénus d'Ille* (1837), Mérimée s'est amusé à transposer une vieille légende italienne dans le Roussillon moderne. Le jour de son mariage, pour disputer une partie de pelote, un jeune homme retire de son doigt la bague qu'il destinait à sa fiancée et la passe à celui d'une Vénus de bronze récemment trouvée lors de fouilles. Quand il veut la reprendre, la Vénus a replié son doigt et la retient. A la fin de sa nuit de noces, on le retrouve mort dans son lit, étouffé par la Vénus, si l'on en croit le récit de sa femme.

THÈMES
Passions, 3.
Amour, 1, e.
Femme, 1, d. Exotisme.
Espagne. Fantastique.

---

Titre adopté par Balzac en 1841 pour l'édition de ses œuvres complètes selon un plan raisonné.

Jusqu'en 1833, les divers romans de Balzac sont restés dépourvus de lien. A cette date, il imagine de faire reparaître ses personnages de l'un à l'autre, procédé appliqué pour la première fois dans *Le Père Goriot*\* (1834) : sur le manuscrit, Eugène de Massiac cède la place à Eugène de Rastignac, personnage introduit dans *La Peau de chagrin*\* (1831). Pour suivre le retour des personnages dans *La Comédie humaine*, on se reportera au *Dictionnaire biographique des personnages de la Comédie humaine* de Fernand Lotte reproduit dans l'édition de la Pléiade, tome XI.

Le plan général de l'entreprise apparaît en 1834. D'abord exposé dans une lettre à M^{me} Hanska, il est présenté au public dans les introductions rédigées par Félix Davin, sur les directives de Balzac, pour une édition groupant ses œuvres sous les titres *Études philosophiques* et *Études de mœurs*. Balzac définit trois parties : des *Études de mœurs*, subdivisées en *Scènes de la vie privée*, *Scènes de la vie de province*, *Scènes de la vie parisienne*, *Scènes de la vie politique*, *Scènes de la vie militaire*, *Scènes de la vie de campagne* ; des *Études philosophiques* et des *Études analytiques* (La Pléiade, t. XI).

Il manque encore un titre d'ensemble. En 1837, Balzac songe à *Études sociales*. Puis apparaît en 1841 le titre définitif, *La Comédie humaine*, qui semble inspiré du poème de Dante *La Divine Comédie* (début du XIV^e siècle).

**La Comédie humaine**

Honoré de BALZAC

*Folio*
*La Pléiade*
*Le Livre de poche*

On sait les dimensions prodigieuses atteintes par le projet de Balzac : en 1845, il dresse un plan comportant cent trente-sept ouvrages écrits ou à écrire. A sa mort en 1850, il en avait achevé quatre-vingt-onze, dont six ne figuraient pas sur la liste de 1845.

Dans un avant-propos rédigé en 1842 (cf. La Pléiade, t. I), Balzac expose les principes de son œuvre. Il signale d'abord ses dettes. Au naturaliste Geoffroy Saint-Hilaire (1772-1844), il doit l'idée de peindre la diversification de l'homme en «espèces sociales» sous l'influence des milieux. Au romancier écossais Walter Scott (1771-1832), qui a élevé le roman à «la valeur philosophique de l'histoire», il emprunte sa technique romanesque, regrettant seulement qu'il n'ait pas songé à «relier ses compositions l'une à l'autre de manière à coordonner une histoire complète». Suit la définition de son ambition : «[...] écrire l'histoire oubliée par tant d'historiens, celle des mœurs», puis s'élever à une réflexion morale et philosophique sur la vie des sociétés; il affirme même son souci de didactisme : «J'écris à la lueur de deux vérités éternelles : la religion, la Monarchie, deux nécessités que les événements contemporains proclament...»

Ce ne sont pas ces convictions religieuses et politiques qui font aujourd'hui la valeur de *La Comédie humaine*, mais la prodigieuse richesse du témoignage qu'elle constitue sur les bouleversements de la société française depuis la Révolution de 1789 jusqu'à la fin de la monarchie de Juillet : l'écroulement, puis la restauration partielle des anciennes hiérarchies désormais concurrencées par les privilèges de l'argent, l'ascension de la bourgeoisie, la naissance du capitalisme moderne, l'arrivisme et la fièvre de jouissance qui travaillent une partie du corps social. Balzac excelle dans la peinture de ces phénomènes collectifs autant que dans celle de types individuels propres à «faire concurrence à l'État civil».

Sur le plan technique, Balzac a mis au point un nouveau type de roman, consacré à la peinture et à l'explication totales de la réalité, qui était destiné à devenir, au nom du réalisme littéraire, le modèle du genre romanesque pour plusieurs générations. Cette gloire a même masqué longtemps un aspect essentiel de son art que Baudelaire a par réaction opportunément souligné : «J'ai maintes fois été étonné que la grande gloire de Balzac fût de passer pour un observateur; il m'avait toujours semblé que son principal mérite était d'être visionnaire, et visionnaire passionné.» (*L'Art romantique*, article sur Th. Gautier). Il reste impossible d'étudier les problèmes du roman sans se référer à Balzac.

Sont étudiés dans ce *Dictionnaire* les romans suivants : *César Birotteau, Les Chouans, La Cousine Bette, Le Cousin Pons, Eugénie Grandet, Illusions perdues, Le Lys dans la vallée, Les Paysans, La Peau de chagrin, Le Père Goriot, Splendeurs et misères des courtisanes.*

---

## Les Complaintes
Jules LAFORGUE
1885

*Poésie / Gallimard*

Ce recueil de vers est l'œuvre principale d'un jeune poète qui allait mourir à vingt-sept ans après avoir assumé avec un humour mélancolique l'héritage du spleen baudelairien.

Avec des nostalgies d'ange déchu qui se contente d'être «dilettante et pierrot», il joue son rôle de rêveur douloureux en affectant de ne pas se prendre au sérieux : «Primo : mes grandes angoisses métaphysiques / Sont passées à l'état de chagrins domestiques ; / Deux ou trois spleens locaux.» *(Complainte d'une convalescence en mai).* Quand il apostrophe la lune, le vent, l'hiver, la nuit, l'orgue de barbarie, les dimanches tristes, l'automne malade, il reprend des thèmes déjà conventionnels, mais la spontanéité familière de son langage est neuve : «Ah! que la vie est quotidienne... / Et, du plus vrai qu'on se souvienne, / Comme on fut piètre et sans génie...» *(Complainte sur certains ennuis).* La gouaille facétieuse qu'il adopte *(Complainte sur certains temps déplacés, Complainte de l'oubli des morts)* révèle de nouvelles ressources poétiques du langage.

Ces jeux verbaux autour d'une bien réelle angoisse confèrent aux *Complaintes* une allure très moderne.

THÈMES
Poète, 1, d. Sensibilité.
Ennui. Mélancolie.

---

## La Condition humaine
André MALRAUX
1933

*Folio*

Comme *Les Conquérants**, ce roman a pour cadre l'Asie en révolution.

L'action se passe à Shanghaï en mars 1927, au moment où la ville est investie par Chang-Kaï-Shek, héritier politique de Sun-Yat-Sen (fondateur de la République chinoise en 1911, mort en 1925) et chef du Kouomintang (parti nationaliste chinois), qui poursuit l'unification de la Chine partagée entre les «seigneurs de la guerre». Les syndicats ouvriers de Shanghaï, encadrés par les communistes, déclenchent une insurrection pour appuyer les troupes de Chang. Une fois maître de la ville, celui-ci fait arrêter et exécuter les chefs communistes, avec le soutien des milieux d'affaires européens qui règnent sur les «concessions», zones franches accordées depuis le XIXe siècle aux puissances européennes. Le parti communiste chinois avait espéré se servir de Chang, puis l'éliminer; il est au contraire démantelé, l'U.R.S.S. ayant choisi de contracter une alliance tactique avec Chang. Plusieurs protagonistes du roman sont victimes de ce drame collectif : Kyo Gisors, jeune intellectuel eurasien entré dans l'action par idéal, qui plaide en vain la cause des insurgés devant le représentant de Mocou à Han-Kéou, Vologuine ; Katow, ancien militant de la Révolution russe de 1917 ; arrêtés, ils sont jetés avec d'autres communistes dans le foyer d'une locomotive.

C'est dans le cadre de ces authentiques violences de l'histoire que Malraux nous fait saisir le tragique de la condition humaine. Quelle que soit l'ampleur des événements, chaque individu reste d'abord engagé dans une lutte solitaire contre l'angoisse et contre la mort. Ainsi, le roman s'ouvre sur une scène caractéristique qui montre, aux prises avec la solitude et la mort, le terroriste Tchen chargé de poignarder un homme, dans son lit d'hôtel, pour s'emparer d'un papier qui procurera des armes aux syndicats. Pour régler ses comptes avec lui-même, ce désespéré finira par se jeter avec une bombe sous la voiture de Chang-Kaï-Shek. L'auteur présente un autre épisode comme symbolique, celui où Kyo, qui est pourtant un chef révolutionnaire solide, est saisi de l'étrangeté de son être en écoutant l'enregistrement de sa voix. En marge de l'action révolutionnaire, d'autres anxieux sont attentivement dépeints : le baron de Clappique, courtier en armes et antiquités, perpétuel bouffon ; Ferral, président de la Chambre de commerce française, homme d'argent et amateur de femmes ; le vieux Gisors, professeur cultivé, qui a initié Kyo et Tchen au marxisme et ne saurait plus vivre sans opium. Quant au marchand de disques Hemmelrich, communiste sincère, il n'est plus, devant l'agonie de son enfant, que la figuration pathétique de l'impuissance humaine. Seuls semblent échapper à l'angoisse, ou la surmonter, le peintre japonais Kama, pour qui le sens du monde peut s'inscrire dans un trait de plume, et le Russe Katow qui entraîne Kyo dans l'exaltation de la fraternité virile lorsque, avant de mourir, il donne à ses camarades moins fermes que lui le cyanure qu'il gardait dans sa ceinture.

Ce n'est pas sur le plan de la politique révolutionnaire, mais sur celui de la métaphysique que Malraux situe sa réflexion sur la condition humaine.

THÈMES
Homme, 5, c. Absurde. Destin. Angoisse. Souffrance, 2, b. Mort, 2, b. Argent. Amour, 1, f. Volonté de puissance. Art. Violence. Révolution. Communisme. Individualisme, 2 et 3. Solidarité. Fraternité.

---

Dans ce roman d'inspiration autobiographique, Musset transpose l'histoire de sa liaison avec George Sand.

Octave de T., le héros, conte comment il a été atteint par la « maladie morale abominable » dont souffre toute une génération condamnée à l'inaction et à l'ennui par la chute de Napoléon. Musset donne là une analyse célèbre de ce qu'on a appelé le « mal du siècle » ($1^{re}$ partie, ch. II).

Tout commence quand Octave, qui conserve, à dix-neuf ans, un cœur pur et ardent dans la société libertine qu'il fréquente, découvre que sa maîtresse le trompe avec un de ses amis intimes. Il provoque celui-ci en duel, il est blessé, mais dès qu'il est rétabli, il court chez l'infidèle car il en est toujours épris. De nouveaux mensonges finissent cependant par l'en séparer. Pour le guérir de sa douleur, Desgenais, un libertin, lui prêche le mépris de la femme et le libertinage ($1^{re}$ partie). Octave, non sans dégoût de lui-même, se laisse entraîner dans la débauche ($2^e$ partie).

La mort de son père lui donne des remords. La vie à la campagne, où il est retourné, lui rafraîchit l'âme ; pour la première fois il est heureux. Il fait la connaissance d'une jeune veuve, Brigitte Pierson, de quelques années plus âgée que lui, qui vit simplement avec une tante en faisant le bien autour d'elle. Bientôt il parvient à gagner son cœur, et elle devient sa maîtresse ($3^e$ partie). Mais, très vite, il gâche leur bonheur par son esprit soupçonneux et jaloux. Ils vont alors de querelle en réconciliation à propos du passé de Brigitte ($4^e$ partie).

Ils décident enfin de voyager, et gagnent d'abord Paris où leurs conflits continuent en raison de la jalousie d'Octave à l'égard d'un ami d'enfance de Brigitte, Henri Smith, qui est devenu leur familier. Prisonnier de son « mauvais génie », Octave ne cesse de tourmenter Brigitte qui lui dit en vain qu'elle l'aime. Pour ces-

## La Confession d'un enfant du siècle

Alfred de MUSSET
1836

ser de faire son malheur, Octave décide de s'éloigner en la laissant à Smith. Les amants se séparent bien qu'ils s'aiment (5e partie).

L'histoire d'Octave et de Brigitte Pierson diffère sur de nombreux points de celle de Musset et de George Sand. Cette dernière a, elle aussi, tiré plus tard un roman de cet épisode de sa vie, *Elle et Lui* (1859). *La Confession d'un enfant du siècle* éclaire la personnalité de Musset et la sensibilité romantique, sans que le lecteur ait à entrer dans une enquête biographique.

THÈMES
Amour. Femme.
Passion. Pureté.
Malheur. Désespoir.

## Les Confessions

Jean-Jacques
ROUSSEAU
1782 (posthume)

*Classiques Garnier*
*Folio*
*La Pléiade*
*Le Livre de poche*

*Les Confessions* ont été publiées avec *Les Rêveries du promeneur solitaire*\* quatre ans après la mort de Rousseau. Elles sont aujourd'hui le plus lu de ses ouvrages en raison de l'intérêt porté à sa personnalité et de leur valeur de référence dans le domaine de la littérature autobiographique.

Depuis longtemps soucieux de se définir, Rousseau songeait à rédiger le récit de sa vie au moins dès 1759 (cf. *Confessions*, livre X). Il a composé les *Lettres à M. de Malesherbes* à un moment (janvier 1762) où il a cru qu'il allait être trop tard pour écrire ses mémoires (*Confessions*, livre XI). C'est en Suisse, où il s'était réfugié après la condamnation de l'*Émile*\* (juin 1762), qu'il en a commencé la rédaction sous le choc décisif du *Sentiment des Citoyens* (décembre 1764), écrit anonyme où Voltaire révélait que l'auteur de l'*Émile* avait abandonné ses enfants. Il l'a poursuivie au cours de ses pérégrinations à la recherche de la sécurité physique et morale, avec dessein de justifier sa vie devant ses persécuteurs. De retour à Paris en 1770, il y achève son texte et en donne des lectures privées que tentent de faire interdire ses anciens amis Grimm, Diderot, Mme d'Épinay. Leurs manœuvres corroborent sa croyance au complot destiné à le faire taire dont l'obsession apparaît si souvent dans *Les Confessions*.

*Les Confessions* sont subdivisées en deux parties : la première (livres I à VI) va de la naissance de Rousseau (1712) à son départ pour Paris en 1742; la seconde (livres VII à XII), de son entrée dans la société littéraire parisienne à son départ pour l'Angleterre, lorsqu'il doit quitter la Suisse après avoir été lapidé à Môtiers en 1765.

Le désir de justification préside à l'ensemble du récit. Par son titre, emprunté à saint Augustin, Rousseau annonce qu'il a des fautes à avouer, mais en même temps suggère qu'il s'en purifie par l'aveu qu'il en fait. C'est ce que souligne le préambule extrêmement provocant où il se prémunit contre les attaques de ses ennemis en prenant Dieu à témoin de sa sincérité : «Que la trompette du Jugement dernier sonne quand elle voudra, je viendrai, ce livre à la main, me présenter devant le souverain juge.» L'aveu le plus difficile, celui de l'abandon de ses enfants confiés à l'Hospice des Enfants-Trouvés, est fait au livre VIII. L'obsession de la faute et du rachat le ramène aussi à deux épisodes de sa jeunesse : sa conversion au catholicisme en 1728, à l'âge de seize ans, lorsqu'il est passé en Savoie, et l'affaire du ruban qu'il a volé alors qu'il était laquais chez M$^{me}$ de Vercellis, à Turin (1728), laissant accuser la petite servante Marion, qui fut renvoyée (livre II).

*Les Confessions* jouent aussi un autre rôle pour Rousseau : celui d'une quête du bonheur perdu. Il s'évade dans la reconstitution littéraire des moments heureux de sa vie : son enfance, ses années de pension à Bossey chez le pasteur Lambercier (livre I); sa première rencontre avec M$^{me}$ de Warens à Annecy en 1728 (livre II); une partie de campagne avec M$^{lle}$ de Graffenried et M$^{lle}$ Galley (livre IV); ses séjours aux Charmettes, maison que M$^{me}$ de Warens louait pour l'été près de Chambéry et dont il fait le cadre d'un bonheur idéal (livre VI); les saisons passées à l'Ermitage, sur le domaine de M$^{me}$ d'Épinay, près de Montmorency, au nord de Paris : c'est là qu'il a connu M$^{me}$ d'Houdetot et imaginé *La Nouvelle Héloïse*★ (livre IX); son séjour dans l'île de Saint-Pierre, au milieu du lac de Bienne, en septembre 1765 (livre XII).

Rousseau raconte également les moments décisifs de sa carrière de philosophe : sa découverte de la question de l'Académie de Dijon qui, en 1749, le décide à écrire son *Discours sur les sciences et les arts*★ (livre VIII); la condamnation de l'*Émile*★ et son départ précipité pour la Suisse en juin 1762 (livre XI).

Dans leur complexité, *Les Confessions* constituent non seulement le meilleur document pour la connaissance de Rousseau, mais encore, comme celui-ci l'avait souhaité *(Manuscrit de Neuchâtel)*, une précieuse «pièce de comparaison pour l'étude du cœur humain».

THÈMES
Moi, 1. Société. Vie intérieure. Souvenir. Faute. Angoisse. Rachat. Sincérité. Enfance. Adolescence. Jeunesse. Apprentissage. Destin. Bonheur, 4. Sensibilité. Amour, 1, d. Voyage. Nature, 2, b. Déisme. Rêverie.

**Les Conquérants**

André MALRAUX
1928

*Le Livre de poche*

C'est le premier roman consacré par Malraux aux bouleversements révolutionnaires modernes. Comme celle de *La Condition humaine*⋆, l'action se passe en Chine.

En juin 1925, le Kouomintang, parti nationaliste que Sun-Yat-Sen, fondateur de la première République chinoise en 1911, a dirigé jusqu'à sa mort, en mars 1925, vient de lancer un ordre de grève générale à Canton pour chasser les Européens.

Le narrateur s'intéresse particulièrement au rôle de deux agents révolutionnaires européens, Borodine, personnage historique, chef de la Mission soviétique à Canton, représentant discipliné de l'Internationale communiste, et Garine, un aventurier qui, à son départ pour l'Orient, disait : «Ma vie ne m'intéresse pas. Je veux une certaine forme de puissance», mais qui est fier d'avoir «créé l'espoir» dans une foule d'hommes.

Tandis que Borodine est responsable de l'action, Garine dirige la propagande du Kouomintang ; à son appel, le narrateur se rend à Canton où il observe le jeu des forces et des caractères.

Entre Tcheng-Daï, chef de la droite du Kouomintang, qui réprouve la violence comme Gandhi, et Hong, anarchiste chinois, chef des terroristes, qui refuse toute forme d'État, Garine et Borodine louvoient.

Au cours de l'action, le fossé se creuse entre ces tendances. Tcheng-Daï est assassiné par Hong, que Borodine fait alors exécuter, malgré Garine qui a de la sympathie pour lui.

Cette affaire révèle tout ce qui sépare «un révolutionnaire du type conquérant», comme Garine, des communistes comme Borodine qui considèrent qu'«il n'y a pas de place dans le communisme pour celui qui veut d'abord être lui-même».

Garine, depuis longtemps malade, quitte la Chine au moment où le Kouomintang l'emporte sur l'armée chinoise à la solde de l'Angleterre.

Avec vingt ans de recul, André Malraux a pu dire de son livre : «S'il a surnagé, ce n'est pas pour avoir peint tels épisodes de la révolution chinoise, [...] c'est pour avoir montré un type de héros en qui s'unissent l'aptitude à l'action, la culture et la lucidité.» (Postface.)

THÈMES
Révolte, 1 et 2.
Révolution. Action, 1.
Énergie, 1, b.
Moi, 3, b.
Volonté de puissance.
Violence, 2, b.
Communisme.
Anarchisme.
Individualisme, 2 et 3.

Du fond de son exil, Hugo a solennellement présenté *Les Contemplations* comme «le livre d'un mort», comme «les mémoires d'une âme». Ce sont des poèmes écrits entre 1834 et 1855. Il les a partagés en deux groupes de trois livres, en fonction de la mort de sa fille Léopoldine (1843), pour représenter *Autrefois* (1830-1843) et *Aujourd'hui* (1843-1856).

Le livre I, *Aurore*, peint l'enthousiasme de la jeunesse, la découverte de la vie et les premières luttes littéraires. Dans *Réponse à un acte d'accusation*, Hugo défend avec esprit les principes de la révolution qu'il a introduite en littérature.

Le livre II, *L'Ame en fleur*, chante l'amour et la rêverie. Comme dans le précédent, Hugo y a mis beaucoup de fantaisie et s'amuse du chatoiement des apparences.

Par contraste, le livre III, *Luttes et rêves*, bien qu'il concerne le temps d'«autrefois», évoque déjà le mal sur la terre, les épreuves de l'homme, sa méchanceté et son aveuglement *(Melancholia)*. Le poème final, *Magnitudo parvi* («Grandeur du petit»), élève à la valeur de symbole l'humilité contemplative du berger qui pénètre le sens des choses et découvre Dieu.

La noyade accidentelle de sa fille ouvre la nouvelle époque d'*Aujourd'hui*. Le livre IV, *Pauca meae* («Quelques vers à ma fille»), est entièrement consacré à Léopoldine et à la méditation de la mort *(Elle avait pris ce pli..., Demain dès l'aube..., A Villequier, Mors)*.

Dans les livres suivants, Hugo soutient son rôle de contemplateur visionnaire. Dans le livre V, *En marche*, il médite sur sa vie *(Paroles sur la dune)* ou sur des spectacles familiers *(Le Mendiant, Pasteurs et troupeaux)*. Le livre VI, *Au bord de l'Infini*, est d'un prophète qui affirme sa résolution de déchiffrer le secret du monde : «J'irai [...]/Jusqu'aux portes visionnaires/Du ciel sacré[...]) *(Ibo)*. Il définit la mission des *Mages* et traduit les révélations de «la bouche d'ombre» qui lui a expliqué la genèse du monde et la chute des êtres entraînés par le poids de la matière qui les sépare de Dieu, leurs efforts pour se relever, et la promesse d'une universelle rédemption dans laquelle expirera le mal *(Ce que dit la bouche d'ombre)*.

Ce recueil, d'une exceptionnelle richesse, est de tous ceux de Victor Hugo le plus propre à montrer la diversité de sa poésie.

**Les Contemplations**

Victor HUGO
1856

*Classiques Larousse
Le Livre de poche
Poésie/Gallimard*

THÈMES
1° Vie. Bonheur.
Enfance. Jeunesse.
Amour, 1, e et 2, b.
Rêverie. Souvenir.
Mélancolie.
2° Mort. Destin, 1.
Mal. Souffrance, 2
3° Nature, 4, b. Dieu.
Surnaturel. Fantastique.
Beauté. Poète, 1, e.

**Contes cruels**

VILLIERS
DE L'ISLE-ADAM
1883

*Classiques Garnier*
*Folio*

Le titre de ce recueil de contes est justifié par une inspiration noire et pessimiste qui rappelle souvent la manière d'Edgar Poe (*Histoires extraordinaires*, 1840).

Villiers cherche à étonner par des faits déconcertants, sinistres ou macabres. Ainsi, dans *le Convive des dernières fêtes*, il révèle le secret d'un convive mystérieux dont le plaisir est de remplacer le bourreau dans les exécutions publiques. *L'Intersigne* est bâti sur les prémonitions qui entourent la mort d'un ami, l'abbé Maucombre. Citons encore, de la même veine, *Vera*, *Duke of Portland*, *A s'y méprendre*, *La Reine Isabeau*, *Sombre récit*.

Villiers se plaît aussi à inquiéter en démasquant la comédie des sentiments *(L'Inconnue, Maryelle)* et le vide de l'existence *(Le Désir d'être homme)*.

Sa raillerie bouffonne s'inspire de la dégradation des vertus et des sentiments dans le monde moderne *(Les Demoiselles de Malfilatre, Paul et Virginie)*. Mais le réalisme n'est pas son vrai domaine ; il tend plutôt au symbolisme, comme dans *Le Plus beau dîner du monde* où Maître Lecastelier, pour l'emporter sur Maître Percenoix, met un louis dans la serviette de ses hôtes. Pour dénoncer le matérialisme de la vie contemporaine, il forge des fictions scientifiques comme *L'Appareil pour l'analyse chimique du dernier soupir* et surtout *L'Affichage céleste*, anticipation satirique sur la publicité grâce à laquelle « le Ciel finira bien par être bon à quelque chose ».

THÈMES
Bizarre. Surnaturel.
Fantastique. Vie
moderne. Corruption.
Matérialisme, 2.

De nombreux traits de ce genre rappellent l'idéalisme de ce rêveur en révolte contre son temps. Mais plutôt qu'une réflexion élaborée, c'est le plaisir d'un conte qu'il faut lui demander.

---

**Contes
et nouvelles**

Guy de
MAUPASSANT
1880-1890

*Classiques Larousse*
*Folio*
*Le Livre de poche*

La part la plus importante de l'œuvre de Maupassant est constituée de contes et de nouvelles qu'il a d'abord publiés dans des journaux, puis réunis en volumes désignés par le titre du premier récit. Signalons quelques récits parmi les mieux venus.

*Boule de suif* (1880, recueil de même titre) : satire de l'hypocrisie morale de la bourgeoisie. Boule de suif est une demoiselle de petite vertu qui partage avec de bons bourgeois les aléas d'un voyage en diligence pendant la guerre de 1870. Ses compagnons de voyage lui font d'abord grise mine, mais, démunis de provisions, ils sont bien heureux de puiser dans son panier. Ses victuailles semblent même lui avoir gagné la sympathie générale : quand un officier prussien prétend obtenir ses faveurs avant d'accorder un laisser-passer, on s'indigne avec elle et l'exhorte à une patriotique résistance. Néanmoins, comme on désire continuer le voyage, on la pousse bientôt tout aussi vivement à se sacrifier, et elle cède. Le lendemain, au moment du départ, la pauvre fille ne rencontre plus que mépris, et ceux qu'elle a tirés d'affaire mangent sous ses yeux sans rien lui offrir.

*La Ficelle* (1883, recueil *Miss Harriett*) : anecdote fondée sur les caractères paysans. Un paysan qui a ramassé un bout de ficelle en se rendant au marché est accusé d'avoir volé un portefeuille.

*Mon oncle Jules* (1883, recueil *Miss Harriett*) : satire de la bourgeoisie. Des petits bourgeois qui ont longtemps espéré la fortune d'un oncle établi aux États-Unis reconnaissent celui-ci dans un pauvre vieil écailler et lui tournent le dos.

*En mer* (1883, recueil *Contes de la bécasse*) : un drame de famille et d'argent chez les humbles. Sur le bateau de son frère, un pêcheur, Javel cadet, a eu le bras pris dans le filin du chalut. On aurait pu le dégager en sacrifiant le chalut; on a préféré sacrifier son bras.

*Le Petit Fût* (1884, recueil *Les Sœurs Rondoli*) : un crime secret à la campagne. Maître Chicot, un aubergiste qui a acheté en viager la petite ferme de la mère Magloire, a l'idée, pour hâter la mort de celle-ci, de lui donner le goût du calvados et lui en offre un petit fût. Son calcul réussit.

*Toine* (1885, recueil de même titre) : réalisme drolatique. Toine, un gros cabaretier jovial qui abuse de la fine, est frappé de paralysie. Sa femme le tyrannise et imagine, pour qu'il se rende utile, de lui faire couver des œufs dans son lit.

*Fini* (1885, recueil *Toine*) : intéressant portrait d'un vieux mondain. Le comte de Lormerin retrouve une femme qu'il a aimée autrefois et ne la reconnaît qu'en sa fille. Il mesure alors son âge : « Fini Lormerin. »

*Mademoiselle Perle* (1886, recueil *La Petite Roque*) : peinture des mœurs bourgeoises et analyse des secrets du cœur. Chez ses amis Chantal, l'auteur se fait conter l'histoire de M^{lle} Perle, enfant trouvée par les parents de son hôte. Il conduit M. Chantal à avouer qu'il a aimé M^{lle} Perle bien qu'il ait épousé sa cousine.

Sous l'influence de l'esprit naturaliste (il est le disciple de Flaubert et de Zola), Maupassant a renouvelé le contenu d'un genre dont il possède parfaitement les techniques.

Maupassant excelle aussi dans le genre fantastique. *Le Horla* (1887, recueil *Le Horla*) est son œuvre la plus connue de ce registre. Le narrateur, qui tient son journal, se dit victime d'un être invisible d'ordre surnaturel qui trouble sa vie, le Horla. Pour le tuer, il met le feu à sa maison, mais il prend conscience que cet être sans corps est invulnérable. Son journal s'interrompt sur ces mots : «Alors... alors... il va donc falloir que je me tue, moi!... »

**THÈMES**
Mœurs. Passions.
Province. Paris.
Bourgeois. Paysans.
Peuple. Fantastique.

Cette nouvelle, qui est souvent mise en rapport avec les troubles mentaux de Maupassant, relève d'abord des lois d'un genre à la mode au XIX^e siècle.

---

**La Cousine Bette**

Honoré de BALZAC
1846

*Folio*
*Le Livre de poche*

Ce roman, qui n'était pas prévu en 1845 au catalogue de la *Comédie humaine\**, forme, avec *Le Cousin Pons\**, l'histoire des *Parents pauvres (Scènes de la vie parisienne)*.

Si Pons est un vieux célibataire ridicule, mais bon et injustement persécuté par de riches parents, Élisabeth Fisher est une vieille fille méchante qui répond seulement par une violente jalousie aux excellents procédés que ses cousins Hulot ont toujours eus à son égard. Quand, sous l'Empire, la belle Vosgienne Adeline Fisher a, malgré ses origines paysannes, épousé le baron Hulot d'Ervy, brillant haut fonctionnaire de Napoléon, elle n'a pas oublié sa cousine Bette. Elle l'a fait venir à Paris, l'a aidée à s'instruire, a voulu la pousser dans le commerce, la marier ; mais, chez cette fille laide, ombrageuse et sournoise, rien n'a pu vaincre des rancunes remontant à l'enfance. Sa haine se trouve même exaspérée par une déception sentimentale. A quarante-quatre ans, Bette nourrit un attachement passionné pour un jeune sculpteur polonais exilé, le comte Wenceslas Steinbock, qu'elle aide en secret depuis plusieurs années. Hortense Hulot, petite-cousine de Bette, vient à faire la connaissance de l'artiste, s'en éprend et l'épouse. Sans que ses cousins le soupçonnent, Bette ne songe plus désormais qu'à leur nuire. Si la baronne Hulot est aussi vertueuse que belle, le baron est libertin : c'est par là que Bette va faire souffrir sa cousine Adeline et ruiner toute la famille. L'instrument de sa vengeance est une certaine M^{me} Marneffe, sorte de courtisane bourgeoise dont le mari est le subordonné du baron Hulot au ministère de la Guerre. Bette pousse le baron vers cette femme et attire aussi le mari d'Hortense dans ses filets, encourageant leurs dissipations. Elle a la satisfaction de conduire le baron à la ruine et à la dégradation la plus complète : il abandonne sa famille pour fuir ses créanciers et cacher sa déchéance sous un faux nom dans un bas quartier de Paris. Cependant Bette sera punie ; elle meurt de phtisie au moment où la baronne Hulot, toujours inconsciente des machinations de sa cousine, voit se rétablir sa situation financière et réussit, par son courage, à ramener son mari parmi les siens. Ce vieillard décrépit causera la mort de sa femme en la trompant encore avec la fille de cuisine qu'il épouse quelques mois plus tard.

Ce roman est typiquement balzacien par le grossissement des passions et des vices, et par la peinture encore une fois renouvelée de la corruption des mœurs parisiennes sous la monarchie de Juillet.

THÈMES
Famille. Passions, 3.
Femme, 1, d et f.
Jalousie. Amour, 1, e.
Libertin. Corruption.
Paris.

---

Cette « scène de la vie parisienne », placée à côté de *La Cousine Bette*\* sous le titre *Les Parents pauvres*, ne figurait pas encore en 1845 au catalogue de la *Comédie humaine*\*. Elle peint les humiliations qu'un cousin pauvre doit subir chez des parvenus, les Camusot de Marville, puis les intrigues qui l'enserrent lorsqu'on découvre qu'il va laisser un énorme héritage.

Pons est un vieux célibataire, chef d'orchestre dans un petit théâtre, dont la vie modeste est éclairée par une grande passion : il est collectionneur et s'est constitué, en quarante ans d'achats patients, des collections d'objets d'art considérables. Il a aussi un faible : il est gourmand, de sorte qu'il tient beaucoup aux invitations de ses cousins Camusot. L'action commence un jour où Pons va offrir à sa cousine, en remerciement de ses dîners, un éventail peint par Watteau. Cette bourgeoise, épouse d'un président de cour qui a pris le nom d'une terre, Marville, songe plus à marier richement sa fille

**Le Cousin Pons**

Honoré de BALZAC
1847

*Folio*
*Le Livre de poche*

Cécile, qui a déjà vingt-trois ans, qu'à goûter l'art d'un peintre inconnu d'elle et les attentions d'un cousin obscur et mal vêtu. Pour l'écarter, elle se prétend invitée en ville, et le mensonge n'échappe pas au malheureux musicien.

Pons rentre en grâce sur l'intervention de Camusot, homme médiocre mais sans méchanceté. Il croit même se rétablir complètement dans la maison, car il a trouvé un riche parti pour Cécile, un banquier allemand, qu'un vieil ami, le pianiste Schmucke, lui a permis de connaître. Les Camusot triomphent devant le monde, mais le mariage échoue, et ils accusent Pons d'avoir machiné leur humiliation.

Le vieil homme, que l'amitié de Schmucke ne suffit pas à défendre contre le chagrin, tombe malade et se trouve en proie à toutes sortes d'intrigants qui ont flairé la valeur de ses collections. Il les lègue par testament à son ami Schmucke, mais un petit homme de loi vénal, Fraisier, qui s'est mis au service de la présidente de Marville, fait échouer cette donation, et l'héritage revient aux Camusot qui parlent désormais avec attendrissement de ce cousin Pons dont ils n'ont pas suivi l'enterrement.

**THÈMES**
Famille. Argent, 1 et 2.
Ambition. Classes
sociales. Bourgeoisie.
Paris. Corruption.
Amitié, 3.

Ce roman offre quelques-unes des pages de Balzac les plus féroces sur les violences de la jungle parisienne.

---

**Cromwell
(Préface de)**

Victor HUGO
1827

*Classiques Larousse
Garnier-Flammarion*

Sur le destin du responsable de la Révolution anglaise et de l'exécution de Charles Iᵉʳ en 1649, Hugo a bâti un drame injouable en raison de sa longueur, mais dont la *Préface* est à connaître, car il y définit sa conception du drame romantique (cf. *Hernani*\*, *Ruy Blas*\*) et même certains principes fondamentaux de son art personnel.

Analysant les liens de la littérature et de la société, Hugo distingue trois époques : les temps primitifs qui sont lyriques *(La Genèse)* ; les temps antiques qui sont épiques *(Homère)* ; les temps modernes qui sont dramatiques du fait du christianisme qui « met un abîme entre l'âme et le corps, un abîme entre l'homme et Dieu » (Shakespeare en est le génie le plus expressif). « (La muse moderne) sentira que tout dans la création n'est pas humainement *beau*, que le laid y existe à côté du beau, le difforme près du gracieux, le grotesque au revers du sublime, le mal avec le bien, l'ombre avec la lumière. » Cette vision antithétique du monde sera durable chez Hugo (cf. *Notre-Dame de Paris*★, *Châtiments*★, *Les Contemplations*★, *La Légende des siècles*★, *Les Misérables*★, *L'Homme qui rit*★).

La suite de la *Préface* est une polémique contre les unités de temps et de lieu, l'imitation des classiques et le goût de « l'ancien régime littéraire » qu'il résume en Voltaire, souhaitant avec Chateaubriand la naissance de « la grande et féconde critique des beautés ».

THÈMES
Christianisme.
Bien. Mal. Beau, 2.

**Le Culte du Moi**
Maurice BARRÈS
1888-1889-1891

*Temps singulier*

Trilogie romanesque où Barrès a traduit sa quête d'un idéal, et tenté de définir une discipline de vie autour du principe indiqué par le titre : le culte du Moi.

La première partie, *Sous l'œil des Barbares* (1888), est présentée comme « l'histoire des années d'apprentissage d'un Moi, âme ou esprit. » Les faits extérieurs de la vie du héros sont indiqués dans des résumés intitulés *Concordance*, tandis que sa vie intérieure est traduite dans des épisodes de caractère synthétique et symbolique. Ils figurent l'influence des maîtres qui n'ont su lui enseigner que « la détresse d'être » avec cet unique conseil : « Attachons-nous à l'unique réalité, au Moi » ; ses expériences sentimentales, d'où il ressort que l'amour n'est qu'une création du Moi ; la tentation de Paris à vingt ans ; le dandysme. Insatisfait de tout, le héros se retire en lui-même comme dans une tour d'où il voit « grouiller les Barbares », c'est-à-dire « les convaincus », qui ont « donné à chaque chose son nom ». Au cours d'une soirée d'« extase », il choisit la disponibilité dans la lucidité.

La deuxième partie, *Un Homme libre* (1889), est le journal de cette liberté. Pour mieux rompre avec toutes les obligations, le héros s'installe à la campagne avec un ami qui partage ses principes : « Nous ne sommes jamais si heureux que dans l'exaltation. Ce qui augmente beaucoup le plaisir de l'exaltation, c'est de l'analyser. Il faut sentir le plus possible en analysant le plus possible. » C'est le début d'« exercices spirituels » traduits dans le vocabulaire de la mystique chrétienne, mais subordonnés au culte du Moi : « Seule félicité digne de moi, ces instants où j'adore un Dieu, que,

grâce à ma clairvoyance croissante, je perfectionne chaque jour. » Les « intercesseurs » sollicités sont Benjamin
Constant (*Adolphe**) et Sainte-Beuve (*Joseph Delorme,
Volupté**). Mais c'est la Lorraine, son pays natal, où il
découvre l'exemple d'un instinct qui a abouti, « le sens
du devoir », puis Venise, lieu de méditations sur la
beauté, la mort et la vie, qui vont conduire le héros
à la pleine conscience de lui-même et à l'adoption de
règles pratiques : « J'ai renoncé à la solitude ; je me suis
décidé à bâtir au milieu du siècle, parce qu'il y a un
certain nombre d'appétits qui ne peuvent se satisfaire
que dans la vie active. » A l'abri de quelques restric-
tions d'un élégant dilettantisme, c'est une assez banale
réconciliation avec la vie comme elle va.

Dans la troisième partie, *Le Jardin de Bérénice*
(1891), le héros, qui reçoit le nom de Philippe,
retrouve, au cours d'une campagne électorale en Provence, une ancienne danseuse de café-concert, Bérénice, dite Petite-Secousse. Repliée sur le souvenir d'un
amour que la mort a brisé, Bérénice, qui conserve de
son enfance le sens du beau et des traditions simples,
a réalisé dans son jardin d'Aigues-Mortes, près de la
nature, un art de vivre que Philippe envie. Fragile harmonie, car persuadée par celui-ci de se marier pour
se libérer du passé, Bérénice meurt de s'être ainsi trahie. Pour protéger sa liberté intérieure des atteintes du
monde, Philippe décide de se lancer dans quelque
spéculation propre à assurer son indépendance matérielle.

THÈMES
Moi, 3, b.
Apprentissage.
Individualisme. 2.
Barbare. Liberté, 1, b.
Bonheur, 5, c. Plaisir.
Femme, 1, g.
Nature, 2, b.

Cette apologie de l'individualisme, qui représente la
première tentation de Barrès (*Les Déracinés** témoignent de son évolution ultérieure), a exercé, à la fin
du XIXᵉ et au début du XXᵉ siècle, une forte influence
qu'ont reconnue par exemple Gide, Mauriac et
Malraux.

---

**La Curée**

Émile ZOLA
1871

*Folio*
*Le Livre de poche*

Ce roman, deuxième volume des *Rougon-Macquart**,
est consacré à la fièvre de spéculation et de plaisirs qui,
après le coup d'État du 2 décembre 1851, s'est emparé
des profiteurs du nouveau régime.

Arrivé de Plassans à Paris sans un sous en 1852,
Aristide Rougon, qui a pris le nom de Saccard, a en
quelques années édifié une fortune par la spéculation immobilière ; il reçoit fastueusement dans son

hôtel particulier du parc Monceau, et sa femme Renée parade en calèche au bois de Boulogne. Sa chance initiale a été un modeste emploi à l'Hôtel de Ville. Son frère Eugène, avocat bonapartiste qui fait une brillante carrière politique, le lui a procuré avec cet avertissement : «Gagne beaucoup d'argent, je te le permets ; seulement pas de bêtise, pas de scandale trop bruyant, ou je te supprime.» Comme agent voyer, il s'est initié aux manœuvres spéculatives rendues possibles par les travaux d'urbanisme du préfet Haussmann. Sa sœur Sidonie lui a fourni les moyens de son essor. Cette veuve d'huissier aux mystérieuses activités d'entremetteuse a négocié pour lui, avant même que sa première femme eût achevé de mourir, un mariage inespéré avec l'héritière d'une famille de magistrats, Renée Béraud du Chatel, dont il fallait couvrir une faute. La dot promise l'a aisément persuadé de se laisser présenter au père comme le séducteur prêt à réparer ses torts. Pour user librement de la fortune de Renée, il continue de fermer les yeux sur ses caprices, même quand elle devient la maîtresse de Maxime, fils qu'il a eu de son premier mariage. Ces trois personnages sont pour Zola significatifs : «J'ai voulu montrer l'épuisement prématuré d'une race qui a vécu trop vite et qui aboutit à l'homme-femme des sociétés pourries ; la spéculation furieuse d'une époque s'incarnant dans un tempérament sans scrupules, enclin aux aventures ; le détraquement nerveux d'une femme dont un milieu de luxe et de honte a décuplé les appétis natifs» (Préface).

A la lisière de cette nouvelle société d'entrepreneurs et de financiers véreux, de politiciens compromis, de mondains dépravés, n'oublions pas la prospérité du demi-monde des courtisanes : Aristide Saccard combine l'une de ses meilleures manœuvres avec Laure d'Aurigny, l'une des plus célèbres d'entre elles. Seul principe commun à tous : il faut être de la curée dénoncée par le titre du roman. Les affaires de Saccard se développent ; Maxime épouse pour sa dot une gamine contrefaite et poitrinaire ; Renée, leur complice et leur victime, consciente de son avilissement, meurt d'une méningite.

*La Curée,* que Zola présente comme la «peinture vraie de la débâcle d'une société», est un excellent document sur le Second Empire.

THÈMES
Paris. Arrivisme.
Argent, 2, c.
Vie mondaine.
Femme, 1, c.
Amour, 1, e. Corruption.

**Les Curiosités
esthétiques**

Charles BAUDELAIRE
1845-1863

*Classiques Garnier*

L'ouvrage regroupe divers articles de critique d'art publiés par Baudelaire entre 1845 et 1863. Ils sont essentiels pour la connaissance de son esthétique.

Son compte rendu du *Salon de 1846* est pour lui l'occasion de définir sa conception du romantisme : « Le romantisme n'est précisément ni dans le choix des sujets ni dans la vérité exacte mais dans la manière de sentir. [...] Qui dit romantisme dit art moderne, c'est-à-dire intimité, spiritualité, couleur, aspiration vers l'infini, exprimées par tous les moyens que contiennent les arts » (ch. II).

A partir de l'exemple de Delacroix, qu'il admire, Baudelaire analyse l'attitude de l'artiste devant la nature : « Pour Delacroix la nature est un vaste diction-naire. » (ch. IV). Par réaction contre les traditions classiques, il vante « l'héroïsme de la vie moderne » et particulièrement l'intérêt artistique de la grande ville (ch. XVIII). Voir, à ce sujet, *Tableaux parisiens* dans *Les Fleurs du mal*★ et *Petits Poèmes en prose*★.

Le compte rendu de *l'Exposition universelle de 1855* attire l'attention sur la poésie de l'insolite et du bizarre (« Le beau est toujours bizarre », ch. I), veine typiquement baudelairienne et abondamment exploitée par les modernes (cf. Apollinaire, *Alcools*★, *Calligrammes*★).

Dans *Le Salon de 1859*, Baudelaire dénonce l'art réaliste : « Je trouve inutile et fastidieux de représenter ce qui est [...]. La nature est laide, et je préfère les monstres de ma fantaisie à la trivialité positive. » L'imagination est « la reine des facultés » (ch. III). « Tout l'univers visible n'est qu'un magasin d'images et de signes auxquels l'imagination donnera une place et une valeur relative. » (ch. IV).

L'étude consacrée à Constantin Guys sous le titre *Le Peintre de la vie moderne* (1863) conduit Baudelaire à des réflexions qui ont valeur de confidences : « Le génie n'est que l'enfance retrouvée à volonté » (ch. IV) ; la foule est le domaine de l'artiste, la grande ville sa meilleure inspiratrice (ch. IV) ; l'art doit métamorphoser la nature, il faut faire l'« éloge du maquillage » (ch. XI).

THÈMES
Art et création artistique.
Beau. Bizarre.
Nature. Modernité.

En montrant la solidarité des différents domaines artistiques (littérature, peinture, sculpture, musique), ces articles ouvrent la voie à la critique moderne.

Cette comédie héroïque en cinq actes et en vers met en scène un héros qui n'a que de lointains rapports avec l'auteur de l'*Histoire comique des États et Empire de la Lune* (1619-1655), et procède plus largement de l'idéal romanesque du XVIIᵉ siècle (*L'Astrée*★), déjà remis en honneur par le romantisme (*Les Trois Mousquetaires*★).

Cadet de Gascogne pauvre et laid, mais spirituel, passionné et généreux, Cyrano est de ces héros victimes du destin qui trouvent leur ivresse dans le malheur, comme Hernani et Ruy Blas. Plein de jactance en public, intraitable quand il s'agit d'honneur, il est humble et soumis quand il s'agit d'amour. Il provoque en duel un jeune vicomte qui s'est moqué de son nez, mais il cache ses sentiments à sa cousine Roxane, une Précieuse, qui le prie de prendre sous sa protection le jeune Christian de Neuvillette. Il se trouve même amené à prêter son esprit à ce rival pour séduire la belle Roxane. Au cours d'une scène célèbre, Cyrano, caché dans l'ombre sous le balcon de Roxane, lui adresse une déclaration ardente, et c'est Christian qui recueille son baiser (III, 10). Après le mariage des amants, c'est encore Cyrano qui compose les lettres que Christian envoie à Roxane depuis Arras dont il font le siège. Au moment où les deux amis sont convenus d'avouer la supercherie, Christian est tué. Cyrano gardera son secret. Quand il rend visite à Roxane, chaque semaine, dans le couvent où elle s'est retirée, c'est pour lui parler de Christian. Il faut qu'il soit blessé à mort par traîtrise pour qu'il lui avoue son amour, au bout de quinze ans.

Cette pièce d'un romantisme clinquant a été l'œuvre la plus populaire du théâtre français avant la guerre de 1914 ; elle est toujours reprise avec succès.

**Cyrano de Bergerac**
Edmond ROSTAND
1897

*Folio*
*Le Livre de poche*

THÈMES
Amour, 1, e. Honneur.
Générosité. Destin.

---

La « débâcle » de 1870, postérieure au premier projet des *Rougon-Macquart*★, allait en fournir le terme : « [...] La chute des Bonaparte, dont j'avais besoin comme artiste, et que je trouvais fatalement au bout du drame, sans oser l'espérer si prochaine, est venue me donner le dénouement terrible et nécessaire de mon œuvre » (Préface des *Rougon-Macquart,* 1871). Zola a attendu vingt ans pour tenter une peinture explicative

**La Débâcle**
Émile Zola
1892

*Folio*
*Le Livre de poche*

des événements et l'organiser avec une force artistique et épique à leur mesure.

Le roman retrace l'histoire de l'armée, réunie au camp de Châlons, dont Napoléon III est venu prendre la tête et qu'il conduira au désastre et à la capitulation de Sedan. C'est à cette armée qu'appartiennent les héros principaux, le paysan Jean Macquart (*la Terre*⋆) et l'étudiant Maurice Levasseur que l'on retrouvera à Paris lors de la Semaine sanglante par laquelle s'achève la Commune.

Zola s'attache à peindre les réalités de la guerre au niveau d'une section de fantassins aux prises avec des peines à peu près toujours étrangères à l'héroïsme. Mais il retrace aussi l'ensemble des opérations et l'action des différentes armes. Tous les personnages ont un caractère représentatif. Jean, « esprit raisonnable, équilibré, qui a souffert », est « l'âme même de la France, équilibrée et brave ». Maurice, engagé volontaire, « un cérébral », incarne « l'autre partie de la France : les fautes, la tête en l'air, l'égoïsme vaniteux » (*Ébauche*). Chouteau, soldat lâche et vicieux, représente la mauvaise part du peuple. Les divers officiers symbolisent les mérites et les défauts des cadres militaires de l'époque, les civils la diversité des comportements dans l'épreuve (héroïsme du franc-tireur Weiss à Bazeilles, trafics malhonnêtes du père Fouchard). Enfin la pitoyable silhouette de l'Empereur malade résume la décrépitude du régime.

Zola a voulu dégager sans ménagements les responsabilités des différentes couches de la société française, dans un esprit de lucidité patriotique dont il se prévaut devant les milieux conservateurs qui lui reprochent d'avoir insulté l'Armée. Sa vision coïncide d'ailleurs avec la thèse officielle de la IIIᵉ République à ce sujet : la France a été conduite au désastre par des chefs incapables et un régime corrompu et usé que symbolise l'état physique de l'Empereur. Le peuple, dans l'ensemble loyal et prêt à se sacrifier, était mal préparé et mal commandé.

Quant à la Commune, Zola la présente comme une séquelle de ce désordre de l'Empire et comme une simple péripétie, sans prendre en considération son idéal politique et social. Il n'approuve pas la répression sanglante, mais, pour lui, la Commune n'est que la nervosité de Maurice unie à la malfaisance de Chouteau. Dans la vision épique qu'il a choisi de donner des évé-

nements, le destin de Jean, qui a obéi à Versailles puisqu'il incarne le bon sens français, est de blesser Maurice à mort sur une barricade, d'abattre « le membre
gâté ». Et le roman se termine sur une mystique de la
régénération par le sang et l'épreuve, formulée, il est
vrai, par Maurice.

Quoique ces derniers aspects du livre puissent décevoir, *La Débâcle* est une belle fresque historique où Zola
a le mérite d'avoir réagi contre le tabou qui entourait
les institutions militaires et contre l'idéalisation de
la guerre.

THÈMES
Guerre, 2, b. Héroïsme.
Soldat, 2.
Souffrance, 1, c.
Peuple. Patrie, 2, d.
Paris, 3. Révolution.
Socialisme.
Violence, 2, b.

---

Ce manifeste exprime des principes et des ambitions
mûris par Du Bellay au collège de Coqueret en compagnie de Ronsard et des autres disciples de l'humaniste Jean Dorat (1508-1588).

La première partie affirme la volonté de défendre la
langue française contre ceux qui la méprisent (ch. I)
et propose de l'enrichir « à l'imitation des auteurs grecs
et latins » (ch. VIII).

La deuxième dénonce la facilité de Marot (ch. I) et
loue le travail et l'art sans lesquels le « naturel », c'est-à-
dire le génie, n'est pas suffisant. Il faut abandonner les
vieux genres, « comme rondeaux, ballades... », au profit des épigrammes, des élégies, des odes à la manière
latine, ou des sonnets, « non moins docte que plaisante
invention italienne ». Épîtres et satires ne sont admises
qu'à l'imitation d'Horace. Du Bellay exprime l'espoir
que la tragédie et la comédie seront restaurées. Suivent des conseils pour l'invention de mots nouveaux et
la versification. Le texte se termine par la résolution
d'agir pour que la France brille par les lettres comme
par les armes.

L'importance historique de ce manifeste n'est pas
tant dans la défense de la langue française dont la cause
était déjà gagnée contre les partisans du latin, mais
plutôt dans l'ambition de viser plus haut que les rhé-
toriqueurs (cf. *Poésies*★ de Marot) et dans le choix
des modèles antiques et italiens qui allaient influencer
si longtemps la littérature française, la coupant de ses
sources nationales.

**Défense
et illustration
de la langue
française**
Joachim DU BELLAY
1549

*Classiques Larousse
Poésie/Gallimard*

THÈMES
Humanisme. Poète.
Grèce. Rome.

## De la Démocratie en Amérique

Alexis
de TOCQUEVILLE
1835-1840

*Classiques Larousse
Garnier-Flammarion
Idées/Gallimard*

Parti pour les États-Unis en 1831 afin de s'y informer sur l'administration pénitentiaire, Tocqueville en a rapporté les matériaux d'une étude complète de la seule démocratie dont le monde offrît alors l'exemple. Ce livre est tenu par beaucoup pour l'œuvre de réflexion politique la plus importante du XIXᵉ siècle avec celle de Marx.

L'Amérique a révélé à Tocqueville que «l'égalité des conditions» est le terme vers lequel évolue irrésistiblement l'Europe. Acceptant cette «grande révolution démocratique» comme «le fait le plus continu, le plus ancien et le plus permanent que l'on connaisse dans l'histoire», il a voulu, sans la discuter comme les nostalgiques du passé, examiner, à la lumière de l'exemple américain, «les moyens de la rendre profitable aux hommes» : «J'avoue que dans l'Amérique j'ai voulu plus que l'Amérique; j'y ai cherché une image de la démocratie elle-même, de ses penchants, de ses préjugés, de ses passions; j'ai voulu la connaître, ne fût-ce que pour savoir du moins ce que nous devions espérer ou craindre d'elle.» (Introduction.)

Le Livre I (1835) dépeint les institutions politiques américaines et leurs effets sur les mœurs (sens civique, activité, prospérité économique). Tocqueville termine sur la vision de la puissance future des États-Unis dont il rapproche celle de la Russie.

Le Livre II (1840) revient sur les rapports de la démocratie et de la société et propose des vues qui semblent prophétiques sur le danger qui guette les sociétés démocratiques : l'abdication des individus devant l'État investi d'un rôle égalisateur et tutélaire qui risque de devenir despotique et de créer une nouvelle servitude à la faveur du confort matériel et de quelques formes extérieures de liberté. Tocqueville s'interroge alors sur les moyens de préserver la véritable liberté et souligne le rôle des libertés d'association, d'opinion et de presse.

THÈMES
Amérique. Démocratie.
Égalité. Liberté, 2.
Individu. État, 1.
Despotisme.

---

## De la Terre à la Lune

Jules VERNE
1865

*Le Livre de poche*

Ce roman de la série des *Voyages extraordinaires* était en 1865 une ingénieuse extrapolation scientifique et technique appliquée avec humour à un vieux rêve humain.

Jules Verne en a attribué la réalisation aux Américains. A la fin de la guerre de Sécession, un cercle d'anciens artilleurs de Baltimore, le Gun-Club, décide d'appliquer sa science de la balistique à l'envoi d'un obus d'aluminium sur la lune à l'aide d'un canon de neuf cents pieds. Grâce à une souscription internationale, la construction du canon est menée à bien en Floride où se développe une ville nouvelle. C'est un coup de théâtre quand le journaliste français Michel Ardan demande à prendre place dans le projectile. Le président du Gun-Club, Impey Barbicane et son rival, le capitaine Nicholl, décident de l'accompagner. On aménage l'obus et le pourvoit des vivres et du matériel nécessaires pour le voyage et le débarquement sur la lune. Le tir a lieu le 1er décembre 186. à 10 h 47. Le voyage qui doit durer 97 heures 20 minutes sera suivi à l'aide d'un télescope construit dans les montagnes Rocheuses. Le roman s'arrête au moment où l'on apprend que le «wagon-projectile», dévié pour une cause ignorée, s'est mis en orbite autour de la lune.

*De la Terre à la Lune* comporte une suite, *Autour de la Lune*, qui décrit le voyage du point de vue des occupants de la cabine ; celle-ci fait le tour de la lune avant de revenir tomber dans le Pacifique où un bateau la récupère.

Ces romans ont bénéficié d'un renouveau d'attention depuis que la réalité a rejoint la fiction.

THÈMES
Voyage, 2, b.
Science, 4.
Progrès, 4.

---

## De l'Esprit des Lois

MONTESQUIEU
1748

*Classiques Garnier
La Pléiade*

Ouvrage monumental de sociologie politique, subdivisé en cinq parties et trente-et-un livres. L'ambition de Montesquieu est de trouver l'ordre auquel répond «l'infinie diversité des lois et des mœurs», car tout, à ses yeux, a une logique, sinon un caractère rationnel ; c'est aussi d'instruire les hommes et de les aider à améliorer les lois positives qui régissent la cité (Préface).

Il rattache la possibilité d'établir ces lois à la «raison primitive» qui s'exprime dans la création, œuvre de Dieu, et garantit les notions de juste et d'injuste : «Avant qu'il y eût des lois faites, il y avait des rapports de justice possibles» (I, 1). C'est parce qu'il est raisonnable que l'homme les conçoit ; d'où cette définition fondamentale : «La loi, en général, est la raison humaine, en tant qu'elle gouverne les peuples de la terre ; et les lois politiques et civiles de chaque nation ne doivent être que les cas particuliers où s'applique cette raison humaine» (I, 3).

Montesquieu traite, comme son titre l'annonce, «du rapport que les lois doivent avoir avec la constitution de chaque gouvernement, les mœurs, le climat, la religion, le commerce, etc.». Des chapitres célèbres sont consacrés aux «trois espèces de gouvernement : le républicain, le monarchique, le despotique» (II-IX), à la séparation des pouvoirs (XI, 6), aux rapports entre les mœurs et le climat (XIV, 2), au problème de l'esclavage (XV, 5) et à celui de la tolérance (XXV, 9).

Montesquieu définit les modèles de société qu'il envisage par la politique et non par l'économie ; c'est la manière dont les hommes se gouvernent qui est à ses yeux le fait essentiel.

Notons sa préférence pour le régime monarchique tempéré par la séparation selon le modèle anglais (XI, 6) et par l'action des corps intermédiaires (II, 4), en particulier des Parlements (il appartenait lui-même à celui de Bordeaux).

Son influence sur la Révolution de 1789 a été faible. On lui reprocha alors d'être privé d' «une double inspiration nécessaire au vrai Législateur, l'amour du peuple et le sentiment de l'égalité» (Ph. A. Grouvelle, 1789, futur membre de la Constituante). Son influence fut plus importante à l'étranger ; aux États-Unis en particulier il inspira les rédacteurs de la Constitution de 1787.

THÈMES
Société. Lois. Raison. Droit. Gouvernement. Démocratie. Monarchie. Despotisme. Esclavage. Tolérance.

---

**Les Destinées (Poèmes philosophiques)**

Alfred de VIGNY
1864 (posthume)

*Poésie/Gallimard*

Ce recueil auquel Vigny songeait au moins dès 1843 réunit onze poèmes qu'il a écrits entre 1838 et sa mort. Voici les plus caractéristiques.

La pièce liminaire, *Les Destinées* (1849), met en scène les antiques Destinées, messagères de la Fatalité : le Christ les a chassées, mais, remontées au Ciel pour demander «la Loi de l'Avenir», elles ont été à nouveau investies, cette fois par la Grâce divine, d'un pouvoir invisible mais souverain sur les hommes : «Mais qui donc tient la chaîne ? Ah ! Dieu Juste, est-ce vous ? / [...] Notre mot éternel est-il : *C'était écrit ?*»

Dans *La Maison du berger* (1844), Vigny s'adresse à une femme au nom symbolique, Éva, à qui il prête le besoin de solitude et d'amour qu'il éprouve lui-même. Il l'invite à fuir les villes pour venir s'abriter avec lui dans une cabane roulante de berger ; ils échapperont ainsi à la vaine agitation du monde moderne, à ses inventions ambitieuses, symbolisées par les chemins de fer, et à son matérialisme.

*La Mort du loup* (1843) enseigne à opposer au destin un courage stoïque comme fait le loup cerné par les chasseurs : « Gémir, pleurer, prier est également lâche. / Fais énergiquement ta longue et lourde tâche / Dans la voie où le Sort a voulu t'appeler, / Puis, après, comme moi, souffre et meurs sans parler. »

*La Bouteille à la mer* (1853) constitue un appel à la solidarité : au moment où il fait naufrage sur un écueil ignoré des cartes, un capitaine confie aux vagues un message qui sauvera les navigateurs de l'avenir. Et, tandis que, dans *Le Mont des Oliviers* (1862), Vigny se détourne de Dieu qui a abandonné Jésus à ses doutes, il exprime, dans *L'Esprit pur* (1863), sa foi dans la pensée et dans l'avenir de l'humanité.

S'ils comportent des faiblesses dans leurs parties didactiques, ces poèmes austères offrent aussi de très beaux vers.

THÈMES
Homme, 4. Destin. Dieu.
Amour, 1, e.
Femme, 1, a.
Nature, 2, b. Souffrance.
Mort. Stoïcisme. Énergie.
Solidarité.

## Le Diable au corps
Raymond RADIGUET
1923

*Folio*
*Le Livre de poche*

Ce roman, rédigé à la première personne, et qui comporte une part d'autobiographie, se présente comme la confession d'un adolescent au lendemain d'une aventure sentimentale qui s'est tragiquement terminée et qu'il juge sévèrement, une fois que sa fièvre est tombée, disant : « C'est en enfant que je devais me conduire dans une aventure où déjà un homme eût éprouvé de l'embarras ».

A la faveur de la guerre et de la faiblesse de ses parents, le narrateur, lycéen de seize ans, noue une liaison avec la fille de voisins de banlieue, Marthe, dont le fiancé, Jacques, est mobilisé. C'est une passion follement partagée, dans le mépris de toutes les convenances, surtout après le mariage de Marthe et de Jacques, jusqu'au jour où Marthe meurt après avoir mis au monde un fils de son amant que Jacques va élever.

L'adresse même de Radiguet et sa mort à vingt ans ont contribué au prestige de ce livre qui a pris place à côté de *La Princesse de Clèves*★ et d'*Adolphe*★ parmi les romans psychologiques.

THÈMES
Adolescence.
Apprentissage.
Amour, 1, f.

## Le Diable et le Bon Dieu

Jean-Paul SARTRE
1951

Folio

Dans ce drame en trois actes et onze tableaux, avec une netteté démonstrative qui traduit son engagement militant, Sartre développe, sur la responsabilité et le bon usage de la liberté, des idées qui lui sont chères.

L'action se déroule dans l'Allemagne du XVIe siècle, pendant les révoltes des paysans contre l'Église, sur un fond de violence, de religion et de désespoir. Elle s'organise autour d'un aventurier, Goetz, bâtard d'une famille noble, devenu chef d'une armée de reîtres. Violent et exalté, n'agissant que par défi à l'adresse de Dieu, Goetz cherche son accomplissement d'abord dans le mal, puis dans le bien, mais, constatant le silence de Dieu, il se convertit à l'action dans l'histoire au service des hommes.

Au premier acte, après avoir assuré la victoire de l'archevêque de Worms sur ses vassaux et sa ville, Goetz brave tout principe d'humanité et menace de massacrer les habitants de Worms pour le plaisir de faire le mal, «parce que le bien est déjà fait». Il insulte l'amour que lui porte Catherine, sa maîtresse. Il menace de pendaison le boulanger prophète Nasty qui aspire à détruire l'iniquité sociale et à bâtir la cité de Dieu sur la terre. Il raille le curé Heinrich qui est déchiré entre son appartenance à l'Église et son amour des pauvres. Cependant, quand celui-ci lui objecte la banalité du mal et soutient que «Dieu a voulu que le bien fût impossible sur terre», Goetz parie qu'il fera le bien et triche aux dés afin d'entrer dans ce nouveau défi.

Au deuxième acte, Goetz prêche l'amour dans la cité du Soleil qu'il a fondée sur ses terres. Heinrich guette son échec. Nasty lui reproche de compromettre l'avenir des paysans par sa hâte. Comme un rappel de ses fautes, Catherine vient mourir auprès de lui. Hilda, une jeune fille qui s'emploie à soulager les misères, reproche à Dieu de tolérer le mal, tandis que Goetz demande à assumer les péchés de Catherine et feint, pour lui rendre la paix, d'avoir reçu les stigmates du Christ.

Le troisième acte montre l'échec de Goetz dans la comédie du bien : les paysans sont écrasés, la cité du Soleil est détruite. Pour en appeler à Dieu, Goetz cède à la tentation de l'ascétisme, puis, faute de réponse, consent à écouter Hilda, à constater que Dieu n'existe pas, et se tourne vers les hommes. Pour l'empêcher de prendre ce nouveau départ, Heinrich cherche à le tuer. Goetz le poignarde et, se ralliant à Nasty, prend la tête de l'armée des paysans. « Voilà le règne de l'homme qui commence. »

Pour Sartre, l'homme ne saurait trouver son accomplissement ni par référence à une transcendance divine ni dans la tentation de l'absolu, mais dans une action accomplie dans la solidarité avec autrui, pour la réalisation historique de la justice.

THÈMES
Bien. Mal. Dieu.
Révolte. Liberté.
Responsabilité.
Solidarité.

---

Aragon a réuni dans ces recueils une partie de ses « poèmes de contrebande », messages allusifs glissés dans des revues ou chants de résistance diffusés clandestinement sous l'occupation allemande en 1941 et 1942.

Les plus célèbres du premier recueil, *La Rose et le réséda, Ballade de celui qui chanta dans les supplices, Légende de Gabriel Péri*, chantent les martyrs de la Résistance. Elsa, comme dans *Les Yeux d'Elsa\**, reste le miroir du malheur *(Il n'y a pas d'amour heureux, Elsa au miroir)*.

Usant d'une métrique régulière mais très fluide, Aragon monte avec naturel jusqu'au ton épique.

Il en va de même dans le second recueil, qu'il se souvienne de Paris *(Le Paysan de Paris chante, Absent de Paris)*, ou bien, selon la méthode définie dans *La Leçon de Ribérac (Les Yeux d'Elsa\*)*, évoque les héros français sous le masque de ceux du Moyen Age *(Brocéliande)*.

## La Diane française En étrange pays dans mon pays lui-même

Louis ARAGON
1945

*Seghers*

THÈMES
France, 2. Héroïsme.
Patrie. Résistance.
Amour, 1, f.

---

Voltaire, qui n'a que fugitivement collaboré à l'*Encyclopédie\** entre 1756 et 1758 (Diderot ne l'avait tout d'abord pas sollicité), avait conçu dès 1752, étant à Berlin, l'idée d'un dictionnaire contre les préjugés et le fanatisme, œuvre collective encore, mais plus franchement polémique que l'*Encyclopédie*. C'est le principe du *Dictionnaire philosophique portatif* qu'il a publié, seul et anonymement, en 1764, enrichi jusqu'en 1769, où il lui donne pour titre *La Raison par alphabet*, et prolongé dans ses *Questions sur l'Encyclopédie* (1770-1774).

## Dictionnaire philosophique portatif

VOLTAIRE
1764

*Classiques Garnier
Garnier-Flammarion*

On y retrouve les principes que Voltaire défend depuis toujours. Il y raille la métaphysique et la théologie (article *Ame*) et en détache la morale à la façon du Scythe Dondindac qui se contente de croire en Dieu *(Dieu)*. Il ne va pas comme Bayle jusqu'à la justification de l'athéisme, mais il en rend responsables « les tyrans » *(Athée* ; *Athéisme)* et déclare le fanatisme « mille fois plus funeste » par ses crimes *(Torture)*. Son déisme partout proclamé *(Catéchisme chinois)* a constamment une portée anticléricale.

Il fonde la politique comme la morale sur la raison universelle *(Lois, États, Gouvernements)*, proclamant que les hommes naissent tous égaux *(Maître)*. Il accepte comme inévitable l'inégalité des fonctions sociales *(Égalité)*, mais défend les droits des individus. Il plaide aussi pour la substitution du règne du droit à celui de la force dans les rapports entre nations *(Guerre)* et oppose au patriote d'esprit étroit le citoyen de l'univers *(Patrie)*.

On a souvent constaté que ces principes correspondent à l'idéal démocratique tel qu'il était conçu en France à la fin du XIXᵉ siècle où justement le *Dictionnaire philosophique* était l'une des œuvres de Voltaire les plus lues. Il en reste l'une des plus significatives.

THÈMES
Raison. Préjugés. Progrès.
Liberté, 2. Individu, 1. Droit. Religion. Déisme. Athéisme. Tolérance. Justice. Égalité. Guerre, 2, a. Patrie. Humanité.

---

## Les Dieux ont soif

Anatole FRANCE
1912

*Calmann-Lévy*

Roman historique sur la Révolution française, de la dictature de la Convention montagnarde à la réaction thermidorienne (1793-1794).

Anatole France nous fait suivre le destin d'un jeune peintre pauvre et patriote, Évariste Gamelin, qui devient juré au Tribunal révolutionnaire au moment le plus critique pour la République attaquée de l'intérieur et de l'extérieur. « Aux défaites des armées, aux révoltes des provinces, aux conspirations, aux complots, aux trahisons, la Convention opposait la terreur. Les Dieux avaient soif » (ch. IX).

Évariste Gamelin, qui est d'un scrupule extrême, se convertit à l'exercice de la terreur pour « le bien public », à l'exemple de Robespierre, en attestant la pureté de son cœur. Entraîné dans la chute de l'Incorruptible (9 Thermidor an II : 27 juillet 1794), il périt à son tour sur la guillotine, regrettant seulement de n'avoir pas été plus dur : « Nous avons été faibles ; nous nous sommes rendus coupables d'indulgence. Nous avons trahi la République. Nous avons mérité notre sort» (ch. XXVIII).

Anatole France ne peint pas que les excès du Comité de Salut public; il montre également, dans un très vivant tableau de la vie quotidienne, la réalité de la contre-révolution qui guettait l'heure de sa revanche. Aussi, tandis que pour les uns le roman est réactionnaire, pour d'autres il a le mérite de rappeler la force des résistances à la Révolution. Dans son ambiguïté, ne traduit-il pas le scepticisme d'Anatole France devant la simplification de l'histoire?

THÈMES
Histoire, 1, b.
Révolution, 1.
Violence, 2, b.
Fanatisme.
République, 2, b.

---

C'est la première œuvre publiée par Descartes, qui avait cependant déjà écrit un ouvrage de physique, *Le Monde ou Traité de la lumière,* qu'il avait renoncé à livrer au public à la suite de la condamnation de Galilée par l'Église romaine (1633), car il reprenait lui aussi l'héliocentrisme de Copernic.

Ce *Discours* correspond à un plus vaste propos que le titre ne l'indique, et se présente comme une histoire de l'évolution intellectuelle et des travaux de Descartes.

Dans la première partie, Descartes examine la formation qu'il a reçue au collège et procède à la critique des disciplines qui lui ont été enseignées, parmi lesquelles les mathématiques l'ont séduit «à cause de la certitude et de l'évidence de leurs raisons», par contraste avec la philosophie qui reste un terrain de «dispute». Déçu au total, il s'est affranchi de ses maîtres dès que possible «(se) résolvant, dit-il, de ne plus chercher d'autre science que celle qui se pourrait trouver en (lui-même) ou bien dans le grand livre du monde».

Dans la deuxième partie, se trouvent «les principales règles de la méthode que l'auteur a cherchée» parce qu'il se trouvait «comme contraint d'entreprendre (soi-même) de (se) conduire». Les principes en sont inspirés des mathématiques : «Le premier était de ne recevoir jamais aucune chose pour vraie que je ne la connusse évidemment être telle [...]»; «Le second, de diviser chacune des difficultés que j'examinerais [...]»; «Le troisième de conduire par ordre mes pensées [...]»; «Et le dernier de faire partout des dénombrements si entiers, et des revues si générales, que je fusse assuré de ne rien omettre.»

**Discours de la méthode**
René DESCARTES
1637

*Garnier-Flammarion*
*Le Livre de poche*

La troisième partie énonce la morale provisoire qu'il adopte pour l'immédiat : «La première (maxime) était d'obéir aux lois et aux coutumes de mon pays, retenant constamment la religion en laquelle Dieu m'a fait la grâce d'être instruit [...]»; «Ma seconde maxime était d'être le plus ferme et le plus résolu en mes actions que je pourrais [...]»; «Ma troisième maxime était de tâcher toujours plutôt à me vaincre que la fortune, et à changer mes désirs que l'ordre du monde [...]».

La quatrième partie concerne la métaphysique, tout entière bâtie à partir de l'évidence : *Je pense, donc je suis,* qui subsiste au milieu du doute méthodique que Descartes a commencé par s'imposer pour éprouver ce qui est vrai. De cette constatation, il passe à l'existence de Dieu qu'il tire de la présence en lui-même de l'idée de parfait que suppose le doute.

La cinquième partie vise «l'ordre des questions de physique qu'il a cherchées, et particulièrement l'explication des mouvements du cœur [...], puis aussi la différence qui est entre notre âme et celle des bêtes.» Descartes rappelle ainsi que dans la physique sont incluses au XVIIe siècle la biologie et la psychophysiologie, en laquelle il se révèle spiritualiste, critiquant les conceptions mécanistes.

Dans la sixième partie, après avoir fait une allusion aux raisons pour lesquelles son traité du *Monde* reste inédit, Descartes affirme la possibilité et le devoir de substituer à «cette philosophie spéculative qu'on enseigne dans les écoles» une philosophie «pratique» «par laquelle, connaissant la force et les actions du feu, de l'eau, de l'air, des astres, des cieux [...], nous pourrions nous rendre comme maîtres et possesseurs de la nature»; il fait alors appel aux savants pour mener les expériences nécessaires auxquelles un homme seul ne peut suffire.

En face de la philosophie scolastique qui se contentait de développer, selon des procédés logiques inspirés d'Aristote (384-322 av. J.-C.), un système de vérités figées accordé avec la révélation chrétienne, le *Discours de la méthode* fondait «la nouvelle philosophie», comme on s'est mis à dire, et son influence, dont l'étude relèverait de l'histoire de la philosophie, a été immense.

Tout philosophe allait désormais «passer» par Descartes selon le mot de Leibniz (1646-1716). On a dissocié assez tôt sa méthode de sa doctrine, critiquant celle-ci comme «fausse et fort incertaine» (Fontenelle, 1688), mais louant celle-là. Ainsi, les philosophes français du XVIIIe siècle n'ont jamais cessé de s'en réclamer (Voltaire, *Lettres philosophiques*⋆). D'Alembert dit tout à fait clairement quel exemple elle a constitué : «[...] Les armes dont nous nous servons pour le combattre ne lui appartiennent pas moins parce que nous les tournons contre lui.» (*Discours préliminaire* de l'*Encyclopédie*⋆.)

THÈMES
Éducation.
Esprit critique.
Raison. Dieu.
Sciences. Progrès.

---

## Discours sur les sciences et les arts

Jean-Jacques
ROUSSEAU
1750

*Garnier-Flammarion
La Pléiade*

En 1749, l'Académie de Dijon proposait comme sujet de concours la question suivante : *Si le rétablissement des Sciences et des Arts a contribué à épurer les mœurs.* Rousseau a souvent répété combien son existence en avait été à la fois éclairée et bouleversée : «Égarement, malheureuse question» *(Deuxième dialogue)*; «Heureux hasard» *(Deuxième lettre à Malesherbes),* a-t-il écrit contradictoirement. Ce sont les *Confessions*⋆ qui disent le mieux le sens que prit cette rencontre : «A l'instant de cette lecture je vis un autre univers, et je devins un autre homme» (livre VIII).

Dans son discours de réponse, Rousseau commence par l'éloge de l'esprit humain, mais glisse vite vers la critique de la civilisation : «Les Sciences et les Arts [...] étendent des guirlandes de fleurs sur les chaînes de fer dont [les hommes] sont chargés, étouffent en eux le sentiment de cette liberté originelle pour laquelle ils semblent nés [...]».

Il ironise sur les «Peuples policés» qui «offrent les apparences de toutes les vertus sans en avoir aucune». Opposant les mœurs rustiques à «cette urbanité tant vantée que nous devons aux lumières de notre siècle», il arrive à sa thèse : «[...] nos âmes se sont corrompues à mesure que nos Sciences et nos Arts se sont avancés à la perfection.»

Il montre la même dégradation chez les nations du passé, et loue par contraste les quelques peuples préservés de «la contagion des vaines connaissances», citant en note, pour exemple, les Cannibales de Montaigne (*Essais*⋆, I, 31).

Puis, appelant à la rescousse le mythe du vieux Romain, il donne la parole à Fabricius (consul en 282 et 278 av. J.-C.) pour lui faire condamner la dégénérescence des mœurs au fil des siècles. « La science et la vertu seraient incompatibles ? » se demande-t-il alors. C'est ce qu'il va montrer avec force paradoxes et sophismes dans la deuxième partie. Il termine toutefois en concédant que « le mal n'est pas aussi grand qu'il aurait pu le devenir », et que les sciences sont devenues utiles.

Couronné par l'Académie de Dijon, ce *Discours* a donné lieu à de vives polémiques que le *Discours sur l'origine et les fondements de l'inégalité parmi les hommes*★ devait faire rebondir. C'était pour Rousseau la notoriété et le début d'une prédication morale où il s'est engagé totalement.

THÈMES
Civilisation. Progrès, 3.
Nature, 1. Vertu.
Bon sauvage.
Société, 1.
Sciences, 2. Arts.
Corruption. Rome, 1.

---

## Discours sur l'histoire universelle

Jacques-Bénigne
BOSSUET

*Garnier-Flammarion*

Cet ouvrage est caractéristique du moment et de l'homme qui l'ont produit.

Bien qu'il annonce une réflexion sur l'histoire universelle, Bossuet limite son propos au monde biblique et méditerranéen dans lequel Jésus-Christ est apparu, puis à la destinée du monde chrétien jusqu'à Charlemagne.

Il s'agit d'une prédication morale et religieuse où le premier prélat de France, ancien précepteur du Dauphin à qui l'ouvrage est dédié, montre l'action de la Providence dans l'histoire comme sur les destinées individuelles, avec dessein d'illustrer la vérité de la religion chrétienne.

A première vue, les événements s'expliquent par des « causes particulières » que l'esprit constate avec surprise. Mais « ce long enchaînement des causes particulières, qui font et défont les empires, dépend des ordres secrets de la divine Providence » (III, 8). Comment Dieu agit-il ? « Il a tous les cœurs dans sa main, [...] et par là il remue le genre humain » (III, 1). L'interprétation d'un tel discours est parfaite pour conduire un prince à prendre conscience de ses devoirs : « [...] Tous ceux qui gouvernent se sentent assujettis à une force majeure. »

Ce livre, qui exprime la confiance en soi-même d'une époque chrétienne et monarchique, devait servir de cible à la réflexion critique de Voltaire *(Essai sur les mœurs*★).

THÈMES
Histoire, 1, a.
Providence.
Christianisme, 1.

En 1753, une nouvelle question de l'Académie de Dijon : *Quelle est l'origine de l'inégalité parmi les hommes, et si elle est autorisée par la Loi naturelle* fournit à Rousseau l'occasion d'approfondir les idées exposées auparavant dans son *Discours sur les sciences et les arts*⋆ (réponse à l'Académie de Dijon publiée en 1750).

Dans la Préface, tout en admettant la difficulté de connaître l'état primitif de l'homme, Rousseau part de la notion théorique d'«état de nature» pour déterminer les principes de la morale naturelle et les vrais fondements du corps politique, ainsi que les droits de ses membres.

Le livre est célèbre surtout pour la vision du bonheur de l'homme naturel, développée dans la première partie d'après les mythes de l'Age d'or et du Bon Sauvage.

La deuxième partie retrace la perte de ce bonheur. Rousseau commence par une attaque contre la propriété : «Le premier qui ayant enclos un terrain s'avisa de dire : Ceci est à moi, [...] fut le vrai fondateur de la société civile.»

Voltaire en fut indigné. En réalité Rousseau, bien qu'il déplore l'institution de la propriété, la présente néanmoins comme l'aboutissement nécessaire d'une longue évolution. (Il cite ailleurs le droit de propriété comme «le plus sacré de tous les droits du citoyen», *Économie politique*.)

Il analyse ensuite l'injustice des institutions imposées aux pauvres par les riches, puis traite du «vrai Contrat entre le Peuple et les Chefs qu'il se choisit», et propose de nombreux principes constructifs concernant la richesse, la force et le droit, et les notions de liberté, de souveraineté et de loi.

Il présente enfin le système démocratique comme le plus avantageux aux hommes, et fixe les conditions pour la rupture du contrat lorsque celui-ci se trouve violé par le despotisme.

Ce discours, dont Voltaire prit prétexte pour railler l'ensemble des thèses de Jean-Jacques Rousseau («J'ai reçu, monsieur, votre nouveau livre contre le genre humain [...]»), pose les bases de la réflexion moderne sur la société.

**Discours sur l'origine et les fondements de l'inégalité parmi les hommes**

Jean-Jacques
ROUSSEAU
1755

*Folio
Garnier-flammarion
Idées/Gallimard
La Pléiade*

THÈMES
Civilisation. Nature, 1.
Bon sauvage.
Bonheur, 4, b.
Société, 1.
Inégalité (cf. Égalité, 3).
État, 1. Liberté, 2, a.
Autorité politique.
Démocratie.

## Dominique

Eugène
FROMENTIN
1862

*La Pléiade*

Le seul roman qu'ait écrit Fromentin est un roman psychologique à source autobiographique où il transpose le souvenir d'une passion déçue qui a marqué son adolescence et sa jeunesse.

Le héros, Dominique de Bray, est un hobereau charentais qui partage son temps entre les plaisirs de la chasse et ses obligations de propriétaire et de maire. Il s'agit d'une retraite délibérée, après une grande désillusion qui est contée à partir du chapitre II par Dominique lui-même. Ce qui pèse encore sur sa vie est une passion conçue dans l'adolescence pour la cousine d'un ami, Madeleine, son aînée de deux ans, qui a épousé M. de Nièvres. On suit le développement de cette passion d'abord secrète, vouée à la souffrance et à l'insatisfaction, ainsi que l'évolution parallèle de Madeleine qui, bientôt troublée elle-même, finit par éloigner Dominique. Après avoir songé à se faire un nom dans les lettres ou la politique pour attirer l'attention de Madeleine, ayant renoncé à jamais à la tentation de la revoir, il s'est retiré à moins de trente ans sur le domaine hérité de ses pères. Maintenant marié, il mène une vie ordonnée et discrète, teintée de la mélancolique douceur des renoncements.

THÈMES
Sensibilité. Souvenir.
Adolescence. Jeunesse.
Amour, 1, e.
Souffrance, 1, a.
Mélancolie.
Nature, 2, b. Province.

Ce roman reflète une sorte d'exténuation de l'âme romantique que l'on retrouve dans *L'Éducation sentimentale*★.

## Dom Juan ou le Festin de pierre

MOLIÈRE
1665

Folio
*Nouveaux classiques illustrés Hachette*

Comédie en cinq actes et en prose. A la suite de l'interdiction du *Tartuffe*★, Molière dut écrire rapidement une nouvelle grande comédie. Il choisit un thème à la mode vers 1660, celui de Don Juan. Ce personnage venait du théâtre de l'Espagnol Tirso de Molina (1571-1648) qui, dans *Le Trompeur de Séville et l'invité de pierre* (1630), s'est probablement inspiré d'un grand seigneur de la cour de Philippe IV, Don Juan de Tarsis, séducteur célèbre pour son ostentation et son cynisme, assassiné peut-être pour avoir voulu séduire la reine et la maîtresse du roi. En France, seule la pièce de Molière a survécu, et ses modèles immédiats sont perdus ou oubliés.

Molière a situé l'action en Sicile. Don Juan, «grand seigneur méchant homme», «épouseur à toutes mains», selon les termes de son valet Sganarelle, vient d'abandonner Done Elvire, sa femme, et songe à un nouvel enlèvement au cours d'une promenade en mer (acte I). Sauvé d'un naufrage, il entreprend de séduire deux paysannes, Charlotte et Mathurine. Ce deuxième acte bouffon exploite le comique du patois paysan. Mais comme des hommes armés le cherchent, Don Juan fuit sous un déguisement. Au grand scandale de Sganarelle, il déclare qu'il ne croit pas au Ciel. Il démontre ironiquement à un pauvre mendiant l'inutilité de sa foi, et l'invite à jurer le nom de Dieu pour un louis que, pour finir, il lui donne « pour l'amour de l'humanité ». Ce héros de défi, qui paraît ne croire à rien, sauve cependant un frère d'Elvire poursuivi par des voleurs. Puis trouvant sur son chemin le tombeau d'un Commandeur d'un ordre de chevalerie qu'il a naguère tué, il l'invite à dîner par dérision : sa statue accepte (acte III).

Au quatrième acte, Don Juan reçoit des visites. La première est celle de Monsieur Dimanche, son créancier : il parvient à l'éconduire adroitement. La deuxième est celle de son père qui parle d'honneur : il le raille. La troisième est celle d'Elvire qui, avant de se retirer au couvent, le conjure de penser à son salut : il voudrait la retenir. La quatrième est celle de la statue du Commandeur qui vient l'inviter à son tour : il acquiesce par défi.

Au cinquième acte, Don Juan change de jeu : tout à coup, en vertu d'une nouvelle méthode hypocrite dont il explique les avantages à Sganarelle, il affecte de s'être converti et tente ainsi de se dérober à ses obligations. Il reçoit son châtiment dans un dénouement allégorique : quand il se rend à l'invitation du Commandeur, la statue de sa victime l'entraîne aux Enfers.

Don Juan est un libertin dans l'exacte acception du terme au XVIIe siècle, puisqu'au libertinage de mœurs il ajoute le libertinage de pensée, c'est-à-dire l'athéisme. Le second était alors considéré comme plus coupable que le premier. Aussi la cabale des Dévots a-t-elle obtenu le retrait de la pièce, bien que Don Juan y soit châtié. Très engagé dans l'actualité du XVIIe siècle par sa dénonciation de l'hypocrisie religieuse, ce « vice à la mode » dont il choisit de masquer sa conduite (V, 2), Don Juan continue de poser aujourd'hui le problème du défi à la société et de ses limites. Il compte parmi les personnages littéraires qui offrent les plus riches incitations à la réflexion.

THÈMES
Libertin. Liberté, 1, b.
Révolte, 1. Immoralisme.
Amour, 1, c.
Femme, 1. Raison.
Religion. Athéisme.
Humanité. Argent.
Honneur. Hypocrisie.
Classes sociales.
Noblesse. Valet.
Paysans. Pauvre.

## Drôle de jeu

Roger VAILLAND
1945

*Le Livre de poche*

Ce roman est à la fois un témoignage sur la Résistance française à l'occupation allemande pendant la Seconde Guerre mondiale et le portrait d'un homme très proche de l'auteur par son caractère.

Au printemps de 1944, l'ancien journaliste François Lamballe est, sous le nom de Marat, chef d'un réseau gaulliste de renseignements auquel appartiennent aussi des communistes.

Ce libertin cynique âgé de trente-six ans est entré dans l'action sans renoncer à ses plaisirs, menant une vie double de militant efficace et de débauché élégant, familier des mêmes boîtes de nuit que les profiteurs du marché noir et de la Collaboration. Bien que ce soit incompréhensible pour Rodrigue, son second, militant communiste épris de vertu, il existe un lien logique de son libertinage, qui procède d'une révolte contre la société, à son engagement dans une action qui vise à défendre la liberté et, au-delà, si possible, à transformer le monde. Les convictions politiques de Marat sont fermes : il passe, vis-à-vis de Mathilde, vieille complice en libertinage, d'une réelle sympathie au refus de toute pitié lorsqu'elle trahit la Résistance. Mais son attachement à sa liberté personnelle l'oppose aux militants puritains ou avides d'obéissance comme Frédéric, étudiant toulousain qui a dû se réfugier à Paris à la suite de la dénonciation de son réseau par le père de sa fiancée Annie.

Marat rencontre Annie le soir d'une opération contre un train allemand, en Bresse. Celle-ci critique Frédéric d'être entré au parti communiste comme en d'autres temps il serait entré au couvent ; elle considère la Résistance comme un « drôle de jeu ». Marat lui expose le sens de la lutte et la persuade d'entrer dans son réseau, puis, à Paris, la conquiert avec sa désinvolture de libertin. Et comme « le destin n'a pas de morale », c'est parce qu'il a passé la nuit avec elle qu'il échappe à un piège de la Gestapo, tandis que Frédéric s'y jette parce qu'il est torturé par la jalousie. Marat évite Annie pour ne pas avoir à la consoler et, tout en songeant à d'autres femmes, applique à la Résistance des réflexions du Grec Xénophon sur le courage.

Comme ceux de Malraux, ce roman passionné traduit la rencontre d'une crise morale individuelle et des bouleversements de l'histoire.

THÈMES
Libertin. Amour, 1, f.
Révolte, 1 et 2.
Action, 1. Résistance.
Liberté, 2.
Communisme.
Individualisme, 2 et 3, b.

Reprenant la réflexion ébauchée dans son *Discours sur l'origine et les fondements de l'inégalité*\*, Rousseau traite des principes qui fondent l'autorité politique et garantissent la liberté civile que les sociétés substituent à la liberté naturelle.

La nature ne donne autorité à aucun homme sur ses semblables. Il n'est d'autorité que de convention, et la seule qui soit juste est établie par le pacte social (livre I, ch. VI), selon lequel chacun se soumet à la volonté générale, mais « se donnant à tous ne se donne à personne » et acquiert sur ses associés un droit égal à celui qu'il cède. Le peuple est le détenteur de la souveraineté, et les lois sont l'expression de la volonté générale. Le pouvoir exécutif est subordonné au pouvoir souverain (livre II). A partir de ces principes, l'examen des différentes formes de gouvernement traditionnellement considérées au XVIIIe siècle (monarchie, aristocratie, démocratie, cf. livre III), l'étude des institutions propres à garantir un contrat juste et un État solide (livre IV), conduisent Rousseau, bien qu'il affecte de ne pas opter au niveau pratique, à une critique de la monarchie telle qu'elle existait alors et à une apologie de la démocratie autoritaire.

Interdit en France et, de ce fait, peu lu jusqu'en 1789, cet ouvrage a contribué à alimenter la réflexion révolutionnaire. Au XIXe siècle, il a été critiqué par des libéraux qui l'accusèrent de renforcer l'État au détriment des individus. Pourtant, le souci majeur de Rousseau a été de garantir la liberté individuelle : « Renoncer à sa liberté, c'est renoncer à sa qualité d'homme. » C'est pour la protéger des tyrannies particulières qu'il invoque l'État en sa faveur : «[...] il n'y a que la force de l'État qui fasse la liberté de ses membres » dit-il au livre II, chapitre XII.

## Du Contrat social ou Principes du Droit politique

Jean-Jacques ROUSSEAU 1762

*Classiques Larousse Garnier-Flammarion La Pléiade*

THÈMES
Nature, 1. Société, 1. Autorité politique. Liberté, 2. État, 1. Individu, 1 et 3. Monarchie. Démocratie.

---

Dans cette comédie en cinq actes et en vers sur le thème du *barbon* amoureux d'une jeune fille, Molière fait la satire d'un certain usage hypocrite de la religion. Ainsi engage-t-il contre le parti dévot une bataille qu'il poursuivra avec *Le Tartuffe*\* et *Dom Juan*\*.

Pour échapper à l'infortune qu'il prête à tous les maris, Arnolphe a décidé d'épouser la jeune Agnès, sa pupille, qu'il a pris soin d'élever dans l'innocence, loin

## L'École des femmes

MOLIÈRE 1662

*Nouveaux classiques illustrés Hachette*

du monde. Mais, à quarante-deux ans, la sclérose de son caractère ne le rend guère aimable. Agnès s'éprend du jeune Horace, et, bien qu'Arnolphe la menace de l'enfer et des «chaudières bouillantes / Où l'on plonge à jamais les femmes mal vivantes» (III, 2), elle trompe la vigilance de son tuteur. Le cœur et la nature l'emportent sur l'égoïsme et l'hypocrisie.

Les rieurs furent pour cette comédie, mais son succès provoqua des jalousies, en particulier celle de Corneille lui-même. Molière répliqua en s'expliquant sur son art dans la *Critique de L'École des femmes* (mars 1663), pièce en un acte où il défend la dignité de la comédie en face de la tragédie. Les polémiques continuant, il répondit encore en octobre dans *L'Impromptu de Versailles* pour assurer que «son dessein est de peindre les mœurs sans vouloir toucher aux personnes» (scène 4).

THÈMES
Hypocrisie. Nature, 1.
Femme, 2. Amour, 1, c.

## L'Écume des jours
Boris VIAN
1947

C'est une œuvre de fantaisie où l'invention verbale est conduite avec virtuosité au fil d'un canevas romanesque.

Un jeune homme riche, Colin, pourvu d'un coffre plein de «doublezons», d'un appartement moderne et confortable, d'un cuisinier, Nicolas, et d'un «pianocktail» qui compose des cocktails quand on y joue des airs de jazz, envie son ami Chick qui est pauvre mais aimé de la jolie Alise. Il rencontre à son tour celle qu'il cherchait, Chloé, l'épouse et part en voyage avec elle et ses amis. Chloé prend froid et tombe malade : un nénuphar lui pousse dans le poumon. Malgré les soins qui lui sont prodigués, elle dépérit inexorablement. L'appartement se dégrade et rétrécit. Colin a bientôt épuisé ses «doublezons» et doit travailler, tout comme Chick qui engloutit tous les siens dans l'achat des manuscrits et des reliques de Jean-Sol Partre (Jean-Paul Sartre). Le malheur se referme sur eux. Chick meurt en tentant de s'opposer à la saisie de ses collections par les huissiers du fisc, tandis qu'Alise assassine Jean-Sol Partre et incendie les librairies. Colin, devenu annonceur public de malheurs, lit un jour le sien sur la liste : il perd Chloé, a grand peine à payer son enterrement et finira sans doute par aller se noyer. C'est du moins ce que prévoit la souris familière de l'appartement, qui, pour ne pas voir ça, demande au chat de l'aider à mourir.

Passé inaperçu à sa publication, ce récit a conquis, après la mort de Boris Vian, la faveur d'un large public sensible à la liberté de l'auteur, à ses jeux de mots, à ses inventions, qui confinent souvent au canular, à sa révolte contre la société moderne et contre la mort, à sa façon de mêler le burlesque et l'émotion.

THÈMES
Amour. Mort. Vie moderne. Révolte.

## L'Éducation sentimentale
Gustave FLAUBERT
1869

*Classiques Garnier*
*Folio*
*Le Livre de poche*

Entre 1843 et 1845, Flaubert avait écrit sous ce titre l'histoire de deux amis, Henry et Jules, depuis les rêves de leur adolescence jusqu'aux choix de leur maturité. On reconnaît aisément Flaubert sous les traits de Jules qui, après une déception amoureuse, se réfugie dans l'art comme dans une religion. Ce livre qu'il n'a jamais voulu publier était la transposition d'une expérience douloureuse qui l'a marqué pour la vie : la rencontre à quinze ans, à Trouville, de M$^{me}$ Élisa Schlésinger.

Le souvenir de M$^{me}$ Schlésinger est encore présent dans *L'Éducation sentimentale* de 1869, mais le canevas du roman est nouveau, et le sujet s'est élargi : « Je veux faire l'histoire morale des hommes de ma génération : « sentimentale » serait plus vrai. C'est un livre d'amour, de passion ; mais de passion telle qu'elle peut exister maintenant, c'est-à-dire inactive ». (Lettre du 6 octobre 1864.)

Le livre est construit autour de la destinée de Frédéric Moreau, un jeune provincial qui arrive de Nogent-sur-Seine à Paris en 1840, pour faire son droit, avec des ambitions mondaines, littéraires et politiques vagues.

Roman d'amour, le livre peint la passion dont Frédéric s'éprend pour M$^{me}$ Arnoux, femme d'un éditeur d'art hâbleur, jouisseur et prodigue dont il devient l'ami. Arnoux l'initie à la vie légère des boulevards et l'introduit chez sa maîtresse, Rosanette, dite « la Maréchale », une « lorette » qui mène grand train grâce à divers protecteurs. Frédéric en devient le familier, mais la pensée de M$^{me}$ Arnoux le protège de ce genre d'amours, comme elle l'empêche d'épouser Louise, la fille du père Roque, un riche voisin de Nogent, qui l'aime follement. Sa passion muette pour M$^{me}$ Arnoux est faite de rêves, d'attente et de soumission, car Frédéric est un faible, et M$^{me}$ Arnoux est résignée aux déceptions de l'existence. Elle finit cependant par lui avouer son amour et accepter un rendez-vous dont Frédéric espère beaucoup ; mais elle n'y vient pas, retenue par son fils, brutalement atteint du croup. Poussé par le dépit, Frédéric se tourne vers Rosanette avec qui il s'affiche publiquement. Il est attiré aussi par la riche M^{me} Dambreuse dont il fréquente volontiers le salon et dont il finit par devenir l'amant. A la mort de son mari, elle lui propose de l'épouser, mais quand elle veut piétiner le souvenir de M^{me} Arnoux, Frédéric s'éloigne.

Histoire morale d'une génération, le livre met en scène autour de Frédéric un groupe de jeunes gens qui cherchent leur voie dans les dernières années du règne de Louis-Philippe. Les uns aspirent à la chute du régime : Deslauriers, ami de collège de Frédéric, avocat besogneux ; Sénécal, qui se prend pour Saint-Just ; Dussardier, commis de boutique généreux ; Pellerin, peintre médiocre. D'autres ne songent qu'à réussir : Hussonnet, petit journaliste sans scrupules ; Martinon, fils de paysans coureur de dot ; ils sont prêts à se rallier à tout pouvoir qui leur fera une place. La Révolution de 1848, puis le coup d'état du 2 décembre mettent en lumière leurs faiblesses de caractère comme celles de toute la société française. L'échec de Frédéric coïncide avec celui de la République. Le seul fait qui marque pour lui les années suivantes semble être la visite que lui rend M^{me} Arnoux en 1867 pour l'amer plaisir de lui dire : « N'importe, nous nous serons bien aimés. » Frédéric et Deslauriers constatent eux-mêmes qu'ils ont manqué leur vie : « Puis, ils accusèrent le hasard, les circonstances, l'époque où ils étaient nés. »

La parenté morale de Frédéric avec M^{me} Bovary est évidente, mais autour du héros est dépeint un monde plus touffu et plus complet, ce qui fait de ce roman un remarquable document d'histoire. Par sa technique sobre, qui, en 1869, a déconcerté les lecteurs habitués à Balzac, Flaubert anticipe sur l'évolution du roman moderne.

THÈMES
Jeunesse.
Apprentissage. Paris, 3.
Passions, 4. Mœurs.
Amour, 1, e.
Femme, 1. a et c.
Mélancolie.
Souffrance, 1. Ennui.
Ambition. Arrivisme.
Vie mondaine. Argent, 2.
Classes sociales.
Bourgeoisie. Ouvriers.
République. Révolution.

**Électre**
Jean GIRAUDOUX
1937

*Le Livre de poche*

Cette pièce en deux actes reprend un épisode de la légende des Atrides, celui où Oreste, aidé de sa sœur Électre, tue sa mère Clytemnestre et l'amant de celle-ci, Égisthe, pour venger son père, Agamemnon, lui-même assassiné naguère par son épouse infidèle.

L'action se déroule à Argos. Alors qu'Égisthe, devenu roi, veut contraindre Électre à épouser un jardinier pour l'exclure du palais, Oreste, autrefois disparu, se présente dans la cité sous l'habit d'un étranger. Électre le reconnaît (I,6), et sa haine pour sa mère puise dans ce retour une nouvelle force (I, 8). Clytemnestre, qui a aussi reconnu son fils, cherche en vain la réconciliation (I, 11). A la manière du chœur antique, un mendiant mêle ses commentaires à l'action (I, 3 et 13), et trois petites filles, amusante figuration des Euménides, les déesses grecques de la vengeance, babillent et dénoncent ironiquement les pensées secrètes des héros (I, 1 et 12), commentant la marche du destin que d'ailleurs le spectateur connaît d'avance.

A l'acte II, l'inévitable s'accomplit. Clytemnestre, au nom de la faiblesse féminine, implore la pitié d'Électre (II, 5). Elle rappelle la pureté de sa jeunesse, dénonce les torts d'Agamemnon et l'injustice du destin (II, 8). Comme une armée corinthienne marche sur Argos et que le peuple réclame un roi, Égisthe plaide qu'il doit épouser Clytemnestre pour sauver la cité, demande un sursis au nom du salut commun, promet de se retirer, fait même le pari généreux de laisser Électre et Oreste libres malgré leurs menaces (II, 8). Ces efforts sont inutiles. Électre veut aller jusqu'au bout de sa haine, quelles qu'en soient les conséquences, et Oreste exécute le meurtre qui, de lui-même et de sa sœur, fait désormais des coupables.

Dans cet exercice littéraire très savant, la jonglerie verbale, les développements brillants, les images poétiques, les allusions spirituelles au théâtre antique cachent des réflexions subtiles sur la haine, la vengeance, la justice, le goût individuel de l'absolu, les impératifs de la politique, la fatalité, le remords, et sur la nature du théâtre tragique lui-même (*Lamento du jardinier,* début de l'acte II).

THÈMES
Individu, 3, a. État.
Justice, 3. Pureté.
Fatalité.

---

Ce recueil de vers comprenait dix-huit poèmes en 1852 et en comptait quarante-sept dans sa dernière forme, en 1872. Gautier s'y est donné pour règle le culte de la beauté loin de l'agitation de l'Histoire *(Préface).* Le titre choisi, *Émaux et Camées,* traduit ses exigences artistiques, développées plus tard dans la pièce *l'Art* (1858) destinée à «clore le volume dont elle

## Émaux et camées
Théophile GAUTIER
1852

*Poésie/Gallimard*

résume l'idée » : « Tout passe. — L'art robuste / Seul a l'éternité [...] ».

Le thème essentiel de Gautier est la beauté plastique du monde, saisie dans ses détails et ses instants privilégiés (fleurs, marbres, jardins, jets d'eau, statues, sourire du printemps, clair de lune) et résumée dans celle de la femme à laquelle il revient constamment *(Affinités secrètes, Symphonie en blanc majeur, La Rose thé)*. Au beau naturel, il préfère celui qui est mêlé d'artifices, comme le prouvent ses sujets *(Variations sur le carnaval de Venise)*. Il métamorphose la nature avec quelque préciosité *(Premier Sourire du printemps)*. Toutefois, il sait aussi suggérer avec bonheur les harmonies profondes unissant l'âme et la mer *(Caerulei oculi, Tristesse en mer)*.

Ces poèmes, composés pour la plupart de quatrains d'octosyllabes, rompent avec le lyrisme éloquent jusqu'alors pratiqué par les romantiques. Ils répondent en cela à l'idéal de « l'art pour l'art » que choisiront les parnassiens, mais ouvrent également la voie aux recherches d'harmonies auxquelles se plairont Verlaine et les symbolistes.

THÈMES
Beauté. Nature, 2, b.
Femme, 1, e. Fête, 2.

---

**Émile ou
De l'éducation**

Jean-Jacques
ROUSSEAU
1762

*Classiques Garnier
Classiques Larousse*

Posant au réformateur de la société, Rousseau devait aborder le problème de l'éducation.

Il rattache l'*Émile* à sa contestation de la civilisation dès sa première phrase : « Tout est bien, sortant des mains de l'auteur des choses : tout dégénère entre les mains de l'homme. » Étant donné la faillite de « l'institution publique » et la fausseté de « l'éducation du monde », il faut élever l'enfant selon « l'ordre naturel » en vue de « l'état d'homme ».

Loin du problème de l'insertion réelle de l'être dans la famille et la cité, Rousseau imagine une sorte d'utopie romanesque : « J'ai donc pris le parti de me donner un élève imaginaire, de me supposer l'âge, la santé, les connaissances et tous les talents convenables pour travailler à son éducation. »

La première éducation d'Émile, jusqu'à cinq ans, doit assurer son développement physique et éviter de lui communiquer des sentiments étrangers à la nature (livre I). De cinq à douze ans, en le laissant « jouir de son enfance », il faut poursuivre l'éducation de son corps et de ses sens, sans solliciter trop précocement sa raison. Le principe capital est de respecter le développement naturel de l'enfant. La lecture prématurée des *Fables*⋆ de La Fontaine est dangereuse (livre II). De douze à quinze ans, c'est l'éducation intellectuelle et technique, avec apprentissage d'un métier manuel « moins [...] pour savoir un métier que pour vaincre les préjugés qui les méprisent » (livre III). Entre quinze et vingt ans, c'est l'âge de l'éducation morale qui doit guider la sensibilité vers les passions naturelles, préparer la rencontre de la femme idéale, initier l'esprit à l'étude de la société et des notions de justice et d'égalité. C'est aussi l'âge de l'éducation religieuse, retardée jusqu'à ce qu'Émile soit capable d'aborder convenablement ce domaine.

Ici se place la célèbre *Profession de foi du vicaire savoyard* où Rousseau formule ses convictions religieuses en mettant en scène un jeune calviniste qu'un vicaire savoyard initie aux certitudes de la religion naturelle. Dans « un doute respectueux » à l'égard de la révélation chrétienne dont il n'a que faire, le vicaire fonde sa foi sur la raison et l'intuition du cœur : « Voyez le spectacle de la nature, écoutez la voix intérieure. Dieu n'a-t-il pas tout dit à nos yeux, à notre conscience, à notre jugement ? » Le vicaire critique la diversité des cultes et l'intolérance qu'elle engendre. Sur le plan de la morale pratique, la conscience, « instinct divin, immortelle et céleste voix », est un « guide assuré » pour juger nos actions et celles d'autrui en dehors de toute loi reçue de l'extérieur. Cette *Profession de foi* valut à Rousseau d'être « décrété de prise de corps », et il dut se réfugier en Suisse (cf. *Les Confessions*⋆, XI).

Au livre V, Rousseau traite de l'éducation de Sophie, la jeune fille destinée à Émile. Instruite dans « les travaux de son sexe » et préparée à son rôle de mère de famille, elle ne sera ni une mondaine, ni une femme savante : « Heureux celui qu'on destine à l'instruire ! Elle ne sera point le professeur de son mari, mais son disciple. »

L'*Émile* est précieux pour la connaissance du système philosophique de Rousseau, de sa pensée critique à l'égard de la société, de sa conception de l'homme et du bonheur. On y trouve en outre certains principes pédagogiques de grande portée qui ont aidé au renouvellement de l'enseignement.

THÈMES
Enfant. Éducation.
Nature, 1 et 2, b.
Bonheur, 4, b.
Sensibilité. Raison.
Préjugés. Métier, 1.
Travail, 2.
Religion, 3. Déisme.
Individu, 1.
Femme, 2.

**En attendant Godot**

Samuel BECKETT
1953

*Éditions de Minuit*

Cette pièce en deux actes est, comme les autres œuvres théâtrales de Beckett, une sorte de farce métaphysique déroutante par sa forme et désespérante par ses conclusions.

Rompant avec les conventions qui font attendre des personnages bien définis, engagés dans une action claire, en des lieux précis, Beckett met en scène, en un lieu mal déterminé — une tourbière que traverse une route —, deux personnages aux noms burlesques, dépourvus d'identité et d'histoire, Vladimir et Estragon, sortes d'épaves, qui se chamaillent en attendant un certain Godot dont ils ne savent rien, même plus ce qu'ils en espèrent.

A des propos de clochards qui ont mal au pied et se nourrissent de carottes, les héros mêlent des réflexions laconiques sur la souffrance, la culpabilité, le repentir, Dieu, la tentation du suicide, l'attente, sans qu'on distingue nettement Vladimir d'Estragon, car ils mènent l'un et l'autre la même quête confuse et balbutiante, figurant le délaissement et l'anxiété des hommes.

Un second couple grotesque vient les divertir un moment : Pozzo et Lucky, un maître et son valet, semble-t-il. Pozzo conduit Lucky au bout d'une corde, l'injurie, le fouette, et le contraint à danser et à penser. Et Lucky prononce des lambeaux de discours métaphysiques qui mettent son maître en rage. Après cet intermède, Vladimir et Estragon apprennent d'un garçon que Godot ne viendra que le lendemain. C'est la fin du premier acte.

Le second acte se passe le lendemain. Les deux héros, dont l'un a oublié ce qui s'est passé la veille, ont repris leur attente et leurs bavardages. Pozzo et Lucky surviennent encore, cherchant de l'aide. Vladimir et Estragon, en ces lieux où ils représentent, disent-ils, « toute l'humanité », singent encore quelques possibilités humaines : aider Pozzo, leur semblable, peser le pour et le contre. Une seule chose est claire : ils attendent Godot. Ils aident Pozzo et Lucky. Quant à Godot, un garçon les informe à nouveau qu'il ne viendra que le lendemain.

Au thème contemporain de l'absurdité de la condition humaine est associée une dramaturgie d'avant-garde qui fuit les formulations classiques, car le théâtre de Beckett, détruisant les concepts de l'humanisme traditionnel, veut aussi rompre avec sa rhétorique.

THÈMES
Absurde. Angoisse.
Destin. Dieu.
Homme, 5, c.

« Œuvre d'une société de gens de lettres et d'artistes », l'*Encyclopédie ou Dictionnaire raisonné des sciences, des arts et des métiers* reste, avec ses dix-sept volumes de textes et ses onze volumes de planches, le symbole de l'esprit français du XVIIIe siècle.

Le libraire Le Breton avait songé en 1745 à traduire la *Cyclopædia* anglaise de Chambers. En 1747, il en confie la direction à Diderot et d'Alembert, qui vont en faire une œuvre originale. Le prospectus de lancement est diffusé en novembre 1750, le premier volume publié en juin 1751.

L'*Encyclopédie* fut immédiatement en butte aux attaques du parti dévot mené par les jésuites. Il y eut d'innombrables obstacles à surmonter avant de parvenir à la publication du dernier volume de textes (1766) et du dernier volume de planches (1772). A Diderot, resté seul directeur après la défection de d'Alembert en 1758, revient le mérite de son achèvement.

Les meilleurs spécialistes du moment ont été mis à contribution. Leurs origines très diverses (parlementaires, fonctionnaires, membres des professions libérales, ecclésiastiques, gens de lettres), à l'exclusion de la noblesse de cour et d'épée et du haut clergé, prouvent les larges assises du parti philosophique qui exprime l'idéologie de la bourgeoisie montante et en manifeste le dynamisme.

Bilan des connaissances humaines, l'*Encyclopédie* est un éloge des conquêtes de l'homme qui n'est plus envisagé dans sa traditionnelle subordination métaphysique à Dieu, mais dans sa souveraineté propre sur le monde, comme « le terme unique d'où il faut partir et auquel il faut tout ramener » (article *Encyclopédie,* où se manifeste l'humanisme athée de Diderot). C'est aussi un acte de foi dans l'avenir de l'homme et ses progrès que les Encyclopédistes ont le désir de servir en diffusant les lumières du savoir. Au dogmatisme religieux et au fanatisme qu'il engendre, l'*Encyclopédie* oppose la raison et la tolérance.

Sa partie scientifique, très solide pour l'époque, développe le goût d'une nouvelle sorte de certitudes et vient élargir la notion de culture. Onze volumes de planches sur les techniques et les métiers la complètent.

Sur le plan politique, l'*Encyclopédie* dresse en face de la tradition monarchique le principe de la souveraineté du peuple et définit les droits de l'individu (liberté des

**L'Encyclopédie**
1751-1772

*Classiques Bordas*

THÈMES
Raison. Sciences.
Droit. Homme, 3.
Philosophie. Société, 3.
Progrès.
Travail. Métier.
Tolérance. Liberté.
Religion. Gouvernement.

personnes, liberté de pensée et d'expression). En toute circonstance, elle oppose le droit à la force.

Enfin, et c'est son aspect peut-être le plus original, elle met en valeur l'importance des faits économiques et la dignité des métiers et du travail technique.

Grande œuvre rationaliste, l'*Encyclopédie* affirme les valeurs nouvelles sur lesquelles s'est édifié le monde moderne.

## Entretiens de d'Alembert et Diderot

Denis DIDEROT
1830 (posthume)

*Garnier-Flammarion*

Il s'agit d'un groupe de trois dialogues écrits en 1769. Diderot y exprime, selon sa méthode habituelle des prête-noms et des boutades, quelques-unes de ses vues les plus audacieuses sur l'homme, la nature de la vie et la morale. Devant les protestations des amis qu'il mettait en scène, il renonça d'abord à les publier et les donna seulement à la *Correspondance littéraire* de Grimm, sans signature, en 1782. La véritable publication est de 1830.

Le premier dialogue est un *Entretien entre d'Alembert et Diderot* où celui-ci expose une conception matérialiste de l'origine de la vie, affirmant sa continuité du règne minéral au règne végétal et à l'homme.

Dans le deuxième dialogue, intitulé *Le Rêve de d'Alembert*, on voit M$^{lle}$ de l'Espinasse consulter le docteur Bordeu sur les divagations qui ont saisi d'Alembert pendant son sommeil à la suite de la précédente conversation. D'Alembert, poursuivant son rêve, développe une vision matérialiste et déterministe de la vie humaine, simple maillon de la chaîne des êtres. Bordeu l'approuve et dégage les conséquences morales de ce déterminisme qui rend caduques les notions de liberté et de vertu, ce qui ne l'empêche pas d'accepter, dans la pratique, les notions courantes de mérite et de démérite parce que « le mensonge a ses avantages et la vérité ses inconvénients ». (Même contradiction dans *Jacques le Fataliste*★.)

Dans le troisième dialogue, *Suite de l'entretien*, Bordeu développe encore devant M$^{lle}$ de l'Espinasse quelques paradoxes moraux mais lui demande de n'en rien conclure « contre l'honnêteté de (ses) mœurs ».

« Cela est de la plus haute extravagance et tout à la fois de la philosophie la plus profonde ; il y a quelque adresse à avoir mis mes idées dans la bouche d'un homme qui rêve : il faut souvent donner à la sagesse l'air de la folie pour lui procurer ses entrées » *(Lettre à Sophie Volland, 7 septembre 1769).* La biologie moderne a vérifié l'intérêt des hypothèses scientifiques de Diderot tout en corrigeant leurs naïvetés (Jean Rostand, *L'Atomisme en biologie,* Gallimard, 1956).

THÈMES
Matérialisme.
Liberté, 1, a.
Déterminisme. Bien. Mal.

---

## Entretiens sur la pluralité des mondes
FONTENELLE
1686

*Didier*

Dans ce petit ouvrage de vulgarisation scientifique, Fontenelle aborde le problème de savoir « comment est fait ce monde que nous habitons, s'il y a d'autres mondes semblables, et qui soient habités aussi ». S'adressant aux « gens du monde », il a choisi une aimable fiction : c'est une dame qu'il instruit galamment au cours de promenades nocturnes dans un parc.

Le premier soir, il lui peint la situation et le mouvement de la terre selon le système de Copernic (publié en 1543), en recourant à d'ingénieuses comparaisons, et raille la vanité des hommes qui prennent la terre pour le centre de l'univers. Le deuxième soir, établissant une analogie avec la découverte de l'Amérique, il ouvre des perspectives piquantes sur la conquête de la lune et les découvertes qu'elle réserve aux générations futures. Au scepticisme de son interlocutrice, il oppose une audacieuse confiance dans le progrès. Les soirées suivantes sont consacrées aux autres planètes (sont-elles habitées ?) et au reste de l'univers.

Aux grâces précieuses qu'il emprunte à son temps, Fontenelle joint ici une liberté critique et une audace de pensée qui font de lui un précurseur des philosophes du XVIIIe siècle.

THÈMES
Raison. Univers.
Science. Progrès.

---

## Escurial
Michel de
GHELDERODE
1928

*Gallimard*

Drame en un acte, joué à Paris en 1948. Alors s'impose à l'attention, à la suite du succès de *Hop signor!* en 1947, l'œuvre théâtrale du Belge Michel de Ghelderode, grande entreprise de dérision dont le style violemment expressionniste a influencé le renouvellement du théâtre dans les années cinquante (cf. Ionesco, Beckett).

« Le théâtre commence toujours par les yeux », dit Ghelderode à propos d'*Escurial.* L'idée lui en a été suggérée par un portrait de roi du Greco (1540-1614) et par une figure de bouffon de Vélasquez (1599-1660).

L'action se déroule en Espagne au palais de l'Escurial. La reine se meurt. Le roi, lui-même malade et blafard, attend dans l'exaspération la fin de cette agonie, et veut obliger Folial, son bouffon, à le faire rire. Celui-ci propose au roi d'échanger leurs costumes et leurs rôles. Sous le bonnet du bouffon, le roi trahit sa haine pour la reine et pour Folial qu'elle aime et qu'elle protège. Folial, sous la couronne royale, crie son amour pour la reine et révèle la bassesse du roi. Sans doute la reine meurt-elle empoisonnée. A Folial qui se dit roi puisque la reine l'aime, le roi reprend de force sa couronne ; et, quand on vient annoncer que la reine est morte, il fait étrangler son bouffon.

On ne peut manquer de penser à l'ultime leçon que le bouffon Folial donne à ses élèves dans un autre drame de Ghelderode, *L'École des bouffons* (1937 ; Paris, 1953) : «Le secret de notre art, de l'art, du grand art, de tout art qui veut durer ?... C'est la CRU-AU-TÉ.»

**THÈMES**
Bouffon. Amour.

---

## L'Espace du dedans

Henri MICHAUX
1944

*Gallimard*

«Pages choisies» dans ses recueils poétiques antérieurs par Henri Michaux lui-même.

Le trait permanent de Michaux est le refus du réel et la fuite dans des univers imaginaires, toujours à mi-chemin du jeu humoristique et du cauchemar. Ses œuvres sont une sorte de journal de sa vie imaginaire, suite d'expériences, de témoignages et d'anecdotes, développée dans un langage tantôt bouffon, tantôt lyrique.

Les extraits de *Mes Propriétés* (1929) évoquent plaisamment le domaine intérieur sur lequel règne le poète, et tout un peuple d'animaux imaginaires tels que la Parpue, la Darelette ou l'Énanglon.

Dans *Un Certain Plume* (1930), Michaux, après des méditations sur le Malheur, la Mort, la Nuit, la Destinée, conte les mésaventures cauchemardesques d'«un homme paisible» en société.

Dans *La Nuit remue* (1934), se poursuit l'effort de l'imagination contre la réalité.

Le *Voyage en Grande Carabagne* (1936) rapporte des explorations imaginaires qui parodient les descriptions de peuplades primitives.

Tout cela n'est que « *Lointain intérieur* », comme dira le titre d'un autre recueil (1938), dans lequel se poursuit la dénaturation du réel par une imagination exaspérée et inquiète.

En 1966, Michaux a réédité *L'Espace du dedans* en y ajoutant des pages d'œuvres postérieures à 1944, particulièrement de celles écrites sous l'inspiration de la drogue dont il se flatte d'être un adepte.

Résolument étrange, mais d'une forte logique interne, l'œuvre de Michaux constitue un univers onirique des plus curieux qui soient.

THÈMES
Poète, 1, e. Rêve.
Imaginaire. Voyage, 2.
Bêtes, 6. Fantastique.

## L'Espoir
André MALRAUX
1937

*Folio*

Ce roman retrace la lutte des républicains espagnols depuis leur rispote au coup d'État du général Franco (18 juillet 1936) jusqu'à l'échec de l'offensive italienne contre Guadalajara (mars 1937). Il constitue une chronique très précise de cette période que Malraux a pour une part vécue comme aviateur dans l'armée républicaine espagnole.

La première partie, sous le titre *L'Illusion lyrique,* peint l'élan de fraternité qui soulève le peuple à Barcelone et à Madrid. Celui-ci cède au « désir d'une apocalypse », c'est-à-dire d'un changement radical qui instaure d'un coup une société juste et généreuse, mais les républicains réfléchis, comme l'ethnologue Garcia, qui travaille maintenant au ministère de la Guerre, et le commandant Magnin, un Français chargé du groupe des aviateurs étrangers recrutés par le gouvernement, savent bien qu'il faut « organiser l'Apocalypse ». Dans l'immédiat, règne un héroïque désordre qui se solde par la perte de Tolède. Le problème n'est pas seulement d'*être* individuellement, ce qui suffit aux anarchistes comme Puig ou le Négus, ou même au catholique Hernandez qui se laisse fusiller à Tolède, mais de *faire,* comme s'y appliquent les communistes. C'est ce qui est montré dans la deuxième partie *(Le Manzanarès)* qui relate la bataille de Madrid. Le cinéaste Manuel, qui a choisi la discipline communiste, fait son apprentissage de chef ; il souffre d'y perdre la fraternité, mais son action contribue au redressement de la situation des républicains. La troisième partie apporte la justification du titre *L'Espoir :* c'est la victoire des républicains sur les troupes envoyées par Mussolini pour appuyer Franco, victoire provisoire, car un an plus tard la guerre se terminait par leur écrasement (mars 1938).

Vivant comme un reportage, riche en débats moraux et politiques, ce roman est un témoignage essentiel sur un épisode brûlant de l'histoire contemporaine.

Malraux a réalisé un film (*Espoir*, 1938) qui met en images certaines parties du roman, dont le sauvetage des aviateurs étrangers tombés dans la sierra avec leur appareil, bel épisode épique de la troisième partie.

## Essais

Michel de
MONTAIGNE
1580-1588-1595

*Classiques Garnier*
*Folio*
*La Pléiade*

Ayant entrepris de « mettre en rôle » ses « chimères » (livre I, ch. VIII), peu après sa retraite de 1571, Montaigne a publié les deux premiers livres de ses *Essais* en 1580, puis en a donné une deuxième édition augmentée d'additions et d'un troisième livre en 1588. A sa mort (1592), il annotait encore son texte en vue d'une nouvelle édition qui a été assurée par Mlle de Gournay, sa fille adoptive. Il est intéressant d'étudier l'évolution du texte des *Essais,* ce que permettent les éditions actuelles. Nous nous bornerons ici à une analyse succincte des chapitres les plus importants.

Livre I. Le chapitre III loue la maxime socratique « Connais-toi toi-même ». Les chapitres XIV et XX sont des synthèses personnelles de la morale stoïcienne.

Au chapitre XXIII *(De la coutume),* Montaigne dénonce avec une ironie sceptique les caprices des coutumes et de la justice ; il cite le Nouveau Monde et condamne les préjugés à l'égard des Barbares ; puis il affirme que le sage respecte les lois en usage tout en sachant « retirer son âme de la presse ». « Je suis dégoûté de la nouvelleté », dit-il sous l'influence des guerres de Religion ; toutefois, il termine en demandant que les lois fassent place aux protestants.

Le chapitre XXVI *(De l'institution des enfants)* propose plus qu'une pédagogie nouvelle fondée sur le respect de la personnalité et l'appel au jugement ; il définit des principes permanents de conduite intellectuelle : curiosité, esprit critique, capacité de « rester en doute ». Il s'agit de former un « honnête homme » à l'exercice de la liberté et de la vertu.

Au chapitre XXVIII *(De l'amitié),* Montaigne consacre de belles pages à son ami La Boétie.

Au chapitre XXXI *(Des cannibales),* il prend la défense des Indiens du Brésil contre les préjugés de l'Europe, et même, renversant la hiérarchie des valeurs admises, crée le mythe du Bon Sauvage, bon parce qu'il est fidèle à la nature, et s'en sert pour critiquer la civilisation. Rousseau cite ce texte *(Discours sur l'origine de l'inégalité\*).*

Le chapitre XXXIX *(De la solitude),* écrit dans un esprit épicurien, fait l'éloge de la retraite, mais critique les morales du renoncement.

Livre II. Au chapitre I *(De l'inconstance de nos actions),* Montaigne constate qu'il « ne se trouve guère deux fois en même état ».

Au chapitre III *(Coutume de l'île de Céa),* intéressant débat sur le suicide à partir de l'éloge qu'en font les stoïciens.

Au chapitre V *(De la conscience),* protestation contre l'emploi de la torture — la « question » — par la Justice.

Au chapitre VI *(De l'exercitation),* retour sur le problème de la mort ; intéressant récit d'une mémorable chute de cheval.

Le chapitre XII *(Apologie de Raymond Sebond)* est le plus long des *Essais.* Le théologien catalan Sebond (mort en 1436) avait tenté de démontrer rationnellement la vérité de la religion chrétienne. Montaigne lui rend hommage, mais démontre la faiblesse de la raison humaine et la vanité de ses prétentions. Il conclut en humiliant l'homme devant Dieu. Pascal a réutilisé à sa façon ces analyses sceptiques.

Au chapitre XVII *(De la présomption),* Montaigne s'abandonne à des confidences familières sur lui-même et au chapitre XVIII *(Du démentir),* il fait réflexion sur le rôle de son livre dans sa vie et dans la formation de son moi.

Livre III. Au chapitre I *(De l'utile et de l'honnête),* Montaigne ne nomme pas le Florentin Machiavel (1459-1527) qui conseille à l'homme d'État de sacrifier la morale à l'efficacité, mais il semble lui répliquer, car il opte fermement pour « l'honnête » qui fut sa règle de conduite pendant les guerres de Religion.

Au chapitre II *(Du repentir),* très important pour la définition de son projet, Montaigne oppose à l'invention de l'homme idéal (« Les autres forment l'homme ») le souci de peindre l'homme réel (« je le récite » = je le

décris). Il n'est pas nécessaire de s'attacher aux destinées exceptionnelles : «Chaque homme porte la forme
entière de l'humaine condition.» Il est frappé surtout
par sa mobilité : «Je peins le passage.»

Au chapitre VI *(Des coches)*, nouvelles réflexions sur
le Nouveau Monde et la brutalité de la colonisation qui
montre la corruption de la civilisation européenne.

Au chapitre IX *(De la vanité)*, propos sur l'art
de voyager.

Au chapitre X *(De ménager sa volonté)*, propos sur
ses fonctions de maire de Bordeaux; il faut rester soi-
même dans les charges qu'on exerce, sans céder à la
vanité ni au fanatisme.

Au chapitre XI *(Des boiteux)*, critique de la crédulité
et de la croyance aux miracles.

Au chapitre XIII *(De l'expérience)*, Montaigne présente la synthèse de sa sagesse, déclarant avec ferveur
son amour de la vie et son désir d'en jouir dans les limites que Dieu et la Nature lui ont imparties.

**THÈMES**

Moi, 1. Bonheur, 2.
Civilisation.
Individualisme. Sagesse.
1º Homme, 1. Mort.
Suicide. Stoïcisme.
Épicurisme. Dieu.
Nature, 1.
Christianisme, 1.
Esprit critique.
2º Scepticisme.
Coutumes.
Lois. Amérique.
Bon sauvage. Utopie.
3º Éducation. Liberté.
Action. Fanatisme.
Violence. Justice. Droit.

Les *Essais* sont un des livres fondamentaux de la
pensée française et même occidentale parce qu'ils
affirment les droits de la conscience individuelle en
face de la société, c'est-à-dire fondent l'individualisme
moderne, et parce qu'au moment où la tradition chrétienne et la pensée antique se trouvent confrontées avec
la découverte du Nouveau Monde, ils formulent les
principes humanistes qui sont l'honneur de l'Europe :
justice, liberté, respect de l'homme, droit au bonheur, et valorisent l'attitude critique qui en assure
le progrès.

**Essai sur les mœurs**

VOLTAIRE
1756

*Classiques Garnier*

Aboutissement des travaux historiques de Voltaire,
cet *Essai* est une tentative d'histoire universelle destinée à corriger l'étroitesse de celle de Bossuet *(Discours
sur l'histoire universelle\*)*.

Tandis que Bossuet s'est limité aux peuples témoins
et bénéficiaires de la Révélation chrétienne, et s'est
arrêté au règne de Charlemagne, Voltaire ne revient
que brièvement sur le monde gréco-romain, mais prend
en considération la Chine, l'Inde et les pays musulmans, et s'attache à décrire avec soin les siècles postérieurs à Charlemagne.

Selon ses principes habituels (cf. *Le Siècle de Louis XIV\**), il étudie «l'esprit, les mœurs, les usages des nations principales, appuyés sur des faits qu'il n'est pas permis d'ignorer». Il s'est intéressé l'un des premiers aux techniques et à l'économie. Son livre repose sur une documentation plus solide qu'on ne l'a parfois prétendu, et il a le mérite d'opérer un choix critique entre l'accessoire et l'essentiel, les fables et les faits.

L'histoire devient ainsi, grâce à Voltaire, l'objet d'une connaissance rationnelle, et, de cette connaissance, il fait un instrument d'action en faveur de la civilisation, cherchant tous les événements qui servent le progrès de l'humanité et dénonçant tous les obstacles qui le contrarient, les superstitions, les impostures, l'intolérance religieuse, le servage, l'esclavage, toutes les injustices et tous les crimes contre l'humanité. Ce «ramas de crimes, de folies et de malheurs», il le peint pour aider les hommes à s'en libérer, car il fait crédit à la nature humaine, de sorte que sa conclusion, malgré son amertume, est un acte de foi dans les principes d'ordre et de progrès.

Le double mérite de Voltaire est de rapporter à l'humanité sa réflexion sur l'histoire et de chercher à aider les hommes à maîtriser eux-mêmes leur destin.

THÈMES
Histoire, 1, a. Humanité. Progrès. Raison. Civilisation, 2. Gouvernement.

# L'Étranger

Albert CAMUS
1942

*Folio*

Ce récit met en scène un homme qui, dans son langage simple, prend la mesure de l'absurdité de la vie et se révolte contre les conventions qui tentent de la masquer — thèmes typiquement modernes.

Meursault, petit employé de bureau algérois, essaie d'analyser sa vie depuis la mort de sa mère. Cette mort l'a peu affecté, car sa mère vivait loin de lui, à l'asile des vieillards de Marengo, et il a assisté avec indifférence à son enterrement.

Mais cet événement allait jouer ultérieurement un grand rôle dans sa vie. Le lendemain, qui était un samedi, se baignant dans le port d'Alger, il a retrouvé une ancienne dactylo de son bureau, Marie Cardona, qui, le jour même, est devenue sa maîtresse. Puis Marie est partie ; le dimanche a passé dans l'ennui.

C'est ainsi qu'il laisse s'écouler sa vie, aussi peu sensible aux propositions d'avancement de son patron qu'à l'amour de Marie qui veut l'épouser. Il subit de la même façon la compagnie d'un voisin de palier, Raymond Sintès, qui prétend « corriger » une Arabe « qui lui a manqué ».

Un dimanche, invité à la plage par Sintès, il s'est trouvé entraîné dans une rixe avec deux Arabes. Sintès a été blessé au bras. Tout semblait terminé quand Meursault, à qui Sintès avait donné un revolver, est retourné sous le grand soleil vers l'endroit où se tenaient les Arabes. Dans un enchaînement de sensations physiques où n'entrait aucune réflexion, aveuglé par la sueur, il a tiré sur l'un d'eux qui avait sorti son couteau.

La seconde partie du récit montre Meursault en prison, indifférent aux rites de la justice qui essaie d'expliquer son geste, fouille son passé et lui parle de Dieu. On lui reproche particulièrement de n'avoir pas pleuré à l'enterrement de sa mère.

D'ailleurs, tout ce qu'il répond sincèrement suscite l'hostilité d'un système qui n'accepte pas l'inexplicable. C'est ainsi que le procureur l'accuse « d'avoir enterré sa mère avec un cœur de criminel » et prétend qu'il a prémédité avec Sintès un geste qu'il ne peut lui-même s'expliquer.

Condamné à mort, il réfléchit sur la justice, la peine de mort et la guillotine. Lorsque l'aumônier vient lui parler, il se met violemment en colère et crie le non-sens de tout devant la mort. Puis, « vidé d'espoir » par cette colère, il découvre devant la nuit « la tendre indifférence du monde » qui lui fait écrire : « De l'éprouver si pareil à moi, si fraternel enfin, j'ai senti que j'avais été heureux, et que je l'étais encore. »

Quand on a voulu voir en Meursault une épave, Camus a protesté : « Loin qu'il soit privé de toute sensibilité, une passion profonde, parce que tenace, l'anime, la passion de l'absolu et de la vérité... On ne se tromperait donc pas beaucoup en lisant dans *L'Étranger* l'histoire d'un homme qui, sans aucune attitude héroïque, accepte de mourir pour la vérité » (Préface à l'édition universitaire américaine).

La force de l'œuvre tient justement à l'existence de ce héros qui pose tant de questions gênantes et que Camus a su faire parler avec une remarquable économie de moyens.

Ce roman qui est placé dans la *Comédie humaine*⋆ parmi les *Scènes de la vie de province*⋆ est caractéristique de la technique et des thèmes de Balzac.

Adoptant une attitude didactique, Balzac commence par présenter la ville de Saumur, puis nous conduit devant la maison de M. Grandet, qui sera le théâtre de l'action. Le premier personnage présenté est le propriétaire des lieux. En des pages qui sont un remarquable document d'histoire sociale, il donne la biographie de cet ancien maître tonnelier, déjà aisé en 1789, qui s'est enrichi à la faveur de la Révolution en achetant des biens nationaux : passant de ce fait pour républicain et patriote, il a été maire de Saumur jusqu'au retour des anciens privilégiés qui l'ont dépossédé des honneurs publics ; comme il avait déjà tiré de ses fonctions tous les avantages possibles, il les a abandonnées sans regret pour se consacrer au soin de son immense fortune qu'il gère avec adresse et âpreté. Il vit chichement, dirigeant lui-même son unique servante, la grande Nanon, et tyrannisant sa femme et sa fille Eugénie. Son plaisir est de tenir à sa dévotion M. des Grassins, son banquier, et Maître Cruchot, son notaire, qui briguent la main d'Eugénie, l'un pour son fils, l'autre pour son neveu, le président Cruchot de Bonfons.

L'action s'engage un soir de 1819 quand arrive de Paris, à l'improviste, le cousin d'Eugénie, Charles Grandet, un jeune homme à la mode, qui éblouit par son élégance la pieuse et modeste provinciale. Il ne sait pas encore que son père, riche négociant parisien, vient de faire faillite et s'est suicidé, mais il est porteur d'une lettre qui l'apprend à son oncle. Celui-ci refuse de l'aider et décide de l'embarquer pour les Indes. Cependant Charles a touché le cœur d'Eugénie : elle lui donne à son départ le petit trésor de pièces d'or que son père lui a constitué. La colère de Grandet éclate quand il s'en aperçoit. Il enferme Eugénie dans sa chambre. Les mois passent. M^me Grandet meurt de chagrin, et Eugénie se soumet entièrement. Repliée sur son amour pour Charles dont elle attend vainement une lettre, elle se dévoue à son père qui décline au fil des ans et lui cède peu à peu la gestion de ses affaires. Avec la mort du père Grandet, en 1827, s'achève la partie la plus travaillée du roman.

La suite est menée plus rapidement. Eugénie se trouve à la tête de dix-sept millions, fortune colossale,

**Eugénie
Grandet**

Honoré de BALZAC
1833

*Folio
Le Livre de poche*

insoupçonnée de son cousin Charles qui, revenu des Indes avec près de deux millions, se détourne d'elle pour briguer la fille du comte d'Aubrion. Brisée par la déception, Eugénie consent à épouser le président de Bonfons, sous condition que ce mariage reste de pure forme, et le charge de régler les dettes de son oncle pour faciliter le mariage de Charles. Pour les millions qu'elle lui apporte, le président accepte tout, mais meurt prématurément. Eugénie consacre sa fortune aux bonnes œuvres, tandis que la famille de Froidfond « commence à cerner la riche veuve comme avaient fait les Cruchot ».

En peignant le père Grandet, Balzac a sans doute pensé à *L'Avare*★ de Molière, mais dépassant le thème moral de l'avarice, vice individuel, il a montré le rôle de l'argent dans la société au début du XIXe siècle, et son interférence avec les anciens privilèges sociaux. Les passions et les ambitions qu'il fait naître, crues et cyniques à Paris, plus sourdes en province, constitueront un des grands thèmes de *La Comédie humaine*★.

THÈMES
Passions, 3.
Argent, 1 et 2, c.
Amour, 1, e. Arrivisme.
Classes sociales.
Province. Paris.

---

**Eupalinos ou l'Architecte**

Paul VALÉRY
1921

*Poésie/Gallimard*

Ce « dialogue des morts » à la manière antique, œuvre de commande comme la plupart des essais de Valéry (cf. *Variété*★), a été composé pour servir de préface à un album d'architecture.

Aux Enfers, Socrate rencontre le voluptueux Phèdre, son interlocuteur dans le dialogue de Platon, *Phèdre ou De la beauté*. Installés dans le vide de la mort, ils considèrent la folie des hommes qui s'efforcent de laisser sur terre une marque éternelle et, en particulier, des monuments.

Phèdre entreprend alors l'éloge de l'architecte Eupalinos de Mégare, dont les idées s'inscrivaient si bien dans les œuvres. Eupalinos disait : « A force de construire, je crois bien que je me construis moi-même », et chaque matin, dans une prière, il demandait à son corps d'être pour son esprit « la mesure du monde ». La suite de la conversation porte sur l'incarnation des idées dans l'architecture et sur « ce grand acte de construire » qui prolonge la création du Démiurge.

On reconnaît ici, développés comme à l'ordinaire avec une savante dextérité, les thèmes les plus constants de Valéry, qui sont la conscience du temps et de l'espace, l'affirmation de la force créatrice de l'esprit et la recherche de son accord avec le monde, thèmes que l'on retrouvera dans *Charmes**.

THÈMES
Corps. Esprit. Art et création artistique.

C'est le dernier des poèmes de Péguy et sans doute le plus remarquable.

Péguy y développe la vision chrétienne de la destinée de l'humanité entre le spirituel et le charnel, depuis l'exil terrestre d'Adam et d'Ève, après la chute, jusqu'à la promesse du retour dans la maison de Dieu grâce au sacrifice de Jésus-Christ. C'est le Christ qui parle et s'adresse à Ève, la mère de tous les hommes, pour la prendre à témoin du sort de l'humanité déchue mais qui se souvient de l'Éden primitif.

Dans l'édition de 1913, le poème se compose d'une suite continue de mille neuf cent onze quatrains d'alexandrins associés par leurs cadences en vagues puissantes, avec tout un jeu de répétitions et de variantes roulant sur quelques grands thèmes. Certains de ceux-ci sont empruntés à la tradition, comme le Jugement dernier qui inspire à Péguy des images saisissantes : « Quand l'homme reviendra dans son premier village / Chercher son ancien corps parmi ses compagnons... ». Mais obéissant aussi à son tempérament, Péguy souligne les liens du charnel et du spirituel, et, après avoir éclairé d'une céleste lumière les passions terrestres (« Nous battrons-nous toujours pour la terre charnelle ? »), il les réhabilite : « Heureux ceux qui sont morts pour les cités charnelles. / [...] Car elles sont l'image et le commencement / Et le corps et l'essai de la maison de Dieu. »

Péguy a lui-même présenté « ce livre tout plein de sacré » dans un article dicté à son ami Joseph Lotte et signé Durel (cf. La Pléiade).

Son style poétique toujours si puissamment rythmé, si facilement fort d'une assurance épique, a trouvé sa pleine justification dans cette œuvre de foi.

## Ève

Charles PÉGUY
1913

*La Pléiade*

THÈMES
Foi chrétienne.
Dieu, 1, a. Humanité, 1.
Femme, 1, f. Péché.
Souffrance, 2, a.

La Fontaine a porté à une manière de perfection le genre fort ancien de la fable qui consiste, rappelons-le, à démontrer une vérité morale générale à l'aide d'une histoire dont les acteurs sont le plus souvent des animaux. Il a emprunté la plupart de ses sujets à

## Fables

Jean de
LA FONTAINE
1668-1678-1679-
1694

*Classiques Garnier
Nouveaux classiques
illustrés Hachette
Poésie/Gallimard*

ses devanciers, au Grec Ésope (VI$^e$ siècle av. J.-C.), au Latin Phèdre (I$^{er}$ siècle av. J.-C.), à divers conteurs, et même aux fabulistes orientaux ; mais il a métamorphosé ses modèles et pouvait se vanter d'avoir composé « une ample comédie à cent actes divers » (V, 1). Cette comédie s'est constituée par étapes.

En 1668 ont paru les six premiers livres. (On se bornera ici à citer les fables les plus significatives.)

Au livre I, des apologues célèbres, *La Cigale et la Fourmi, Le Corbeau et le Renard, Le Loup et l'Agneau*, illustrent le rôle de l'égoïsme, de la ruse et de la force dans la société. D'autres peignent le goût de la liberté *(Le Loup et le Chien)*, l'attachement à la vie *(La Mort et le Bûcheron)*, la revanche du petit *(Le Chêne et le Roseau)*. De l'ensemble se dégage une sagesse désabusée fondée sur la conscience des défauts des hommes.

Au livre II, La Fontaine continue d'enseigner la prudence et le scepticisme en des fables parfois susceptibles d'applications politiques *(Conseil tenu par les Rats. La Chauve-souris et les deux Belettes)*.

Au livre III, se distinguent de brillantes scènes de la comédie animale *(Le Renard et le Bcuc, La Belette entrée dans un grenier, Le Chat et le vieux Rat)* et des leçons sur la vie en société *(Le Meunier, son Fils et l'Âne, Les Grenouilles qui demandent un roi)*.

Le livre IV enseigne la méfiance *(Le Loup, la Chèvre et le Chevreau)* et l'application personnelle *(L'Œil du Maître, L'Alouette et ses petits avec le maître d'un champ)*, la concorde familiale *(Le Vieillard et ses Enfants)*. *Le Jardinier et son seigneur* constitue une spirituelle satire de la noblesse campagnarde.

Le livre V incite chacun à se contenter de sa propre condition *(Le Bûcheron et Mercure, Le Pot de fer et le Pot de terre, La Vieille et les deux Servantes)* et conseille le travail et la modestie *(Le Laboureur et ses Enfants, L'Ours et les deux Compagnons)*.

Le livre VI prêche le respect de la Providence *(Jupiter et le Métayer)*, le sérieux *(Le Lièvre et la Tortue)*, le courage personnel *(Le Chartier embourbé)*. Le conte de *La Jeune Veuve* termine le recueil par une aimable satire des femmes.

Dans les livres VII et VIII (1678), la satire de la société contemporaine se fait plus précise et porte particulièrement sur la cour *(Les Animaux malades de la peste, Le Lion, le Loup et le renard, Les Obsèques de la*

*Lionne).* Aux tracas causés par l'argent *(Le Savetier et le Financier),* aux calculs ambitieux si joliment raillés dans *La Laitière et le Pot au lait,* La Fontaine préfère la nonchalance de l'épicurien *(L'Homme qui court après la fortune),* et il oppose à l'aveuglement du peuple la lucidité du sage *(Démocrite et les Abdéritains).*

Les livres IX, X et XI (1679) confirment la confiance du fabuliste en la Providence *(Le Gland et la Citrouille)* et sa fidélité à l'épicurisme *(Le Songe d'un Habitant du Mogol).* Il abandonne parfois la satire pour le lyrisme confidentiel *(Les Deux Pigeons)* ou les débats d'actualité *(Discours à Mᵐᵉ de la Sablière* sur l'intelligence des animaux, contre la théorie mécaniste de Descartes).

Au livre XII (1694), La Fontaine résume dans *Les Compagnons d'Ulysse* la conception pessimiste des passions humaines qui domine l'ensemble de ses fables, mais exhorte plus loin à la confiance en la nature *(Le Philosophe scythe).* Il termine en invitant les hommes à faire retraite pour mieux se connaître *(Le Juge arbitre, l'Hospitalier et le Solitaire).*

Comme le genre l'exige, les *Fables* proposent une sagesse. Elles enseignent une prudence réaliste que La Fontaine nuance d'une nonchalance souriante. Elles constituent aussi, en même temps que la comédie des défauts de l'homme éternel, une peinture vivante de la société du XVIIᵉ siècle, au même titre que les *Caractères*\* de La Bruyère. Mais ce qu'on y goûte le plus est sans doute le talent du conteur.

THÈMES
Bêtes. Poète, 1, b et c.
Sage. Sagesse.
Bonheur, 3.
Épicurisme.
Mort, 2, a.
Mœurs. Société, 2.
Classes sociales. Cour.
Noblesse. Clergé.
Peuple.
Femme, 1; b. Ambition.
Argent, 1. Passions, 1.

---

Ce sont des contes gais et railleurs — «risées» «pour ébattre rois, princes et comtes» —, que devait goûter un large public. Il nous en est parvenu environ cent cinquante, composés en octosyllabes du XIIᵉ au XIVᵉ siècle. On discute de l'origine de leurs thèmes qui se retrouvent parfois en d'autres pays, mais leur décor et leurs personnages sont ceux de la vie française familière.

Dans le conte *De Brunain et de Blérain* (anonyme, sans date), deux paysans, qui ont entendu dire au prône que Dieu rend au double ce qu'on lui donne, offrent leur vache Blérain à leur curé qui l'accepte, et la vache revient avec Brunain, la vache du prêtre.

*Le Vilain Mire* — le paysan médecin — (anonyme, sans date) est l'histoire de la vengeance qu'une femme

**Fabliaux**

Auteurs divers,
souvent anonymes
XIIᵉ et XIVᵉ siècles

*Classiques
illustrés Hatier
Folio*

battue tire de son mari. Comme deux messagers cherchent un médecin pour la fille du roi qui a avalé une arête, elle le fait passer pour un savant médecin qui n'avoue son talent que sous les coups. On bat si bien le vilain qu'il crie grâce et soulage la princesse en la faisant rire par ses grimaces. Prisonnier de sa réputation, il lui faut se débarrasser ingénieusement des malades qui accourent. Molière a repris ce canevas dans *Le Médecin malgré lui*⋆.

*Le Dit des Perdrix* (anonyme, sans date) montre comment une femme qui a mangé les perdrix que son mari lui a données à rôtir cache sa gourmandise à son mari et chasse le curé qu'il avait invité.

*La Housse partie* — la couverture partagée — (Bernier, XIIᵉ siècle) est une histoire plus morale. Un riche bourgeois s'est dépouillé de tout pour marier son fils à la fille d'un chevalier. Au bout de douze ans, celle-ci veut même le chasser de la maison. Quand le vieillard demande au moins une couverture, son fils, qui lui en accorde une de l'écurie, a la surprise de voir son propre fils la couper en deux en expliquant qu'il en garde la moitié pour le jour où, à son tour, il chassera son père. Le fils ingrat retient alors le vieillard chez lui.

THÈMES
Mœurs. Paysans, 1.
Bourgeois, 1. Argent, 1.
Femme 1, b.
Médecine, 1.

A côté du *Roman de Renard*⋆, les fabliaux témoignent de la fécondité de l'inspiration satirique et réaliste en face de la littérature courtoise.

---

**La Farce
de Maître
Pathelin**

Auteur inconnu
Vers 1465

*Classiques Bordas*

C'est la meilleure œuvre du théâtre comique français au XVᵉ siècle.

Maître Pathelin, avocat sans causes et sans ressources, réussit, à force de flatteries, à se faire remettre du drap par le marchand Guillaume, promettant de le payer plus tard. Quand le drapier vient lui réclamer son argent, il feint d'être malade depuis longtemps et nie son achat avec la complicité de sa femme Guillemette. Sur ces entrefaites, Guillaume cite en justice son berger Thibaut l'Agnelet qui lui vole ses moutons. Thibaut prend pour avocat Maître Pathelin. Guillaume, devant le tribunal, mêle drap et brebis. Bien que la cause de Thibaut soit mauvaise, Pathelin le tire d'affaire en lui conseillant de répondre «Bée» à toutes les questions, mais, quand il lui réclame ses honoraires, il n'obtient lui-même que des bêlements.

Cette œuvre, où tous le ressorts de la farce, tels qu'on les retrouvera chez Molière, sont déjà adroitement utilisés, offre, dans sa fantaisie, des images très vivantes de la réalité familière du XVᵉ siècle.

THÈMES
Argent, 1. Justice, 2, a.
Paysans, 1.
Bourgeois, 1.

---

## Les Fausses Confidences

MARIVAUX
1737

*Classiques Bordas*
*Classiques Larousse*

Cette comédie d'intrigue en trois actes et en prose compte, avec *Le Jeu de l'amour et du hasard*⋆, parmi les meilleures de Marivaux.

Dorante, jeune bourgeois de bonne mine mais sans fortune, s'est fait agréer comme intendant par une jeune veuve, Araminte, dont il est amoureux. Il n'a guère d'espoir, car elle est trop riche pour lui et passe pour raisonnable. Dubois, ancien valet de Dorante, qui sert maintenant Araminte, le réconforte et lui promet de faire sa fortune (I, 2). Cependant son oncle, M. Rémy, le pousse vers Marton, suivante d'Araminte (I, 3-4), tandis qu'Araminte est pressée par sa mère, Mᵐᵉ Argante, d'épouser le comte Dorimont (I, 10). Dubois surmonte tous ces obstacles par ses ruses, des indiscrétions calculées et de «fausses confidences». Sous couleur de mettre Araminte en garde, il lui révèle la «folie» de Dorante (I, 14), fait naître chez elle un intérêt pour lui, puis de la sympathie, si bien qu'elle admet que l'amour de Dorante soit connu (II, 9-12). Enfin, par une lettre fabriquée où Dorante annonce son désir de partir, Dubois provoque l'explication où triomphe l'amour (III, 12).

Marivaux renouvelle la comédie d'intrigue, car il ne se contente pas d'opposer aux sentiments des obstacles extérieurs; il peint ceux qu'ils trouvent dans les cœurs eux-mêmes, la lutte contre soi, le trouble qui en naît et le cheminement vers l'aveu. Aussi le caractère d'Araminte fait-il l'intérêt de la pièce autant que le rôle de Dubois, le meneur de jeu.

THÈMES
Amour, 1, d.
Amour-propre. Mœurs.

---

## Les Faux-Monnayeurs

André GIDE
1925

*Folio*

Ce livre est le seul que Gide ait intitulé *Roman*, mais pour y présenter un jeu ironique sur le genre romanesque.

L'un des personnages, Édouard, est écrivain et songe à composer un roman sous le titre *Les Faux-Monnayeurs*, sans savoir encore ce qu'en sera le sujet.

«Il ne m'arrive rien, explique-t-il, que je n'y verse et que je ne veuille y faire entrer : ce que je vois, ce que je sais, tout ce que m'apprend la vie des autres et la mienne [...]». «Ce que je veux, c'est présenter d'une part la réalité, présenter d'autre part (l') effort pour la styliser [...]». «Pour obtenir cet effet [...], j'invente un personnage de romancier, que je pose en figure centrale ; et le sujet du livre [...], c'est précisément la lutte entre ce que lui offre la réalité et ce que, lui, prétend en faire.» (2e partie, III).

Dans les réflexions qu'il prête de la sorte à Édouard, c'est sa propre entreprise littéraire que Gide commente, comme il l'a fait par ailleurs dans le *Journal des Faux-Monnayeurs* publié à part (1927).

Mais tandis qu'Édouard, parce qu'il veut parvenir au «roman pur», n'écrit pas son livre, Gide peint une réalité foisonnante. Les principaux héros, Bernard Profitendieu, Vincent et Olivier Molinier, sont des adolescents ou des jeunes gens saisis au moment où ils s'affranchissent de leurs familles, découvrent les séductions et les incertitudes de l'amour, les tentations de l'immoralisme et les caprices du destin. Édouard les connaît par son neveu Olivier. Une jeune femme, Laura Douviers, est éprise d'Édouard, devient la maîtresse de Vincent, provoque une passion platonique chez Bernard et retourne à son mari. La réalité offre aussi une véritable bande de faux-monnayeurs dont les ramifications s'étendent parmi les écoliers de la pension Vedel-Azaïs qui, constitués en confrérie des Hommes forts, iront jusqu'à pousser au suicide le petit Boris. Cet épisode est inspiré d'une affaire survenue à Clermont-Ferrand en 1909.

Ce livre subtilement composé, qui constitue en somme un roman d'apprentissage, est riche en innombrables suggestions. Son aspect le plus séduisant est l'ingénieux débat ouvert par Gide sur le travail du romancier.

THÈMES
Réalité et écrivain.
Adolescence.
Apprentissage.

**Les Femmes savantes**

MOLIÈRE
1672

Comédie en cinq actes et en vers. Molière ne se contente plus ici de la satire des aspects superficiels de la préciosité (*Les Précieuses ridicules*★) : il la dépasse pour aborder le problème de l'éducation et du rôle des femmes.

Quatre femmes en sont les héroïnes. Trois sont unies par le désir d'échapper à la condition ordinaire de la femme. Philaminte, la seule qui soit vraiment une savante, donne dans la science et la philosophie par désir sincère de prouver que le sexe féminin vaut le masculin, en vertu de quoi elle mène Chrysalde, son mari, par le bout du nez. La deuxième, Armande, sa fille, n'est qu'une coquette qui, par vanité, donne dans l'amour désincarné. Bélise, enfin, est une vieille fille qui s'imagine que tous les hommes soupirent pour elle. La quatrième, Henriette, aime tout simplement Clitandre, et ne désire qu'«un mari, des enfants, un ménage».

Mais tandis qu'Armande la jalouse en réalité, Philaminte voudrait la marier à un poète pédant, Trissotin. Il faut une ruse d'Ariste, le frère de Chrysalde, pour écarter Trissotin qui n'est qu'un coureur de dot, et faire triompher la nature et l'amour.

Molière raille les femmes savantes au nom de la fidélité à la nature; mais cela revient à soutenir les traditions qui limitent le rôle de la femme, sans envisager pour elle d'autre liberté que celle des sentiments au moment du mariage.

Néanmoins, si la pièce peut, de ce point de vue, décevoir quelque peu, il faut reconnaître qu'elle est d'un excellent comique.

Folio
*Nouveaux classiques illustrés Hachette*

THÈMES
Femme, 2. Éducation. Préciosité. Amour, 1, e. Bonheur.

## Fêtes galantes

Paul VERLAINE
1869

*Le Livre de poche Poésie/Gallimard*

Ce recueil très homogène de vingt-deux courts poèmes est inspiré des fêtes galantes et des scènes de la Comédie italienne peintes par Watteau (1684-1721) sur qui Edmond et Jules de Goncourt venaient d'attirer l'attention par leur étude consacrée à *L'Art au XVIIIe siècle* (1860).

Dans cet univers conventionnel, la mélancolie molle, la sensibilité fragile de Verlaine ont trouvé comme naturellement leur expression symbolique en de gracieuses images *(Clair de lune, Mandoline, En sourdine)*, dont le dernier poème, *Colloque sentimental*, efface l'illusion.

Les *Fêtes galantes* sont typiquement verlainiennes par leur musicalité et leurs nuances subtiles.

THÈMES
Fête, 2. Sensibilité. Mélancolie. Rêve.

## Le Feu

Henri BARBUSSE
1916

En publiant ce livre en pleine guerre, Barbusse, engagé volontaire malgré son âge, opposait au bourrage de crâne un témoignage vécu sur l'enfer des tranchées, la misère et la mort des «poilus».

Il peint la survie quotidienne et les souffrances d'une escouade de fantassins, dont bien peu seront encore vivants à la fin du livre. Cruelle routine des séjours en ligne, corvées, relèves, précaires campements de repos, déceptions et colères, retours au feu, champs bouleversés, villages rasés, bombardements, attaques, entassements des cadavres, disparition des camarades, peur, gaieté, résignation, tout est relaté sans ménagements mais avec une grande pitié pour ces pauvres soldats tirés du peuple et jetés malgré eux dans la guerre avec pour tâche de tuer et de mourir. Pour leur être fidèle, Barbusse respecte leur langage, comme il l'a promis aux copains : «Je mettrai les gros mots à leur place, parce que c'est la vérité» (ch. XIII).

Au risque de scandaliser à la date où il écrivait, Barbusse a eu le courage de secouer les conventions morales, sociales et patriotiques qui masquent la réalité de la guerre : «— Ils te diront, grogna un homme à genoux [...], Mon ami, t'as été un héros admirable! J'veux pas qu'on m'dise ça! Des héros, des espèces de gens extraordinaires, des idoles? Allons donc! On a été des bourreaux. On a fait honnêtement le métier de bourreaux.» Un grand espoir pacifiste s'exprime dans le dernier chapitre (XXIV, *L'Aube*) qui est un appel à l'entente des peuples contre ceux qui les exploitent et les lancent dans la guerre : «— Non! être vainqueurs ce n'est pas le résultat. Ce n'est pas eux (les Allemands) qu'il faut avoir, c'est la guerre.»

THÈMES
Guerre, 2. Soldat, 2.
Héroïsme.
Souffrance, 1, c.
Mort. Peuple.
Camaraderie.

---

## Les Feuilles d'automne

Victor HUGO
1831

*Garnier-Flammarion*
*Poésie/Gallimard*

Dans sa Préface, Hugo se justifie de présenter, malgré les orages du monde, «des vers sereins et paisibles, des vers comme tout le monde en fait ou en rêve, des vers de la famille, du foyer domestique, de la vie privée; des vers de l'intérieur de l'âme». Le titre choisi marque l'entrée dans une saison de l'âme méditative et grave.

Le poète se tourne vers son passé, son enfance et ses parents (I, *Ce siècle avait deux ans...* II, *A M. Louis B.*), vers les changements du monde où se succèdent les rois

(III, IV). Dans le poème *Ce qu'on entend de la montagne* (V), il écoute deux voix qui ne cesseront plus de le solliciter : « L'une disait NATURE ! et l'autre HUMANITÉ ! » C'est déjà sa vocation de mage qu'il définit dans les poèmes VII, VIII, et surtout IX, *A M. de Lamartine :* « Moi je cherchais un monde aussi... »

Le visionnaire de *La Légende des siècles*★ s'annonce dans *La Pente de la rêverie* (XXIX) : « Mon esprit plongea donc sous ce flot inconnu, / Au profond de l'abîme il nagea seul et nu, / Toujours de l'ineffable allant à l'invisible... »

A retenir aussi des pièces d'un lyrisme plus familier sur le bonheur qui fuit (XIV, XVIII), sur les enfants (XV, XIX) et la superbe évocation des *Soleils couchants* (XXXV).

Ce recueil très riche contient en germe l'œuvre poétique ultérieure de Victor Hugo.

THÈMES
Souvenir. Famille.
Enfance.
Nature, 2, b.
Humanité, 1.
Rêverie. Rêve.
Poète, 1, e.

## La Fin de la nuit

François MAURIAC
1935

*Le Livre de poche*

Ce roman est la suite de *Thérèse Desqueyroux*★.

Au bout de quinze ans de vie parisienne, Thérèse est plus que jamais prisonnière de son passé et d'elle-même. Les autres se sont toujours écartés d'elle quand ils ont découvert sa « puissance de destruction ». Un soir, sa fille Marie, qui a maintenant dix-sept ans, sonne chez elle. Marie a fui Argelouse où l'on s'oppose à son mariage avec Georges Filliot, le petit-fils d'anciens métayers qui ont fait fortune, et vient demander secours à sa mère dont elle ignore la faute exacte. D'abord épouvantée par la vérité, Marie reste cependant, et Thérèse décide de lui abandonner sa fortune pour faciliter son mariage.

Le thème du roman devient le sacrifice de Thérèse. Celui-ci sera complet, car elle a l'émotion de susciter chez Georges un amour passionné. Elle trouve la force de ramener Georges vers Marie ; après quoi, retournée dans la maison familiale des Landes, il ne lui reste plus qu'à attendre, les yeux sur le crucifix, « la fin de la vie, la fin de la nuit ».

Mauriac a accordé à Thérèse de trouver sa rédemption dans le sacrifice, selon une idée chrétienne qui témoigne de ses propres préoccupations spirituelles.

THÈMES
Destin, 1. Faute.
Sacrifice.
Souffrance, 2, a.

**Les Fleurs du mal**

Charles
BAUDELAIRE
1857

*Classiques Garnier
Poésie/Gallimard*

Sous ce titre paradoxal et provocant, Baudelaire publie enfin en 1857 le recueil de vers auquel il pense depuis 1845. Il y rassemble cent poèmes d'époques et d'inspirations très diverses, les classant selon un plan concerté dans lequel, à vrai dire, ils s'insèrent parfois artificiellement. L'édition de 1861 en comporte cent vingt-six, présentés selon un plan partiellement nouveau qui constitue la structure définitive du recueil auquel furent ajoutées vingt-cinq pièces lors de la première édition posthume (1868). L'édition de 1861 est la plus significative.

Dans la première partie, intitulée *Spleen et idéal*, Baudelaire peint l'ennui que lui inspire le monde réel et exprime sa nostalgie de la pureté et son aspiration à un au-delà spirituel *(Bénédiction, L'Albatros, Élévation)*. La contemplation mystique *(Correspondances)*, l'intercession des grands artistes *(Les Phares)*, l'évasion dans le rêve *(La Vie antérieure)*, le culte de la beauté *(La Beauté, Hymne à la beauté)*, consolent successivement sa « muse malade ». Des séries de poèmes sont consacrées aux femmes qu'il a aimées : Jeanne Duval (de *Parfum exotique* à *Je te donne ces vers...*) ; Mme Sabatier (de *Tout entière* à *Le Flacon*) ; Marie Daubrun (de *Le Poison* à *Une madone*) et d'autres.

Les *Tableaux parisiens*, section ajoutée en 1861, traduisent la compassion du poète devant les malheurs que recèle la grande ville moderne *(Le Cygne, Les Petites Vieilles, Les Aveugles)*. La lutte entre les deux « postulations » qui mènent l'homme, « l'une vers Dieu, l'autre vers Satan », y est suivie avec une immense pitié pour les maudits *(Crépuscule du matin)*.

La section suivante, *Le Vin*, chante l'ivresse selon une tradition assez conventionnelle. Puis vient la section *Fleurs du mal* où la peinture du vice témoigne aussi d'une certaine complaisance romantique qui se retrouve dans le « satanisme » de la section *Révolte*, consacrée à l'exaltation de Satan conformément à une mode littéraire lancée par Byron (1788-1824).

Quant à la dernière partie, *La Mort*, elle se compose, dans l'édition de 1857, de trois sonnets d'inspiration spiritualiste : « C'est le portique ouvert sur les Cieux inconnus ! » En 1861, Baudelaire y ajoute trois poèmes qui affirment son aspiration au néant, le dernier, *Le Voyage*, se terminant sur un cri ambigu : « Plonger au fond du gouffre, Enfer ou Ciel, qu'importe ? / Au fond de l'Inconnu pour trouver du *nouveau* ! »

C'est dans ces derniers poèmes, dans les sections *Spleen et idéal* et dans *Tableaux parisiens* que s'exprime sans doute le mieux le drame authentique de Baudelaire qui, cherchant dans la création poétique une revanche sur les épreuves de sa vie, a tiré de celle-ci un poème de la misère et du désespoir de l'homme moderne dont l'inspiration pascalienne a été souvent soulignée.

Bien qu'il ait été condamné en justice pour immoralité, le recueil des *Fleurs du mal* a remporté tout de suite un immense succès par la « modernité » de son inspiration et la richesse de son style, fidèle aux usages poétiques, mais dense et musical, où les images se muent constamment en symboles. Il a exercé une influence considérable sur la poésie ultérieure en l'orientant vers le refus du monde et l'exploration de toutes les révoltes et de tous les rêves (cf. Verlaine, Rimbaud, Mallarmé et l'ensemble du mouvement symboliste).

THÈMES
Poète, 1, e. Ennui.
Destin. Malheur. Faute.
Souffrance, 2, a.
Révolte.
Mort. Dieu. Satan.
Beauté. Femme, 1.
Amour, 1, e.
Sensibilité. Souvenir.
Evasion. Exotisme.
Voyage, 2, b.
Ville. Paris.
Souffrance, 1, b.

## Les Fourberies de Scapin

MOLIÈRE
1671

*Folio*
*Nouveaux classiques illustrés Hachette*

Cette comédie d'intrigue en trois actes et en prose est bâtie autour d'un personnage traditionnel de la comédie italienne, le valet fourbe Scapin.

L'action se passe à Naples. Pendant l'absence de son père Argante, Octave a épousé une jeune fille pauvre, Hyacinthe. Son ami Léandre, dont le père, Géronte, accompagnait Argante, est tombé amoureux de Zerbinette, une Égyptienne. Les pères avaient naturellement d'autres projets pour leurs enfants. Scapin, valet de Léandre, promet de tirer d'affaire les jeunes gens. Assez heureux auprès d'Argante, Scapin lui fait croire qu'Octave a dû se marier sous la contrainte (I, 4). Géronte lui vaut quelques ennuis : il suspecte si bien la conduite de son fils que celui-ci se croit trahi par Scapin et veut le battre. Mais Scapin se révèle plus que jamais indispensable, car les Égyptiens menacent d'emmener Zerbinette si on ne leur verse pas cinq cents écus. Scapin se fait prier, mais les trouvera. Il faut aussi deux cents pistoles à Octave. Il arrache d'abord ces deux cents pistoles à Argante avec l'aide de Sylvestre, le valet de Léandre, qui, déguisé en spadassin, se donne pour le frère de Hyacinthe (II, 5-6). Puis il obtient cinq cents écus de Géronte, malgré son avarice, en lui faisant croire qu'il faut racheter Léandre à un pirate turc qui l'aurait enlevé sur sa galère (II, 7).

Il tire en plus vengeance de Géronte qui l'a desservi auprès de Léandre : il le persuade de se cacher dans un sac pour échapper à d'imaginaires spadassins et le bat à loisir tout en feignant de le défendre... jusqu'au moment où Géronte sort la tête du sac (II, 2). Tout s'arrangera : et les mariages des fils, car on découvre que Hyacinthe est la fille de Géronte et Zerbinette celle d'Argante, et la situation de Scapin, qui obtient son pardon en se faisant passer pour mourant.

THÈMES
Valet. Argent.

La gaieté facile de cette comédie remporte toujours un grand succès.

---

**Gargantua**
François RABELAIS
1534

*Folio*
*Le Livre de poche*

Titre complet : *La Vie très horrifique du grand Gargantua, père de Pantagruel, jadis composée par M. Alcofribas, abstracteur de Quinte Essence. Livre plein de Pantagruélisme.*

Ce conte postérieur à *Pantagruel** est de plus grande portée : les ambitions en sont annoncées dans un *Prologue* bouffon qui invite le lecteur à «rompre l'os et sucer la substantifique moelle».

L'histoire de Gargantua commence à sa naissance merveilleuse (ch. VI) et se poursuit par des chapitres pittoresques sur l'enfance du jeune géant, son appétit, sa force, ses jeux (ch. VII-XII). Le roi Grandgousier, son père, confie d'abord son éducation à un docteur en théologie ; puis, comme celui-ci ne lui apprend rien et l'abrutit, il l'envoie à Paris étudier selon les principes humanistes : lecture des auteurs latins et grecs, étude des lettres, des sciences et de la musique, souci de l'agrément, appel à l'observation et à la réflexion, formation du corps en même temps que de l'esprit, sans oublier l'éducation morale fondée sur la lecture de l'Écriture sainte (ch. XIV-XXIV). Bientôt Gargantua doit regagner le Chinonais pour défendre les terres paternelles que le roi voisin, Picrochole, vient d'envahir par surprise, sous un mauvais prétexte. Rabelais pose le problème des devoirs du bon prince et condamne la guerre de conquête (ch. XXV-LI). Au cours de la «guerre picrocholine», il introduit le moine Frère Jean des Entommeures, nouvelle parodie des héros épiques (ch. XXVI). Frère Jean devient le familier de Gargantua qui récompense sa vaillance en créant pour lui l'abbaye de Thélème sous la seule règle «Fais ce que voudras». C'est en réalité, installé dans un superbe château, un collège aristocratique ouvert aux garçons et aux filles, et destiné à leur enseigner le chemin du bonheur terrestre qui passe par la liberté, l'honneur, l'évangélisme et le mariage (ch. LII-LVII). Ainsi le conte se termine-t-il sur un acte de foi dans la destinée terrestre de l'homme.

Les contes ultérieurs, *Le Tiers Livre**, *Le Quart Livre**, mettent de nouveau en scène Pantagruel.

## Le Génie du christianisme

François-René de CHATEAUBRIAND 1802

*Garnier-Flammarion*

Publié le 14 avril 1802, ce plaidoyer en faveur de la religion chrétienne arrivait au moment où le Premier Consul Bonaparte proclamait solennellement (18 avril) le Concordat qu'il venait de passer avec Rome pour rétablir la paix religieuse en France et mieux asseoir son pouvoir. Aussi Chateaubriand reçut-il un poste de secrétaire d'ambassade à Rome. Toutefois, ultérieurement, il déclara avoir visé plus loin qu'à plaire à Bonaparte : « Les idées monarchiques régulières étaient arrivées avec les idées religieuses » (*Mémoires**, XIII). Pour nous, *Le Génie du christianisme* présente un intérêt moral et littéraire qui dépasse les intentions apologétiques et politiques de Chateaubriand.

La première partie traite des dogmes chrétiens. Elle offre, à propos de la preuve de l'existence de Dieu par les beautés de la nature, de belles pages où Chateaubriand évoque les paysages de l'Amérique du Nord qu'il a visitée en 1791.

La deuxième est consacrée aux « épopées chrétiennes », à l'influence du christianisme sur les sentiments, à son rôle dans la mélancolie moderne et « le vague des passions » (important chapitre servant d'introduction à *René**), à ses effets sur le sentiment de la nature qu'appauvrissait la mythologie, à la supériorité du merveilleux chrétien sur le merveilleux païen.

De la troisième partie, sur les arts et la littérature, méritent d'être retenues les pages sur les églises gothiques, qui contribuèrent à éveiller l'engouement romantique pour l'art du Moyen Age, et celles sur les « harmonies de la religion chrétienne », que suivait *Atala**, fragment d'épopée déjà publié en 1801.

Ce livre, où Chateaubriand s'est piqué de « détruire l'influence de Voltaire » (*Mémoires**, XIII), a exercé une influence morale et artistique durable sur l'époque romantique.

## Germinal

Émile ZOLA
1884

*Folio*
*Le Livre de poche*

Après le succès de *L'Assommoir**, Zola a voulu écrire un nouveau roman sur le peuple qui fût cette fois un roman «politique», «socialiste». Il avait pensé d'abord au cadre de la Commune, mais le souvenir de l'insurrection s'estompait tandis que les grèves de mineurs mobilisaient l'attention et symbolisaient la lutte des classes. Aussi a-t-il choisi une grève de mineurs dans le Nord de la France. Sa documentation est postérieure de vingt ans à l'époque du Second Empire où se situe l'action, mais il a tenu compte de l'évolution, d'ailleurs peu sensible, de la vie dans les mines.

Le héros principal est Étienne Lantier, fils de Gervaise Macquart (*L'Assommoir**), qui vient s'embaucher aux mines de Montsou (Anzin), où il découvre la misère des mineurs : les enfants, et même les filles comme Catherine Maheu, la fille de ses logeurs, descendent au fond. Il sympathise bientôt avec un petit groupe de militants et se lance dans la propagande révolutionnaire. Le problème des moyens d'action se trouve posé, certains s'inspirant de la pensée de Marx et de l'idéal de l'Internationale ouvrière, fondée en 1864, qui veut enseigner aux ouvriers à s'organiser pour être forts, tandis que le mécanicien Souvarine tire de la lecture de Bakounine une violence nihiliste.

Lorsque les patrons, à la faveur de la crise économique, essaient de baisser les salaires, la grève éclate à la fosse du Voreux (Étienne en prend la direction) et se prolonge malgré la misère des corons. La troupe intervient pour briser une marche de la faim et tire, faisant des morts et des blessés (comme lors de certaines grèves de la fin de l'Empire). C'est la défaite, et bientôt la reprise du travail qu'essaie de saboter Souvarine en noyant les puits... et les mineurs.

A ce thème des luttes sociales, se mêlent les passions personnelles qui, dans le dénuement de la mine, se déchaînent surtout autour des filles. Ainsi le destin de Catherine Maheu se joue-t-il entre Lantier et Cheval dans un combat à mort.

Après la mort de Catherine, usée par le travail au fond, Lantier quitte la mine, et, malgré l'échec provisoire des mineurs, dans la lumière d'une campagne éclatante de vie, il songe avec espoir à l'avenir en germination. C'est la justification du titre.

Jamais les qualités artistiques de Zola, son sens des ensembles et de la puissance épique n'avaient atteint cette perfection. Jamais non plus son engagement politique n'avait été aussi net. Cependant son livre a été presque unanimement loué. Les socialistes l'ont applaudi, à la différence de *L'Assommoir**. Son succès populaire a été immense. En 1902, une délégation de mineurs de Denain a suivi les obsèques de Zola en criant «Germinal».

THÈMES
Peuple. Femme, 3.
Travail. Misère. Ouvrier.
Amour, 1, e.
Capitalisme. Bourgeoisie.
Argent, 2.
Souffrance, 1, c.
Révolte. Socialisme.
Révolution.

## Germinie Lacerteux

Edmond et Jules de GONCOURT
1865

*Nizet*

Les frères Goncourt notent en 1864 : « Le roman actuel se fait avec des documents racontés ou relevés d'après nature, comme l'histoire se fait avec des documents écrits.» C'est selon ce principe qu'ils ont composé *Germinie Lacerteux*, transposant l'histoire de leur servante Rose, tragédie secrète qu'ils ont découverte seulement à sa mort en 1862.

L'action se déroule à Paris au milieu du XIXe siècle. Germinie Lacerteux arrive à quinze ans de son village pour tomber dans l'avilissement et la misère de la capitale. Après avoir connu bien des mauvaises places, elle entre au service d'une vieille fille bienveillante, Mlle de Varandeuil, à laquelle elle s'attache profondément. Malgré cela, Germinie reste mélancolique et inquiète. Quand elle trahit devant sa maîtresse son envie de se marier, elle s'attire des railleries mais aussi une menace : «Si tu te maries, je te préviens : je ne te garde pas». Elle fixe son besoin d'aimer sur une nièce orpheline, mais s'aperçoit qu'on lui en a caché la mort pour continuer de lui soutirer ses gages. Elle reporte alors son affection sur un jeune voisin, le petit Jupillon, fils de la crémière. Ce nouvel attachement fera son malheur, car, les années passant, elle se prend à aimer ce garçon d'une passion possessive et jalouse, le poursuit au bal et bientôt s'offre à lui, malgré la différence d'âge, dans l'espoir de le retenir. Humiliée de cette situation que personne n'ignore dans le quartier, sauf Mlle de Varandeuil, elle se laisse exploiter par Jupillon qui lui prend son argent pour installer une boutique, refuse de l'épouser et l'abandonne avec un enfant qu'elle doit mettre en nourrice et que finalement elle perdra. Rongée par la douleur, installée dans le mensonge et le remords vis-à-vis de Mlle de Varandeuil, Germinie se met à boire, fait des dettes pour Jupillon, puis pour un autre vaurien, Gautruche, descend à des amours de rencontre, et, précocement usée à quarante et un ans, meurt de tuberculose à l'hôpital. Apprenant enfin la vie secrète de sa bonne, M<sup>lle</sup> de Varandeuil, qui l'aimait, est d'abord malade de saisissement et de colère, puis pardonne à cette victime méconnue qui vient d'être ensevelie anonymement dans la fosse commune du cimetière Montmartre.

Si ce livre cru, qui « vient de la rue » (Préface), a choqué certains (on a parlé de « littérature putride »), il a été salué d'un article élogieux par Zola encore inconnu. *Germinie Lacerteux* ouvre en effet la voie aux *Rougon-Macquart*★. E. de Goncourt accusera même Zola de plagiat à la parution de *L'Assommoir*★.

THÈMES
Peuple. Paris, 3.
Amour, 1, e.
Passions, 4.
Souffrance, 1, a et b.

## Gil Blas de Santillane (Histoire de)

Alain-René LESAGE
1715-1735

*Folio*
*Garnier-Flammarion*

Ce roman est construit par juxtaposition d'épisodes, à la façon des récits picaresques espagnols, et se déroule entièrement en Espagne entre 1607 et 1650 environ, mais il se rattache à l'esprit des moralistes et satiriques français. Sa rédaction s'est échelonnée sur plus de vingt ans à la faveur de son mode de développement.

A dix-sept ans, Gil Blas quitte sa famille pour aller étudier à l'université de Salamanque et, dès lors, devient le jouet de la fortune, se prenant à aimer l'aventure tout en rêvant d'une vie calme qu'il mettra quarante ans à atteindre.

Livré aux hasards des routes et des auberges, enrôlé de force par des brigands, emprisonné par la justice, couvert de présents par une dame qu'il a sauvée des voleurs, volé par une autre qui l'a ébloui, il adopte, après ces premières mésaventures, le métier de laquais (I, 17). Passant de maître en maître et de ville en ville, il acquiert en dix ans une incomparable expérience du monde et commence son ascension sociale (II-VII). Quand il entre au service du duc de Lerme, premier ministre de Philippe III, c'est comme secrétaire (VIII, 2). On pénètre dans un nouveau domaine, celui de la cour et de l'intrigue. (Lesage vise en réalité la France de la Régence.) Gil Blas s'enrichit, se corrompt, devient un personnage et goûte à la prison quand le duc de Lerme est disgracié (VIII-IX). Il cherche une terre pour faire retraite, reçoit justement celle de Lirias d'une riche famille qu'il a autrefois servie (IX, 10), se marie et semble se résoudre à mener une vie sage (X). Mais ce n'est qu'une pause. Il perd sa femme ; puis

Philippe III meurt (1621) ; et le voici qui retourne à
la cour où il devient le favori du nouveau Premier Ministre, le duc d'Olivarès, et connaît une grande
fotune pendant vingt ans. Fidèle au duc après sa disgrâce, il le suit dans sa retraite, puis se retire lui-même
dans sa seigneurie de Lirias (XII, 12).

Le roman est peuplé de plus de mille personnages de
toutes conditions : muletiers, voleurs, barbiers, auber-
gistes, valets, soubrettes, comédiens, auteurs, ecclésiastiques, dévotes, grands seigneurs, pauvres gentilshommes, etc. Beaucoup sont seulement l'objet de portraits
rapides à la manière de La Bruyère et de Montesquieu. D'autres sont les héros d'épisodes sans lien avec
la vie de Gil Blas. La destinée de quelques-uns, comme
Rolando, Fabrice, Scipion, se développe parallèlement
à la sienne. Enfin des personnages historiques se
mêlent aux fictifs : Philippe III, Philippe IV, le duc de
Lerme, Olivarès.

La psychologie et les actions sont dans la tradition railleuse et pessimiste de la comédie et du conte
réaliste. La conclusion est toutefois rassurante puisque
Gil Blas, renonçant à l'ambition, découvre la sagesse.
L'intérêt du livre est à la fois dans la satire de la comédie humaine et dans cette conquête de soi grâce
à l'expérience.

THÈMES
Espagne. Aventure.
Apprentissage. Mœurs.
Classes sociales.
Peuple. Valet.
Bourgeoisie. Clergé.
Noblesse. Cour.
Ambition. Sagesse.

Ce roman en trois volumes est la peinture violente
de deux «grandes familles» saisies dans les dégradations de la vanité, de l'argent et de la sexualité.

Le premier volume, *Les Grandes Familles* (1947),
introduit autour d'un berceau, en 1916, deux familles
alliées, les Schoudler qui sont des financiers, et les La
Monnerie, de vieille noblesse, qui comptent un académicien, un général et un diplomate, tandis que le marquis chef de la lignée se contente de chasser à courre
sur ses terres.

Une série d'événements : la mort de l'académicien,
celle du général, les excentricités de leur demi-frère
Lulu Maublanc, le despotisme du baron Noël Schoudler, qui, par ses manœuvres financières, accule son
fils François au suicide, occupent l'essentiel du volume
où les personnages secondaires, peu nombreux, n'interviennent que comme comparses et parasites des travers
ou des vices de ces familles.

**Les Grandes
Familles**

Maurice DRUON
1947-1951

*Le Livre de poche*

Au deuxième volume, *La Chute des corps* (1949), la chute matérielle des deux familles (krach Schoudler, règlement désastreux de la succession du marquis de La Monnerie) accompagne leur chute morale : Jacqueline de La Monnerie, veuve de François Schoudler, est assassinée par son second mari, le capitaine Gabriel de Voos.

Le troisième volume, *Rendez-vous aux Enfers* (1951), est consacré à la dégradation de la troisième génération, celle de Jean-Noël et Marie-Ange Schoudler, petits-enfants du baron Noël Schoudler.

Druon a réussi dans ces ouvrages une vigoureuse fresque d'inspiration naturaliste.

**THÈMES**
Famille. Passions.
Argent. Amour, 1, f.
Corruption.

---

**Le Grand
Meaulnes**

ALAIN-FOURNIER
1913

*Le Livre de poche*

Dans ce roman rêvé à partir de la réalité de sa vie, Alain-Fournier peint une quête de l'amour qui prend valeur de mythe. L'événement déterminant autour duquel tout s'est cristallisé est la brève rencontre, sur les quais de la Seine, en juin 1905, d'une jeune fille pour laquelle il s'éprit d'une folle et inutile passion, et qu'il revit seulement en 1913, mariée et mère de famille. Mais l'important, comme dans *Sylvie*⋆ de Nerval, est la métamorphose poétique du réel.

Les héros principaux sont deux adolescents. Le premier, François Seurel, qui est devenu le narrateur, est un garçon calme et même timide ; fils d'instituteurs de campagne comme Alain-Fournier, il est habitué à une existence sans imprévu et va être le témoin ébloui et passionné de la destinée du second, Augustin Meaulnes, qui incarne l'aventure et le rêve et finira par tourner le dos à la réalité.

Arrivé comme pensionnaire chez M. Seurel pour préparer le Brevet, le Grand Meaulnes, qui est plus âgé que François, jouit tout de suite d'un grand prestige à l'école de Sainte-Agathe pour son caractère audacieux et secret. Son destin prend définitivement une allure exceptionnelle à partir d'une étrange aventure sur laquelle il garde d'abord le silence. S'étant égaré en allant à Vierzon par un jour d'hiver, il découvre par hasard un domaine merveilleux où des enfants préparent une fête costumée dans laquelle il se trouve entraîné. Au cours d'une promenade en bateau qui fait songer à un embarquement pour Cythère, il rencontre une jeune fille qui lui dit son nom : Yvonne de Galais. Puis la fête tourne court, car celle pour qui elle était organisée, la fiancée de Frantz de Galais, Valentine, n'est pas venue. Tandis qu'on se disperse, Meaulnes entend un coup de feu dans l'obscurité. Rentré à Sainte-Agathe sans pouvoir dire quel chemin il a suivi, Meaulnes vit dans l'obsession de ce domaine perdu et la fait partager à François. Un mystérieux bohémien, qui porte un bandeau sur l'œil, va les aider dans leurs recherches : c'est Frantz de Galais qui, ayant manqué son suicide, a été recueilli par des comédiens ambulants. Sa quête désespérée de l'amour se mêle désormais à celle d'Augustin. Celui-ci finit par retrouver et épouser Yvonne de Galais, mais, le lendemain de son mariage, pour répondre à un appel de Frantz qui cherche toujours Valentine, il abandonne sa femme, pris d'un remords. En effet, il a connu Valentine lors d'un séjour à Paris ; ils se sont aimés avant qu'il ne découvre ce qu'elle avait été pour Frantz ; et il s'est détourné d'elle, perdant sa trace, sans savoir la ramener à son ami. Quand Meaulnes revient avec Frantz et Valentine, deux ans après s'être enfui, Yvonne est morte, lui laissant une fillette.

*Le Grand Meaulnes* constitue une des plus belles réussites du roman poétique.

THÈMES
Adolescence. Province. Camaraderie. Aventure. Amour, 1, e. Bonheur, 6. Fête. Rêve. Réalité.

Ce recueil de poèmes a pour thème l'existence étrange et fragile de tout ce qui vit et gravite dans l'espace et le temps.

En vers tantôt réguliers, tantôt libres, Supervielle interroge les arbres, les oiseaux, les nuages, les vagues, les étoiles : « Je guette avec mes yeux d'homme / Mes yeux venus jusqu'ici... », dit-il, étonné de sa propre existence autant que du spectacle du monde, témoin inquiet et émerveillé de l'instant et de la durée, de la singularité de chaque être et des accords cosmiques. Citons comme poèmes caractéristiques *Apparitions, Boulevard Lannes,* la série des *Matins du monde* (surtout *Houle*) et les visions de la section *Le Cœur astrologue.*

Malgré des aveux d'angoisse *(Vivre),* ce recueil laisse le souvenir d'une communion lyrique avec la beauté du monde.

**Gravitations**

Jules SUPERVIELLE
1925

*Poésie/Gallimard*

THÈMES
Moi, 2. Univers. Temps. Nature, 2. Exotisme.

**La Guerre**

Jean-Marie
LE CLEZIO
1970

*Gallimard*

Le mot *roman* placé en sous-titre ne recouvre pas l'une de ces histoires caractéristiques du genre où se peignent des personnages et des destins, mais une suite d'évocations lyriques et hallucinées.

De même, le titre *La Guerre* ne désigne pas le domaine des conflits militaires mais la violence de la civilisation industrielle qui déshumanise l'homme et semble ne pouvoir conduire qu'à une catastrophe que la menace nucléaire résume et symbolise.

Le mal est dans le monde extérieur que l'homme façonne et auquel il a irréversiblement livré son destin. «La peur a commencé le jour où cette jeune fille a pu dire, peut-être pour rire, ou simplement parce que c'était devenu vrai à cet instant : — Je ne suis rien. Alors, avaient suivi les déclarations de la liberté : — Je ne veux rien. Je n'aurai pas d'enfant. Je ne crois plus. Tu n'existes pas.»

Pour témoin, Le Clezio a choisi une jeune fille, Bea B., et l'a lancée en vagabonde dans le délire matériel et technique de la ville moderne. Sur les thèmes successifs ou associés de l'autoroute, du café, du supermarché, du dancing, de l'aéroport, de l'avion, des voitures, de l'électricité, etc., le livre propose des visions mêlées d'angoisse et d'exaltation, qui n'illustrent pas seulement le thème apocalyptique choisi par l'auteur mais sont l'occasion de découvrir la fascinante beauté de cette agitation déshumanisante.

THÈMES
Civilisation. Vie moderne. Ville. Homme, 5, d. Angoisse. Beauté.

Du naufrage dont il se fait le prophète, Le Clezio sauve du moins la création artistique.

---

**La Guerre
de Troie
n'aura pas lieu**

Jean GIRAUDOUX
1935

*Le Livre de poche*

Dans cette pièce en deux actes et en prose, spirituellement composée dans les marges d'Homère, Giraudoux fait réflexion sur la guerre au moment où l'Europe, en 1935, sentait monter la menace de nouveaux conflits.

L'action se déroule à Troie où l'on attend une ambassade grecque pour négocier la restitution d'Hélène, femme du roi grec Ménélas, qui a été enlevée par Pâris, l'un des fils de Priam, roi de Troie. La plupart des Troyens désirent la paix. A Cassandre qui colporte de sinistres prophéties, Andromaque réplique : «La guerre de Troie n'aura pas lieu» (I, 1). Hector rentre d'une guerre dont il s'est juré qu'elle serait la dernière (I, 3). Cependant il s'est aussi déjà créé un parti de la guerre sous la direction du poète Démokos (I, 6), et, bien qu'Hélène avoue ne plus aimer Pâris (I, 9), Cassandre trouve, à la fin de l'acte, que la paix est bien pâle.

A l'acte II, tandis qu'Hélène s'emploie à séduire Troïlus, frère de Pâris, et que Démokos organise sa propagande guerrière (II, 4), Hector se prépare à recevoir Ulysse, l'envoyé des Grecs, et lutte contre les bellicistes. Il doit menacer l'expert international Busiris pour l'empêcher d'alimenter les passions (II, 5), gifler Démokos qui se prétend insulté par un soldat grec ivre, Oiax (II, 10). Mais Ulysse montre une bonne volonté égale à la sienne, en dépit du scepticisme qui la teinte (II, 13). Ils décident de s'unir contre le destin, et la paix semble sauvée. C'est alors qu'Oiax, de plus en plus ivre, fournit un nouveau pétexte à Démokos pour tenter d'exciter la foule troyenne. Hector tue Démokos pour le faire taire, mais celui-ci a le temps d'accuser Oiax de l'avoir frappé (II, 14). La guerre aura lieu.

Dans cette pièce au symbolisme transparent, le brillant ordinaire de Giraudoux se double d'une émotion grave et triste devant la victoire des fanatiques sur la volonté généreuse des meilleurs d'entre les hommes.

THÈMES
Femme, 1, c et f.
Guerre, 2, a. Fanatisme.
Homme, 5. Destin.

---

## L'Heptaméron

Marguerite
de NAVARRE
1559 (posthume)

*Classiques Garnier*

Recueil de soixante-douze nouvelles, organisé comme le *Décaméron* de Boccace (1313-1375) dont il imite le titre : dix voyageurs arrêtés par les hasards d'une crue se divertissent en contant des histoires à raison de dix par jour. Le recueil s'interrompt au début de la huitième journée.

Selon les lois du genre, Marguerite de Navarre ne refuse pas les contes gais dont l'inconduite des moines et des prêtres fait souvent les frais, comme chez Boccace ; toutefois, personnellement gagnée au platonisme et à la spiritualité évangélique, elle institue aussi des controverses morales sur l'amour et la vie galante, dans lesquelles les « devisants » s'affrontent suivant leur tempérament. Leurs noms étranges sont des anagrammes qui dissimulent Marguerite elle-même (Parlamente), sa mère, Louise de Savoie (Oisille), son mari, Henri d'Albret (Hircan), l'évêque de Séez (Dagoucin) et d'autres personnages du même monde. Contre le réalisme gaulois d'Hircan et de Saffredent (Épilogues des nouvelles VIII, XII et LXX), Dagoucin et Parlamente défendent la recherche de «la parfaite et honnête amitié». Leur conception idéale de l'amour est inspirée de celle de Platon *(Phèdre, Le Banquet)* pour qui l'on s'élève par degrés du monde sensible à la pureté du monde des idées. La nouvelle XIX, où l'on voit deux amants, dont l'amour est contrarié par le sort, entrer en religion, montre le passage de l'amour profane à l'amour divin. Parlamente le commente ainsi : «Jamais homme n'aimera parfaitement Dieu qu'il n'ait parfaitement aimé créature au monde.»

Tout en constituant, dans son aspect réaliste, un intéressant document sur les mœurs du XVIᵉ siècle, le livre se rattache à l'effort d'épuration de l'amour qui se poursuit depuis la naissance de la littérature courtoise *(Lancelot★, Le Roman de la Rose★).*

THÈMES
Amour, 1, b. Mœurs

---

**Hernani**

Victor HUGO
1830

*Classiques Bordas*
*Classiques Larousse*
*Garnier-Flammarion*

Ce drame en cinq actes et en vers a été l'occasion d'une «bataille» qui a pris valeur de symbole entre les partisans des classiques et les tenants de l'esthétique théâtrale romantique (cf. Préface de *Cromwell★*). L'amour, l'honneur, la raison d'État, la vengeance, la générosité, le goût de la fatalité y interfèrent au cours d'une action qui se développe sur plusieurs mois en divers lieux d'Europe; le familier s'y mêle au sublime.

En Espagne, au début de 1519, un proscrit, Hernani, et le roi Don Carlos, futur Charles Quint, sont tous les deux épris de Dona Sol, nièce du vieux Don Ruy Gomez, duc de Silva, qui prétend lui-même l'épouser. C'est le «bandit» qui est aimé (I, 2). Hernani et Don Carlos croisent le fer chez Dona Sol sans se connaître, quand Don Ruy Gomez survient à l'improviste; le roi justifie sa présence par les affaires de l'État et fait passer Hernani pour quelqu'un de sa suite (I, 3).

A ce geste, Hernani répond en épargnant le roi lorsqu'il est maître de sa vie (II, 3). Traqué par les troupes royales, il doit se réfugier au château de Silva, où Dona Sol, qu'il voudrait écarter de son destin («Oh! je porte malheur à tout ce qui m'entoure!»), lui redit son amour (III, 4). Don Ruy Gomez les surprend, mais protège d'abord Hernani des poursuites du roi, qui emmène Dona Sol en otage (III, 6); puis il lui demande raison, l'épée à la main : refusant de se battre

avec un vieillard, Hernani lui offre sa vie pour venger
Dona Sol et s'engage à mourir dès que le duc le lui
ordonnera en sonnant du cor (III, 7). Élu empereur,
Don Carlos démasque les conjurés qui, sous la conduite
d'Hernani, l'ont suivi jusqu'à Aix-la-Chapelle, auprès
du tombeau de Charlemagne, mais leur pardonne, et
renonce à Dona Sol en faveur d'Hernani qui est en
réalité Jean d'Aragon, grand d'Espagne (IV). Le bonheur des amants est de courte durée : le soir de
leurs noces, en Espagne, Don Ruy Gomez sonne du
cor ; Hernani s'empoisonne, pour respecter sa parole,
et Dona Sol l'imite (V).

La violence et la diversité des péripéties, l'histoire et
l'épopée mises à contribution, la fougue des passions, le
fatalisme du héros, la liberté des vers, ont fait le succès
de ce drame dont les couleurs sont, en fait, plus clin-
quantes que vraies.

THÈMES
Passions, 3. Héroïsme.
Amour, 1, e.
Femme, 1, a. Honneur.
Malheur, 1.
Fatalité. Désespoir.
Suicide. Jeunesse.
Vieillesse. Espagne.

---

Michelet a travaillé près de quarante ans à son *Histoire de France* dont le projet primitif n'a cessé de
s'enrichir au cours des recherches que lui facilitèrent,
à partir de 1831, ses fonctions de chef de la section historique aux Archives nationales.

Après six volumes conduisant à la mort de Louis XI,
publiés de 1833 à 1844, il passa à l'*Histoire de la Révolution française* (sept vol., 1847-1853), pour s'intéresser
ensuite à l'époque intermédiaire (onze vol., 1855-1867).
La Préface écrite en 1869 pour une édition complète
résume les principes de son entreprise : «résurrection
de la vie intégrale», foi dans la liberté de l'homme et
particulièrement dans la mission de la France : «La
France a fait la France [...]. Elle est fille de sa liberté.
Dans le progrès humain, la part essentielle est à la
force vive qu'on appelle homme. *L'homme est son propre Prométhée.*» Cette philosophie de l'histoire appa-
raissait déjà dans son *Introduction à l'histoire universelle* (1831) : «Avec le monde a commencé une guerre
qui doit finir avec le monde, et pas avant : celle de
l'homme contre la nature, de l'esprit contre la matière,
de la liberté contre la fatalité.» Elle s'est fortifiée au fur
et à mesure de son travail, particulièrement lorsqu'il a
peint la Révolution de 1789 qui, à ses yeux, fait désormais de la France la messagère de la liberté. Inver-
sement, l'étude des siècles précédents (XVIᵉ-XVIIIᵉ s.)

**Histoire
de France**
Jules MICHELET
1833-1867

*Robert Laffont*

devient surtout celle des erreurs et des crimes de la monarchie.

Les défauts de cette œuvre enthousiaste sont liés à ses mérites : la foi généreuse qui donne à Michelet son souffle épique et sa chaleur humaine nuit souvent chez lui à l'objectivité que l'on attend de l'historien.

THÈMES
Histoire, 1, a. France.
Liberté, 2. Progrès.
Révolution.

## Histoire de saint Louis

JOINVILLE
1305-1309

*Payot*

THÈMES
Foi, 1. Saint.
Exotisme, 1.

C'est à plus de quatre-vingts ans, trente-cinq ans après la mort de Louis IX (1270), que Joinville, sénéchal de Champagne, a composé cette histoire édifiante du saint roi, son maître, canonisé depuis 1282.

L'ouvrage, qui est très désordonné, commence par l'évocation d'épisodes devenus célèbres : saint Louis lavant les pieds des pauvres, saint Louis rendant la justice sous un chêne à Vincennes. La partie centrale est le récit de la croisade à laquelle Joinville a participé avec le roi de 1248 à 1254.

Joinville est dépourvu d'esprit critique et de méthode, mais il apporte un témoignage vivant sur une époque de foi.

## L'Homme qui rit

Victor HUGO
1869

*Garnier-Flammarion*

Ce roman, dont «le vrai titre», selon Hugo, serait *L'Aristocratie* (Préface), était, dans les projets de l'écrivain, le premier d'une trilogie comprenant aussi un livre intitulé *La Monarchie*, jamais écrit, et *Quatre-vingt-treize\**, publié en 1874. Hugo voulait affirmer trois idées «Espérance, Liberté, Progrès», et justifier l'accomplissement de la Révolution.

L'action se déroule en Angleterre, après la Révolution de 1688 qui a chassé Jacques II, sous les règnes de Guillaume III (1689-1702) et d'Anne Stuart (1702-1714).

Fuyant le pays par mer, des «comprachicos», c'est-à-dire des marchands d'enfants, abandonnent sur le rivage un garçon de dix ans qui a été défiguré de manière à paraître toujours en train de rire. Pris dans une tempête, ils confient à la mer, dans une gourde, l'aveu de leurs forfaits.

Durant la même nuit, l'enfant abandonné découvre sous la neige une petite fille encore vivante entre les bras de sa mère morte de froid, puis trouve asile dans la roulotte d'un saltimbanque. Cet homme, qui se fait appeler Ursus, est une sorte de philosophe misanthrope. Avec pour compagnon un loup qu'il a nommé Homo, il donne le spectacle et vend des drogues. La petite fille est aveugle. Ursus la baptise Dea. Le garçon garde son nom, Gwynplaine.

Ursus élève ces enfants qui s'aiment d'un amour pur. Ils ont leur rôle dans les spectacles dont «l'homme qui rit» fait le succès.

Le chariot-théâtre d'Ursus, la Green-Box, arrive un jour à Londres. Le destin de Gwynplaine s'en trouve bouleversé : il passe dans le monde de l'aristocratie et de la cour.

Hugo peint ce milieu au moyen de quelques figures : lord David, fils naturel de lord Linnoeus Clancharlie, et la duchesse Josiane, fille naturelle de Jacques II, qui doivent un jour s'épouser ; la reine Anne ; un intrigant de basse extraction, Barkilphedro, à qui la mer fournit tout à coup un moyen. En effet, la gourde jetée à la mer par les comprachicos apporte la preuve que l'homme qui rit est le fils légitime de lord Linnoeus Clancharlie.

Gwinplaine est rétabli dans son héritage ; c'est à lui, le monstre, que la duchesse Josiane, symbole de la beauté charnelle, est maintenant destinée par la reine : terrible tentation pour Gwinplaine, mais que la pensée de Dea — figuration du domaine de l'âme — lui permet, pour finir, de surmonter.

Redevenu lui-même, Gwynplaine intervient à la Chambre des lords pour demander justice pour le peuple, mais il déchaîne le rire des privilégiés par ses propos et son visage. Il s'enfuit et, grâce au loup Homo, retrouve Ursus et Dea au moment où, chassés de Londres et le croyant mort, ils s'embarquaient pour la Hollande. Dea, minée par le chagrin, meurt dans ses bras. Pour la rejoindre, Gwynplaine s'engloutit dans la mer.

Comme à son habitude, Hugo agit à la fois en historien, en philosophe et en poète. Il met une prodigieuse virtuosité verbale au service d'un système de symboles qui traduisent ses convictions morales et sociales, sa vision de l'histoire et ses intuitions sur le conflit de la matière et de l'âme.

THÈMES
Société, 2. Classes sociales. Justice. Progrès. Bien. Mal. Providence. Pureté. Mer.

## Les Hommes de bonne volonté

Jules ROMAINS
1932-1946

*Classiques Larousse*
*Le Livre de poche*

C'est la plus vaste construction romanesque de la première moitié du XXe siècle. Du 6 octobre 1908 au 7 octobre 1933, ses vingt-sept volumes déroulent la fresque d'un quart de siècle où la guerre de 1914 ébranle l'Europe et la laisse fiévreuse et inquiète de l'avenir. Jules Romains en a achevé la peinture en Amérique pendant la Seconde Guerre mondiale (t. XIX-XXIV publiés à New York de 1941 à 1944, t. XXV-XXVII publiés en France en 1946).

Sur le plan technique, Jules Romains n'a voulu imiter (cf. Préface) ni *La Comédie humaine*★, où le retour de personnages unit des romans distincts, ni *Les Misérables*★ ou *Jean-Christophe*★, dont l'unité est assurée par la destinée d'un héros; il présente son œuvre comme un roman «unanimiste», qui, pour refléter toute une époque, peint «une diversité de destinées individuelles qui cheminent chacune pour leur compte, en s'ignorant la plupart du temps».

En fait, ces destinées se rejoindront souvent, et la fresque comporte deux héros principaux, Jerphanion, esprit solide et positif comme ses ancêtres du Velay, et Jallez, Parisien d'origine, plus artiste et plus libre, qui entrent à l'École normale supérieure de la rue d'Ulm en 1908.

Tous les milieux sont représentés : le peuple de Paris par les Maillecotin, le petit Wazemmes, les Bastide, l'électricien Vidal; la vieille noblesse du faubourg Saint-Germain par la famille de Saint-Papoul; la nouvelle aristocratie d'argent par le vicomte et la vicomtesse de Champcenais, le constructeur d'automobiles Bertrand, le pétrolier Sammécaud, le spéculateur Haverkamp qui s'enrichit à la faveur de la guerre. On pénètre dans le monde du théâtre avec l'actrice Germaine Baader; dans celui de la politique avec le ministre Gurau et, plus tard, avec Jerphanion; dans celui de l'Église avec l'abbé Mionnet. On découvre les instituteurs, ardents apôtres de l'idéal républicain de justice et de paix, comme Laulerque et Clanricard; les milieux littéraires, peu flattés, dans l'écrivain mondain Geoges Allory, candidat à l'Académie, et dans le poète Claude Vorge que fascine le mystérieux Quinette, rival impuni de Landru; la jeunesse frivole de l'après-guerre, etc.

Le bonheur, l'amour, le pouvoir, l'argent, l'ambition ou le goût de la justice agitent diversement ces hommes et ces femmes mis à l'épreuve des premiers bouleversements du siècle. La guerre occupe le centre de la fresque (t. XV, *Prélude à Verdun*; t. XVI, *Verdun*) et tous les problèmes collectifs antérieurs ou postérieurs sont systématiquement explorés : l'inquiétude de la jeunesse avant la guerre (t. VII, *Recherche d'une Église*); l'industrialisation et l'étouffement du syndicalisme, et, par là, des espoirs des pacifistes, en 1910 (t. IX, *Montée des périls*); la crise de conscience de l'après-guerre (t. XVIII, *La Douceur de la vie*); les conflits idéologiques ouverts par la révolution russe et les fascismes (t. XIX, *Cette Grande Lueur à l'Est;* t. XX, *Le Monde est ton aventure*).

Le drame que peint Jules Romains est celui des hommes de bonne volonté, attachés aux traditions humanistes de notre civilisation, et désireux de défendre les chances de l'homme, tout à la fois contre les vieilles et contre les nouvelles malédictions de l'histoire, contre la guerre et contre le totalitarisme (t. XXI, *Journées dans la montagne*; t. XXVII, *Le 7 octobre*).

THÈMES
Ville. Paris. Province.
Classes sociales.
Travail, 2 et 3.
Ouvriers.
Ambition. Amour, 1, f.
Argent, 2, c. Crime.
Guerre, 2. Paix.
Histoire, 1, a et b.
Révolution.
Communisme.
Fascisme. Liberté, 2.
Bonheur, 6.
Humanisme. Homme, 5.
Solidarité.

---

## Huis clos

Jean-Paul SARTRE
1944

*Folio*

Dans cette pièce en un acte, Sartre illustre un principe essentiel de sa morale : un homme se juge à ses actes et ne saurait en éluder la responsabilité au nom de ses intentions.

Trois personnages, maintenant morts, se retrouvent en enfer, enfer qui a l'aspect d'un salon Napoléon III. Ils essaient de se cacher mutuellement leur vie, mais c'est impossible dans leur nouvelle situation : Garcin, qui se donne pour un homme de lettres pacifiste, fusillé pour ses convictions, a seulement déserté par banale lâcheté; Estelle, qui convient d'avoir épousé par intérêt un homme âgé et pris un amant, doit avouer qu'elle a aussi noyé l'enfant qu'elle a eu de ce dernier; Inès, la plus lucide et la plus franche, reconnaît la passion trouble qui l'a poussée à détacher une amie de son mari, lequel s'est suicidé. Aucun n'échappe à son passé : Estelle tente de séduire Garcin, tandis qu'Inès tâche de la détourner de cet homme; Garcin cherche celle qui le prendra pour un héros. Mais un tiers est toujours là pour détruire la comédie où tentent de s'enfermer les deux autres.

La punition dans cet enfer sans flammes ni soufre, c'est le regard d'autrui, /regard qui interdit le mensonge : «L'enfer, c'est les autres», et pour l'éternité.

Garcin met en avant ses bonnes intentions : «On ne m'a pas laissé le temps de faire *mes* actes», mais Inès lui réplique implacablement : «Tu n'es rien d'autre que ta vie.»

Cette pièce a obtenu un grand succès en raison de sa rigueur technique comme de son sujet.

---

**Le Hussard
sur le toit**

Jean GIONO
1951

*Folio*

Ce hussard est Angelo Pardi, jeune colonel piémontais de vingt-cinq ans, fils naturel d'une duchesse, que Giono a pour la première fois mis en scène dans *Angelo* (écrit en 1934, publié en 1958). Il est le héros d'aventures d'inspiration stendhalienne, fort différentes des scènes pastorales par lesquelles son créateur s'est d'abord fait connaître *(Regain★)*.

Alors qu'il regagne l'Italie au terme d'un exil en France, Angelo est témoin de l'épidémie de choléra qui ravage la Provence pendant l'été torride de 1838. Il y trouve l'occasion d'éprouver les hommes et de s'éprouver lui-même devant le déchaînement apocalyptique de la mort qui abat la population de villages entiers. A l'exemple d'un petit médecin français qu'il a vu lutter et mourir, il s'efforce de faire généreuse figure par réaction contre la lâcheté et la méchanceté que la peur a réveillées partout. Il apporte son aide quand il le peut, ruse avec les barrages dressés à l'entrée des bourgs et des villes, pénètre dans Manosque, manque d'y être pendu sous l'accusation d'avoir empoisonné une fontaine, et doit passer plusieurs jours caché sur les toits où la beauté de la lumière le console des hommes : «Les hommes sont bien malheureux. Tout le beau se fait sans eux.»

Puis il aide une vieille nonne à laver les cadavres, tâche inutile à ses yeux mais qui livre les clefs de sa conduite. «Est-ce qu'il était là pour faire son devoir ou pour se satisfaire?» se demande-t-il à propos du petit médecin français. Quant à lui, il avoue ne chercher qu'une «épreuve de force».

Le tour de ces réflexions montre que Giono n'a pas refait *La Peste★* de Camus, mais s'est livré à un exercice de psychologie dans le cadre d'une narration ironique et colorée, où il multiplie à plaisir les tableaux et les épisodes.

L'aventure serait incomplète sans la rencontre d'une

énergique figure féminine, Pauline de Théus, qu'Angelo sauve du choléra et reconduit à son château avant de passer en Italie.

On retrouve Angelo dans *Le Bonheur fou* (1957) et Pauline de Théus dans *Mort d'un personnage* (1949).

THÈMES
Aventure, 3. Mort.
Moi, 3, b. Énergie, 3, b.
Nature, 2, b.
Bonheur, 6, b.

---

## L'Ile des Esclaves

MARIVAUX
1725

*Nouveaux classiques Larousse*

Dans cette comédie en un acte, Marivaux aborde le problème de l'inégalité sociale à l'aide d'une fiction symbolique qui met en cause les rapports entre maîtres et valets dans la société du XVIIIe siècle.

L'action se déroule dans une île imaginaire où des esclaves révoltés ont pris le pouvoir et réduisent en esclavage tout maître qui débarque. Un naufrage vient d'y jeter deux couples de personnages, le seigneur Iphicrate et son esclave Arlequin, une dame, Euphrosine, et sa suivante Cléanthis. Iphicrate est fort en colère de voir Arlequin se dérober déjà à son autorité, quand Trivelin, chargé de l'application des lois de l'île, intervient pour expliquer aux anciens maîtres l'intention pédagogique de l'épreuve à laquelle ils vont être soumis après avoir fait échange d'habit et de condition avec leurs esclaves (scène 2). Trivelin interroge d'abord Cléanthis sur Euphrosine (scène 3), puis Arlequin sur Iphicrate (scène 5), ce qui est l'occasion d'un procès spirituel des maîtres au XVIIIe siècle, de leur brutalité, de leurs caprices, de leur vanité. Euphrosine et Iphicrate sont obligés de convenir de tous leurs défauts. La suprême humiliation pour Euphrosine sera d'être courtisée par le nouvel Iphicrate, c'est-à-dire Arlequin, qui cède d'ailleurs à la pitié et s'éloigne (scène 8). Arlequin se laisse également émouvoir par son ancien maître ; les deux hommes se réconcilient, et chacun reprend son habit et sa condition (scène 9). La même scène se déroule entre Cléanthis et Euphrosine (scène 10), et Trivelin conclut en des termes qui font des conflits sociaux une affaire de défauts individuels : « Vous avez été leurs maîtres, et vous en avez mal agi ; ils sont devenus les vôtres, et ils vous pardonnent ; faites vos réflexions là-dessus. La différence des conditions n'est qu'une épreuve que les dieux font sur nous » (scène 11).

Sans doute est-on loin des conclusions de Rousseau dans son *Discours sur l'origine de l'inégalité**; cependant, cette aimable utopie de *L'Ile des Esclaves* représente, à la date de 1725, où elle a eu un grand succès, une intéressante ébauche de réflexion critique.

THÈMES
Utopie. Société, 2.
Inégalité.

## Illuminations

Arthur RIMBAUD
1886

Garnier-Flammarion
Le Livre de poche
Poésie/Gallimard

Les érudits ont établi que ces poèmes en prose ont été écrits les uns avant *Une Saison en enfer\**, dès 1872, les autres après, pendant le séjour que Rimbaud a fait en Angleterre en 1874. Ils ont été publiés pour la première fois en 1886, dans la revue *La Vogue,* à l'insu de Rimbaud qui était au Harrar (Éthiopie).

Au dire de Verlaine, le titre est à prendre au sens anglais de «gravures coloriées», mais ces poèmes sont bien pour la plupart des visions intenses, affranchies des modes de perception et de description ordinaires *(Matinée d'ivresse, Nocturne vulgaire, Veillées),* et, par là, bizarres et hermétiques, qui justifieraient souvent l'avis qui termine *Parade :* «J'ai seul la clé de cette parade sauvage.»

Les plus séduisantes et les plus accessibles de ces *Illuminations* sont celles où le thème fondamental garde suffisamment de clarté pour qu'on apprécie le dépaysement d'une perception impressionniste *(Les Ponts, Marine, Ornière),* d'une construction imaginaire *(Ville, Villes, Promontoire)* ou d'une aventure étrange où se retrouve la fraîcheur de l'enfance *(Après le déluge, Enfance, Aube).*

THÈMES
Enfance. Rêve. Réalité.
Insolite. Fantastique.
Imaginaire. Beauté.
Poète, 1, e.

Les poètes modernes, et surtout les surréalistes (cf. Breton, *Manifestes du surréalisme\**), ont beaucoup interrogé l'art des *Illuminations.*

---

## L'Illusion comique

Pierre CORNEILLE
1638

Classiques Larousse

*L'Illusion comique,* c'est-à-dire *l'illusion théâtrale,* est une fantaisie en cinq actes et en vers tout à la gloire du théâtre. «Le premier acte n'est qu'un prologue, les trois suivants font une comédie imparfaite, le dernier est une tragédie : et tout cela, cousu ensemble, fait une comédie. Qu'on en nomme l'invention bizzare et extravagante tant qu'on voudra, elle est nouvelle...» (Dédicace).

Pridamant consulte le magicien Alcandre afin de connaître le sort de son fils Clindor qu'il regrette d'avoir chassé (acte I). Au fond d'une grotte, Alcandre dévoile une scène sur laquelle apparaît Clindor. Le père ne comprendra qu'à l'acte V que son fils est devenu comédien et va suivre avec une intense émotion les événements qu'on lui montre. Clindor est devenu le valet d'un capitaine fanfaron, Matamore, qu'il dupe de façon comique. Il courtise pour son propre compte

Isabelle, la maîtresse que Matamore prétend servir, et
se trouve engagé à partir de là dans des aventures très
romanesques qui comportent un duel où il paraît périr,
une prison où il se retrouve vivant, et une évasion assurée par Isabelle (actes II, III, IV). A l'acte V, Clindor
et Isabelle ont changé de nom, et le ton est devenu tragique. Une fois encore Clindor tombe sous les coups
d'un rival, et Pridamant pleure de nouveau son fils.
C'est alors que le magicien, relevant le rideau, montre
tous les héros bien vivants, occupés à partager de
l'argent, et révèle le véritable sort de Clindor : il est
comédien, ce qui provoque un nouvel accès de désespoir chez son père que le magicien réconforte en faisant l'éloge du théâtre.

Ce jeu sur le théâtre, écrit l'année du *Cid*★, a connu
un grand succès. Par son esprit baroque, il témoigne
de la diversité du talent de Corneille.

THÈMES
Réalité, 3.

## Illusions perdues

Honoré de BALZAC
1837-1843

*Folio*
*Le Livre de poche*

Ce gros roman en trois parties est une des pièces
maîtresses de la *Comédie humaine*★ (*Scènes de la vie
de province*).

Il est bâti sur les destinées parallèles de deux amis
aux caractères contrastés et dont la complémentarité et
les rapports avec la personnalité de Balzac sont inté-
ressants.

La première partie, *Les Deux poètes* (1837), présente
les héros à l'aube de leurs illusions, à Angoulême, en
1821. David Séchard vient de prendre la succession de
son père, ancien ouvrier illettré, qui lui a cédé à des
conditions usuraires l'imprimerie que la Révolution lui
a permis d'acquérir. Peu apte aux affaires, David rêve
de recherches sur les techniques de la papeterie. Balzac
a voulu peindre en lui le génie méconnu, « les souffrances de l'inventeur » (cf. la troisième partie). Il lui
a prêté son propre physique puissant, « les formes que
donne la nature aux êtres destinés à de grandes luttes éclatantes ou secrètes » et les plus hautes qualités d'intelligence et de cœur « le feu continu d'un
unique amour, la sagacité du penseur, l'ardente mélancolie d'un esprit qui pouvait embrasser les deux extré-
mités de l'horizon ». Son ami Lucien Chardon contraste avec lui par sa gracieuse élégance de « Bacchus
indien », mais aussi par son « caractère gascon, hardi,
brave, aventureux, qui s'exagère le bien et amoindrit le

mal, qui ne recule point devant une faute s'il y a profit, et qui se moque du vice s'il s'en fait un marchepied ». Poète, il passe à Angoulême pour «le second enfant du siècle », et l'ambition le dévore ; mais son père, maintenant décédé, n'était qu'un modeste pharmacien du faubourg de l'Houmeau, et sa mère, dernière survivante de la vieille famille de Rubempré, garde les malades, tandis que sa sœur Ève travaille chez une blanchisseuse en attendant d'épouser David. Lucien abusera souvent du dévouement de ses proches qui l'admirent trop : «Je serai le bœuf, il sera l'aigle », pense David.

Ses talents valent à Lucien d'être invité chez M^me de Bargeton, «la reine d'Angoulême », une femme de trente-six ans, intelligente et belle, dont «les brillantes qualités et les richesses cachées » sont en train de se transformer en ridicules, par la faute de la vie de province. Elle attend d'être libérée du vieux mari près duquel elle s'ennuie. Lucien Chardon, qui, sur ses conseils, se fait appeler de Rubempré, supplante si bien auprès d'elle le baron Sixte du Châtelet, «vieux beau » de quarante-six ans, directeur des contributions indirectes, qu'en septembre 1821, M^me de Bargeton part pour Paris en enlevant son poète.

La deuxième partie, *Un Grand homme de province à Paris* (1839), peint Lucien dans le difficile apprentissage de la capitale où M^me de Bargeton l'abandonne, revenant au baron du Châtelet. Il peine d'abord obscurément dans la misère, parmi de jeunes écrivains débutants, puis se tourne vers le journalisme et s'y fait une célébrité. Lié avec le dandy Rastignac qui tient «le haut du pavé de la *fashion* » *(Le Père Goriot★)*, il se laisse griser par la vie parisienne et se brûle à ses feux en une saison. Moins d'un an après son arrivée, il fuit Paris, couvert de dettes, au lendemain de la mort de l'actrice Coralie, sa maîtresse, ayant en outre compromis par ses indélicatesses la situation financière de David.

La troisième partie, *Les Souffrances de l'inventeur* (1843), montre comment David Séchard est victime à la fois de son idéalisme et de ses concurrents, les frères Cointet, qui le dépouillent de ses biens et du profit de ses inventions. Lucien, mesurant sa faiblesse et sa responsabilité dans ce drame, est sur le point de se jeter dans la Charente quand il rencontre l'abbé Carlos Herrera, nouvelle incarnation de Vautrin *(Le Père Goriot★)*, qui lui propose un pacte d'association «d'homme à démon, d'enfant à diplomate », selon «le code de l'ambition ». Il reprend son vol pour Paris, tandis que David, abandonnant ses travaux, se retire à la campagne près de Mansle.

La première et la deuxième parties sont extrêmement brillantes (peinture de l'aristocratie d'Angoulême, satire de la « vie parisienne », des milieux de la presse et de la librairie). Si la troisième est alourdie par de longues considérations juridiques et financières, elle est cependant utile à l'équilibre de l'œuvre. La peinture de la destinée de Lucien s'achève dans *Splendeurs et misères des courtisanes*★.

THÈMES
Jeunesse.
Apprentissage.
Province. Paris.
Passions, 3.
Amitié. Amour, 1, e.
Femme, 1, c, d et g.
Poète, 2. Écrivain.
Travail. Sacrifice.
Souffrance, 2.
Ambition. Argent, 2, c.
Vie mondaine.
Corruption. Cynisme.

---

Partant de son émancipation morale personnelle (cf. *Si le grain ne meurt*★), Gide a exploré dans ce roman le problème de la liberté.

Le héros du livre, Michel (l'Immoraliste), avoue à des amis où l'a mené sa révolte contre sa première éducation puritaine. Dans la vie de ce jeune bourgeois protestant issu de l'École des Chartes, marié sans amour et qui n'a jamais imaginé d'autre plaisir que la recherche historique, tout a été bouleversé par un voyage en Tunisie au cours duquel il s'est révélé atteint de tuberculose. Le climat de Biskra et les soins de Marceline, sa femme, le sauvent et, dans la douceur de l'oasis, sa convalescence prend l'allure d'une résurrection. Avec un appétit de sensations qu'il avait ignoré jusqu'alors, il découvre la nature et apprend à goûter les plaisirs de l'instant à l'exemple des enfants arabes dont il cherche la compagnie. Au cours d'un voyage en Sicile, dont seule la sensualité païenne l'intéresse désormais, il achève de secouer toutes les contraintes pour restaurer « l'être authentique, le « vieil homme », celui dont ne voulait plus l'Évangile » (1re partie).

De retour en France, il ne peut se plier aux conventions de son milieu d'origine, se plaît à encourager le braconnage sur ses propriétés et flatter la veulerie et les vices de ses ouvriers. L'exemple de Ménalque, un ami qui a rompu toute attache au nom de la libre découverte de soi, l'incite à reprendre ses voyages sous prétexte de soigner sa femme, gravement malade à son tour (2e partie). Il l'entraîne vers l'Italie, vers la Sicile, tout en sachant que cette agitation l'épuise : « Mais étais-je maître de choisir mon vouloir ? de décider de mon désir ? » Consciente qu'elle le gêne et qu'il pense seu-

**L'Immoraliste**
André GIDE
1902

*Folio*

lement à lui-même, Marceline se laisse persuader de retourner en Afrique du Nord. Elle meurt à Toug-gourt, à la fin d'une nuit où il l'a abandonnée pour les plaisirs clandestins de l'oasis. Maintenant affranchi de toute contrainte, Michel avoue son inquiétude : « Je me suis délivré, c'est possible, mais je souffre de cette liberté sans emploi » (3e partie).

Gide s'est toujours vivement défendu d'être Michel et a même demandé qu'on sache découvrir dans son livre « la critique latente de l'anarchie » (lettre du 19 mai 1911). Que son héros traduise ses tentations secrètes est néanmoins bien évident : « Que de tenta-tions nous portons en nous [...] qui n'écloront jamais que dans nos livres... » Celui-ci, dans la pensée de Gide, ne doit pas être séparé de *La Porte étroite*★ : « [...] ils se font pendant, se maintiennent ; c'est dans l'excès de l'un que j'ai trouvé pour l'excès de l'autre une sorte de permission. » *(Œuvres complètes, Feuillets).*

THÈMES
Exotisme. Plaisir.
Nature 1 et 2, b.
Sensations. Corps.
Instant. Moi, 3, b.
Liberté, 1, b.
Immoralisme.

## L'Ingénu
VOLTAIRE
1767

*Folio*

Pour promener un regard critique sur la France, Voltaire a choisi les yeux d'un ingénu qui vient du pays des Hurons. Il n'est pas converti aux thèses de Rousseau sur les bons sauvages et la civilisation qu'il a raillées en 1755 (cf. *Discours sur l'origine de l'iné-galité*★), mais le personnage lui permet une spirituelle mise en scène de ses taquineries ou indignations de philosophe.

Ce Huron est en réalité un jeune Français du Canada qui, à la mort de son père, a été recueilli et élevé par des Indiens. Débarquant à Saint-Malo, il retrouve par un heureux hasard un oncle et une tante, M. le prieur de Kerkabon et sa sœur, qui vont l'aider à s'adapter à la vie française. Ses étonnements ingé-nus commencent à propos des rites de son baptême. Ils deviennent de la colère quand il apprend qu'il ne peut épouser Mlle de Saint-Yves parce qu'on a fait d'elle sa marraine. S'étant distingué lors d'une attaque de la flotte anglaise, il se rend à Versailles pour solliciter, au nom de ses services, une dispense en vue de leur mariage et un brevet d'officier. Mais sa franchise lui vaut d'être enfermé à la Bastille à côté d'un janséniste. Et pour le faire libérer, Mlle de Saint-Yves doit se rési-gner, sur les conseils d'un jésuite, à sacrifier sa vertu à un sous-ministre.

Ce canevas burlesque fournit à Voltaire l'occasion de confronter «la loi naturelle» et «la loi de convention», mais il n'ouvre pas un véritable débat sur la civilisation, et s'en tient aux bizarreries, aux préjugés, aux malhonnêtetés de la société de son temps : rites religieux, persécutions contre les huguenots, querelles des jésuites et des jansénistes, mesquineries du monde littéraire, corruption des puissants.

THÈMES
Bon sauvage. Société.
Religion, 2. Coutumes.
Mœurs. Fanatisme.
Corruption.

---

Calvin a donné lui-même en 1541 la traduction française du grand ouvrage de théologie qu'il avait publié en latin en 1536 pour définir sa conception de la religion réformée. Mise en valeur de la corruption de l'homme, déchu depuis le péché originel, idée que Dieu prédestine les uns à la vie éternelle, les autres à une éternelle damnation, tels sont les principes de cette pensée fort éloignée de l'optimisme humaniste de la Renaissance, mais qui fonde une nouvelle Église dont Genève devient la capitale.

**Institution de la religion chrétienne**
Jean CALVIN
1541

*Vrin*

THÈMES
Christianisme. Dieu.
Péché. Grâce.

---

Dans *L'Insurgé,* Jules Vallès poursuit l'histoire de Jacques Vingtras, commencée dans *L'Enfant* (1879) et *Le Bachelier* (1881).

Jacques Vingtras est le double de l'auteur. En révolte comme lui contre la société bourgeoise du Second Empire, il participe à l'insurrection de la Commune de Paris et aux combats de la Semaine sanglante (21-28 mai 1871) contre l'armée du gouvernement de Versailles.

C'est un témoignage passionné en faveur de ce mouvement révolutionnaire écrasé sous une terrible répression, puis calomnié dans son idéal de justice sociale par la bourgeoisie conservatrice.

**L'Insurgé**
Jules VALLÈS
1886

*Folio
Le Livre de poche*

THÈMES
Peuple. Justice, 4.
Révolte. Révolution, 2.

---

Cette pièce en trois actes est une fantaisie poétique sur la lutte entre le goût du rêve et le besoin de simple bonheur dans le cœur d'une jeune fille.

Dans une sous-préfecture limousine qui pourrait être Bellac, les autorités s'appliquent à tirer au clair

**Intermezzo**
Jean GIRAUDOUX
1933

*Le Livre de poche*

les apparitions d'un spectre auquel l'imagination d'une jeune institutrice, Isabelle, a fini par prêter existence. Une commission d'enquête formée du maire, du droguiste et du contrôleur des Poids et Mesures reçoit le renfort d'un inspecteur de l'Instruction publique qui est bien décidé à rétablir l'ordre de la société civilisée (I, 4). L'inspecteur reproche à Isabelle non seulement sa croyance aux spectres, mais encore sa pédagogie champêtre et sa façon toute personnelle d'enseigner le bonheur aux petites filles (I, 6). Le droguiste, qui comprend mieux Isabelle, cherche à la ramener moins brutalement du rêve à la réalité (I, 7).

Tandis que l'inspecteur et le maire se préparent à faire tuer le spectre par un bourreau en retraite, Isabelle expose au contrôleur ses griefs contre une «civilisation d'égoïstes» qui lui a seulement appris à «baisser les yeux [...] devant tout ce qui est dans la nature un appel ou un signe»; elle lui parle aussi de ce qu'elle attend d'un mari (II, 3). Le bourreau, ou plutôt les bourreaux (il s'en est présenté deux), paraissent tuer le spectre, mais il renaît (II, 6-7). Le droguiste, toujours lucide, lance alors contre lui un adversaire plus efficace, le contrôleur (II, 8). A l'acte III, l'humble image du bonheur offert par un fonctionnaire des Poids et Mesures l'emporte en effet sur le spectre (III, 3). Dans une dernière apparition, celui-ci provoque encore un évanouissement chez Isabelle (III, 4), mais la rumeur de la vie quotidienne la rappelle définitivement au monde réel (III, 6). «Et fini l'intermède!» déclare le droguiste.

Ce divertissement, que promettait le titre, *Intermezzo*, nous laisse sur l'image d'un monde familier et paisible, et dont le philosophe semble bien être le contrôleur des Poids et Mesures.

THÈMES
Rêve, 2. Réalité, 1.
Bonheur, 6. Humanisme.

---

**Jacques
le Fataliste
et son maître**

Denis DIDEROT
1796 (posthume)

*Folio*
*Le Livre de poche*

Cette œuvre, diffusée d'abord confidentiellement en feuilleton dans la *Correspondance littéraire* de Grimm de 1778 à 1780, est un long récit de composition très libre qui associe le divertissement et la philosophie.

Il s'agit pour l'essentiel d'un dialogue entre un valet, Jacques, et son maître au cours d'un voyage dont on ignore le but, mais dont les incidents servent à faire rebondir la conversation.

Elle porte d'abord sur le fatalisme de Jacques qui, à l'exemple d'un certain capitaine, son précédent maître, professe que « tout ce qui nous arrive de bien et de mal ici-bas était écrit là-haut ». Jacques a aussi entrepris l'histoire de ses amours et même de sa vie ; mais il n'arrivera jamais au bout, car Diderot s'amuse à interrompre son récit de mille manières.

Ce mélange est l'occasion de tableaux de mœurs, de peintures de caractères, de réflexions satiriques, et permet l'introduction d'anecdotes et de nouvelles de toutes sortes (vengeance que M$^{me}$ de la Pommeraye tire du marquis des Arcis, intrigues de l'abbé Hudson, histoire des amours du maître, victime d'un prétendu ami, le chevalier de Saint-Ouin, qui lui a fait endosser la paternité d'un enfant qui n'était pas le sien).

Le tout est beaucoup plus concerté qu'on ne croit d'abord et ces épisodes constituent un itinéraire allégorique où Diderot développe ses réflexions sur l'état de nature et l'état social, le juste et l'injuste, les rapports de classes, la corruption aristocratique, et enfin l'absence de liberté de la marionnette humaine, thème favori de Jacques : pour lui, tout événement était écrit sur « le grand rouleau » ; c'est encore son avis dans l'épisode final quand son maître tue d'un coup d'épée le chevalier de Saint-Ouin qui a surgi inopinément.

Se jouant ironiquement des conventions romanesques, Diderot se trouve avoir écrit un « anti-roman » qui fait songer aux *Faux-Monnayeurs*⋆ ; mais sa virtuosité ne doit pas masquer la richesse philosophique de son ouvrage.

THÈMES
Destin, 2. Liberté, 1, a.
Déterminisme. Nature, 1.
Amour, 1, d.
Société, 1 et 2.
Classes sociales.
Noblesse.
Valet. Argent, 2, b.
Corruption.

---

Robbe-Grillet est le représentant le plus connu du nouveau roman parce que son œuvre littéraire se double de réflexions théoriques provocantes (cf. *Pour un nouveau roman,* coll. Idées) et d'une œuvre cinématographique qui a obtenu un large succès.

Il considère que le roman doit se renouveler en refusant les conventions du roman classique, celui dont Balzac a fixé le modèle. Il reproche au romancier traditionnel de feindre d'être placé en historien omniscient au-dessus du champ d'observation. A ses yeux, « la continuité temporelle et spatiale », que suppose l'histoire, est « contraire au mode de pensée actuel » ; « la

**La Jalousie**

Alain
ROBBE-GRILLET
1967

*Éditions de Minuit*

conscience narratrice moderne est sur terre, située dans le champ » (au sens cinématographique du terme).

En vertu de ces principes, Robbe-Grillet abolit la notion classique de caractère organisé et logique, tout comme la notion de récit explicatif, et ce au profit d'une série de plans qui se succèdent sans ordre narratif éclairant.

Ainsi, dans *la Jalousie,* voit-on défiler et reparaître périodiquement, dans un ordre variable, des images de la terrasse d'une maison, d'une bananeraie, d'une femme aperçue par une fenêtre, une lettre à la main, du rituel d'un apéritif, puis d'un repas, d'un mille-pattes écrasé sur un mur, d'ouvriers au travail dans la plantation, etc., selon des plans plus ou moins gros et plus ou moins longs. Il s'y mêle des bribes de conversations lorsque des personnages se trouvent «dans le champ».

On peut croire que va démarrer une intrigue sur le thème de la jalousie, puisqu'une jeune femme, A., reçoit un voisin, Franck. Le fait qu'on ne voit jamais son mari, dont la présence est suggérée par le nombre des sièges et des couverts, conduit à comprendre que c'est le regard de celui-ci qui détermine les plans successifs, mais nous entrons peu dans les pensées qui pourraient accompagner ce regard.

On est loin du discours intérieur traditionnel d'un homme aux prises avec la jalousie. D'ailleurs Robbe-Grillet le confirme lui-même en déclarant : « Ce n'est pas plus la description du sentiment de jalousie que la description de la façon dont on construisait les maisons à la Martinique en 1910 » (interview télévisée, 1969).

Le livre ressemble surtout à un exercice technique dont les servitudes seraient inspirées de celles de la caméra, avec des arrière-pensées d'ordre philosophique sur la situation de la conscience devant les faits, particulièrement de la conscience de l'écrivain. L'auteur s'explique sur ces problèmes dans *Le Miroir qui revient* (1984).

Avec ce roman Robbe-Grillet a su créer un certain envoûtement par la surprise et par le dépaysement, non pas géographique, mais intellectuel et esthétique, en nous obligeant à saisir la réalité à un niveau où notre habitude de la logique et de l'explication nous a désappris à nous tenir.

THÈMES
Réalité, 2. Jalousie.

Ce roman-dossier peint l'affrontement du catholicisme et de la libre pensée à la fin du siècle dernier, à l'époque où le positivisme scientifique et le dogmatisme catholique sont en conflit violent, où les familles sont déchirées par l'affaire Dreyfus et par la querelle de l'Église et de l'État.

La destinée de Jean Barois est le fil conducteur du livre. Après avoir reçu de sa famille une éducation catholique, ce bourgeois s'en détache peu à peu sous l'influence de ses études scientifiques, comme l'avait fait son père qui était médecin. Il rompt radicalement avec l'Église lorsque les autorités ecclésiastiques se scandalisent du cours sur l'origine des espèces et le transformisme qu'il professe au collège Saint-Wenceslas. Renié par sa famille, Jean Barois devient bientôt un militant de la libre pensée, fonde un journal avec des amis et lutte pour la révision du procès du capitaine Dreyfus, condamné en 1894, révision que la majorité des catholiques refusent, au nom de l'ordre, malgré la découverte des preuves de son innocence. Un jour, un accident où il frôle la mort fait monter à ses lèvres une prière de son enfance : pour se prémunir contre un tel reniement, il rédige alors un testament où s'expriment ses convictions matérialistes et athées. Bientôt, précocement usé, et devant l'exemple de sa fille Cécile qui est entrée dans les ordres, il retombe sous l'influence de la religion, si bien qu'un prêtre le conduit à ce que l'on appelle une fin chrétienne. Mais son testament jette la stupeur. Sa fille le brûle.

Le roman présente, outre une peinture sévère du conservatisme et du conformisme catholiques autour de 1900, de belles figures de prêtres comme l'abbé Joziers. La préférence de l'auteur va toutefois au libre penseur Luce, exemplaire dans sa mort comme dans sa vie.

Le caractère polémique de ce livre correspondait en 1913 aux passions des générations montantes.

**Jean Barois**
Roger
MARTIN DU GARD
1913

*Folio*

THÈMES
Religion, 2, d. Clergé.
Prêtre. Foi, 2.
Libre pensée. Raison.
Science.

---

Ce vaste roman en dix volumes a été présenté par son auteur comme « une œuvre de foi » écrite « à une époque de décomposition morale et sociale » pour « réveiller le feu de l'âme qui dormait sous les cendres » (Préface, 1931).

Les premières parties se présentent comme le roman d'une éducation, celle d'un jeune musicien prodige,

**Jean-Christophe**
Romain ROLLAND
1904-1912

*Le Livre de poche*

Jean-Christophe Krafft, dans une petite ville allemande de la vallée du Rhin, à la fin du XIXe siècle *(L'Aube, Le Matin, L'Adolescent).* Elles mettent en scène un héros conforme à l'idéal de Romain Rolland, c'est-à-dire «grand par le cœur», par la vie intérieure, et qui plonge ses racines dans l'Occident rhénan. Dans les volumes suivants, l'auteur exécute son dessein essentiel : lancer dans le monde ce personnage auquel il a donné, dit-il, les «yeux libres, clairs et sincères» d'un homme de la nature, d'un Huron à la manière de Voltaire (cf. *L'Ingénu\**) pour lui faire voir et juger l'Europe des années 1900.

Le «Huron» Jean-Christophe exerce son regard d'abord sur la vie allemande dans *La Révolte,* puis sur la vie française dans *La Foire sur la place,* ouvrage de polémique violente qui dénonce la médiocrité et la corruption des milieux intellectuels, artistiques et mondains de Paris au début de ce siècle. Après un volume de caractère romanesque, *Antoinette,* l'enquête sur la société française se poursuit avec *Dans la maison.* A la faveur de l'amitié de Jean-Christophe et du Français Olivier Jeannin, l'auteur ouvre un débat sur l'esprit allemand et l'esprit français avec ce souci de se placer «au-dessus de la mêlée», qui caractérise toute son action contre la rivalité franco-allemande et la préparation de la guerre.

*Le Buisson ardent* pose le problème de la justice sociale, et peint les mouvements socialistes et révolutionnaires dans les milieux ouvriers et chez les intellectuels d'origine bourgeoise à la veille de 1914. Après la mort d'Olivier dans une émeute, Christophe doit passer en Suisse. L'attention se concentre sur sa destinée qui s'achève dans la sérénité de la musique et de la foi retrouvée *(La Nouvelle journée).*

THÈMES
Enfance. Adolescence. Apprentissage. Musique. Société, 2. Corruption. Révolté. Justice, 3. Socialisme. Guerre. Objection de conscience. France.

Vieillie aujourd'hui en raison de ses aspects polémiques, de son emphase lyrique et de sa prolixité, cette œuvre reste le témoignage d'un engagement généreux contre l'hypocrisie, l'injustice et la violence.

---

**Le Jeu d'Adam**
XIIe siècle
*Classiques
Champion*

Ce «jeu» est la plus ancienne œuvre théâtrale française. Le sujet en est religieux.

La première partie a pour thème la faute d'Adam et d'Ève qui, tentés par le diable, goûtent au fruit défendu ; la deuxième, le meurtre d'Abel par Caïn ; la troisième, l'annonce de la venue du Messie.

Pendant tout le Moyen Age, le théâtre a ainsi constitué une mise en images des croyances chrétiennes (cf. *Le Mystère de la Passion★*).

THÈMES
Christianisme, 1. Dieu.
Satan.

---

Comédie d'intrigue en trois actes et en prose. C'est l'une des plus heureuses que Marivaux ait écrites pour les Comédiens italiens qui lui fournissaient des personnages (Silvia, Mario, Arlequin) et dont le jeu libre et gai le servait si bien.

Hésitant devant le mariage, Silvia et Dorante ont tous les deux l'idée de changer de costume, l'une avec sa femme de chambre Lisette, l'autre avec son valet Arlequin, pour étudier librement celui et celle que l'accord des familles leur destine. M. Orgon, père de Silvia, partage avec son fils Mario le secret de ce double travestissement.

Lisette et Arlequin, sous le costume de leurs maîtres, s'éprennent d'autant plus vite l'un de l'autre qu'ils croient chacun marcher à la fortune, tandis que Dorante et Silvia sont déçus de leurs découvertes et jugent qu'en ce monde maîtres et domestiques ne sont pas toujours à la place qu'ils méritent. M. Orgon et Mario s'amusent de cette lutte du cœur contre les convenances sociales (II, 11).

C'est d'abord chez Silvia que l'amour et l'amour-propre peuvent se réconcilier quand Dorante lui avoue son déguisement : «Ah ! je vois clair en mon cœur», se dit-elle (II, 12). Mais elle décide de conserver le sien pour conduire Dorante à la demander en mariage malgré sa qualité apparente de femme de chambre. Les hésitations de Dorante se prolongent pendant tout le troisième acte, tandis qu'Arlequin et Lisette, avec la permission de leurs maîtres, cherchent au contraire à parler de mariage au plus vite. L'amour des domestiques surmonte sans trop de peine l'aveu embarrassant de leur véritable condition (III, 6). De son côté, Dorante, qui se trompe sur les succès de son valet (III, 7) et que Silvia a su rendre jaloux de Mario, finit par déclarer à la pseudo-Lisette son désir de l'épouser (III, 8). Silvia peut se démasquer maintenant que l'amour l'a emporté

**Le Jeu de l'Amour et du Hasard**
MARIVAUX
1730

*Nouveaux classiques illustrés Hachette*

(III, 9). L'action se termine dans la joie, d'autant plus que le hasard, dans sa bienveillance, a respecté l'ordre social.

Au XVIIIᵉ siècle, on a critiqué le style ingénieux et brillant de Marivaux, ce que l'on appelait son «marivaudage» (le terme était péjoratif). Par la suite, on a appris à l'apprécier comme une adroite expression des secrets de la sensibilité et comme un élément de la féerie théâtrale.

THÈMES
Amour, 1, d.
Amour-propre.
Classes sociales.
Mœurs. Valet.
Préjugés.

## La Jeune Parque

Paul VALÉRY
1917

*La Pléiade
Poésie/Gallimard*

Paul Valéry présente ce poème de cinq cent douze vers comme un «exercice», où il s'est appliqué à respecter «les règles les plus strictes de la poésie dite classique», et même à «renchérir» sur elles. Le sujet en est «le changement d'une conscience pendant la durée d'une nuit» (*Entretiens avec F. Lefèvre,* La Pléiade, I).

Cette conscience est celle d'une jeune fille qui s'interroge avec stupeur, au sortir du sommeil, sur les songes qui viennent la visiter (vers 1-37). Ces songes traduisent l'éveil de sa chair à la sensualité (vers 38-49).

Cette découverte provoque d'abord chez elle la peur de soi et le regret de ce qu'elle était avant cette nuit : «Harmonieuse MOI, différente d'un songe [...]» (vers 102-132); mais elle y discerne aussi l'ennui et l'attente de ce qui s'est produit (vers 174-184). Un souvenir précis en apporte la preuve (vers 190-202). Sous l'effet de la honte, la tentation de la mort éclate (vers 214-217) — d'où le nom donné à cette héroïne qui cherche à suivre le fil de sa vie et manque de le couper. Mais l'appel du printemps (vers 222-240) et le goût de la découverte (vers 243-279) l'emportent, tout comme le mouvement de la mer à la fin du *Cimetière marin (Charmes\*),* et la Jeune Parque, cédant à la vie et à la beauté du monde : «Salut! Divinités par la rose et le sel [...]» (vers 347), accepte sa chair et se réconcilie avec elle-même (vers 325-512).

Les vers sont d'une beauté altière dans leur difficulté qui tient au caractère intime et secret que Valéry a voulu conserver à ce discours intérieur, et au mystère même de ce qu'il traduit. Valéry s'en est expliqué dans *Le Philosophe et la Jeune Parque,* fable écrite «en guise de prologue» au commentaire du poème par Alain.

THÈMES
Femme, 1, e.
Moi, 3. Corps. Esprit.

Lamartine a eu l'ambition d'écrire une épopée de l'humanité montrant «les phases que l'esprit humain doit parcourir pour arriver à ses fins par les voies de Dieu». *Jocelyn* est une «scène» détaché de ce «drame épique», un «fragment d'épopée intime», qui a pour sujet «le curé de village, le prêtre évangélique, une des plus touchantes figures de nos civilisations modernes» (Avertissement). Pour cette composition, Lamartine s'est inspiré de la vie de l'abbé Dumont, curé de Milly, son maître et son ami, auquel il a voulu rendre hommage.

En 1786, à l'âge de seize ans, afin d'assurer une dot suffisante à sa sœur, Jocelyn entre au séminaire, renonçant à sa part d'héritage. Les violences de 1793 l'obligent à se cacher dans une grotte des Alpes, la grotte des Aigles. Il sauve un jour un jeune proscrit, Laurence, qui vient partager son refuge. Laurence est une jeune fille déguisée, et l'amitié cède la place à l'amour. Mais Jocelyn est appelé par son évêque emprisonné à Grenoble et condamné à mort : celui-ci désire l'ordonner prêtre afin de recevoir de lui les derniers sacrements. Jocelyn et Laurence se trouvent ainsi à jamais séparés. Jocelyn devient prêtre d'une paroisse de montagne et s'y consacre passionnément à son ministère, surtout après avoir revu Laurence à Paris où elle mène une vie mondaine et dissipée. Il l'assiste à son lit de mort lorsque, malade et repentie, elle revient mourir dans les Alpes. Il meurt lui-même peu après. Tous deux sont enterrés dans la grotte des Aigles.

Les méditations de Jocelyn sur la vie naturelle (4e époque), sur le rôle de la Providence dans les révolutions (8e époque), sur le travail des hommes (9e époque) témoignent des préoccupations morales de Lamartine.

*Jocelyn* a obtenu à sa publication un succès sans précédent pour un ouvrage en vers, mais la postérité n'a pas été indulgente aux défauts de ce long poème inégal.

## Jocelyn

Alphonse de
LAMARTINE
1836

*La Pléiade*

THÈMES
Christianisme, 2. Dieu.
Nature, 2, b.
Amour, 1, e.
Révolution.
Providence. Prêtre.
Sacrifice. Mort.

---

Ce roman, qui est tenu pour le chef-d'œuvre de Bernanos, est, comme *Sous le soleil de Satan\**, l'expression d'un catholicisme exigeant et mystique.

Le curé d'Ambricourt, jeune prêtre pauvre, épris de spiritualité, tient le journal de ses difficultés pastorales

## Journal d'un curé de campagne

Georges BERNANOS
1936

dans lesquelles le soutient son voisin, le curé de Torcy. Les plus notables de ses paroissiens sont les châtelains d'Ambricourt qui vont se trouver au centre du combat qu'il mène au nom de Dieu. A la suite d'une visite de leur fille Chantal, venue lui avouer la haine qu'elle porte à sa mère et le dégoût que lui inspirent les amours de son père et de M\ :sup:`lle` Louise, sa gouvernante, le curé se rend au château et achève d'y découvrir le désarroi des âmes. La comtesse se venge d'être trompée par son mari en flattant le mépris de sa fille pour lui. Elle vit repliée sur le chagrin d'avoir perdu un fils dans sa petite enfance et enfermée dans sa révolte contre Dieu. Au cours d'une scène passionnée, le curé obtient la soumission de cette femme qui pèche contre l'espérance. Elle jette dans le feu le médaillon qu'elle conservait de son fils. La paix retrouvée, elle meurt dans la nuit.

Le curé lui-même, rongé par un cancer à l'estomac, meurt chez un ancien condisciple du séminaire, maintenant défroqué, de qui il reçoit l'ultime bénédiction.

*Le Livre de poche*

THÈMES
Christianisme, 2. Prêtre.
Mœurs. Dieu, 1, a.
Foi, 1.
Péché. Angoisse.
Grâce. Mort.

---

## Knock ou le Triomphe de la médecine

Jules ROMAINS
1923

*Folio*

Dans cette farce en trois actes, Jules Romains a créé un héros, le docteur Knock, qui a pris rang parmi les types célèbres du théâtre, car sa signification dépasse de beaucoup la satire de la médecine.

Le docteur Parpalaid, qui, pendant les vingt-cinq ans de son séjour à Saint-Maurice, n'a ni cru à la médecine ni fait fortune, vient de vendre au docteur Knock un cabinet sans clientèle (acte I). Knock, joignant la ferveur du missionnaire à l'énergie de l'homme d'action, fait découvrir la peur de la maladie et le besoin de se soigner à la population du canton en commençant par une consultation gratuite le jour du marché (acte II). Bientôt on accourt de partout pour le consulter. Sa fortune, celle du pharmacien Mousquet et celle de l'hôtel de la Clef sont en bonne voie, mais sa vraie passion, c'est la puissance : au bout de trois mois, il peut montrer au docteur Parpalaid un paysage «tout imprégné de médecine», sur lequel il règne par ses ordonnances (III, 6). Le docteur Parpalaid finit par le consulter pour lui-même.

Telles sont les vertus de l'action sur les masses, et sur les individus, par la suggestion et l'autosuggestion. Jules Romains n'a-t-il pas voulu en esquisser les domaines possibles quand il fait dire à son héros : « Il n'y a de vrai, décidément, que la médecine, peut-être aussi la politique, la finance et le sacerdoce, que je n'ai pas encore essayés » (acte I) ?

THÈMES
Médecine, 1. Pouvoir, 2.

Parmi les romans en vers de Chrétien de Troyes, retenons celui-ci pour la fidélité de son héros au code courtois. Ce code exige du parfait amant qu'il mérite l'amour de sa dame par des prouesses, risque sa vie pour elle et même lui sacrifie son honneur ; ainsi fait « le chevalier à la charrette ».

A la suite d'un duel malheureux, la reine Guenièvre, femme du roi Arthur, est devenue l'otage de Méléagant, fils du roi du pays de Gorre « d'où nul étranger ne retourne ». Un chevalier inconnu affronte des risques inouïs pour la retrouver et même, malgré l'infamie ainsi encourue, accepte de monter dans une charrette servant de pilori, parce que le conducteur lui promet de le guider. Ce chevalier est Lancelot à qui l'amour inspirera encore bien d'autres sacrifices pour mériter Guenièvre qui lui reprochera cependant d'avoir hésité à monter dans la charrette infamante. Il faut que Lancelot désespéré tente de se suicider pour que Guenièvre lui avoue son amour. Mais ce n'est pas le terme de ses épreuves, et l'auteur, qui aime multiplier les péripéties, n'avait pas encore réuni ses héros quand il a interrompu son récit.

**Lancelot ou le Chevalier à la charrette**
CHRÉTIEN DE TROYES
Vers 1170

*Folio*

THÈMES
Amour, 1, a.
Honneur, 1.
Courtoisie. Aventure, 1.

Hugo, dont l'inspiration a toujours tendu vers le mode épique, a ébauché dès 1846 les premiers poèmes de la future *Légende des siècles (Aymerillot, Le Mariage de Roland)*. L'idée du recueil apparaît à l'époque des *Châtiments*\* ; Hugo annonce alors de *Petites Épopées*. Il en donne une première série en 1859 sous le titre *La Légende des siècles* qui laisse prévoir une fresque continue. L'idée directrice de l'œuvre est la marche de l'humanité vers le progrès et la lumière depuis la première étape, *D'Éve à Jésus-Christ*, jusqu'au *Vingtième Siècle* et au-delà, *Hors les temps*.

*La Vision d'où est sorti ce livre* n'a paru que dans la deuxième série (1877), mais composée dès 1859 elle

**La Légende des siècles**
Victor HUGO
1859-1877-1883

*Classiques Garnier
Garnier-Flammarion*

définit toute l'entreprise : « C'est l'épopée humaine, âpre, immense, écroulée. »

Hugo n'a pas cessé de travailler à *La Légende des siècles* jusqu'à la fin de sa vie, décidant en 1883 une édition définitive où tous les poèmes nouveaux ou déjà publiés sont reclassés en fonction de la progression de l'homme vers la lumière.

Le pittoresque et le merveilleux (« C'est de l'histoire écoutée aux portes de la légende ») l'emporte dans certaines parties *(Le Cycle héroïque chrétien, Les Chevaliers errants, Les Trônes d'Orient)*. D'autres donnent son orientation philosophique au recueil *(Le Satyre, Pleine mer, Plein ciel)*. La vision du progrès terrestre se double de celle de la destinée métaphysique de l'humanité depuis sa chute jusqu'à la rédemption, comme dans *Ce que dit la bouche d'ombre (Les Contemplations★)*. L'amour dont les humbles gardent le sens *(Les Pauvres gens)* et la miséricorde *(Le Crapaud)* ouvrent la voie à ce rachat « L'âme obscure venant en aide à l'âme sombre [...] ».

**THÈMES**
Humanité, 1. Mal. Bien.
Héroïsme. Amour, 2.
Progrès. Rachat. Dieu.
Exotisme. Grèce. Rome.
Chevalerie. Moyen Age.
Fantastique.

Par la force de son verbe, par son « souffle », Hugo anime cette œuvre grandiose qui passe de loin les autres tentatives du XIXe siècle dans le domaine épique *(Jocelyn★, Poèmes antiques★, Poèmes barbares★, Les Destinées★)*.

---

## Les Lettres de mon moulin

Alphonse DAUDET
1866-1869

*Folio*
*Le Livre de poche*

Daudet n'a jamais possédé ni habité le moulin provençal d'où il feint d'adresser ces lettres au public parisien. Ce moulin désaffecté, qui existe vraiment près de Fontvieille, l'a seulement fait rêver, si bien qu'il l'a retenu pour symboliser la poésie de la Provence.

Daudet s'attache à rendre la couleur des paysages *(Installation)*, à fixer le pittoresque des mœurs *(La Diligence de Beaucaire)* avant qu'il ne disparaisse comme les moulins à vent. Le drame de Maître Cornille qui fait tourner son moulin à vide alors que ses clients l'ont abandonné dit bien la menace qui pèse sur les traditions *(Le Secret de Maître Cornille)*. Le recueil comporte aussi des sortes de fables *(La Chèvre de Monsieur Seguin, La Mule du Pape)* ; des histoires colorées de curés et de moines *(Le Curé de Cucugnan, Les Trois messes basses, L'Élixir du R.P. Gaucher)* ; des histoires d'amour touchantes ou tragiques *(Les Étoiles, L'Arlésienne)*.

Daudet quitte parfois la Provence pour trouver des sujets en Corse *(Le Phare des sanguinaires, Les Douaniers)*, en Camargue et même en Algérie.

Le charme de Daudet tient à son adresse à équilibrer le pittoresque, la gaieté et l'émotion.

THÈMES
Province. Mœurs. Traditions. Exotisme.

**Lettres persanes**
MONTESQUIEU
1721

*Classiques Garnier Folio*

Il s'agit d'un roman par lettres dont le sujet est une enquête sur la civilisation européenne menée par deux Persans qui ont quitté leur pays parce qu'ils n'ont pas cru « que la lumière orientale dût seule (les) éclairer » (lettre 1). Montesquieu reprend un procédé satirique éprouvé ; les voyageurs orientaux étaient même particulièrement à la mode (cf. Paul Marana, *L'Espion turc*, 1684 ; Dufresny, *Amusements sérieux et comiques d'un Siamois*, 1699).

Usbeck, grand seigneur persan intelligent et curieux, arrive à Paris en mai 1712 avec un compagnon jeune et enthousiaste, Rica. Leur séjour se prolongera jusqu'en 1720. Dans une correspondance abondante avec la Perse, ils relatent leurs découvertes à leurs amis et traitent de leurs affaires avec leurs serviteurs. Un drame de sérail se mêle ainsi à leurs observations sur la société française, la monarchie, les classes sociales, les mœurs, la mode, l'actualité, la politique, la religion et la vie intellectuelle à la fin du règne de Louis XIV (mort en 1715) et sous la Régence.

Montesquieu dénonce les vices d'une société en pleine crise et montre le développement du scepticisme chez ces voyageurs partagés entre deux mondes ; mais il le fait gaiement, sans l'humeur chagrine d'un La Bruyère. Son livre traduit une foi optimiste dans les pouvoirs de la raison et de la science (lettre 97), dans les progrès de la civilisation (lettres 106-107), dans l'avènement d'une société juste qui retrouverait la vérité de la nature grâce aux lumières de la philosophie.

Le légiste se fait souvent entendre dans les *Lettres persanes* : l'utopie des troglodytes (lettres 11-14) propose une réflexion sur les vertus civiques nécessaires à la prospérité et au bonheur des États et, par conséquent, des individus ; la lettre 83 affirme l'existence objective de la notion de justice sur laquelle sera fondée, dans *L'Esprit des lois**, la possibilité de légiférer.

THÈMES
Voyage. Europe. Paris.
Mœurs. Coutumes.
Religion, 2. Monarchie.
Classes sociales.
Raison. Philosophie.
Science, 1. Progrès.
Civilisation, 2. Utopie.

Publiées anonymement en Hollande (1721), les *Lettres persanes* ont connu immédiatement un succès immense, et elles restent pour nous une des œuvres qui symbolisent le mieux le siècle des Lumières par l'idéal qu'elles expriment comme par la brillante gaieté de leur ton.

## Lettres philosophiques ou Lettres anglaises

VOLTAIRE
1734

*Classiques Garnier
Garnier-Flammarion*

Voltaire a conçu ces lettres fictives pendant son séjour en Angleterre (1726-1729), mais les a achevées en France et les a publiées enfin en 1734 après quelques hésitations que vint justifier leur condamnation au feu par le Parlement de Paris.

Les lettres 1 à 7 traitent des religions qui coexistent en Angleterre. Vantant ce pluralisme religieux, Voltaire est toutefois sévère pour les anglicans qu'il accuse d'abuser de leur situation dominante et pour les presbytériens qu'il juge intolérants ; il se montre favorable aux quakers qui n'ont pas de prêtres et aux sociniens qui tendent au déisme. Tolérance et déisme resteront les deux principes religieux de Voltaire.

Les lettres 8 et 9 sont consacrées au système politique anglais qui est cité en modèle : « La nation anglaise est la seule de la terre qui soit parvenue à régler le pouvoir des rois en leur résistant [...] ».

Les lettres 10, *Sur le commerce,* et 11, *Sur l'insertion de la petite vérole,* vantent l'une et l'autre le sens pratique des Anglais dans l'organisation de la vie sociale. Ils l'emportent sur les Français parce qu'ils n'ont pas de préjugés, idée que l'on retrouve dans les lettres 20 et 21, où sont loués les nobles qui ne croient pas déroger en cultivant les Lettres, et la lettre 24, *Sur la considération qu'on doit aux gens de Lettres.*

La série des lettres 12 à 17, sur les sciences et la philosophie, bouleverse la hiérarchie des grandeurs en plaçant Newton avant César et Alexandre, et les philosophes et les physiciens avant les ministres et les généraux. Cette conception de la civilisation se retrouvera dans les travaux historiques de Voltaire. En outre, Voltaire fait l'éloge du physicien Newton (1643-1727) et du philosophe Locke (1632-1704), parce qu'ils se sont affranchis de la métaphysique.

Les lettres 18, 19 et 22 traitent de la littérature anglaise ; Voltaire a été sensible à Shakespeare.

La lettre 24, *Sur les Académies,* pose le problème du bon usage qu'un prince éclairé peut faire des génies d'un pays.

Quant à la lettre 25, *Sur les Pensées de M. Pascal,* elle trouve sa place ici parce que Voltaire réfute chez Pascal une conception de l'homme et de la vie exactement opposée à celle qu'il vient de formuler, invitant ses contemporains à aménager le mieux possible la cité terrestre afin d'y être heureux autant que le permettent les limites de la condition humaine.

Les *Lettres philosophiques* proposent déjà les thèmes essentiels de la pensée de Voltaire et constituent un bon exemple de sa manière libre et brillante de lancer des idées.

THÈMES
Homme. Bonheur. Action, 1. Civilisation, 2. Progrès. Philosophe. Raison. Esprit critique. Travail. Sciences. Arts et lettres. Société, 3. Préjugés. Classes sociales. Religion, 1. Tolérance. Déisme. Gouvernement. Monarchie.

## Lettres portugaises
GUILLERAGUES 1669

*Garnier-Flammarion*

Ces quelques lettres énigmatiques, qu'on a longtemps prises pour une correspondance réellement adressée par une religieuse portugaise, Mariana Alcoforado, à son séducteur, un gentilhomme français, sont en réalité une œuvre de fiction dont la paternité a été définitivement rendue à Guilleragues (1628-1685), écrivain mondain peu connu, qui s'était donné seulement pour leur traducteur (cf. édition Garnier). L'idée d'un chef-d'œuvre spontané a cédé la place à la réalité d'une création concertée, nourrie d'une rhétorique amoureuse qui remonte aux poètes latins Catulle et Ovide, et se retrouve dans la tragédie racinienne et *La Princesse de Clèves*\*. Ce sont des variations sur le thème de l'amour trahi dans le style dépouillé et abstrait de l'analyse psychologique classique.

THÈMES
Amour, 1, c. Passion, 1. Souffrance, 1, a.

## Lettre sur les aveugles à l'usage de ceux qui voient
Denis DIDEROT 1749

*Classiques Garnier Garnier-Flammarion*

Publiée au début de juin 1749, cette lettre publique d'une soixantaine de pages valut à Diderot d'être incarcéré le 24 au château de Vincennes d'où il ne fut libéré que le 3 novembre. Elle contenait en effet des idées qui, à cette époque, passaient pour subversives.

En fonction de la théorie sensualiste, proposée par l'Anglais Locke (*Essai sur l'entendement humain,* 1690), et qui peut se résumer dans la formule : « Il n'est rien dans l'entendement qui n'ait d'abord été dans la sensation », les philosophes portaient alors grand intérêt aux aveugles-nés à qui l'opération de la cataracte rendait la vue. Le problème était de savoir si les images qu'ils découvraient coïncidaient avec leur représentation antérieure du monde.

Faute d'avoir pu tirer un enseignement d'une opération pratiquée par l'académicien Réaumur, Diderot rapporte une visite faite à un aveugle-né du Puiseaux, près de Pithiviers, puis évoque le cas du mathématicien anglais aveugle Saunderson (1682-1739). Il examine les différences entre les idées des aveugles et celles des gens qui voient, sur le beau, le bien, Dieu et la création, et constate que la preuve de l'existence de Dieu par la perfection de la création ne joue pas pour un aveugle. Mais il va plus loin. Développant à sa façon les propos tenus à son lit de mort par Saunderson, il lui prête une conception évolutionniste du monde qui aboutit au matérialisme et à l'athéisme : «dans le commencement où la matière en fermentation faisait éclore l'univers, mes semblables étaient fort communs. Mais pourquoi n'assurerais-je pas des mondes ce que je crois des animaux? Combien de mondes estropiés, manqués, se sont dissipés, se reforment et se dissipent peut-être à chaque instant [...]?» «[...] Cherchez à travers ces agitations irrégulières quelques vestiges de cet être intelligent dont vous admirez ici la sagesse!»

On reconnaît déjà Diderot dans ces idées audacieuses et dans cette manière d'en attribuer les développements extrêmes à un personnage réel mais librement interprété, qui lui permet de ne pas les prendre tout à fait à son compte.

THÈMES
Beau. Bien. Dieu.
Matérialisme. Athéisme.

---

**Les Liaisons dangereuses**

Pierre CHODERLOS DE LACLOS
1782

*Classiques Garnier*
*Garnier-Flammarion*
*Le Livre de poche*

Ce roman peint le libertinage de mœurs dans la société aristocratique à la veille de la Révolution de 1789.

Il est constitué des lettres échangées par les personnages. Les principaux sont le chevalier de Valmont et la marquise de Merteuil qui appartiennent à la société des *roués* — c'est-à-dire des libertins —, ainsi nommés en souvenir du temps de la Régence où on les disait dignes du supplice de la roue.

Pour Valmont et M^me de Merteuil, il ne s'agit pas de libertinage de pensée (cf. Molière, *Dom Juan*⋆), bien que le Ciel leur importe peu, mais de libertinage de mœurs au sens où l'entendait Don Juan, exerçant sa liberté par excellence dans le domaine de l'amour.

Comme ce grand seigneur, Valmont et M^{me} de Merteuil désacralisent l'amour et le réduisent à une stratégie, à un art de la poursuite et de la conquête où il faut affirmer sa maîtrise et sa force.

Ces deux illustres libertins, après une liaison maintenant terminée, ont conservé l'un pour l'autre une estime qui s'est muée en complicité, au point qu'ils se font confidence de leurs entreprises, s'adressent des avis et se rendent de mutuels services. Ainsi Valmont, alors qu'il s'est fixé pour but de conquérir la dévote présidente de Tourvel, se voit-il proposer par M^{me} de Merteuil, dépitée de n'avoir pas eu l'initiative de la rupture avec le jeune Danceny, la tâche d'en séduire la fiancée, la petite Volanges. Valmont accepte de s'y employer et corrompt la jeune fille, puis reprend ses manœuvres autour de la présidente de Tourvel. La marquise le met au défi de sacrifier celle-ci aussitôt qu'il l'a conquise, car elle en est, au fond, jalouse, ce qui la pousse à invoquer la règle qu'ils se sont donnée de rivaliser de cynisme.

Tandis que la dévote présidente de Tourvel meurt de chagrin, Valmont est tué en duel par Danceny à qui M^{me} de Merteuil l'a dénoncé, et celle-ci est enfin frappée de tous les revers possibles.

«Pour prévenir contre le vice, il faut le peindre», dit Laclos dans Préface, sans cacher son hostilité à la société qui produit les Valmont et les Merteuil. Œuvre de moraliste dans son intention, ce roman est aussi un modèle de virtuosité littéraire.

THÈMES
Vie mondaine. Libertin. Immoralisme.
Amour, 1, d.
Cynisme. Corruption.

---

*Lorenzaccio* est couramment considéré comme le meilleur drame romantique. Ces cinq actes en prose sont bâtis sur un épisode de l'histoire florentine emprunté au chroniqueur Varchi (1502-1562) : à Florence, en 1537, le duc Alexandre de Médicis, maître de la ville grâce à l'appui des Autrichiens, est assassiné par son cousin Laurent (Lorenzo ou Lorenzaccio) de Médicis qui veut ainsi libérer sa patrie ; mais les républicains ne réussissent pas à reprendre le pouvoir qui revient à Côme de Médicis.

Selon l'ambition romantique de donner au drame une couleur historique vraie, Musset a peint avec soin l'atmosphère de Florence, les insolences d'Alexandre et

**Lorenzaccio**
Alfred de MUSSET
1834

*Folio*
*Nouveaux classiques illustrés Hachette*

de ses amis, l'opportunisme des marchands, les intrigues de la cour (cardinal Cibo), les murmures du peuple, l'agitation maladroite des républicains (famille Strozzi).

Toutefois l'intérêt principal réside dans le caractère de Lorenzo et dans les raisons qui le conduisent à assassiner le duc. Au premier acte, Lorenzo apparaît comme le pourvoyeur et le complice des débauches d'Alexandre, ce qui lui vaut le surnom péjoratif de Lorenzaccio. On comprend bientôt qu'il a adopté ce rôle pour approcher plus aisément le tyran et l'abattre, rêvant d'être un nouveau Brutus ; mais, prisonnier de ce jeu, il a cessé de croire à l'utilité de son projet et pleure la pureté de sa jeunesse (II, 4).

Il tuera finalement Alexandre sans autre raison que de justifier sa vie : « Songes-tu que ce meurtre, c'est tout ce qui me reste de ma vertu ? » dit-il à Philippe Strozzi. « Si tu honores en moi quelque chose, toi qui me parles, c'est mon meurtre que tu honores peut-être justement parce que tu ne le ferais pas. » (III, 3, scène capitale.) C'est la marche de Lorenzaccio vers cet acte libérateur que la pièce dépeint.

Tout en affectant publiquement d'avoir peur d'une épée (I, 4), Lorenzo s'entraîne avec un maître d'armes (III, 1), et, après avoir volé la cote de mailles que porte toujours Alexandre (II, 6), il assassine celui-ci dans l'appartement où il l'a attiré par la promesse de lui livrer sa tante (IV, 11).

L'issue de l'événement vérifie le scepticisme de Lorenzo à l'égard de l'humanité : Philippe Strozzi n'est même plus à Florence, il a fui quand les amis du duc ont empoisonné sa fille Louise (III, 7) ; quant aux républicains, ils sont incapables de tirer parti de la mort d'Alexandre.

A Venise où il s'est réfugié, Lorenzo connaît l'amer plaisir de railler Philippe Strozzi (V, 7), avant d'être tué par les agents de Côme.

Musset est passionnément présent dans le personnage de Lorenzo qu'il anime de ses propres angoisses (cf. *Poésies nouvelles*★). Ainsi s'expliquent le lyrisme et la force dramatique du rôle.

Cette pièce très longue, écrite sans souci des servitudes de la scène, a été jouée pour la première fois en 1896 et, depuis, a toujours été reprise avec succès.

THÈMES
Jeunesse. Corruption. Faute. Pureté. Action. Liberté, 1, b et 2, b. Scepticisme.

Ce roman, qui est resté inachevé, est très attachant parce qu'il semble particulièrement proche de la vie de Stendhal. Celui-ci a trouvé son point de départ en 1834 dans un roman manqué d'une de ses amies, *Le Lieutenant.* Prié de le corriger, il l'a refait à sa façon : le héros, peut-être à la faveur de son grade, que Stendhal a également porté, est devenu l'acteur de toutes les passions typiquement stendhaliennes et semble plus voisin de ce que Stendhal a été, ou failli être, que Julien Sorel *(Le Rouge et le Noir\*)* et Fabrice del Dongo *(La Chartreuse de Parme\*).* Est-ce pure coïncidence ? Stendhal interrompt la rédaction de *Lucien Leuwen* en novembre 1835 pour écrire la *Vie de Henry Brulard,* c'est-à-dire le récit de sa vie, de sa naissance à son arrivée en Italie, en 1801, où il s'est nommé sous-lieutenant de dragons. En outre, jamais le romancier ne s'était engagé dans une satire aussi directe de la société de son temps.

L'action de la première partie se déroule à Nancy au début de la monarchie de Juillet. Le lieutenant Lucien Leuwen, fils d'un banquier parisien influent, arrive avec une réputation de républicain (il a été chassé de Polytechnique pour ce motif) dans cette ville de garnison où l'aristocratie légitimiste, rêvant de restaurer Charles X, boude les officiers et les fonctionnaires de Louis-Philippe. Il déçoit vite les rares républicains qui le sollicitent, car il leur préfère les attraits de la vie mondaine. Par jeu, il relève le défi des salons légitimistes et réussit à y pénétrer au prix d'un peu d'hypocrisie. On reconnaît chez lui le goût de la difficulté, l'esprit de calcul et l'insolence aristocratique des héros de Stendhal. Mais, pour finir, il sera vaincu : il s'est sincèrement épris d'une jeune veuve, M$^{me}$ de Chasteller ; cet amour représente même dans sa vie la part de la sincérité et de la sensibilité ; un intrigant, le docteur Du Poirier, tête pensante du parti légitimiste à Nancy, parvient à le tromper sur la qualité de M$^{me}$ de Chasteller et à lui faire croire qu'elle vient d'accoucher en secret. Il s'enfuit à Paris.

Dans la seconde partie, Lucien, devenu maître des requêtes et secrétaire du ministre de l'Intérieur qui est l'obligé de son père, s'initie aux compromissions de l'argent et du pouvoir. Il participe en particulier à la manipulation des élections en province. Supérieur à ces milieux qu'il méprise, il y brille par son talent, mais leur tourne bientôt le dos. Quand son père meurt subi-

**Lucien Leuwen**

STENDHAL
1894 (Posthume)

*Folio
Le Livre de poche*

tement, laissant la maison Leuwen au bord de la ruine, il en paie toutes les dettes, malgré des conseils contraires, et quitte Paris pour un poste lointain de secrétaire d'ambassade.

«Excepté pour la passion du héros, un roman doit être un miroir», dit Stendhal dans la Préface. Mais ici encore, comme dans *Le Rouge et le Noir*\*, c'est le caractère du héros qui donne son éclat et sa dureté au miroir. Le lien est étroit entre la peinture de Lucien et celle de la société qu'il affronte pour son apprentissage et pour le nôtre.

## Le Lys dans la vallée

Honoré de BALZAC
1835

*Folio*
*Le Livre de poche*

Placé dans *La Comédie humaine*\* parmi les *Scènes de la vie de campagne*, *Le Lys dans la vallée* est essentiellement un roman de la passion amoureuse. Balzac a voulu refaire *Volupté*\* de Sainte-Beuve, dont il a admiré le thème mais critiqué la forme, et rendre hommage à M^me de Berny, l'initiatrice de sa jeunesse, qui a d'ailleurs été pour lui plus que M^me de Mortsauf pour Félix de Vandenesse.

Le roman se compose de deux lettres. Dans la première, qui occupe presque tout le livre, le comte Félix de Vandenesse confesse ses amours passées à l'actuelle maîtresse de son cœur, la comtesse Nathalie de Manerville. Enfant mal aimé, relégué au collège par sa mère, puis tenu en étroite tutelle, Félix conserve à vingt ans la taille chétive, la sensibilité et les rêves d'un adolescent. Ainsi s'explique ce qu'est pour lui son premier bal, au printemps de 1814, à Tours ; placé par hasard près des belles épaules d'une inconnue, il les couvre de baisers. Quelques jours plus tard, encore ébloui et grisé, il a le bonheur de retrouver la belle inconnue là où il s'est pris à l'imaginer, dans la plantureuse vallée de l'Indre dont elle lui paraît être le lys : c'est M^me de Mortsauf, la châtelaine de Clochegourde.

Suit le récit de l'amitié amoureuse secrète qui se développe alors entre ce jeune homme exalté et cette jeune femme, de sept ans son aînée, qui s'ennuie auprès d'un époux aigri et malade. Réfugiée dans l'amour de ses deux enfants, M^me de Mortsauf se donne l'alibi de la tendresse maternelle pour accepter les visites de Félix, et oriente vers la sublimation une passion qui, même chez elle, comporte ses exigences sensuelles. Au second retour de Louis XVIII, elle aide Félix à commencer une carrière politique, guidant son entrée dans le monde et lui traçant sa conduite vis-à-vis des femmes. Mais la grande passion chaste de Félix pique la curiosité de la belle et insolente Lady Dudley qui lui révèle tout ce que lui refuse Mme de Mortsauf, sans toutefois la lui faire oublier : «elle était la maîtresse du corps. Mme de Mortsauf était l'épouse de l'âme.» Informée de cette liaison, cette dernière, minée par le chagrin malgré sa volonté de s'effacer, meurt bientôt, en présence de Félix à qui une lettre révèle la violence de la passion contre laquelle elle a lutté. Lady Dudley, jalouse de ce voyage à Clochegourde, rompt avec lui.

A cette confession, la comtesse de Manerville réplique par les railleries sur les hésitations de Félix entre «les perfections de Mme de Mortsauf» et «les ressources de l'amour anglais», et, parce qu'elle tient à être aimée pour elle-même, elle lui signifie son congé.

Exaltant «une passion qui recommençait le Moyen Age et rappelait la chevalerie», montrant cependant la révolte de la sensualité contre la sublimation enseignée par la tradition courtoise et l'idéalisme chrétien, peignant aussi «la grandeur de la femme qui se perd, qui renonce à l'avenir et fait toute sa vertu de l'amour», *Le Lys dans la vallée* propose, sur le thème de l'amour, l'une des réflexions les plus caractéristiques de l'époque romantique.

THÈMES
Enfance. Adolescence. Apprentissage. Jeunesse. Femme, 1, a. Amour, 1, e. Sensibilité. Nature, 2, b. Passions, 3. Vertu. Souffrance, 1, a et 2, a. Mort.

---

Condamnant le lyrisme de *La Tentation de saint Antoine**, ses amis Bouilhet et Du Camp conseillent à Flaubert, en 1849, de «traiter sur un ton naturel, presque familier», un sujet terre à terre, «l'histoire de Delaunay». Ils désignaient ainsi Eugène Delamare, un officier de santé marié en secondes noces à une certaine Delphine Couturier, plus jeune que lui, qui le trompa, fit des dettes, et mourut à vingt-sept ans, en 1848, lui laissant une petite fille ; Delamare mourut l'année suivante. Cette histoire a effectivement fourni à Flaubert les données essentielles de son roman ; mais le fameux «Madame Bovary, c'est moi», par lequel Flaubert coupe court à l'enquête sur ses sources, rappelle utilement la part de l'écrivain dans sa création.

Le double titre : *Madame Bovary, Mœurs de province,* a son importance. Le livre contient en effet une

**Madame Bovary (Mœurs de province)**
Gustave FLAUBERT
1856

*Classiques Garnier Folio Le Livre de poche*

sévère peinture des mœurs provinciales dont l'étouf-
fante médiocrité contribue à expliquer la destinée
de l'héroïne.

Emma Rouault est une fille de paysans qui a été élevée au couvent et s'y est grisée de rêves romantiques.
Pour s'affranchir de ses origines, elle épouse un officier de santé, Charles Bovary, mais cet homme médiocre la déçoit, sans que la naissance d'une fille réussisse
à meubler sa vie. Une invitation au château de la Vaubyessard lui fait entrevoir un autre monde ; son insatisfaction dès lors accrue la portera à l'adultère. A Yonville où son mari vient s'installer pour lui plaire, elle
noue une première intrigue avec un jeune clerc de
notaire, Léon Dupuis ; l'aventure est encore platonique, et d'ailleurs Léon se dérobe et s'en va. Emma fait
alors la connaissance d'un riche propriétaire du voisinage, Rodolphe Boulanger, qui habite un château et
se pique d'être un séducteur. Elle s'abandonne bientôt
à lui, mais c'est encore un médiocre : il rompt quand
elle exige de partir avec lui pour l'Italie, et, dans une
crise de désespoir, elle est tentée de se suicider. Pour la
distraire, son mari la conduit à Rouen, au théâtre. Ils
y retrouvent Léon. Elle cherche à le revoir, se livre à
lui rapidement et se perd dans la griserie de ses voyages hebdomadaires au chef-lieu. Elle fait des dettes, et
ce sera le drame. Menacée de saisie, elle sollicite vainement Léon et même Rodolphe, si bien qu'elle finit par
s'empoisonner avec de l'arsenic dérobé chez le pharmacien Homais. Le malheureux Charles Bovary découvre
enfin la vie secrète de sa femme qu'il n'a jamais cessé
d'idolâtrer. Ruiné et désemparé, il ne tarde pas à mourir de chagrin.

Le procès intenté à Flaubert pour immoralité a surtout précipité le succès du roman. Mme Bovary a rapidement pris place parmi les types littéraires célèbres et
donné son nom à un comportement moral, le « bova-
rysme ». La peinture d'Yonville, du pharmacien
Homais, superbe spécimen de pseudo-savant de chef-
lieu de canton ; la description des comices agricoles, ne
sont pas moins connues pour la dérision jetée par Flaubert sur la société de son temps et la bêtise humaine.
Quant à sa technique qui consiste à proposer un cons-
tat impersonnel de la réalité, elle fait date dans le genre
romanesque et a fortement influencé les écrivains naturalistes (Zola, Maupassant).

THÈMES
Province. Mœurs.
Classes sociales.
Bourgeoisie. Paysans.
Ennui. Femme, 1, a.
Rêve, 2. Amour, 1, e.
Suicide.

**Les Mains sales**

Jean-Paul SARTRE
1948

*Folio*

L'action de cette tragédie en sept tableaux se passe au cours de la Seconde Guerre mondiale dans un pays imaginaire d'Europe centrale, l'Illyrie.

Au premier tableau, des responsables du parti communiste se demandent, pour des raisons qui ne sont pas dites, si un militant récemment sorti de prison, Hugo, est «récupérable». Une femme, Olga, obtient un délai pour éclaircir les conditions dans lesquelles il a tué Hoederer, un ancien chef communiste.

Les cinq tableaux suivants, qui représentent les explications d'Hugo, montrent en images ce qui s'est passé. Hugo, jeune intellectuel bourgeois venu au communisme par goût de l'absolu et désir d'action, a reçu mission de liquider Hoederer, suspecté de vouloir contracter une alliance avec la bourgeoisie; mais il réfléchit trop pour être de la race des tueurs. Hoederer le convainc même de la justesse de sa tactique politique : la pureté ne sert à rien dans l'action, il faut savoir «se salir les mains». Un jour, Hugo trouve sa femme Jessica dans les bras de l'homme à qui il s'est attaché au lieu de l'abattre : il tire sur lui par jalousie.

Au septième tableau, Hugo analyse son geste devant Olga. Il reste désemparé, car il n'a pas affirmé sa liberté comme il l'entendait : « Le hasard a tiré[...] ». Olga se réjouit au contraire que le meurtre ait été seulement passionnel : Hugo est ainsi récupérable ! En effet le parti a changé de politique sur l'ordre de l'URSS, et adopté celle d'Hoederer qui est promu au rang des héros. Devant ce retournement qui achève de rendre la mort d'Hoederer absurde, Hugo revendique pour son acte le sens politique qu'il aurait dû avoir et se livre aux tueurs qui attendaient les résultats de son interrogatoire : «Non récupérable».

Cette pièce est liée aux réflexions de Sartre sur l'action révolutionnaire et l'invention individuelle de la liberté, problèmes qui semblent ici rester inconciliables. Sur le plan de l'action révolutionnaire, se trouve posée la question des moyens : si le meurtre politique est visiblement condamné, l'habileté efficace d'Hoederer est toutefois favorablement opposée à l'ambition de pureté d'Hugo. Quant à la liberté, il est montré combien sa réalisation est difficile dans un système politique qui l'aliène tout autant que la société bourgeoise contre laquelle le héros s'était révolté.

THÈMES
Action. Pureté.
Communisme.
Individu, 3.
Liberté, 1.
Responsabilité.

## La Maison de Claudine

COLETTE
1922

*Le Livre de poche*

Sous ce titre, l'auteur de la série des *Claudine* (1900-1903), qui a été souvent confondue avec son héroïne, a rassemblé essentiellement des souvenirs de sa propre enfance. Le livre est formé de chapitres organisés autour d'un thème ou d'une anecdote.

Le premier chapitre présente la grande maison familiale de Saint-Sauveur-en-Puisaye, bourgeoise et revêche sur la rue, riante du côté de ses jardins, et les acteurs qui vont occuper ce théâtre domestique : Sido, ses quatre enfants, son mari et ses bêtes. Les chapitres suivants révèlent l'histoire de Sido, ses deux mariages, son étonnante personnalité, son amour des plantes et des bêtes, son non-conformisme généreux, sa sagesse naturiste à l'abri de laquelle « la petite » (la future Claudine) fait la découverte de la vie dans un univers provincial et ignorant de l'histoire du monde, clos sur lui-même, immobile et heureux. Puis trois chapitres évoquent la fin de ce bonheur, la mort du père *(Le Rire)* et la lutte de Sido contre la vieillesse et la déchéance physique *(Ma mère et la maladie, Ma mère et le fruit défendu)*. C'est Bel Gazou, la fille de l'auteur, qui vit maintenant les étonnements, les émois et les joies de l'enfance *(La Couseuse, La Noisette creuse)*.

THÈMES
Souvenir. Enfance, 2.
Province. Bonheur, 6, b.
Mère. Nature, 2, b.
Bêtes.
Vieillesse.

Le mérite de Colette est de peindre avec tendresse et poésie les petits faits qui forment une vie.

## Le Maître de Santiago

Henry
de MONTHERLANT
1947

*Folio*

Cette pièce en trois actes et en prose a pour thème le refus du monde. Elle appartient à la veine chrétienne du théâtre de Montherlant (cf. *Port-Royal*⋆, *Le Cardinal d'Espagne*⋆).

L'action se déroule en Espagne, à Avila, en janvier 1519. Les derniers chevaliers de l'Ordre de Santiago doivent se réunir chez l'un d'eux, Don Alvaro Dabo, que son attachement à la chevalerie en déclin a fait surnommer « le Maître de Santiago ». Trois d'entre eux vont partir pour les Indes Occidentales dans l'espoir d'y faire fortune, et Don Bernal, dont le fils Jacinto aime Mariana, la fille de don Alvaro, veut persuader celui-ci de partir également pour doter sa fille (I, 2). Don Bernal lui présente l'entreprise comme une nouvelle croisade, mais ne fait que susciter sa colère contre les appétits que déchaîne le Nouveau Monde (I, 4). Et quand il invoque l'intérêt de leurs enfants, Alvaro se déchaîne contre les sentiments de sa fille (II, 1-2). Bernal imagine alors de faire intervenir le comte de Soria au nom du roi, et Mariana semble accepter cette ruse (II, 3), mais au moment où son père va céder à ce prétendu appel du roi (III, 3), elle dénonce la démarche de Soria comme « une affreuse comédie » inventée par Don Bernal (III, 4). Alvaro s'agenouille devant sa fille pour lui demander pardon de l'avoir méconnue, et, communiant avec elle dans une exaltation mystique, l'entraîne vers la vie monastique : « Eh bien ! périsse l'Espagne, périsse l'univers ! Si je fais mon salut et si tu fais le tien, tout est sauvé et tout est accompli. » (III, 5).

A ceux qui ont jugé que Don Alvaro est « un faux chrétien », Montherlant a répliqué, citations à l'appui, que son héros représente « le christianisme authentique, dans une de ses nuances », et que ses paroles « paraphrasent des paroles de l'Écriture ou d'orateurs sacrés » (*Le blanc est noir*, 1948). Quant à son goût personnel pour les sujets catholiques, paradoxal puisqu'il n'a pas la foi, il s'en est expliqué ainsi : « Un sentiment très fort, obsédant, de l'inanité et de l'absurdité de presque tout m'a dominé depuis ma jeunesse [...]. J'aime mettre en scène des personnages qui sont morts au siècle ou qui aspirent à l'être. » (*Une pièce qui baigne dans le désespoir*, 1957).

THÈMES
Espagne.
Christianisme, 2.
Néant. Foi. Salut. Pureté.

---

Ce roman est caractéristique de l'idéal social et littéraire de ces auteurs républicains qui ont voulu écrire pour le peuple des œuvres propres à favoriser son émancipation.

Maître Gaspard Fix est un ancien ouvrier brasseur qui trahit sa classe d'origine et ne songe qu'à passer dans le camp de l'argent et du pouvoir.

Ayant épousé pour sa dot la fille d'un meunier, Fix crée une petite brasserie à Neuville, en Lorraine, et achète une auberge. Il s'enrichit par des fraudes commerciales et des prêts usuraires, devient un notable, contribue d'abord, sous Louis-Philippe, à l'élection du candidat gouvernemental, puis se découvre des ambitions politiques personnelles qui vont se développer en même temps que sa fortune. Il est maire et vient d'acheter le grand domaine du Howald quand la Révo-

**Maître Gaspard Fix**
ERCKMANN-CHATRIAN
1875

*Classiques du peuple*

lution de 1848 éclate : il se proclame républicain à grand fracas, mais en réalité attend, comme beaucoup de monarchistes, le moment favorable pour étrangler la république qui fait peur aux possédants. Il parie bientôt sur le prince Louis-Napoléon dont il soutient la candidature à la Présidence de la République, puis le coup d'État, laissant déporter son beau-frère, le docteur Laurent, républicain honnête et généreux, présenté comme une figure exemplaire. La députation est sa récompense, puis c'est un siège de sénateur qui vient consacrer l'ascension sociale du nouveau châtelain de Howald. Mais, par une sorte d'intervention de la justice immanente, il meurt de la piqûre d'une mouche charbonneuse, rageant de voir sa fortune tomber aux mains de gendres rapaces et d'un fils bon à rien.

THÈMES
Classes sociales.
Arrivisme. Argent.
Pouvoir. Vie politique.
Corruption. Peuple.
République. Progrès.
Justice, 4.

Cette peinture des forces conservatrices coalisées contre l'idéal républicain au milieu du XIXe siècle est pleine de vérité et de vie.

---

## Le Malade imaginaire

MOLIÈRE
1673

*Folio*
*Nouveaux classiques*
*illustrés Hachette*

Comédie-ballet en trois actes et en prose. Molière qui tenait le rôle d'Argan, le malade imaginaire, est mort dans la nuit de la quatrième représentation. C'était une pièce toute à l'éloge de la vie.

Par peur des maladies, le vieux bourgeois Argan mène une vie de valétudinaire, pour le plus grand profit de son apothicaire, M. Fleurant, et de son médecin, M. Purgon. Sa seconde femme, Béline, le dorlote en pensant à son héritage. Angélique, fille de son premier mariage, risque d'être la victime de leurs égoïsmes conjugués, car, bien qu'elle aime Cléante, ils veulent la marier à Thomas Diafoirus, un futur médecin, que son père, médecin lui-même, et la science médicale ont transformé en pantin grotesque. Une servante pleine de bon sens, Toinette, essaie de mettre bon ordre à tout cela. De son côté, Béralde, frère d'Argan, prêche à celui-ci le respect de la nature dans l'arrangement des mariages comme dans le domaine de la santé (III, 3). Toinette parviendra à sauver le bonheur d'Angélique par une ruse qui révèle la fausseté de Béline, mais elle ne réussira pas à corriger Argan de son idolâtrie de la médecine.

La virtuosité joyeuse de cette comédie-ballet (rôle de Toinette déguisée en médecin au troisième acte) ne doit pas en masquer la richesse. Elle offre des caractères originaux : Thomas Diafoirus, qui renouvelle la satire des médecins; Béline, épouse maternelle qui attend sa liberté; la petite Louison, gamine rusée. En outre, au-delà de la satire de la médecine, déjà faite dans *Le Médecin malgré lui*⋆, Molière développe un acte de foi dans la nature qui rappelle la règle constante de sa pensée depuis *Les Précieuses ridicules*⋆.

THÈMES
Famille. Médecine.
Amour, 1, c. Nature 1.

Breton a réuni sous ce titre les principales proclamations qu'il a lancées au cours du développement du mouvement surréaliste.

Le *Manifeste du surréalisme* de 1924 a paru au moment de la fondation du groupe à partir du mouvement Dada.

Faisant l'éloge de l'imagination, du merveilleux et du rêve (avec référence aux travaux de Freud sur les rêves), Breton définit «le nouveau mode d'expression pure» qu'il appelle *surréalisme* en hommage à Apollinaire (créateur de l'adjectif *surréaliste*) : «Surréalisme, n. m. Automatisme psychique pur par lequel on se propose d'exprimer, soit verbalement, soit par écrit, soit de toute autre manière, le fonctionnement réel de la pensée, en l'absence de tout contrôle exercé par la raison, en dehors de toute préoccupation esthétique ou morale.» Suivent ces postulats philosophiques : «Le surréalisme repose sur la croyance à la réalité supérieure de certaines formes d'associations négligées jusqu'à lui, à la toute-puissance du rêve, au jeu désintéressé de la pensée. Il tend à ruiner définitivement tous les autres mécanismes psychiques et à se substituer à eux dans la résolution des principaux problèmes de la vie.» Sont cités dix-neuf fidèles qui «ont fait acte de *surréalisme absolu*», parmi lesquels Aragon, Breton, Desnos, Éluard, puis des écrivains du passé et du présent qui se sont montrés surréalistes à quelque titre : Hugo, Baudelaire, Rimbaud, Mallarmé. En outre, au cours de l'article, Nerval et Lautréamont bénéficient de mentions particulières.

Dans le *Second Manifeste du surréalisme* (1929), Breton rappelle que le surréalisme a pour dogmes la révolte absolue et la violence, et, avec une brutalité dont il s'est excusé dans sa préface de 1946, il invective

**Manifestes du surréalisme**
André BRETON
1924 - 1929 -
1942 - 1953

*Folio*

et excommunie, au nom de la pureté du mouvement, ceux de ses amis qui sont retombés dans le péché de littérature commerciale ou sont entrés dans l'obédience communiste. (Breton qui voulait une révolution totale ne se désintéressait pas de la révolution soviétique, mais n'acceptait pas de limiter son entreprise à une révolution socio-économique).

Après 1940, dans des textes d'un ton apaisé, Breton continue de défendre la pureté de l'idée surréaliste comme principe d'opposition.

THÈMES
Rêve. Imagination.
Révolte. Surréalité.

## Manon Lescaut

Antoine-François
PRÉVOST
1731

*Classiques Garnier
Folio*

Le septième tome des *Mémoires d'un homme de qualité* de l'abbé Prévost a échappé à l'oubli où est tombé le reste de l'œuvre, car il contient l'*Histoire du chevalier Des Grieux et de Manon Lescaut,* héros qui comptent parmi les amants célèbres de la littérature. Il s'agit d'une de ces passions fatales dont l'issue ne peut être que tragique. Le récit en est fait par Des Grieux quelques années après la mort de Manon.

Ses études terminées, le jeune Des Grieux s'apprêtait à quitter Amiens pour retourner dans sa famille quand il est ébloui par la beauté d'une jeune fille qui descend du coche d'Arras : le voici amoureux, lui qui n'a jamais pensé à «la différence des sexes», et Manon, qui prétend être envoyée par ses parents pour être religieuse, se révèle très habile à stimuler sa folle passion. Des Grieux enlève Manon et s'installe à Paris avec elle, mais il s'aperçoit bientôt qu'elle le trompe avec un fermier général. C'est le début de l'enlisement de Manon et de Des Grieux dans la corruption d'un certain monde parisien. Malgré les trahisons de sa maîtresse, Des Grieux lui revient toujours, entre dans la carrière de chevalier de tripot pour satisfaire ses besoins de luxe, et même l'aide à exploiter ses riches protecteurs. L'aventure les conduit en prison ; ils s'évadent une fois, mais à sa deuxième arrestation, Manon est déportée à la Louisiane avec un convoi de filles de mauvaise vie. Des Grieux l'accompagne ; il la voit bientôt mourir d'épuisement dans le désert où ils ont dû fuir à la suite d'un duel dont elle était la cause.

En peignant le monde des chevaliers d'industrie et des filles galantes, situé à la lisière de l'aristocratie et du peuple gagné aux vices de celle-ci, l'abbé Prévost confère une portée réaliste à son roman ; il idéalise cependant la passion de ses héros qui, malgré les désordres dans lesquels ils tombent, trouvent une excuse dans l'exaltation fatale de leur sensibilité, selon une conception de l'amour destinée à devenir un des grands mythes de l'époque romantique.

THÈMES
Jeunesse. Amour, 1, d.
Femme, 1, d.
Passions, 3. Corruption.
Classes sociales. Mœurs.

---

*La Mare au diable* est le premier des «romans champêtres» de George Sand. Celle-ci déclare avoir voulu y peindre «le beau dans le simple», dans un dessein moral délibéré : «Nous croyons que la mission de l'art est une mission de sentiment et d'amour [...]. L'art n'est pas l'étude de la réalité positive; c'est une recherche de la vérité idéale.» (*Notice*, 1851).

Se tournant vers «l'homme des champs», elle entreprend d'opposer à l'allégorie du graveur Holbein (1497-1543), où la Mort accompagne un malheureux laboureur le long de son sillon, «le rêve d'une existence douce, libre, poétique, laborieuse et simple», rêve inspiré de la pastorale de Virgile (*Les Géorgiques*, 39-29 av. J.-C.), que justifie sous ses yeux une scène de labour dans la campagne berrichonne. Suit la touchante histoire du laboureur Germain.

Veuf avec trois enfants, Germain accepte, pour obéir à son beau-père, d'épouser une jeune veuve, fille d'un riche paysan. Partant en visite chez sa promise, il emmène sur sa jument le petit Pierre, son fils aîné, et Marie, la fille d'une voisine pauvre, qui doit se placer comme bergère. Ils s'égarent dans les bois, passent la nuit à la belle étoile près de la Mare au diable, parlent timidement de sentiment et de mariage. On devine que Germain épousera Marie et non la jeune veuve frivole.

En dépit de l'idéalisation, mille détails vrais font l'intérêt de ce récit qui semble témoigner maintenant d'un âge révolu de la civilisation.

**La Mare au diable**
George SAND
1846

*Classiques Garnier
Folio*

THÈMES
Paysans. Terre.
Bonheur, 5. Tradition.

---

Avec cette comédie d'intrigue en cinq actes et en prose, Beaumarchais a donné une suite au *Barbier de Séville*\* et exploité le succès remporté par Figaro.

Rentré au service du comte Almaviva après l'avoir aidé à enlever Rosine au docteur Bartholo, Figaro

**Le Mariage de Figaro**
BEAUMARCHAIS
1784

*Folio
Nouveaux classiques
illustrés Hachette*

trouve en son maître un rival inattendu au moment où il s'apprête à épouser Suzanne, la femme de chambre de la comtesse. En effet le comte essaie de séduire Suzanne et de restaurer à ses dépens un ancien «droit du seigneur» auquel il avait pourtant solennellement renoncé. Figaro, Suzanne et la comtesse s'unissent pour faire échouer ce dessein (II, 1-2). Chérubin, un petit page spirituel et remuant qui aime rôder autour de la comtesse et de Suzanne, se jette étourdiment au travers des entreprises du comte et provoque des incidents cocasses que Figaro achève d'embrouiller (II, 10-21). Pris au piège de la jalousie et furieux d'être joué, le comte décide de se venger en favorisant les vues de Marceline, femme de charge du château, qui prétend se faire épouser par Figaro s'il ne peut lui rendre les 10 000 livres qu'il lui a empruntées autrefois. Le tribunal du comte, présidé par Bridoison, condamne Figaro à payer ou épouser (III, 5), mais il se découvre que Marceline est la mère de Figaro et que le docteur Bartholo est son père (III, 16).

Pendant ce temps, la comtesse et Suzanne ont imaginé une ruse pour déjouer les plans de l'époux volage et libertin : la comtesse va prendre le costume de Suzanne et aller au rendez-vous que le comte a donné à celle-ci. Le piquant de la situation est de voir Figaro trompé par ce déguisement autant que le comte (V, 3-8), avant que l'imbroglio ne se dénoue dans la joie, mais à la confusion du seigneur pris en faute devant ses vassaux (V, 14-19).

Parmi les anciens personnages du *Barbier de Séville*★, qui bénéficient tous d'un enrichissement psychologique intéressant, Figaro demeure le héros privilégié dont les attitudes et les mots donnent à cette comédie sa portée satirique (III, 5, 15 ; V, 3, 12). Dès la première représentation (retardée trois ans par la censure), Figaro a été applaudi par la société qui allait périr dans la Révolution. Mozart (1756-1791) a tiré un opéra-comique de la pièce de Beaumarchais en 1786.

THÈMES
Amour, 1, d. Jalousie.
Classes sociales. Mérite.
Justice, 2 et 4. Peuple.

## Maximes

François de LA
ROCHEFOUCAULD
1665

Ce petit livre est issu de la rencontre d'un grand seigneur amer et de la mode des maximes qui régnait dans l'un des salons qu'il fréquentait, celui de M^me de Sablé. La première édition reconnue par l'auteur, en 1665, comportait trois cent soixante et onze maximes, la dernière qu'il ait donnée, en 1678, cinq cent quatre ; on y joint aujourd'hui cent quarante-six maximes supprimées ou posthumes.

*Classiques Garnier*
*Classiques Larousse*
*Folio*

La Rochefoucauld interprète les conduites humaines (générosité, courage, clémence, fidélité, modestie, amour, amitié) de façon systématiquement pessimiste. Pour lui, «nos vertus ne sont le plus souvent que des vices déguisés» et tout s'explique par l'amour-propre qui est «l'amour de soi-même et de toutes choses pour soi» (maxime 563) et par l'intérêt, entendons «(non) pas toujours un intérêt de bien, mais un intérêt d'honneur ou de gloire» (préface de la cinquième édition). La technique de la maxime accentue encore la causticité de sa pensée.

Détruisant ainsi l'image idéale de l'homme qui avait cours dans les romans précieux et dans la tragédie cornélienne, il a choqué ses amis eux-mêmes, entre autres Mme de Lafayette (*La Princesse de Clèves*★). Les *Maximes* rejoignent la sévérité janséniste et illustrent le développement vers 1660 d'un courant moral pessimiste et austère en face de l'idéalisme aristocratique.

THÈMES
Homme, 2. Amour-propre. Amitié. Amour, 1, c. Jalousie. Honneur. Passions. Vertu.

Farce en trois actes et en prose. L'année même du *Misanthrope*★, Molière a revêtu l'habit jaune et vert et la fraise de Sganarelle pour reprendre les thèmes classiques de la querelle de ménage, de la satire de la médecine et de la ruse d'une fille que son père veut marier contre son gré.

**Le Médecin malgré lui**
MOLIÈRE
1666

*Folio*
*Nouveaux classiques illustrés Hachette*

Sganarelle est ici un «fagotier» ivrogne et facétieux qui bat sa femme Martine et qui, à la suite d'une adroite vengeance de celle-ci, se résigne à exercer la médecine malgré lui pour échapper aux coups de bâton qu'elle lui fait donner par deux hommes qui cherchent un médecin, les persuadant qu'il n'est pas d'autre manière de lui faire avouer son talent (acte I). C'est le thème du *Vilain Mire* (*Fabliaux*★). Sganarelle singe fort bien l'art des médecins d'abord devant des paysans qui lui arrachent une consultation, puis en face de Lucinde, la fille de Géronte, qui vient d'être saisie de mutisme (acte II). Apprenant qu'il s'agit d'une ruse imaginée par Lucinde pour attendrir son père qui refuse de lui laisser épouser Léandre, Sganarelle met toute son industrie au service de Lucinde et de son amant (acte III).

THÈMES
Médecine. Paysans.

Sans doute l'action de cette farce est-elle invraisemblable, mais elle est d'une gaieté entraînante.

---

**Méditations poétiques**

Alphonse de
LAMARTINE
1820

*Classiques Garnier
Classiques Larousse
Poésie/Gallimard*

Présentées comme «les épanchements tendres et mélancoliques des sentiments et des pensées d'une âme», les *Méditations* sont l'œuvre d'un jeune aristocrate, lecteur de Rousseau (*La Nouvelle Héloïse*★) et de Chateaubriand (*Atala*★, *René*★), qui vient d'éprouver un grand chagrin et cultive ses incertitudes.

Le recueil est dominé par la pensée d'une femme aimée, M^me Julie Charles, dont la mort précoce en 1817 laisse une profonde blessure dans le cœur du poète. *Le Lac,* écrit avant sa mort, traduit déjà le sentiment de la fragilité de tout ce qui est humain. Lamartine oscille entre le désespoir *(L'Isolement, Le Désespoir)* et la foi en Dieu *(L'Homme, L'Immortalité),* entre «l'instinct de tristesse qui fait accepter la mort et l'instinct de bonheur qui fait regretter la vie» *(L'Automne),* cherchant dans la nature le reflet de ses états d'âme et y puisant presque toujours une consolation *(Le Vallon).*

THÈMES
Amour, 1, e. Destin.
Temps. Mort.
Nature, 2, b. Mélancolie.
Ennui. Désespoir. Dieu.

Ces vers de facture classique, où se trouve évitée toute précision indiscrète (M^me Charles n'est pas nommée autrement qu'Elvire), ont obtenu un vif succès pour leur élégante harmonie. Ils restent le modèle du lyrisme romantique «personnel».

---

**Mémoires**

SAINT-SIMON
1829-1830
(posthume)

*La Pléiade*

Les *Mémoires* de Louis de Rouvroy, duc de Saint-Simon, sont la chronique d'une époque et non de la vie de leur auteur. Ils couvrent la fin du règne de Louis XIV et la Régence, de 1694 à 1723, trente années pendant lesquelles Saint-Simon a été mêlé à la vie du monde et de la cour et, sur la fin, aux affaires. Il avait commencé à prendre des notes dès son arrivée à la cour en 1694, à l'âge de 19 ans, mais a travaillé surtout à partir du moment où il l'eut définitivement quittée après son ambassade d'Espagne, en 1722. Dès lors, jusqu'en 1752, il se consacra à la reconstitution du passé à l'aide de ses souvenirs et de documents divers, dont le *Journal* de Dangeau sur les années 1684-1720.

Du point de vue historique, ces *Mémoires* sont sujets à caution, car Saint-Simon assouvit ses rancunes. Déçu d'avoir été tenu à l'écart par Louis XIV, il s'est vengé en peignant avec haine les erreurs et les faiblesses du vieux roi trop adulé que M^{me} de Maintenon entraîne dans la bigoterie. Mais il a des dons de grand artiste. Sa malveillance même fait de lui un observateur et un psychologue pénétrant. S'il manque de hauteur de vue devant les grands événements, il excelle dans les tableaux de la vie de cour (mort du Grand Dauphin), dans les portraits (duchesse de Bourgogne, cardinal Dubois) et dans les historiettes. Son style violent et coloré, tourmenté jusqu'à l'incorrection, donne un relief étonnant à tout ce qu'il peint.

Saint-Simon n'a pas essayé de publier de son vivant les cent soixante-treize cahiers de ses *Mémoires*. Après sa mort, leur publication, qu'on redoutait, fut empêchée, puis négligée. Une première édition à peu près complète, mais édulcorée, fut autorisée par Charles X. Des éditions intégrales et fidèles ont suivi. Saint-Simon a pris place parmi les grands chroniqueurs de la société. Balzac et Proust l'ont admiré et imité.

THÈMES
Société. Mœurs. Roi. Cour. Vie politique. Passions.

---

Il s'agit de mémoires fictifs attribués à l'empereur romain Hadrien, qui régna de 117 à 138.

Se fondant sur une solide documentation historique, Marguerite Yourcenar y présente, du point de vue toujours saisissant que procure l'emploi de la première personne, non seulement le récit d'une carrière impériale mais une méditation sur une destinée et sur la civilisation dans laquelle elle s'accomplit.

D'origine espagnole, élevé à Rome, parent, protégé et successeur par adoption de l'empereur Trajan (98-117), Hadrien écrit à la fin de sa vie, au moment où, malade, il prépare sa succession en adoptant celui qui sera de 138 à 161 l'empereur Antonin le Pieux. Il s'adresse à un jeune homme de dix-sept ans, Marcus, espagnol comme lui, dont il surveille l'éducation car il le destine à succéder à Antonin après adoption ; ce jeune homme sera l'empereur Marc-Aurèle (161-180).

Hadrien récapitule les étapes de sa carrière qu'il a commencée dans les légions des frontières, poursuivie dans l'entourage impérial et couronnée par vingt ans d'exercice du pouvoir suprême. Il a peu résidé à Rome et a parcouru sans cesse toutes les régions de l'empire.

**Mémoires d'Hadrien**

Marguerite YOURCENAR 1951

*Folio*

Homme d'action, il apparaît en même temps comme un homme de réflexion, curieux de toutes les pensées et de toutes les croyances. Il a tout connu, tout essayé, tout médité : la guerre, l'ambition, le pouvoir, la raison d'État, le plaisir, l'amour, les problèmes du corps et de l'âme, la maladie, le suicide, la mort. Marguerite Yourcenar lui prête une disponibilité et une mobilité à la Montaigne (*Essais\**) qui le rendent très attachant.

Ce livre est un ouvrage de moraliste tout autant que d'historien.

THÈMES
Rome, 1. Action.
Pouvoir. Sagesse.

---

**Mémoires
d'outre-tombe**

François-René de
CHATEAUBRIAND
1848-1850
(posthume)

*Classiques Larousse
Le Livre de poche*

C'est en 1803 que Chateaubriand forme le projet d'écrire les « *Mémoires de (sa) vie* ». Il y a travaillé irrégulièrement jusqu'en 1826, date à laquelle se trouve achevé le récit de sa jeunesse, puis de façon plus soutenue après la Révolution de 1830 quand il eut décidé de s'écarter de la scène politique. Il élargit alors son projet au dessein d'écrire « l'épopée de son temps », et, tout en procédant à des lectures privées, prévoit que la publication complète sera posthume, d'où le titre définitif.

Mais le besoin d'argent l'oblige à vendre son manuscrit à une société d'actionnaires qui, bientôt lassés d'attendre, en négocient la publication immédiate dans le journal *La Presse*. Cette publication n'eut lieu qu'après la mort de l'auteur (4 juillet 1848), mais bien par « l'ignoble filière du feuilleton », avec des coupures et des remaniements qui, conservés dans l'édition de librairie de 1849-1850, mutilent le texte. Il a fallu attendre les éditions de Biré (1898) et surtout de Levaillant (1948) pour lire le texte complet rétabli d'après les manuscrits.

Chateaubriand a divisé ses *Mémoires* en parties qui correspondent aux étapes de sa vie.

La première partie, qui va de son enfance bretonne à son exil en Angleterre, comprend les pages les plus connues sur Combourg, sa famille, son adolescence rêveuse, sa sœur Lucile, son voyage en Amérique, ses campagnes dans l'armée des émigrés.

La deuxième commence à son retour en France (1800) que suit la publication d'*Atala\**, du *Génie du christianisme\**, de *René\**, conte son séjour à Rome comme secrétaire d'ambassade, puis sa rupture avec

Bonaparte lors de l'exécution du duc d'Enghien (mars 1804), et les années de réserve politique et de travaux littéraires qui le conduisent à la fin de l'Empire.

Dans la troisième, Chateaubriand retrace la destinée de Bonaparte avec un mélange d'admiration et de haine, puis sa propre carrière d'ambassadeur, de ministre et de pair de France sous la Restauration, en exagérant parfois son rôle.

La quatrième justifie sa retraite sous la monarchie de Juillet et se termine par des propos désabusés sur lui-même et sur le destin du monde.

Chateaubriand est toujours un peu trop visiblement soucieux et de son personnage et d'art littéraire; il manque d'objectivité quand il traite des faits historiques et peint les hommes politiques qu'il a côtoyés; ses *Mémoires* sont néanmoins un grand monument de la littérature autobiographique. Ils révèlent un homme d'une étonnante complexité, partagé entre le désir et l'ennui, entre le goût des grandes actions et celui du retour sur soi. Ils constituent aussi un témoignage passionnant sur la France et l'Europe au cours d'une période particulièrement agitée que Chateaubriand considère en homme du passé, mais toujours avec le sens de la grandeur des événements.

THÈMES
Moi, 1. Histoire, 1, b.
Destin.
Enfance. Adolescence.
Jeunesse.
Mal du siècle.
Amour, 1, e.
Nature, 2, b.
Action. Voyage.
Ambition.
Guerre. Vie politique.
Révolution, 1.
Napoléon.
Monarchie. Religion.
Vieillesse.

---

Dans ce premier volume de mémoires, Simone de Beauvoir conte sa vie jusqu'à son agrégation de philosophie.

Son enfance n'a pas manqué de charme dans un univers bourgeois protégé. Mais bientôt la «jeune fille rangée» qu'on la préparait à être est entrée en rébellion contre son milieu. Le conformisme de ses parents, les contraintes morales et intellectuelles du cours religieux qu'elle fréquente, développent chez elle une volonté résolue de liberté : «M'affranchir des adultes, voir clair avec mes propres yeux.» Ainsi naît sa vocation philosophique, vocation dont s'effarouchent ses professeurs pour qui «la philosophie corrodait mortellement les âmes». Refusant de s'insérer banalement dans l'ordre social, elle est désormais tout entière tendue vers l'affirmation d'une liberté raisonnée dans laquelle, très tôt, seul le dessein d'écrire lui paraît donner un sens à l'existence.

**Mémoires d'une jeune fille rangée**
Simone de BEAUVOIR
1958

*Folio*

Des amitiés chaleureuses ont leur place dans ces années de formation. C'est d'abord celle de Zaza, la condisciple de toujours, l'amie extraordinaire, qui vit dramatiquement les mêmes refus. Déchirée entre un amour qui n'est pas payé de retour et les obstacles familiaux, Zaza meurt d'une étrange fièvre. Son image reste comme un avertissement : «Ensemble nous avions lutté contre le destin fangeux qui nous guettait et j'ai longtemps pensé que j'avais payé ma liberté de sa mort.» Et puis un jour, à l'époque de l'agrégation (1929), c'est la rencontre de Sartre, qui s'impose par sa force intellectuelle et qui, lui-même, ne vit plus déjà que pour écrire.

La qualité de l'héroïne, les dons de l'écrivain qu'elle est devenue, qui ose et sait tout dire, rendent le livre passionnant.

Aux *Mémoires d'une jeune fille rangée* font suite deux volumes ainsi justifiés : «Inutile d'avoir raconté l'histoire de ma vocation d'écrivain si je n'essaie pas de dire comment elle s'est incarnée.»

*La Force de l'âge* (1960), qui couvre les années 1929 à 1944, est un témoignage capital sur toute une génération d'écrivains, celle de Simone de Beauvoir et de Sartre, et sur l'époque où ils sont entrés dans l'action littéraire et politique, avec la montée des fascismes, les épreuves de la guerre et enfin la Libération.

*La Force des choses* (1963) permet de suivre l'action des écrivains liés à la revue *Les Temps modernes* fondée par Sartre en 1945 (cf. *Situations★*), depuis la Libération, riche de tant d'espoirs bientôt déçus, jusqu'à la fin de la guerre d'Algérie.

La vie personnelle de l'auteur tient encore une place importante dans ces volumes. Le bilan qu'elle en dresse dans l'épilogue du dernier est amer et émouvant. Analysant sa situation d'intellectuelle révoltée contre sa classe d'origine, elle constate qu'elle est prisonnière de contradictions car elle reste une privilégiée. Puis elle clôt l'évocation d'une vie aussi active que la sienne par cette boutade : «Ce qui m'est arrivé de plus important et de plus irréparable depuis 1944, c'est que — comme Zazie — j'ai vieilli.»

Le dernier mot, lorsqu'elle revient sur ses espoirs d'«adolescente crédule», apparaît plus désabusé encore : «J'ai été flouée.»

THÈMES
Moi, 1. Enfance. Adolescence. Jeunesse. Apprentissage. Amitié. Femme, 2 et 3. Révolte, 1. Liberté, 1. Engagement. Fascisme. Guerre, 2, b. Action, 1. Société, 2 et 3. Vieillesse.

Pour cette « Histoire philosophique », Voltaire use d'une fiction inspirée à la fois de l'*Histoire des états et empires de la Lune* de Cyrano de Bergerac (1657), des *Entretiens sur la pluralité des mondes\** de Fontenelle et des *Voyages de Gulliver* de Swift (1726). Elle lui permet de confronter spirituellement l'homme avec l'infiniment grand, comme fait Pascal, mais pour en tirer des conclusions bien différentes.

Micromégas est un habitant de Sirius, un géant de huit lieues de haut, philosophe en son pays. Banni pour cette raison sous l'accusation d'hérésie, il entreprend un voyage interplanétaire qui lui permet de se lier avec le secrétaire de l'académie des sciences de Saturne (= Fontenelle) et le conduit jusqu'à la Terre avec son nouvel ami. Sur notre globe qui leur paraît d'abord inhabité, Micromégas finit par découvrir le bateau de la mission scientifique chargée, en 1737, de mesurer le méridien terrestre. Il entre en conversation avec les « petites mites » qui s'y trouvent. Impressionné par l'intelligence des hommes qui ont, sur-le-champ, déterminé sa taille, il constate que ces savants, s'ils tombent d'accord dans le domaine des sciences physiques, se querellent dès qu'il s'agit de la nature de l'âme, de la matière ou de l'esprit, c'est-à-dire des problèmes métaphysiques. Pour les éclairer sur « le bout des choses », il leur laisse un livre dont les pages se révèlent blanches.

La taille de Micromégas et le point de vue de Sirius permettent à Voltaire de nous donner une leçon amusante de relativité et d'ébranler plaisamment notre tendance spontanée à nous enfermer dans l'anthropocentrisme, c'est-à-dire à raisonner sur tout en fonction de l'homme, en expliquant la création par rapport à lui. Il dénonce la métaphysique comme un verbiage dont les philosophes couvrent leur ignorance, mais souligne la dignité et la force que l'homme peut tirer de l'application de sa pensée aux domaines qui lui sont accessibles. C'est l'acceptation lucide et sereine des limites de la condition humaine.

**Micromégas**
VOLTAIRE
1752

*Folio*
*Garnier-Flammarion*

THÈMES
Homme. Univers.
Sciences.

Cette comédie en cinq actes et en vers est le type même de la grande comédie de mœurs et de caractères. Molière y pose le problème de la vérité de l'homme au milieu des conventions mondaines, ouvrant un débat

**Le Misanthrope**
MOLIÈRE
1666

*Folio*
*Nouveaux classiques illustrés Hachette*

sur les valeurs qui, en 1666, régissent la vie des «gens de qualité».

Il met en scène un misanthrope, Alceste, qui, au nom de la sincérité, conteste l'ensemble des mœurs de son temps et déclare même éprouver «une effroyable haine» pour la nature humaine. Ce héros n'est pas sans contradictions en raison de son caractère passionné. Ainsi adresse-t-il de violents reproches à son ami Philinte, honnête homme modéré, qui l'exhorte à composer avec le monde, mais il est amoureux d'une jeune veuve coquette et mondaine, Célimène (I, 1). Par sa franchise inopportune, il vexe Oronte à propos d'un sonnet (I, 2). Il éclate contre le jeu médisant des portraits auquel se livre Célimène, poussée par les petits marquis Acaste et Clitandre, ses admirateurs (II, 4). Mais il s'aveugle sur la conduite de Célimène elle-même. Tenant en main les preuves de sa trahison que lui a remises Arsinoé, une prude jalouse, il se laisse vaincre par la comédie adroite que lui joue la coquette et la supplie même de lui faire croire qu'il est aimé. Sa passion prend des accents tragiques qui ne vont guère avec la légèreté de cette mondaine qui s'amuse de lui (IV, 3). A l'acte V, quand tous les soupirants de Célimène produisent des preuves de sa duplicité, Alceste lui reste encore attaché; mais elle refuse de le suivre loin du monde. Il décide alors de fuir «au désert», tandis que Philinte, qui donne de l'honnête homme une image rassurante, trouve le bonheur dans son mariage avec Éliante.

THÈMES
Mœurs.
Vie mondaine.
Sincérité. Hypocrisie.
Amour, 1, c.
Femme, 1, c.
Honnête homme.

Cette pièce n'a pas seulement un intérêt historique; elle met en lumière le conflit éternel entre la comédie factice dans laquelle toute société engage ses membres et le développement sincère de l'individu.

## Les Misérables

Victor HUGO
1862

*Folio*
*Garnier-Flammarion*
*Le Livre de poche*

«Ma conviction est que ce livre sera un des principaux sommets, sinon le principal de mon œuvre.» (Lettre à Lacroix, 23 mars 1862.)

Cet immense roman, commencé en 1845 sous le titre *Les Misères,* n'a été achevé par Hugo qu'en 1862, après une interruption de douze années (1848-1860) marquées par sa conversion à l'idéal républicain et son exil.

La principale figure de cette épopée des misérables est Jean Valjean. Cet homme, condamné au bagne en

1795 pour le vol d'un pain, symbolise le peuple écrasé par une société injuste. On va le voir se relever de l'avilissement où l'a laissé le bagne, en 1815, et accomplir sa rédemption grâce à M$^{gr}$ Bienvenu, évêque de Digne, chrétien véritable, qui est le premier à ne pas le repousser et à l'aider à retrouver le sens du bien (1$^{re}$ partie, livres 1 et 2).

Autre figure du peuple, Fantine, ouvrière à Montreuil-sur-mer dans la fabrique de verroteries créée par M. Madeleine, le maire du pays, en qui l'on reconnaît Jean Valjean. Séduite par l'étudiant Tholomyès, elle a été obligée de confier son enfant à un couple de cabaretiers sordides, les Thénardier. Fantine et sa fille Cosette joueront un rôle important dans la destinée de Jean Valjean lorsqu'il aura découvert que Fantine, à cause de sa «faute», a été chassée de ses ateliers (1$^{re}$ partie, livres 3, 4 et 5.)

A côté des occasions de bonnes œuvres, le destin offre aussi à Jean Valjean de terribles obstacles, en particulier en la personne du policier Javert qui soupçonne l'identité véritable du bon bourgeois M. Madeleine. Quand Javert, par calcul, arrête un pauvre diable en l'accusant d'être Jean Valjean, le vrai Jean Valjean, après un débat terrible *(Une Tempête sous un crâne)*, se livre à la justice (1$^{re}$ partie, livres 6, 7).

Bientôt évadé du bagne, Jean Valjean enlève Cosette aux Thénardier et se cache avec elle à Paris au couvent du Petit Picpus (2$^e$ partie).

La troisième partie introduit l'étudiant Marius, petit-fils d'un grand bourgeois voltairien, M. Gillenormand, et fils d'un colonel disparu à Waterloo (prétexte pour décrire la bataille au livre 1 de la 2$^e$ partie). Marius a découvert la misère du peuple et s'est rallié au socialisme.

La quatrième partie peint «l'idylle de la rue Plumet», entre Cosette et Marius, et «l'épopée de la rue Saint-Denis», pendant les émeutes de juin 1832 où tous les héros se retrouvent sur la barricade de Gavroche.

La cinquième partie est une manière de triomphe de Jean Valjean qui, après la mort de Gavroche sur la barricade, fait grâce à Javert et sauve Marius. Par les égouts, il le ramène chez son grand-père qui consent bientôt à son mariage avec Cosette. Jean Valjean connaît une dernière épreuve : il avoue son identité à Marius, et celui-ci, le croyant chargé de crimes, le tient désormais à l'écart ; mais Thénardier, en accusant Jean Valjean, permet à Marius de prendre conscience de la pureté de ce dernier, qui meurt justifié devant ceux qu'il considère comme ses enfants.

On peut être tenté de critiquer dans *Les Misérables* la faiblesse de la psychologie et la schématisation de la société. Mais il convient plutôt de reconnaître la force, attestée par la faveur populaire, de cette épopée du Bien et du Mal qui vise à dénoncer « la dégradation de l'homme par le prolétariat, la déchéance de la femme par la faim, l'atrophie de l'enfant par la nuit » (Avertissement de V. Hugo).

**THÈMES**
Peuple. Misère. Justice.
Souffrance, 1, b.
Société.
Ouvrier. Femme, 2.
Enfance. Paris.
Napoléon.
Guerre (Waterloo).
Révolution. Socialisme.
Progrès. Mal, 2.
Faute. Bonté.
Prêtre. Souffrance, 2, a.
Rachat.

## Moderato cantabile

Marguerite DURAS
1958

*Éditions de Minuit*

Ce bref roman est caractéristique des thèmes et de la technique de Marguerite Duras.

Comme tous les vendredis, Anne Desbaresdes conduit son fils chez son professeur de piano, près du port. L'enfant peine sur sa partition, et la leçon s'écoule dans l'ennui quand un cri de femme retentit. En repartant, Anne Desbaresdes apprend qu'on a tué quelqu'un, et, dans l'arrière-salle d'un café, elle aperçoit, étendue par terre, une femme ensanglantée qu'un homme étreint. Obsédée par cette image, elle revient dans ce café le lendemain pour en savoir plus ; elle boit plusieurs verres de vin, interroge un homme. On parle d'un crime passionnel. La voilà ivre, et l'inconnu prononce son nom : « Vous êtes Madame Desbaresdes. La femme du directeur d'Import-Export et des Fonderies de la Côte. » Lui-même s'appelle Chauvin et se trouve être un ouvrier licencié par son mari. Il lui promet de s'informer sur l'affaire. Alors, au mépris des convenances, elle revient chaque soir, attirée par cette humble morte qui a vécu une grande passion ; elle parle de son propre ennui, elle boit trop de vin, et surtout elle écoute Chauvin décrire ou inventer l'histoire de cet amour qui s'est terminé par un assassinat. Ce qui se passe entre eux semble devoir finir de la même façon, mais lors d'une dernière rencontre, après un baiser, ils décident de ne plus se revoir : « On va donc s'en tenir là où nous sommes », dit Chauvin. Il ajoute : « Ça doit arriver parfois. »

Qu'a voulu montrer l'auteur ? Sans doute que l'existence est vide, que la communication entre les êtres est impossible, qu'ils cherchent vainement l'amour. Mais toute son application consiste à réduire son récit à des notations dépouillées faisant une large place aux dialogues, sans aucun des commentaires de l'analyse psychologique traditionnelle.

THÈMES
Amour, 1, f. Ennui.

---

Comme *La Jalousie** de Robbe-Grillet, *La Modification* est un exemple des recherches techniques ingénieuses sur lesquelles repose le « nouveau roman » contemporain.

Un homme monte dans le train Paris-Rome pour aller annoncer à Cécile, sa maîtresse, qu'il a tout préparé pour l'installer en France ; ce voyage vers Rome devient pour lui un cheminement vers la conscience que son projet est vain.

Le livre est formé des images, des rêveries, des cauchemars, des pensées aussi, qui s'emparent de lui au fil des heures, l'idée originale de Butor étant d'avoir présenté ce discours intérieur à la deuxième personne, « dans une forme intermédiaire entre la première personne et la troisième ».

Ce *vous* accusateur, qui démasque les secrets et les illusions, donne un tour impitoyable à la description des progrès que le héros fait en lui-même. L'échec d'un voyage à Rome avec sa femme Henriette, bonne bourgeoise chrétienne, étrangère à la Rome païenne de son rêve, la déception que lui a causée un séjour de Cécile à Paris où elle ne semblait plus elle-même, prennent leur sens : « vous n'aimez véritablement Cécile que dans la mesure où elle est pour vous le visage de Rome, [...] vous ne l'aimez pas sans Rome et en dehors de Rome, [...] parce qu'elle y a été [...] votre introductrice [...] » Reste à déterminer « pour quelles raisons Rome possède (sur lui) un tel prestige » ; mais dès ce moment il a renoncé à la décision qui motivait son voyage et cherche comment expliquer cette « modification » à Cécile. Aux abords de Rome, il arrive à la pleine lucidité : son amour pour Cécile se confond avec sa nostalgie de l'ordre romain antique, avec « une croyance secrète à un retour à la *pax romana*... » Mais l'ordre ancien du monde est à jamais perdu. Conscient que « (leur) amour n'est pas un chemin menant quelque part » et que ses illusions romaines devaient un jour être détruites, le héros songe à chercher une issue dans la rédaction d'un livre.

La
Modification
Michel BUTOR
1957

*Éditions de Minuit*

THÈMES
Amour, 1, f. Rêve.
Réalité.

S'il recourt à une «fiction rusée» (ces termes sont de lui) et se plaît à étirer de grandes phrases sur plusieurs paragraphes, Butor illustre un thème des plus classiques : on ne saurait faire que la réalité ressemble au rêve (cf. *Sylvie*★).

---

**Monsieur
Teste**

Paul VALÉRY
1896-1946

*Idées/Gallimard*

«Teste fut engendré pendant une ère d'ivresse de ma volonté et parmi d'étranges excès de conscience de soi», écrit Valéry dans la Préface, désignant ainsi l'ascèse intellectuelle où il s'était engagé à partir de 1892, dans sa rébellion contre la poésie et l'incertain de la pensée.

C'est dans *La Soirée avec Monsieur Teste* (publiée en 1896) que Valéry a tracé le premier portrait de ce modèle imaginaire qui a «tué la marionnette» en lui et semble avoir découvert «des lois de l'esprit que nous ignorons». Il en a complété la description tout au long de sa vie par des textes divers tous réunis depuis 1946 sous le titre de *Monsieur Teste*. Les plus riches sont la *Lettre de Madame Émilie Teste* (1924) et les *Extraits du Log-book de Monsieur Teste* (1926), c'est-à-dire de son journal de bord, où figure cette boutade célèbre : «Je confesse que j'ai fait une idole de mon esprit, mais je n'en ai pas trouvé d'autre.»

THÈMES
Moi, 3. Esprit.

---

**Les Mots**

Jean-Paul SARTRE
1964

*Folio*

Ce volume est le début de l'autobiographie que Sartre n'a pas achevée. Écrit en 1954 (et retouché plus tard avant publication), il témoigne de l'intention qui en gouvernait le projet : «Je voulais montrer comment un homme peut passer de la littérature considérée comme sacrée à une action qui reste néanmoins celle d'un intellectuel. Dans *Les Mots*, j'explique l'origine de ma folie, de ma névrose.» Par ces derniers termes, Sartre qualifie sa volonté initiale de faire de la littérature un absolu (Interview au journal *Le Monde*).

Le récit est organisé en deux parties.

Dans la première, *Lire*, Sartre décrit son enfance parisienne (avant 1914) de garçonnet chétif et laid, idolâtré par sa mère Anne-Marie, précocement veuve, et par ses grands-parents Schweitzer, «Karlemamie», qui guettent en lui l'enfant prodige. Il entre dans le jeu et se jette dans un monde imaginaire que nourrissent ses lectures, faute de pouvoir vivre dans le réel et d'avoir part aux jeux des enfants de son âge au jardin du Luxembourg.

Dans la seconde, *Écrire,* il conte son entrée dans l'écriture, à huit ans, à l'instigation de sa mère et de son grand-père, qui, cependant, le pousse vers l'École normale supérieure et le professorat. Son grand-père, «pasteur manqué», qui «(a) gardé le Divin pour le reverser dans la Culture», lui transmet sa conception de l'écrivain et de l'artiste, qui, étrangers à l'action, sauvent le monde par la méditation du Beau et du Bien. «Sales fadaises [...] A cause d'elles j'ai tenu longtemps l'œuvre d'art pour un événement métaphysique dont la naissance intéressait l'univers.» Cette sévérité pour «l'idéalisme du clerc» est celle de l'écrivain engagé qui, en 1954, est converti à l'action politique. En d'autres pages s'y superpose un évident scepticisme : «Longtemps j'ai pris ma plume pour une épée : à présent je connais notre impuissance. N'importe : je fais, je ferai des livres; il en faut; cela sert tout de même. La culture ne sauve rien ni personne, elle ne justifie pas. Mais c'est un produit de l'homme.»

Ce livre brillant et émouvant éclaire Sartre tout en posant le problème du rôle de l'écrivain et de la littérature.

THÈMES
Enfance. Écrivain. Engagement. Responsabilité.

## Les Mouches

Jean-Paul SARTRE
1942

*Folio*

Dans cette tragédie en trois actes, Sartre utilise la légende des Atrides pour proposer une réflexion sur la liberté. Il a choisi le moment où Clytemnestre et Égisthe, quinze ans après avoir assassiné Agamemnon, vont devoir rendre des comptes à Oreste (cf. Giraudoux, *Électre★*).

L'action se déroule à Argos. Oreste, qui arrive d'Athènes sous un nom d'emprunt, avec son précepteur (le Pédagogue), voit tout le monde fuir devant lui. La ville est envahie de mouches. Un étrange barbu, Jupiter, explique aux voyageurs que les nouveaux souverains font régner la peur et le repentir dans l'intérêt de l'ordre public (les mouches symbolisent les remords des gens d'Argos) et qu'il conseillerait à Oreste de quitter la cité s'il le rencontrait (I, 1). Le Pédagogue voudrait partir et rappelle à Oreste qu'il a été élevé dans le scepticisme pour être «libre de tous les engagements», mais celui-ci est secrètement mélancolique d'être déraciné et rêve d'un acte qui lui donne «droit de cité» dans Argos (I, 2). Il s'apprête cependant à quitter la ville quand il rencontre sa sœur Électre qui le gagne à sa révolte contre Égisthe (I, 3-5; II, 1er tableau). Jupiter prévient Égisthe du danger : les hommes croient aux dieux et aux rois parce qu'ils ont peur et sont inconscients de leur liberté; mais «Oreste sait qu'il est libre» (II, 2e tableau, 5). En effet, celui-ci tue Clytemnestre et Égisthe et crie son bonheur d'avoir conquis sa liberté par cet acte, tandis qu'Électre, après un mouvement de joie, commence à prendre peur des mouches (II, fin). A l'acte III, Jupiter, assisté des Érinyes, déesses du remords, cherche à rétablir son autorité. Électre se soumet, mais Oreste résiste aux efforts de séduction du roi des dieux (III, 2) et, entraînant à sa suite les mouches soumises à sa volonté, quitte Argos ainsi libérée : «Je veux être un roi sans terre et sans sujets. Adieu, mes hommes, tentez de vivre : tout est neuf ici, tout est à recommencer.»

Cette pièce résume les principes essentiels de la morale sartrienne : l'homme ne peut remplir son destin que dans la conscience de sa liberté; la vraie liberté ne réside pas dans l'indifférence enseignée par l'humanisme sceptique, mais dans l'engagement et dans l'action; à chacun d'assumer sa liberté.

THÈMES
Homme, 5. Dieux.
Angoisse. Scepticisme.
Engagement. Action.
Solidarité. Liberté, 1.
Responsabilité.

---

**Le Moulin de Pologne**

Jean GIONO
1952

*Folio*

Récit placé par Giono dans ses *Chroniques romanesques* où il présente avec ingéniosité, du point de vue de témoins auxquels il donne la parole, des faits divers de son «Sud imaginaire» (cf. *Un Roi sans divertissement*\*).

Ici, l'histoire est celle de la famille Coste, propriétaire du Moulin de Pologne, sur qui le destin s'est malignement acharné de génération en génération. Le «récitant», Giono le dit, est «un médiocre», qui ne parle guère de lui (on apprend par accident qu'il est clerc de notaire et bossu), mais traduit les réactions de l'opinion devant le destin des Coste, ce qui n'est pas le moindre intérêt de l'œuvre.

Le récit commence par la présentation de M. Joseph, un étranger à la ville, qui, tout à coup, lie son destin à celui de la dernière descendante des Coste, Julie, alors que tout le monde s'écarte d'elle en raison de la malédiction qui semble peser sur sa famille.

A son retour du Mexique où il a perdu sa femme et sa fille, le premier Coste connu, celui qui a acheté le domaine du Moulin de Pologne, est mort du tétanos après s'être piqué avec un hameçon ; ses filles, ses gendres, ses petits-enfants sont morts prématurément dans des accidents individuels ou collectifs, ont sombré dans la folie ou disparu sans laisser de trace. Julie, son arrière petite-fille, qu'on appelait « la morte » à l'école à cause des malheurs de sa famille, a le visage marqué par la paralysie survenue à la suite de convulsions. Elle allait vraisemblablement céder au désespoir au moment où M. Joseph l'épouse.

M. Joseph aide Julie à lutter contre la hantise du malheur en restaurant le domaine des Coste ; il veut en faire un empire pour leur fils Léonce. La malignité du destin semble vaincue. M. Joseph meurt âgé et de mort naturelle. Cependant, la femme de Léonce ne peut pas avoir d'enfant et Léonce quitte soudain le pays avec une inconnue. Désemparée, Julie se perd dans la nuit.

Dans le récit, le tragique et le cocasse se mêlent du fait de la personnalité du narrateur. N'en attendons pas une réflexion sur le destin, mais Giono peut alimenter celle du lecteur.

THÈMES
Malheur. Destin.

---

## Le Mystère de la Passion

Arnoul GRÉBAN
Vers 1450

Cette œuvre énorme (trente-cinq mille vers, deux cents personnages, un prologue et quatre journées) est la plus représentative du théâtre religieux au XVe siècle. Elle a pour sujet central la nativité, la passion et la résurrection de Jésus-Christ.

En 1486, Jean Michel a repris et développé en dix journées l'œuvre de son prédécesseur, insistant sur le côté humain du drame.

Les représentations de ce mystère, manifestations fastueuses où s'engageait toute une ville, se sont poursuivies jusqu'au milieu du XVIe siècle où elles furent suspendues du fait des conflits religieux nés de la Réforme.

THÈME
Christianisme, 1.

## Les Mystères de Paris

Eugène SUE
1842-1843

*Albin Michel*

Célèbre roman-feuilleton publié dans *Le Journal des Débats*. Il reste le modèle du genre par son imagerie romanesque simple et forte, inspirée de la grande ville moderne et particulièrement de ses bas-fonds mystérieux. Elle comporte une émouvante victime, Fleur-de-Marie, pauvre gamine martyrisée par une mégère, puis contrainte de se prostituer ; un justicier infaillible, Rodolphe, qui est un prince déguisé en ouvrier ; de noirs criminels, la Chouette et le Maître d'école ; un assassin repenti, le Chourineur ; un bourgeois avide et corrompu, Jacques Ferrand ; quelques représentants du peuple honnête, le concierge Pipelet et l'ouvrier Morel. Les méchants sont punis et les bons sauvés pour satisfaire l'exigence de justice du public. Rodolphe cherche sa fille autrefois enlevée. Il la découvre en Fleur-de-Marie elle-même à qui la pureté de son cœur faisait bien mériter cette réhabilitation. Elle ne sera pas seulement princesse de Gerolstein, elle sera abbesse.

THÈMES
Paris. Peuple. Misère.
Souffrance, 1, b.
Justice. Peine de mort.

Le roman se teinte dans certains chapitres d'idéalisme humanitaire. Eugène Sue a posé le problème des misères de la grande ville avant Hugo et a contribué à introduire le peuple dans la littérature.

## Le Mythe de Sisyphe

Albert CAMUS
1942

*Folio*

Camus a conçu cet essai philosophique en même temps que ses premières œuvres littéraires, *Caligula*★ et *L'Étranger*★, et sur le même sujet : « la sensibilité absurde ».

Ce livre éclaire ce qu'il entend par là : « dans un univers soudain privé d'illusions et de lumières, l'homme se sent un étranger. [...] Ce divorce entre l'homme et sa vie, l'acteur et son décor, c'est proprement le sentiment de l'absurdité. »

Le suicide est-il une solution à l'absurdité ? demande alors Camus pour imposer vigoureusement ce problème à la conscience. Écartant l'espoir d'une autre vie et « la tricherie de ceux qui vivent non pour la vie elle-même, mais pour quelque grande idée qui la dépasse », il ne débouche ni sur le suicide physique, ni sur le « suicide philosophique » auquel consentent les philosophes qui puisent dans l'échec humain la nécessité d'une transcendance, si bien que « l'absurde devient Dieu ». Pour lui, la liberté se conquiert en prenant conscience de l'absurde et en choisissant la révolte qui est «un confrontement perpétuel de l'homme et de sa propre obscurité».

A la fin de l'ouvrage, le mythe de Sisyphe lui sert à traduire cette pensée en images. «Sisyphe est le héros absurde», c'est-à-dire le symbole de l'homme conscient de l'absurde, mais le surmontant. Condamné à une tâche vaine, rouler vers le sommet d'une montagne un rocher qui lui échappe et qu'il lui faut reprendre dans la plaine et hisser sans fin, Sisyphe domine son destin parce qu'il a dit oui : «La lutte elle-même vers les sommets suffit à remplir un cœur d'homme. Il faut imaginer Sisyphe heureux.»

Ainsi que le précise Camus dans une lettre, «la pensée profonde de ce livre, c'est que le pessimisme métaphysique n'entraîne nullement qu'il faille désespérer de l'homme — au contraire.» Dans ses œuvres ultérieures, il a précisé la façon positive dont «l'homme absurde» assume sa condition (cf. *La Peste*★).

THÈMES
Destin, 2. Absurde.
Suicide. Révolte, 1.
Action, 1. Liberté, 1.

---

Ce récit, que Breton a revu en 1962, constitue un témoignage très éclairant sur l'aventure surréaliste.

En vertu de l'adage «Dis-moi qui tu hantes, je te dirai qui tu es», Breton quête dans Paris des hasards révélateurs, «l'événement dont chacun est en droit d'attendre la révélation du sens de sa propre vie». Il rencontre ainsi dans la rue une inconnue étrangement fardée dont le sourire mystérieux force son attention et le pousse à lui adresser la parole. Elle se nomme Nadja («en russe, c'est le commencement du mot espérance...»), elle parle de sa vie et résume ce qu'elle est de façon extraordinaire : «Je suis l'âme errante.» Breton revoit Nadja fréquemment. Elle jouit d'une sorte de clairvoyance inspirée, mêle avec naturel le rêve et la réalité, si bien qu'elle lui apparaît comme l'incarnation de l'esprit surréaliste, «un génie libre, quelque chose comme un de ces esprits de l'air que certaines pratiques de la magie permettent momentanément de s'attacher».

Un jour, Breton apprend que Nadja vient d'être internée comme folle, mais il proteste contre le jugement qui est ainsi tombé sur elle : «L'absence bien connue de frontière entre la non-folie et la folie ne me dispose pas à accorder une valeur différente aux

**Nadja**
André BRETON
1928

*Folio*

perceptions et aux idées qui sont le fait de l'une ou de l'autre.» Il achève par un acte de foi dans la Merveille, accompagné de cette affirmation : «La beauté sera *convulsive* ou ne sera pas.»

Un récit comme *Nadja* a l'intérêt de nous rappeler que le surréalisme est moins une entreprise littéraire qu'une manière d'être.

THÈMES
Réalité. Surréalité. Rêve.

## La Naissance du jour

COLETTE
1928

*Garnier-Flammarion*

Cet ouvrage de caractère autobiographique est un des plus riches de Colette qui, la cinquantaine passée, fait réflexion sur soi en se référant constamment à l'exemple de sa mère, Sidonie Colette, qu'elle a déjà évoquée avec ferveur dans *La Maison de Claudine*★ et *Sido*.

«Une des grandes banalités de l'existence, l'amour, se retire de la mienne... Sortis de là, nous nous apercevons que tout le reste est gai, varié, nombreux. Mais on ne sort pas de là quand, ni comme on veut.» Tel est le sens du récit.

Colette, établie dans une maison provençale dont le beau jardin dévale vers la mer, croit avoir réussi cette libération quand elle découvre qu'un jeune décorateur d'une trentaine d'années, Vial, s'est épris d'elle. Il semblait n'être qu'un familier parmi d'autres; la jalousie que lui manifeste une jeune artiste peintre, Hélène, lui révèle soudain le sens de son assiduité et de ses silences auprès d'elle.

L'exemple du détachement maternel («Un si grand amour! Quelle légèreté!», écrivait un jour Sido à propos de l'amour de son mari pour elle) et la générosité vont l'emporter, non sans peine, sur la tentation de prolonger l'ambiguïté de ces jours d'été. Colette éloigne Vial pour se prêter plus librement au reste, à la nature et aux choses, comme sa mère, toujours plus matinale, à mesure qu'elle vieillissait, afin de ne pas manquer la naissance du jour.

L'étude de soi, l'attention à la saveur du monde, la mélancolie du vieillissement, le goût de l'instant, les secrets du cœur, ceux de la vie naturelle et animale, se mêlent en une composition thématique subtile que sert à merveille le raffinement poétique du style caractéristique de Colette.

THÈMES
Bonheur, 6, b.
Amour, 1, f. Instant.
Nature, 2, b. Bêtes.
Beauté. Mère.
Vieillesse.

## La Nausée

Jean-Paul SARTRE
1938

*Folio*

Ce roman, le premier de Sartre, est une analyse du sentiment de l'absurde. Il se présente sous la forme d'un journal tenu par le héros.

Roquentin est un intellectuel venu s'installer à Bouville, grand port sur un fleuve, pour écrire la biographie d'un ambassadeur. Il ne parvient plus à travailler, car les êtres et les choses lui causent à chaque instant une sorte de nausée. Devant les rites de la vie bourgeoise à Bouville, il ne voit plus que le grotesque des conventions sociales. Ses propres gestes, l'existence même de son corps lui paraissent étranges. Une visite au musée, prétentieux mémorial de la civilisation, un repas en compagnie d'un autodidacte qui défend naïvement l'humanisme, le jettent dans une crise violente. Une racine de marronnier, dans un jardin public, lui révèle enfin la cause de son malaise : il tient à l'absurdité de ce qui est : « Nous étions un tas d'existants gênés, embarrassés de nous-mêmes, nous n'avions pas la moindre raison d'être là, ni les uns ni les autres... » L'expérience de Roquentin trouve sa confirmation dans celle d'Annie, une amie qui a occupé autrefois une place dans sa vie. Elle l'agaçait alors par son désir d'organiser leur amour en « aventure », avec des « moments parfaits ». Elle a maintenant parcouru le même chemin que lui ; elle aussi a perdu les mêmes illusions.

S'apprêtant à quitter Bouville, Roquentin s'interroge sur une liberté qui est l'absence de raisons de vivre quand, le jour de son départ, un disque familier lui fait goûter « une espèce de joie » et entrevoir son salut du côté de la création artistique, dans la composition d'un livre.

*La Nausée* semble traduire chez Sartre l'étape de la révolte passionnée et de l'incertitude. Ses œuvres ultérieures proposeront un recours plus net contre l'angoisse existentielle : l'engagement dans une action au service de la cité (cf. *Les Mouches*★, *Situations*★).

THÈMES
Angoisse. Absurde.
Révolte, 1. Société.
Nature. 2.
Amour. 1, f. Moi, 3,
Liberté, 1. Art.

## Le Neveu de Rameau

Denis DIDEROT
1821 (posthume)

*Le Livre de poche*

Diderot désigne cet ouvrage comme une satire (au sens de mélange de libres propos). L'ayant commencé en 1761 et remanié jusque vers 1773, il s'est contenté d'en mettre en circulation quelques copies. La première édition française, en 1821, a été donnée d'après la traduction allemande établie par Goethe en

1804. Par un heureux hasard, une copie originale a été retrouvée en 1890.

Au café de la Régence, Diderot a rencontré « un des plus bizarres personnages de ce pays », le neveu du compositeur Rameau, musicien également, mais raté et besogneux, malgré des dons étonnants, et réduit à la condition d'amuseur et de parasite. « Je n'estime pas ces originaux-là », prétend Diderot ; mais il les écoute à l'occasion. « S'il en paraît un dans une compagnie, c'est un grain de levain qui fermente et qui restitue à chacun une portion de son individualité naturelle. Il secoue, il agite [...], il fait sortir la vérité... » Aussi met-il en scène sa conversation avec le neveu de Rameau.

Elle porte sur l'usage qu'on peut faire de l'existence, sur la manière d'être soi, le bien, le mal, la comédie sociale dont ce parasite des riches financiers dépeint brillamment l'hypocrisie en bouffonnant. Comme l'auteur prend la défense de la dignité et de la vertu, il lui prouve même que la vraie loi du monde est l'immoralisme et conclut : « S'il importe d'être sublime en quelque chose, c'est surtout dans le mal. » Et quand Diderot s'étonne de lui voir tant de sensibilité artistique avec si peu de sens moral, il invoque l'hérédité et surtout l'influence de la société à laquelle il s'interdit de résister. Il se déclare même bien résolu à initier son fils à l'amoralité régnante et à l'art d'en profiter afin qu'il soit heureux. Diderot lui accorde qu'en ce monde chacun joue quelque pantomime sous la contrainte du besoin, et même le souverain (le neveu mime à mesure tous les types sociaux) ; mais, se référant à l'exemple de Diogène, il désigne une exception : « C'est le philosophe qui n'a rien et qui ne demande rien. »

Les bouffonneries, les paradoxes et les railleries du neveu aidant, Diderot exerce sa réflexion critique et affirme sa liberté de philosophe.

THÈMES
Bouffon.
Société, 2. Mœurs.
Classes sociales.
Argent, 2. b. Corruption.
Immoralisme. Vertu.
Philosophe.
Déterminisme.
Individu, 3. c.

---

## Le Nœud de vipères

François MAURIAC
1932

*Le Livre de poche*

Cette peinture sombre d'une famille de grande bourgeoisie bordelaise atteste l'obsession du mal chez l'auteur de *Genitrix* et de *Thérèse Desqueyroux**, mais Mauriac conduit ici certains des héros vers la lumière et la paix.

Dans sa propriété landaise, un vieil homme cardiaque, ancien avocat, rumine ses griefs contre tous les siens qui attendent sa mort et son héritage. Sa femme, une demoiselle Fondaudège, après avoir manqué un mariage, l'a accepté malgré ses origines paysannes et son anticléricalisme. Sous une apparence de dignité, leur vie commune a été un long conflit dans lequel sont entrés à leur tour ses enfants, et plus tard ses petits-enfants. Il a rêvé de se venger en les déshéritant au profit d'un neveu aimé, puis d'un fils naturel retrouvé à Paris. Ces projets ont échoué, il s'est usé dans une lutte vaine. La mort de sa femme va lui apporter une révélation : « le nœud de vipères » qui lui semblait extérieur à lui, il reconnaît qu'il est en lui et le tranche ; il partage sa fortune entre ses enfants et s'élève peu à peu vers un détachement très chrétien. Ses erreurs passées prennent l'allure de tâtonnements à la recherche de la lumière : « Que faisais-je depuis des années sinon d'essayer de perdre cette fortune ? » Il meurt alors qu'il se préparait à communier. Son fils raille cette conversion qu'il ne peut comprendre, mais justice lui sera rendue par sa petite-fille Jeanine qui, après avoir cruellement souffert des infidélités de son mari, est en train de redécouvrir Dieu.

Dans ce roman, l'art de Mauriac est aussi remarquable que ses intentions morales sont caractéristiques.

THÈMES
Mal, 1. Passion, 4.
Argent, 1. Famille.
Bourgeoisie, 3. b.
Conformisme. Province.
Dieu.
Christianisme, 2. Foi.
Souffrance. Grâce.
Sacrifice.

---

## Notre-Dame de Paris

Victor HUGO
1831

*Folio*
*Le Livre de poche*

La naissance de ce roman tient à la mode du Moyen Age vers 1830. Mais au pittoresque de rigueur dans le roman historique, la puissante imagination de Victor Hugo ajoute une vision tragique du mystère de l'histoire et de la destinée des individus. A l'en croire d'ailleurs, c'est le mot grec *ananké* (fatalité), découvert dans un recoin obscur de Notre-Dame, qui lui aurait inspiré ce livre au cours duquel on verra l'archidiacre Frollo le graver (livre VII, ch. 4).

Hugo reconstitue autour de la cathédrale la vie grouillante de Paris au temps de Louis XI, peignant les réjouissances du jour des Rois et de la fête des Fous, le 6 janvier 1482 (livre I), la cour des Miracles et le roi des gueux (livre II, ch. 6), ainsi que Paris à vol d'oiseau (livre III, ch. 2).

Une intrigue violemment dramatique associe le sublime au grotesque (cf. Préface de *Cromwell*⋆). Une jeune bohémienne, qui montre les tours de sa chèvre savante sur le parvis de Notre-Dame, suscite l'amour de trois personnages fort différents : l'archidiacre Claude Frollo, un prêtre tourmenté par la chair et l'alchimie, qui tente de la faire enlever par Quasimodo, le sonneur des cloches de la cathédrale, pauvre monstre sourd ; le capitaine Phœbus de Châteaupers qui la sauve de cet enlèvement ; et enfin Quasimodo lui-même, qui lui voue une adoration fanatique parce qu'elle lui a donné à boire sur le pilori. Frollo, jaloux du beau Phœbus, le poignarde et laisse accuser la Esmeralda qui ne veut pas lui céder. Celle-ci est condamnée à être pendue pour meurtre et sorcellerie. Quasimodo la sauve du supplice et la cache dans la cathédrale, lieu d'asile. Après diverses péripéties extraordinaires dont la plus connue est la lutte fantastique de Quasimodo contre les gueux qui assiègent la cathédrale (livre X, ch. 4), Esmeralda sera tout de même livrée une deuxième fois à la justice par l'archidiacre, et pendue en place de Grève. Quasimodo précipite Frollo du haut de la tour de Notre-Dame d'où il regardait la scène, puis disparaît : deux ans plus tard, au charnier de Montfaucon, on trouve un squelette difforme qui tient embrassé celui d'une femme.

THÈMES
Moyen Age.
Passions. Fatalité.
Paris. Cathédrale.
Beauté.
Peuple. Prêtre.
Femme, 1. Amour, 1, e.
Péché. Mal. Mort.

La psychologie de ces étonnants personnages est faible et l'on a pu accuser Hugo d'avoir créé une imagerie moyenâgeuse de fantaisie ; mais par sa force épique le livre s'affranchit des critiques de détail.

---

## Les Nourritures terrestres

André GIDE
1897

*Folio*

Sous ce titre provocant qui a valeur de riposte à la morale chrétienne, André Gide chante la liberté qu'il a conquise en Afrique du Nord en 1893 et 1894 (*Si le grain ne meurt★*).

Il s'adresse à un disciple au nom biblique, Nathanaël, en se réclamant lui-même d'un maître au nom de berger grec, Ménalque. (On retrouve un Ménalque dans *L'Immoraliste★*.)

Après être d'abord passé inaperçu, le livre est devenu célèbre pour les formules vigoureuses et paradoxales qui définissent une éthique nouvelle de la liberté, présentée comme le vrai chemin vers Dieu : « Agir sans *juger* si l'action est bonne ou mauvaise. Aimer sans s'inquiéter si c'est le bien ou le mal. » « (Nathanaël, je t'enseignerai la ferveur. » « Ne distingue pas Dieu du bonheur et place ton bonheur dans l'instant » (1er livre). L'essentiel est le plaisir des sens qui doivent s'ouvrir à tout ce qui est naturel. Des pages souvent fort belles, inspirées par l'Afrique, l'Italie et même la Normandie, traduisent le bonheur ainsi conquis.

Le dernier conseil à Nathanaël est la conclusion logique de ce « manuel d'évasion, de délivrance » : « Nathanaël, à présent jette mon livre. Émancipe-t'en. Quitte-moi. »

Dans sa préface de l'édition de 1927, Gide a protesté contre l'habitude prise de l'enfermer dans ce livre de jeunesse. Il en déplore aussi l'interprétation, assurant y voir moins « une glorification du désir et des instincts » qu'une « apologie du *dénuement* ».

THÈMES
Liberté, 1, b. Moi, 3, b.
Bonheur, 4, c.
Nature, 2, b.
Instant. Sensations.
Beauté. Plaisir.
Immoralisme. Exotisme.

En écrivant ce roman par lettres dont le titre évoque les amours d'Héloïse et de son précepteur Abélard au XIIᵉ siècle, Rousseau a cherché à s'évader « au pays des chimères », parmi des « êtres selon (son) cœur ». La genèse de ce livre est fort intéressante à étudier du point de vue des échanges entre la vie et l'œuvre de l'écrivain, car si Rousseau transpose l'aventure qu'il a vécue en 1757 avec Mᵐᵉ d'Houdetot (*Confessions*★, IX), il a aussi tenté de retrouver dans la réalité « la société charmante » imaginée dans son roman. En outre, non content de rêver sur une passion contrariée, il a entrepris d'enseigner à ses contemporains comment vivre et aimer.

Rousseau s'est inventé un double, le roturier Saint-Preux, et en a fait le précepteur d'une jeune fille noble, Julie d'Étanges, en Suisse, au bord du Léman. Julie et Saint-Preux s'éprennent l'un de l'autre ; Julie se donne même à Saint-Preux (1ʳᵉ partie, lettre 29) ; mais, au nom des conventions sociales, M. d'Étanges s'oppose à leur union (I, 62-63). La cousine de Julie, Claire, qui épouse bientôt M. d'Orbe, et un Anglais ami de Saint-Preux, milord Edouard Bomston, deviennent les confidents de cette passion qui, après le mariage de Julie avec M. de Wolmar, prend la forme d'une amitié fidèle, non sans de douloureux combats.

Comme le cœur de Julie semble changé par son mariage (III, 18), Saint-Preux songe à se suicider (III, 21), puis entreprend un long voyage dans l'espoir d'oublier son amour.

A son retour, M. de Wolmar, à qui sa femme a fait confidence de ses égarements passés, a la générosité d'inviter l'ancien amant de celle-ci dans sa propriété de

**Nouvelle Héloïse (Julie ou La)**
Jean-Jacques ROUSSEAU
1761

*Classiques Garnier
Garnier-Flammarion*

Clarens (IV, 4). Rousseau a voulu peindre dès lors une ascèse étrangère, assure-t-il, aux mœurs de son siècle. Elle n'est nullement facile. Partageant avec émotion l'existence modèle que l'on mène à Clarens, Saint-Preux connaît l'épreuve de la tentation au cours d'une promenade sur le lac Léman avec Julie (IV, 17). Julie cherche à pousser Saint-Preux vers sa cousine Claire, devenue veuve, mais souffre toujours et l'avoue à celui qu'elle n'a jamais cessé d'aimer : « On étouffe de grandes passions, rarement on les épure. » S'étant jetée à l'eau pour sauver l'un de ses enfants de la noyade, Julie tombe malade et meurt en quelques jours, mettant sa confiance en Dieu et son espoir en l'autre vie puisqu'elle n'a pas pu trouver le bonheur en celle-ci : « La vertu qui nous sépara sur la terre nous unira dans le séjour éternel » (VI, 12).

Le lecteur trouvait dans ce roman le modèle de comportements nouveaux fondés sur la libération de la sensibilité. Sans doute celle-ci est-elle cause de souffrances : « O Julie ! que c'est un fatal présent du ciel qu'une âme sensible ! Celui qui l'a reçu doit s'attendre à n'avoir que peine et douleur sur la terre. » (I, 26) ; mais elle est aussi source d'exaltation et de bonheur et fait la richesse de la vie personnelle. Le problème essentiel de la vie domestique et de la vie sociale est même d'en assurer le respect et l'épanouissement, ce qui est fait dans l'utopie vertueuse de Clarens. L'intention didactique de Rousseau y est évidente ; toutes les questions sont méthodiquement abordées : gestion d'un domaine, rapports des maîtres et des domestiques, décor de la maison et des jardins, éducation des enfants, religion. *La Nouvelle Héloïse* est ainsi un manuel moral complet.

Le livre a remporté un succès prodigieux, contribuant largement à la formation de la sensibilité romantique (Chateaubriand, *René*★ ; Sénancour, *Oberman*★ ; Balzac, *Le Lys dans la vallée*★ ; Nerval, *Sylvie*★).

THÈMES
Sensibilité.
Femme, 1, a.
Amour, 1, d.
Nature, 1
et 2, b.
Bonheur, 4, b.
Mélancolie.
Vertu. Souffrance, 1, a.
Suicide. Sacrifice.
Mort, 1.
Classes sociales.
Préjugés.
Famille. Éducation.
Religion, 3, a. Travail.
Utopie.

**Oberman**
SÉNANCOUR
1804

Ce roman a visiblement été conçu sous l'influence de Rousseau, à l'imitation de *La Nouvelle Héloïse*★.

Il est formé de quatre-vingt-onze lettres que le héros, Oberman, adresse à un ami entre sa vingtième et sa vingt-cinquième année. Il n'offre pratiquement pas d'intrigue, car ce jeune homme solitaire et désabusé fuit devant l'action. A vingt ans, «pour ne pas livrer (sa) vie à des ennuis intolérables», et parce que «la vie réelle de l'homme est en lui-même», il refuse «l'état» que lui proposait sa famille et gagne la Suisse, le pays de Jean-Jacques, où il passe l'été à vagabonder dans les montagnes du Valais.

Des affaires l'appellent à Paris, mais la ville l'ennuie. A la belle saison, il se réfugie dans la forêt de Fontainebleau. Ses promenades, ses rêveries, ses réflexions sur la vanité de la vie et l'impossibilité du bonheur font la matière de ses lettres.

Au bout de quelques années, un héritage permet à Oberman de retourner en Suisse et de s'installer dans une honnête aisance. Toujours solitaire, portant le regret d'un amour contrarié, il s'apprête à écrire, en homme «qui ne (prétend) pas vivre, mais seulement regarder la vie».

Cette œuvre typiquement préromantique est passée inaperçue jusqu'à l'article élogieux de Sainte-Beuve à la mort de Sénancour (1846).

*Folio*
*Le Livre de poche*

THÈMES
Moi, 3. Vie intérieure.
Mélancolie.
Amour, 1, e.
Nature 2, b. Rêverie.

---

Ronsard s'est flatté d'introduire en France le lyrisme antique dont il a imité les odes (ou chants).

Ses odes pindariques, imitées du Grec Pindare (518-438 av. J.-C.), ont été critiquées dès le XVIe siècle pour leur excès d'érudition et leur ample mise en scène. Le modèle en est l'*Ode à Michel de l'Hôpital* qui peint les Muses et présente la mission de la poésie.

Mais dès 1550, et surtout à partir de 1553, Ronsard s'est inspiré aussi du poète épicurien latin Horace (65-8 av. J.-C.) et du Grec Anacréon (VIe siècle av. J.-C.), mieux accordés à son tempérament. L'imitation vient alors servir avec bonheur l'expression du sentiment de la nature, du plaisir de vivre et de la fragilité de la beauté que menace la mort. A ce sujet, on verra en particulier *A la fontaine Bellerie, A la forêt de Gâtine, Ode à Cassandre* («Mignonne, allons voir si la rose...», «J'ai l'esprit tout ennuyé/D'avoir trop étudié...»).

Les *Odes* de Ronsard montrent à la fois les dangers et la fécondité possible de l'imitation.

**Odes**

Pierre
de RONSARD
1550-1552-1555

*Classiques Larousse*
*La Pléiade*

THÈMES
Amour, 1, b.
Nature, 2, a. Beauté.
Plaisir.
Épicurisme. Temps.
Mort. Poète, 1, b.

**Œuvres poétiques**

Clément MAROT

*Garnier-Flammarion*

Parmi les innombrables œuvres de circonstance de ce poète de cour (1496-1544), on retient traditionnellement les pièces où il a su évoquer avec esprit ses mésaventures et solliciter ses protecteurs : *A son ami Lyon* (épître à son ami Léon Jamet, pour lui demander aide alors qu'il est emprisonné au Châtelet sous l'inculpation d'avoir mangé du lard en Carême ; elle contient la fable du Lion et du Rat) ; *Au roi, « pour avoir été dérobé »* (modèle de badinage marotique).

On peut encore citer, entre autres, des rondeaux et des épigrammes galants, adressés à Anne d'Alençon, sa « grande amie » : *Dedans Paris..., Le Dizain de neige, Du partement d'Anne* — pièces inspirées à la fois de la préciosité italienne et de la tradition courtoise française dont il est familier pour avoir réédité *Le Roman de la Rose*★ en 1527.

THÈMES
Poète, 1, a.
Amour, 1, b.

Les unes et les autres sont propres à montrer ce que pouvaient être la condition, les préoccupations et le talent d'un poète courtisan.

---

**On ne badine pas avec l'amour**

Alfred de MUSSET
1834

*Nouveaux classiques illustrés Hachette*

Ces trois actes en prose se rattachent à un genre en vogue au XVIIIe siècle : l'illustration d'un proverbe. D'autres souvenirs de la tradition théâtrale, de Marivaux en particulier, y sont sensibles. Mais Musset y ajoute la véhémence romanesque qui est la marque originale de son œuvre comme de sa vie personnelle.

Dans un château conventionnel, en contre-point de l'agitation d'un groupe de pantins grotesques — un baron, un précepteur (Maître Blazius), un curé (Maître Bridaine), une gouvernante (Dame Pluche) —, va se nouer et se dénouer tragiquement un drame d'amour entre Perdican, le fils du baron, Camille, sa nièce, et Rosette, la sœur de lait de celle-ci.

Le baron veut marier son fils et sa nièce (I, 2). La froideur affectée de Camille (I, 3 ; II, 1) conduit Perdican à faire par dépit la cour à Rosette (II, 3). Pourtant Camille aime Perdican, mais elle a peur qu'il ne soit infidèle, car on lui a appris dans son couvent à craindre l'amour. Perdican plaide en vain que c'est « une chose sainte et sublime » même si l'on est trompé et blessé (II, 5).

Leur commun orgueil va entretenir un long malentendu aux dépens de Rosette qui se tue quand ils retrouvent l'un et l'autre leur franchise. La conscience de leur faute les sépare à jamais (III, 8).

Le lyrisme de Musset fait le prix de ce jeu d'une élégante virtuosité.

THÈMES
Amour, 1, e.
Adolescence.

---

## Les Opinions de Monsieur Jérôme Coignard

Anatole FRANCE
1893

*La Pléiade*

Sous le masque de l'abbé Jérôme Coignard, abbé sceptique et spirituel du XVIIIe siècle, déjà mis en scène dans *La Rôtisserie de la reine Pédauque* et dont le disciple Jacques Tournebroche aurait recueilli les propos, Anatole France fait réflexion sur l'action des gouvernements, la Science, l'Académie, les coups d'État, l'Histoire, la Justice. Ces problèmes sont abordés dans les termes où ils se posaient au temps de la Régence, mais la sagesse de l'abbé est d'une valeur universelle et peut s'appliquer naturellement à la France de 1893. L'affaire du Mississippi ressemble d'ailleurs étrangement au scandale de Panama.

L'abbé Coignard n'a guère de respect pour les maîtres du pouvoir, mais ne croit pas à l'utilité des révolutions ni à la vertu des changements politiques. Les ambitions scientifiques de Descartes le laissent persuadé que « toute connaissance humaine n'est qu'un progrès dans la fantasmagorie ». La mathématique le tente, mais « c'est en définitive une connaissance qui ne nous fait pas sortir de nous-mêmes ». Le service militaire lui paraît « la plus effroyable peste des nations policées », et il déplore de voir « donner aux actions d'un soldat plus de gloire qu'aux travaux d'un laboureur ». L'histoire est « un recueil de contes moraux ou bien un mélange éloquent de narrations et de harangues où l'on ne doit point chercher la vérité ». Quant à la justice, dépourvue de fondement solide et incontestable, elle ne fait que perpétuer l'injustice de la société.

Cependant l'abbé Coignard, doutant aussi des forces de la raison, confesse son embarras à l'idée de corriger ce qu'il trouve détestable, et lance cet avertissement à son disciple : « Il faut, pour servir les hommes, rejeter toute raison, comme un bagage embarrassant, et s'élever sur les ailes de l'enthousiasme. »

Ce livre est caractéristique de l'humanisme sceptique d'Anatole France.

THÈMES
Scepticisme. Science.
Histoire, 2.
Gouvernement.
Révolution. Guerre, 2, a.
Justice. Société, 2.

## Les Orientales
Victor HUGO
1829

*Garnier-Flammarion*

Hugo s'est plu à présenter ce recueil d'odes « orientales » comme un « livre inutile de pure poésie », qu'il justifie par la vogue de l'Orient dans lequel il inclut d'ailleurs l'Afrique et l'Espagne musulmanes. L'intérêt pour l'Orient tenait pour une part à la lutte dans laquelle les Grecs étaient engagés contre les Turcs, pour leur indépendance, depuis 1821 ; Hugo ne le rappelle pas, mais déclare sa sympathie pour les Grecs dans plusieurs poèmes *(Canaris, Navarin, L'Enfant)*.

D'une façon générale, ce recueil peint l'Orient comme un univers coloré, violent et cruel. Dieu a dû y châtier les crimes des hommes en détruisant les cités de Sodome et de Gomorrhe *(Le Feu du Ciel)*. Le goût de la guerre y est permanent : *Cri de guerre du mufti, Chanson de pirates, Marche turque*. Les drames de harems et les poèmes d'amour *(Clair de lune, La Sultane favorite, Romance mauresque)* témoignent de la cruauté des mœurs. Mais cette violence est aussi parfois punie *(La Bataille perdue)*, et l'enfant grec qui réclame « de la poudre et des balles » pour lutter contre les Turcs fait espérer leur châtiment *(L'Enfant)*.

Hugo prêche cependant la réconciliation de l'Orient et de l'Europe en faisant l'éloge de la beauté de Grenade *(Grenade)*, et en confiant au Danube un message de paix *(Le Danube en colère)*. Plusieurs pièces présentent la mission du poète comme celle d'un visionnaire : Mazeppa, le Cosaque attaché nu sur un cheval sauvage et qui, sauvé de la mort, fut roi d'Ukraine, symbolise le poète emporté par son génie au-delà du monde *(Mazeppa)* : et, dans *Rêverie* et *Extase*, Hugo se peint lui-même quittant la réalité pour le rêve.

Enfin, les thèmes de l'Orient, du rêve et du génie conduisent Hugo à Napoléon *(Bounaberdi, Lui)* avant qu'il ne revienne à l'humble réalité parisienne dans *Novembre*, poème final du recueil.

THÈMES
Exotisme (Orient.
Afrique. Espagne).
Guerre, 1. Violence.
Liberté, 2, b.
Poète, 1, e.

*Les Orientales* témoignent assurément d'une grande virtuosité (cf. *Les Djinns*), mais Hugo y révèle aussi son tempérament de poète épique et visionnaire.

## Orphée
Jean COCTEAU
1927

Tragédie en un acte et en prose, créée en 1926 et publiée en 1927. Cocteau, pour qui son propre personnage de poète est le thème essentiel, a été tenté par la légende d'Orphée, ce poète thrace à qui il a été

Bordas

donné de franchir les portes de la mort et de revenir au jour, mais il l'interprète avec la fantaisie qu'il introduit partout.

Dans la pièce de Cocteau, Orphée, qui est marié à Eurydice, écoute passionnément les messages de l'inconnu que lui dicte un cheval merveilleux qu'il a accueilli chez lui, et surtout celui-ci : « Madame Eurydice reviendra des Enfers » ou : « M...E...R...D...E... » Bien que l'ange Heurtebise déguisé en vitrier veille sur le couple, Aglaonice empoisonne Eurydice. Orphée pourra la ramener des enfers s'il ne se retourne pas pour la regarder. Il commet cette faute au cours d'une dispute et perd Eurydice une seconde fois, mais, tué à son tour par les bacchantes que conduit Aglaonice, il la rejoint aux enfers où il forme désormais avec elle un couple heureux et indissoluble.

Ce jeu provocant permet à Cocteau de parler de la poésie et de la mort. Il l'a repris dans deux films : *Orphée* et *Le Testament d'Orphée*.

THÈMES
Poète, 2. Surnaturel. Mort.

---

Ce drame en trois actes est le premier d'une trilogie où Claudel met en débat le destin du christianisme et le rôle des chrétiens dans l'histoire moderne (cf. *Le Pain dur*★ et *Le Père humilié*★).

Dans *L'Otage*, mêlant le lyrisme et la satire, l'auteur interprète librement l'histoire de France entre le Concordat imposé par Bonaparte à Pie VII et la restauration de la monarchie en 1814. Dans l'abbaye de Coufontaine qu'elle a rachetée pour sauver le passé, Sygne de Coufontaine voit arriver son cousin Georges qui lutte pour restaurer le roi. Il a enlevé le Pape que l'empereur détenait comme otage à Fontainebleau pour « contraindre Dieu et le mettre de son parti » (I, 2), mais il le traite à son tour en otage et veut le mettre au service de la royauté. Survient Turelure, l'homme des temps nouveaux, ancien moinillon, le fils de la cuisinière de Coufontaine et d'un braconnier, maintenant baron et préfet de l'Empire. Bouffon et railleur, Turelure met Sygne en demeure de l'épouser si elle veut sauver le Pape (II, 1). L'humble abbé Badilon obtient ce sacrifice de Sygne (II, 2). Turelure reparaît plus que jamais triomphant à l'acte III. L'Empire approchant de sa chute, il est prêt à trahir l'empereur au nom de beaux principes, si le roi veut bien relever le nom de

**L'Otage**
Paul CLAUDEL
1911

*Folio*

Coufontaine au profit du fils que Sygne lui a donné. Georges, qui a d'abord accepté au nom du roi, tire sur Turelure et blesse mortellement Sygne qui a cherché à protéger son mari. L'abbé Badilon, qui l'assiste dans sa mort, la glorifie de ce nouveau sacrifice ; mais Sygne fait non de la tête à tous ses pieux discours, refuse de voir son enfant et refuse même de se recommander à Dieu, elle qui s'est tant soumise.

Après avoir ainsi peint chez Sygne l'épuisement de la capacité de sacrifice, Claudel en a critiqué l'exemple dans ses commentaires.

THÈMES
Christianisme. Tradition. Révolution. Foi, 1. Souffrance, 2, a. Sacrifice.

## Le Pain dur
Paul CLAUDEL
1918

*Folio*

Ce drame en trois actes est la suite de *L'Otage*★. Vigoureusement caricatural et satirique, il dénonce le triomphe de l'argent et du matérialisme.

Le vieux Turelure, pair de France et fervent soutien de Louis-Philippe, fait des affaires et d'ailleurs se laisse rouler par l'usurier juif Ali Habenichts dont il a pris la fille Sichel pour maîtresse. Il refuse toute aide à son fils Louis, colon en Algérie, qui tire sur lui. Le coup ne part pas, mais Turelure meurt d'émotion. L'argent fait de Louis un vrai Turelure. Il se détourne de Lumir, sa maîtresse, une révolutionnaire polonaise qui l'a aidé avec la caisse de son parti, pour épouser Sichel, et vend à son beau-père, au poids du bronze, le vieux christ de Coufontaine.

THÈMES
Argent, 1. Matérialisme. Péché.

Après cette sombre vision de la trahison du christianisme, *Le Père humilié*★ réintroduira l'espoir.

## Pantagruel
François RABELAIS
1532

*Folio*
*Le Livre de poche*

C'est le premier conte de Rabelais qui s'inspire des *Grandes et inestimables chroniques du grand et énorme géant Gargantua*, récemment publiées à Lyon. Son titre complet est : *Les Horribles et épouvantables faits et prouesses du très renommé Pantagruel roi des Dipsodes, fils du grand géant Gargantua, composés nouvellement par Maître Alcofribas Nasier.* Pantagruel était, dans une vieille légende, un petit démon marin qui répand la soif ; il devient ici un géant bienveillant.

Parodiant les romans héroïques, Rabelais commence l'histoire de Pantagruel à sa naissance, donnant même sa généalogie qui est imitée de celle du Christ au début de l'Évangile selon saint Matthieu, puis conte son enfance, son éducation à Paris où son père l'envoie profiter de l'éducation humaniste (ch. VIII), sa rencontre avec Panurge (ch. IX), ses exploits intellectuels (ch. X) et ses premiers faits d'armes contre les Dipsodes, qui ont envahi son pays natal (le pays d'Utopie imaginé par Thomas More), et sa victoire sur leur roi Anarche malgré la vaillance des trois cents géants et de Loup-Garou, leur capitaine (ch. XXIII-XXXI).

La fantaisie de l'œuvre est fondée sur le gigantisme du héros, mais aussi sur l'étonnante personnalité tout humaine de Panurge, son compagnon, sorte de contre-héros peureux mais inventif, grand bouffon qui possède le génie de la ruse. Rabelais conduit son récit avec une joyeuse truculence. Quant à sa pensée, l'inspiration humaniste en est déjà nette (cf. lettre de Gargantua à Pantagruel, ch. VIII). D'autres contes, *Gargantua**, *Le Tiers Livre**, *Le Quart Livre**, sont venus compléter celui-ci.

THÈMES
Héroïsme. Homme, 1.
Humanisme, 1 et 2.
Éducation. Progrès.

---

Recueil de quatre-vingt-quinze textes fantaisistes dispersés çà et là par Prévert depuis 1930.

Toujours cultivant de plaisantes acrobaties verbales, que l'on trouve parfois à l'état pur *(Cortège)*, l'auteur exerce son humour sur la société et le conformisme moral *(Dîner de têtes à Paris, France)*, ou chante les joies et les combats du peuple *(Et la fête continue)*.

Poèmes à dire ou à chanter, ces *Paroles* ont le charme et la chaleur de l'invention orale.

**Paroles**

Jacques PRÉVERT
1945

*Folio*

THÈMES
Société. Conformisme.

---

Sur le thème banal de l'adultère, cette tragédie en trois actes est un poème de l'amour absolu et peut-être impossible.

Cherchant ce qu'est l'amour, Mesa, l'un des héros, dit : « C'est tout en lui qui demande tout en une autre ! [...] Mais tout amour n'est qu'une comédie / Entre l'homme et la femme ; les questions ne sont jamais posées. »

A bord d'un bateau qui vogue vers la Chine, ces questions commencent à surgir dans l'heure brûlante de midi. Autour d'Ysé, une jeune femme insatisfaite

**Partage de midi**

Paul CLAUDEL
1906. Texte remanié en 1948

*Folio*

d'un mari médiocre (De Ciz), tournent deux hommes : Amalric, un audacieux, un réaliste ; et Mesa, un être sombre et las, que la vocation religieuse a tenté. Amalric cherche à subjuguer Ysé : « Je suis l'homme ». Mais c'est entre Mesa et Ysé que se produira l'éblouissement : « Mesa, je suis Ysé, c'est moi. » Rude épreuve pour Mesa qui, sortant d'une crise religieuse, apporte à l'amour humain les exigences qu'il mettait dans l'amour divin. Ysé finit aussi par avoir le sentiment de l'impossibilité de cet amour, et pas seulement parce qu'elle est mariée et qu'elle a des enfants : « Heureuse la femme qui trouve à se donner » (acte I). Effectivement, plus tard, à Hong Kong, quand ils tentent de vivre leur amour (acte II), tout se corrompt et l'aventure finit dans la mort, non sans de mélodramatiques péripéties. Ysé abandonne Mesa au bout d'un an pour rejoindre Amalric, bien qu'elle ne l'aime pas. Mesa les retrouve dans leur maison assiégée par des émeutiers (la scène se passe dans le sud de la Chine, à la fin du XIXᵉ siècle). Il menace Amalric qui l'assomme et fuit avec Ysé en l'abandonnant dans la maison qui va sauter. Mais Ysé revient mourir avec Mesa, entièrement à lui et prête à payer le prix de cet amour (acte III).

Dans sa préface de 1948, Claudel a justifié cette fin d'un point de vue chrétien et souligné la faute de ces amants : « Il est dangereux de demander Dieu à une créature. »

THÈMES
Amour, 1. f.
Passions, 1. Dieu.

---

**Le Parti pris des choses**

Francis PONGE
1942

*Poésie/Gallimard*

Brève plaquette de textes en prose qui ont qualité de poèmes, « proèmes », comme dira le titre d'un recueil ultérieur (1948).

Ils procèdent d'un parti pris de principe : décrire des choses, des objets, des êtres — cageot, bougie, papillon, galet, morceau de viande, huître — en étudiant leur façon d'exister en soi. « Pluie », le premier texte, illustre la tension de la volonté du rédacteur vers la saisie, dans leur gratuité, de faits purs. Mais le « parti pris des choses » se ramène souvent à une simple attention sélective pour les détails négligés ou les réalités dédaignées (*Le cageot* a suscité l'ironie de François Mauriac). Il n'exclut pas l'ingéniosité, la recherche d'images et de métaphores, les jeux de mots et les mots d'esprit (cf. *La Fin de l'automne, L'Orange*). L'auteur donne, et ne s'en cache pas, dans la recherche de symbole *(Les Mûres)* et dans la tentation de l'apologue *(L'Escargot).*

Ce sont des poèmes précisément parce qu'il s'agit d'exercices de l'esprit sur le langage et les choses, le rapport du langage et des choses, où l'écrivain est plus présent que ne le dit le titre.

THÈMES
Réalité. Poète.

---

Ce court roman forme la quatrième partie des *Études de la nature* où Bernardin de Saint-Pierre, en disciple de Rousseau, avait entrepris de célébrer la Providence et la morale naturelle.

A l'île de France — l'île Maurice — deux Françaises éprouvées par la vie, qui ont, l'une un fils, Paul, l'autre une fille, Virginie, ont reconstitué une petite société idéale dans un cadre d'une beauté paradisiaque. Les deux adolescents s'aiment d'un pur amour, mais Virginie doit partir pour la France afin de recueillir l'héritage d'une tante. A son retour, elle périt dans un naufrage sous les yeux mêmes de Paul.

Le mérite de ce livre au moralisme mièvre est d'avoir renouvelé la peinture de la nature par l'exotisme des tropiques que Bernardin de Saint-Pierre connaissait bien grâce à ses voyages. Chateaubriand l'a imité (cf. *Atala*★).

**Paul et Virginie**
Henri BERNARDIN DE SAINT-PIERRE
1784

*Classiques Garnier Folio*

THÈMES
Nature, 1 et 2, b.
Exotisme. Amour, 1, d.
Adolescence.

---

Seule la première partie de ce roman a été publiée du vivant de Balzac sous le titre *Qui a terre, guerre a.* Le texte complet a été mis au point après sa mort par M^me Hanska et inséré dans les *Scènes de la vie de campagne* de *La Comédie humaine*★.

Bourgeois de condition et aristocrate d'esprit, influencé en outre par M^me Hanska, Balzac soutient une thèse violemment hostile aux paysans au nom de la défense des grandes propriétés. Son talent d'artiste vient heureusement compenser et corriger ses partis pris, et son roman constitue un intéressant document sur les rivalités de classes autour de la propriété et sur l'évolution sociale de la Révolution de 1789 à la monarchie de Juillet.

Le général de Montcornet, comte d'Empire, fortune faite à la guerre, a acheté à une ancienne actrice, ex-

**Les Paysans**
Honoré de BALZAC
1844-1855

*Folio*

maîtresse d'un financier d'avant 1789, la grande propriété des Aigues. L'ancien régisseur Gaubertin, qui
aurait voulu acquérir le domaine, va travailler à en
chasser le général avec le concours des nouveaux bourgeois, l'ex-brigadier de gendarmerie Soudry, maire de
Soulanges, et sa femme, ancienne femme de chambre
de l'actrice, l'usurier de campagne Rigou, moine défroqué, maire et tyran de Blangy. Les associés utilisent
contre le château la haine des paysans pauvres, en particulier de la famille Tonsard qui tient un cabaret à la
lisière du domaine et vit surtout de rapines et d'abus.
La conspiration aboutit à l'assassinat d'un garde-chasse
et à la vente du domaine que les nouveaux riches dépè-
cent et détruisent sans que les paysans y gagnent rien.

L'action révèle ainsi, au-delà de la thèse de Balzac,
un fait social capital du XIXᵉ siècle : la rapacité de la
nouvelle bourgeoisie. Pour cette vue profonde des choses et pour la peinture qu'il donne des caractères, surtout des nouveaux notables, ce roman est à juste titre
tenu pour l'une des plus intéressantes parties de *La
Comédie humaine**.

THÈMES
Province. Paysans.
Classes sociales.
Argent, 1 et 2.
Corruption.

---

## La Peau de chagrin

Honoré de BALZAC
1831

*Folio*
*Le Livre de poche*

Sur une donnée qui pouvait conduire seulement à
un conte fantastique, Balzac a bâti un roman philosophique, qu'une des préfaces rapproche de *Candide** et
qu'il a placé plus tard dans la section *Études philosophiques* de *La Comédie humaine**.

Le titre désigne un talisman qu'un vénérable antiquaire propose à un jeune « viveur » parisien, Raphaël
de Valentin, un jour où, venant de perdre au jeu son
dernier napoléon, il a failli se suicider. Cette peau
donne à son possesseur le pouvoir de réaliser tous ses
désirs, mais décroît à mesure, comme sa promesse de
vie. Raphaël, qui l'emporte sans y croire, en éprouve
vite la redoutable magie : les deux cent mille francs
qu'il a souhaités lui arrivent d'un héritage inattendu,
mais la peau a nettement rétréci. Alors il se retient
de vivre et s'enferme au fond de son hôtel particulier,
rongé par la peur de formuler le moindre vœu. Retrouvant une jeune fille qu'il a aimée autrefois, Pauline Gaudin, il renonce à l'épouser et la supplie de
s'éloigner. Mais malgré ses précautions, quand la peau
fatale, en dépit de ses tentatives pour l'étirer, se trouve
réduite à la dimension d'une feuille de pervenche,

Raphaël succombe à un dernier élan de désir et meurt dans les bras de Pauline.

Raphaël est puni d'avoir préféré le vouloir et le pouvoir, représentés par la peau, au savoir qui avait été sa première ambition, dans sa jeunesse pauvre, quand il travaillait dans une mansarde à son *Traité de la volonté.* C'est alors qu'il a connu Pauline Gaudin, la fille de sa logeuse, mais il s'en est détourné pour céder aux conseils d'arrivisme de Rastignac (cf. *Le Père Goriot★*), courtiser une mondaine sans cœur, la comtesse Foedora, puis se perdre dans les plaisirs de Paris qui l'ont conduit si près du suicide.

Ce roman propose ainsi une figuration symbolique de l'effet destructeur des passions — idée chère à Balzac. En outre, la destinée de Raphaël est pour le futur auteur de *La Comédie humaine★* l'occasion de donner sa première peinture des tentations qui dévorent la société parisienne et y corrompent les cœurs.

THÈMES
Paris, 3. Arrivisme.
Argent, 1 et 2.
Amour, 1, e.
Vie mondaine.
Passions, 3. Corruption.

---

**Pensées**

Blaise PASCAL
1670 (posthume)

*Classiques français
Hachette
Classiques Larousse
Folio*

Après avoir défendu Port-Royal contre les jésuites dans *Les Provinciales★*, Pascal entreprend en 1657 une *Apologie de la religion chrétienne* à l'intention des libertins et des indifférents. A sa mort, en 1662, cet ouvrage reste inachevé. Les liasses de «pensées» qu'il a constituées sont alors recopiées puis collées sur un registre, mais non éditées telles quelles. Pour des raisons religieuses et littéraires, les héritiers de Pascal les trient et les retouchent : c'est l'édition de Port-Royal (1670), qui fixe la forme sous laquelle les *Pensées* seront connues jusqu'à la fin du XVIIIe siècle où Condorcet les reclasse en pensées philosophiques et pensées religieuses (1776).

Le retour ultérieur aux manuscrits et à la copie de 1662 a permis d'abord l'enrichissement du texte, les éditeurs continuant d'user d'un classement personnel (édition Brunschvicg, 1897). On s'est aperçu depuis que la copie permettait de retrouver le plan conçu par Pascal (travaux de Tourneur, 1935) et surtout de Louis Lafuma (1951). Voici ce plan.

Après un *Discours préliminaire* qui prend violemment à parti les indifférents («il faut avoir toute la charité de la religion qu'ils méprisent pour ne pas les mépriser jusqu'à les abandonner dans leur folie»), vingt-sept liasses s'organisent en deux groupes. Première partie : *Misère de l'homme sans Dieu* (liasses I-XI); seconde partie : *Félicité de l'homme avec Dieu* (XII-XXVII).

La première partie, qui vise à inquiéter l'incrédule pour qu'il se soumette à la religion chrétienne, commence par le procès de la nature humaine et de la vie sociale.

Sous le titre *Vanité* (II), y sont dépeints les effets de l'imagination, «cette maîtresse d'erreur et de fausseté», et de l'amour-propre; sous celui de *Misère* (III), la contingence des coutumes, des lois et de la justice («Vérité au-deçà des Pyrénées, erreur au-delà»). Montaigne *(Essais\*)* inspire ces analyses, et Pascal, à son exemple, justifie la soumission aux lois auxquelles les «habiles» obéissent comme le peuple, mais en gardant «une pensée de derrière (la tête)» et connaissant *«la raison des effets»*, c'est-à-dire des usages adoptés en raison de l'imperfection humaine (V). Puis, de cet exercice de la pensée, Pascal tire la grandeur de l'homme («La grandeur de l'homme est grande en ce qu'il se connaît misérable») pour aussitôt le ramener à ses contrariétés («L'homme n'est ni ange ni bête, et le malheur veut que qui veut faire l'ange fait la bête») et prouver qu'il est «un monstre incompréhensible» dont seule la religion chrétienne expliquera l'énigme (VII, *Contrariétés*). Elle seule aussi lui rendra le bonheur, car le divertissement ne saurait le lui donner. Chacun cherche à se divertir et s'agite pour éviter l'ennui, mais ce besoin est une nouvelle preuve de la misère de la condition humaine (VIII). Les philosophes stoïciens ou épicuriens ne sont d'aucun secours (IX). Le souverain bien est en Dieu (X).

Au début de la seconde partie, devait vraisemblablement prendre place «l'argument du pari» : il y a intérêt à parier que Dieu est, si l'on raisonne en termes de jeu, et il faut bien parier car on est «embarqué» (XII). Pascal prêche aussi l'humilité (XIII, *Soumission et usage de la raison*) et l'obéissance à Jésus-Christ, seul médiateur faisant connaître Dieu à la créature perdue entre les infinis et si faible : «L'homme n'est qu'un roseau, le plus faible de la nature, mais c'est un roseau pensant. [...] Travaillons donc à bien penser : voilà le principe de la morale.» (XIV-XV). Il affirme la fausseté des autres religions (XVI). Puis il développe les preuves théologiques de la religion chrétienne à l'aide de la Bible et des Évangiles (XVII-XXVII); la hiérarchie des trois «ordres» (chair, esprit, charité) est analysée au chapitre XXIII.

La passion et la rigueur de Pascal font des *Pensées* l'un des livres par rapport auxquels se définissent les familles d'esprit (cf. Voltaire, *Lettres philosophiques*★; Valéry, *Variété*★, *Variation sur une pensée,* tous les deux hostiles; Chateaubriand, *Génie du christianisme*★, III, II, 6; Mauriac, *Blaise Pascal et sa sœur Jacqueline,* favorables).

THÈMES
Homme, 2, b.
Passions, 1.
Christianisme. Dieu.
Bonheur, 3, b. Amour-propre. Imagination.
Coutumes. Lois. Justice.
Action (divertissement).
Univers. Néant.
Libertinage. Épicurisme.
Stoïcisme. Scepticisme.
Honnête homme. Sage.
Saint. Ennui. Angoisse.
Péché. Salut. Foi.

**Pensées sur la comète**
Pierre BAYLE
1683

*Ed. Prat/Didier
S.T.F.M.*

Ces *Pensées diverses écrites à un docteur de Sorbonne à l'occasion de la comète qui parut au mois de décembre 1680* sont de ces ouvrages qui entraînent le lecteur plus loin que ne l'annonçait le titre.

Il n'est pas sûr qu'il y eût encore lieu, en 1683, de combattre la croyance à l'effet maléfique des comètes, mais Bayle en saisit le prétexte pour attaquer la superstition et opposer à la tradition et aux autorités établies les droits du libre examen et les principes d'une pensée scientifique rationnelle.

Le développement annexe le plus remarquable a trait à la réhabilitation de l'athéisme. Assurant que les comètes n'ont pas pour mission de le condamner et disjoignant la morale de la religion pour la fonder sur la raison et sur l'honneur, Bayle définit un principe de tolérance qui paraît naturel aujourd'hui et que consacre en France la séparation de l'Église et de l'État, mais qui a été établi au prix de longues luttes.

THÈMES
Sciences. Esprit critique.
Préjugés. Athéisme.
Tolérance.

**Le Père Goriot**
Honoré de BALZAC
1834

*Folio
Le Livre de poche*

Balzac a présenté ce roman comme une œuvre réaliste destinée à initier le lecteur aux secrets de ce qu'il allait appeler en 1841 «la comédie humaine».

L'action se déroule à Paris en 1819 et débute dans la «pension bourgeoise» de Mme Vauquer. Le hasard y a conduit les gens les plus divers: Eugène de Rastignac, jeune provincial de petite noblesse, venu d'Angoulême pour faire son Droit; le père Goriot, ancien fabricant de vermicelle, qui a marié l'une de ses filles à un banquier, le baron de Nucingen, l'autre à un comte de

vieille noblesse, M. de Restaud ; Vautrin, robuste qua-
dragénaire aux activités mystérieuses, toujours jovial et
aimé de tous ; la sinistre demoiselle Michonneau et son
compère, Poiret, petit vieillard ratatiné ; la douce Victorine Taillefer que son père, riche négociant, tient à
l'écart, et M^{me} Couture, veuve sans fortune, qui lui
sert de mère. Quelques jeunes gens, dont l'étudiant en
médecine Bianchon, complètent la table d'hôte. C'est
à partir de cette calme pension que le lecteur va faire,
en même temps que Rastignac, son apprentissage de la
vie parisienne.

Le jeune étudiant, qui ne manque pas d'ambition, est
fort attiré par le salon de sa brillante cousine, M^{me} de
Beauséant. Celle-ci lui apprend comment les filles
Goriot ont renié leur père par vanité sociale, et, lui
ayant ainsi révélé le cynisme du monde, le pousse d'ailleurs à entrer dans le jeu et à faire la cour à Delphine
de Nucingen.

Vautrin, qui a deviné les appétits de Rastignac, lui
donne une leçon d'arrivisme encore plus crue et lui
suggère d'épouser Victorine Taillefer qu'il se charge de
rendre héritière de son père en faisant tuer son frère
en duel.

Mais, en quelques jours, les événements se précipi-
tent : Rastignac ne parvient pas à empêcher ce duel ;
Vautrin, qui est en réalité le bagnard évadé Jacques
Collin, dit Trompe-la-Mort, est arrêté sur la dénonciation de M^{lle} Michonneau ; le père Goriot, qui s'est peu
à peu dépouillé de tout pour ses filles, désespéré de ne
plus pouvoir aider Anastasie de Restaud et de voir se
quereller les deux sœurs, est terrassé par une attaque d'apoplexie.

Rastignac soigne le vieillard avec l'aide de Bianchon
sans obtenir que ses filles viennent à son chevet. Leur
seul souci est un bal donné par M^{me} de Beauséant :
M^{me} de Restaud, pour obéir à son mari, doit y paraître
avec les diamants qu'elle avait engagés chez un usurier
pour payer les dettes de son amant, et M^{me} de Nucingen ne veut pas manquer cette première invitation dans
le Faubourg Saint-Germain. Témoin à la fois de ce bal
et de la mort solitaire du père Goriot dont il doit payer
l'enterrement, Rastignac achève en quelques heures
son initiation aux lois cruelles de la société. Du cimetière du Père-Lachaise qui domine Paris, il lance alors
son apostrophe célèbre à la capitale : «A nous deux
maintenant !»

Ce roman traduit de façon exemplaire la vision balzacienne de la corruption de la société et de la violence des passions. Il constitue en outre une étape décisive dans la genèse de *La Comédie humaine\**, car, en l'écrivant, Balzac a eu l'idée de faire reparaître ses personnages d'un roman à l'autre en reliant chaque volume nouveau à des récits antérieurs et en préparant des aventures postérieures. On retrouvera Rastignac et Vautrin tout le long de *La Comédie humaine* (cf. *Illusions perdues\**, *Splendeurs et Misères des Courtisanes\**).

THÈMES
Paris, 3. Jeunesse.
Apprentissage. Ambition.
Classes sociales.
Passions, 3. Corruption.
Souffrance, 1 et 2.
Amour (paternel), 2, b.
Sacrifice. Mort.
Femme, 1, c.
Amour, 1, e.
Vie mondaine.
Argent, 1 et 2.
Volonté de puissance.
Cynisme. Révolte.

**Le Père humilié**
Paul CLAUDEL
1920

*Folio*

Complétant *L'Otage\** et *Le Pain dur\**, ce drame en quatre actes achève la trilogie consacrée par Claudel à la destinée moderne du christianisme. Malgré les progrès du matérialisme dépeints dans les pièces précédentes, les nouvelles générations vont redécouvrir la spiritualité : telle est la signification revêtue par la destinée de Pensée de Coufontaine, fille de Sichel et du comte Louis de Coufontaine, petite-fille de Turelure.

L'action se déroule à Rome en 1870, à un moment où le Pape, «père humilié», voit les hommes se détourner de lui et même lui arracher ses États. L'ambassadeur de France auprès du Vatican est Louis de Coufontaine. Sa fille Pensée, qui est aveugle — infirmité symbolique —, s'éprend du neveu du Pape, Orian de Homodarmes. Celui-ci, que son oncle souhaitait voir servir l'Église, craint que Pensée ne soit pour lui «le danger, la nuit, la fatalité». Il cède cependant à l'amour, remplissant d'ailleurs ainsi sa mission qui était d'éclairer l'aveugle, de la guider vers la lumière de Dieu. Engagé au service de la France pour combattre la Prusse, Orian va être tué à la guerre, mais son âme survivra dans l'âme de Pensée et dans l'enfant auquel elle va donner le jour.

THÈMES
Amour, 1, f. Foi, 1.
Dieu. Matérialisme.
Religion, 4, b.

**La Peste**
Albert CAMUS
1947

*Classiques Larousse
Folio*

*La Peste* est un écrit mythique où tous les faits, revêtant un caractère symbolique, concourent à figurer l'affrontement de l'homme et de l'absurde (cf. *Le Mythe de Sisyphe\**).

Pour symboliser tout ce qui vient signifier aux hommes la fragilité de leur condition, Camus a imaginé une épidémie de peste frappant la ville d'Oran en 194.. Un médecin, le docteur Rieux, en tient la chronique « pour témoigner en faveur des pestiférés » et prouver qu'« il y a dans les hommes plus de choses à admirer que de choses à mépriser ». Il est visiblement le porte-parole de Camus.

Se manifestant d'abord par une invasion de rats qui crèvent partout, la peste déconcerte les Oranais. Rien ne les préparait à affronter ce fléau dont ils refusent même de prononcer le nom, et l'épreuve est révélatrice de la faiblesse des institutions comme des individus. Si le docteur Rieux lutte rationnellement dès le premier jour, le journaliste Rambert ne songe qu'à sortir de la ville pour rejoindre sa femme ; l'employé de mairie Grand continue de travailler à la première phrase d'un roman ; Jean Tarrou prend des notes sur la comédie humaine et cherche la paix intérieure ; le Père Paneloux prêche selon les principes chrétiens et démontre aux Oranais que Dieu leur a envoyé la peste pour les punir de leurs péchés : « Mes frères, vous êtes dans le malheur, mes frères, vous l'avez mérité. » Pour Rieux, par contre, « peut-être vaut-il mieux pour Dieu qu'on ne croie pas en lui et qu'on lutte de toutes ses forces contre la mort, sans lever les yeux vers ce ciel où il se tait ».

Cependant la peste va transformer la majorité des gens en leur faisant découvrir la solidarité. Tarrou propose à Rieux de créer des équipes de volontaires pour lutter contre l'épidémie. Grand, sans abandonner son roman, aide Tarrou. En attendant de pouvoir fuir la ville qui est déclarée fermée, Rambert travaille dans ces équipes, puis il décide de rester, car, avoue-t-il, « il peut y avoir de la honte à être heureux tout seul ». Paneloux se joint aussi à ces efforts, et le spectacle de la souffrance et, en particulier, l'agonie d'un enfant, bouleversent ses convictions. Il renonce, dans un second sermon, à justifier sereinement toutes les formes du mal par l'action éclairée de la Providence ; cependant, parvenu au bord de l'hérésie, il se soumet encore à la volonté divine. Il est destiné lui-même à mourir de la peste.

Par Tarrou et par Rieux, le problème du mal est posé en dehors de toute théologie dans une perspective purement humaine. Tarrou vit depuis sa jeunesse au bord du désespoir parce qu'il a pris conscience de la facilité avec laquelle les hommes acceptent le mal :

«chacun la porte en soi, la peste». Obsédé de pureté, révolté contre la société qui inflige la peine de mort et méprise l'homme au nom de l'accomplissement des nécessités de l'histoire, il veut être un saint sans Dieu. Le docteur Rieux lui oppose des visées plus humbles : «Je n'ai pas de goût, je crois, pour l'héroïsme et la sainteté. Ce qui m'intéresse, c'est d'être un homme.» Chez le plus modeste, il y a des ressources cachées. Seul Cottard, personnage douteux qui craint la police, voudrait voir durer la peste qui favorise ses trafics; menacé d'arrestation à la fin de l'épidémie, il se met à tirer sur la foule.

Bientôt la ville reprend progressivement une vie normale, c'est-à-dire commence à oublier la peste et les morts. Mais Rieux pense à l'avenir et à la nécessité de rassembler «tous les hommes qui, ne pouvant être des saints et refusant d'admettre les fléaux, s'efforcent cependant d'être des médecins».

Camus a souligné lui-même la signification humaniste de son livre : «Comparée à *L'Étranger\**, *La Peste* marque [...] le passage d'une attitude de révolte solitaire à la reconnaissance d'une communauté dont il faut partager les luttes. S'il y a évolution de *L'Étranger\** à *La Peste,* elle s'est faite dans le sens de la solidarité et de la participation.» (Lettre à Roland Barthes, 11 juillet 1955).

THÈMES
Destin, 1. Absurde.
Mal, 2.
Dieu. Providence. Mort.
Peine de mort. Société.
Histoire, 1, c.
Homme, 5, d.
Sainteté. Héroïsme.
Solidarité.
Responsabilité.
Engagement.

## Petits Poèmes en prose ou le Spleen de Paris

Charles
BAUDELAIRE
1869 (posthume)

*Classiques Garnier
Poésie/Gallimard*

Baudelaire a hésité sur le titre de ce recueil projeté dès 1857. Celui de *Petits Poèmes en prose* souligne l'originalité de son entreprise qu'il définit ainsi : «Quel est celui de nous qui n'a pas [...] rêvé le miracle d'une prose poétique, musicale sans rythme et sans rime, assez souple et assez heurtée pour s'adapter aux mouvements lyriques de l'âme, aux ondulations de la rêverie, aux soubresauts de la conscience?» (*Dédicace à Arsène Houssaye,* 1862). Le titre retenu en 1863, *Le Spleen de Paris,* désigne la source principale de leur inspiration qui est la vie insolite et douloureuse de la grande ville moderne, si souvent proposée à l'attention des artistes par Baudelaire dès 1846 (cf. *Curiosités esthétiques\**), et déjà peinte dans *Les Fleurs du mal\** (*Tableaux parisiens).*

Le recueil contient cinquante poèmes classés sans ordre significatif. Il s'agit d'abord, conformément au sens du titre *Le Spleen de Paris*, d'anecdotes, de « choses vues », d'impressions parisiennes que l'imagination du poète transforme en symboles et qui sont le point de départ de méditations lyriques *(Les Veuves, Le Vieux Saltimbanque)*. Il s'y joint aussi nombre d'allégories purement imaginaires *(A chacun sa chimère, Le Fou et la Vénus)*, des récits symboliques qui prennent la dimension d'une nouvelle *(Portraits de maîtresses, Les Vocations)*, des histoires extraordinaires à la manière d'Edgar Poe *(Une Mort héroïque)*, des fables d'inspiration satanique *(Les Tentations ou Éros, Plutus et la Gloire, Le Joueur généreux)*.

On y reconnaîtra les thèmes favoris de Baudelaire : — le drame du poète prisonnier du spleen, déchiré entre la Réalité et l'Idéal *(Le « Confiteor » de l'artiste, La Chambre double, Les Foules, Enivrez-vous, Les Fenêtres)* ; — la grande ville avec son peuple de déshérités et de personnages bizarres qu'il peint avec une fraternelle compassion *(Le Désespoir de la vieille, Les Veuves, Le Vieux Saltimbanque, Le Gâteau, Crépuscule du soir, Les Yeux des pauvres, Mademoiselle Bistouri)* ; — la femme et son mystère fascinant et irritant *(La Femme sauvage, Un Hémisphère dans une chevelure, La Belle Dorothée, Les Bienfaits de la lune)* ; — le voyage, la mer, l'inconnu, le désir furieux de fuir ailleurs *(L'Invitation au voyage, Les Projets, Déjà, Le Port, Anywhere out of the world* « N'importe où hors du monde »).

Ce recueil est la parfaite expression de la sensibilité de Baudelaire et l'illustration du travail que son imagination opère sur le réel. Par l'attitude artistique dont il donne l'exemple, par la « modernité » de sa forme, il a exercé une influence considérable, contribuant, en particulier, à faire entrer le poème en prose dans les usages littéraires.

THÈMES
Poète, 1. Vie moderne. Ville. Paris. Destin. Malheur, 1. Souffrance. Ennui. Réalité. Bizarre. Rêve. Femme, 1. Voyage. Satan. Dieu.

## Le Peuple

Jules MICHELET
1846

*Flammarion*

Essai moral écrit dans un esprit d'apostolat social afin de prêcher la réconciliation nationale autour du culte de la patrie et de la mission de la France.

Michelet commence par peindre la « servitude » des paysans et des ouvriers dont il plaide la cause, pour en venir à lancer un appel aux bourgeois et aux riches : « Le salut de la France et le vôtre, gens riches, c'est que vous n'ayez pas peur du peuple, que vous alliez à lui... » (première partie). La deuxième partie traite des vertus du peuple, et la troisième partie de la mission de la France envisagée, selon l'idéal de la Révolution de 1789, comme le ferment de la civilisation.

Avec son idéalisme, sa peur du machinisme, sa vision encore étroite des bouleversements de la civilisation industrielle, Michelet reste étranger aux analyses socialistes de la seconde moitié du XIX$^e$ siècle. On retrouvera chez Péguy le même idéalisme militant et la même fidélité à la tradition populaire *(Victor-Marie, comte Hugo\*, L'Argent)*.

THÈMES
Peuple. Paysan. Ouvrier. Bourgeoisie. Patrie. France. République, 2. Solidarité.

## Phèdre

Jean RACINE
1677

*Folio*
*Nouveaux classiques illustrés Hachette*

Cette tragédie en cinq actes et en vers est inspirée de l'*Hippolyte* d'Euripide (428 av. J.-C.) et de la *Phaedra* de Sénèque (v. 55 apr. J.-C.), ainsi que de la peinture de la passion amoureuse chez les poètes latins Virgile *(Énéide,* IV) et Ovide *(Héroïdes)* (fin du I$^{er}$ siècle av. J.-C.). Nourri de mythologie grecque, Racine prête à ses héros un sentiment de la fatalité inspiré de la tragédie antique, tout en décrivant le mécanisme des passions avec une sévérité apprise de la pensée chrétienne.

L'action se déroule à Trézène dans les temps légendaires de la Grèce. Le jeune prince Hippolyte veut quitter la ville sous prétexte de chercher Thésée, son père, qui a disparu. En réalité, il cherche à échapper au sentiment qui le porte vers Aricie, non pour obéir à Thésée qui a interdit tout mariage à cette princesse, mais parce qu'il s'est juré de résister aux faiblesses de l'amour (I, 1). Phèdre, sa belle-mère, seconde femme de Thésée, fille de la criminelle Pasiphaé et de Minos, incarnation de la justice, est rongée par un mal secret qu'elle finit par avouer à Œnone, sa nourrice ; victime de Vénus comme Pasiphaé, sa mère, et comme sa sœur Ariane, elle est prisonnière d'un amour coupable : elle aime Hippolyte (I, 3). A la fin de l'acte, on apprend que Thésée serait mort ; Œnone affirme à sa maîtresse qu'elle peut rencontrer Hippolyte sans se rendre coupable (I, 5).

Alors qu'il veut régler la succession de Thésée, Hippolyte trahit son cœur devant Aricie (II, 2). De même, Phèdre cède à sa passion pour Hippolyte et lui parle, comme en rêve, du bonheur qu'elle aurait voulu connaître ; alors qu'Hippolyte, frappé de stupeur, tente de se retirer, elle lui confesse toutes ses souffrances et lui arrache son épée pour se suicider (II, 5). C'est alors qu'on vient annoncer le retour de Thésée (II, 6).

Désemparée, égarée, Phèdre laisse Œnone accuser Hippolyte d'avoir voulu la séduire (III, 3). Le prince est trop scrupuleux pour rétablir brutalement la vérité, si bien que son père, troublé par l'étrange atmosphère du palais, aveuglé par la colère, appelle sur lui le courroux de Neptune (IV, 2).

Au moment où elle va intervenir pour sauver Hippolyte, Phèdre découvre que celui-ci est amoureux d'Aricie ; la jalousie la paralyse (IV, 5-6), de sorte que le destin s'accomplit : Hippolyte périt, traîné par ses chevaux qu'un monstre marin a effrayés (V, 6). Pour expier, Phèdre absorbe du poison et vient confesser ses fautes devant Thésée qui reste écrasé par le sentiment de son erreur.

**THÈMES**
Destin, 1. Fatalité.
Passions, 1.
Amour, 1, c.
Femme, 1. Jalousie.
Héroïsme. Faute.
Souffrance. Suicide.

Peut-être faut-il expliquer par l'influence du jansénisme cette vision terrible de la faiblesse de la créature humaine, prisonnière de ses passions, et à qui le bonheur est refusé.

---

## Poèmes antiques

Charles LECONTE
DE LISLE
1852

*Nouveaux
classiques Larousse*

Les *Poèmes antiques*, au nombre de trente-et-un en 1852, complétés de pièces nouvelles dans l'édition de 1874, sont presque tous inspirés par l'Antiquité hindoue et l'Antiquité grecque.

Écrivain pessimiste qui se détourne du monde moderne, Leconte de Lisle se réfugie dans le rêve de la sagesse hindoue *(Bhagavat)* ou dans celui de la beauté grecque *(Niobé, L'Enfance d'Héraclès, Les Plaintes du cyclope)*. Mais le recueil se termine sur un aveu de désarroi et un appel à la mort *(Dies Irae)*.

Cette poésie de solide facture n'est point impassible malgré son tour impersonnel, mais elle peut être jugée un peu trop apprêtée par souci de la dignité de l'art. Elle a servi de modèle aux Parnassiens (Théodore de Banville, Sully Prudhomme, François Coppée, José-Maria de Heredia). Elle a tenté Verlaine *(Poèmes saturniens*★).

**THÈMES**
Évasion. Exotisme.
Grèce. Néant. Angoisse.

Ce recueil, qui a reçu sa forme définitive en 1837, regroupe des poèmes déjà publiés entre 1822 et 1831, le premier emploi de ce titre datant de 1826. A l'époque où il écrit ces petites épopées inspirées de la Bible, de l'Antiquité et du monde moderne, Vigny cherche sa voie, obéissant à diverses influences, dont celles d'André Chénier (*Poésies*★), de Chateaubriand (*Le Génie du christianisme*★) et de l'Anglais Byron (1788-1824).

Signalons particulièrement, dans un ensemble inégal, *Moïse* (1822), où Vigny fait du prophète hébreu, que sa mission isole de son peuple, le symbole de l'homme de génie, las d'être « puissant et solitaire »; *Eloa* (1823), poème qui développe la légende de l'ange né d'une larme versée par Jésus sur la tombe de Lazare (Eloa périt pour avoir essayé de sauver Satan); *Le Déluge* (1823), poème qui pose le problème de la justice de Dieu; *Le Cor* (1825), pièce d'inspiration médiévale évoquant la mort de Roland à Roncevaux. Vigny a aussi cherché l'inspiration dans des événements contemporains : l'expédition française de 1798 en Égypte *(La Frégate « La Sérieuse »);* le suicide de deux jeunes gens *(Les Amants de Montmorency);* le tumulte des idées dans la France de 1830 *(Paris).*

Alfred de Vigny a pu écrire dans sa préface de 1837 : « Le seul mérite qu'on n'ait jamais disputé à ces compositions, c'est d'avoir devancé en France toutes celles de ce genre, dans lesquelles une pensée philosophique est mise en scène sous une forme épique ou dramatique. »

**Poèmes antiques et modernes**
Alfred de VIGNY
1826-1837

*Poésie/Gallimard*

THÈMES
Antiquité. Moyen Age.
Génie. Héroïsme.
Destin. Dieu.

---

Leconte de Lisle offre ici de nouveaux fragments de l'épopée de l'humanité qu'il a commencée dans *Les Poèmes antiques*★. La Bible lui inspire la vision de la révolte de Caïn contre Dieu au moment du déluge destiné à châtier ses descendants *(Qaïn);* celle du crime et de la punition du roi Akhab qui a tué Naboth, le juste, pour s'approprier sa vigne *(La Vigne de Naboth).* Il recueille des légendes « barbares » des pays nordiques et celtiques comme celle du guerrier Hialmar qui, tombé sur le champ de bataille, demande au Corbeau, le « brave mangeur d'hommes », de porter son cœur à sa fiancée *(Le Cœur de Hialmar).*

**Poèmes barbares**
Charles LECONTE DE LISLE
1862

*Armand Colin*

Il semble aussi chercher un divertissement dans l'évocation de la nature exotique, dont la splendeur sauvage ou écrasante convient d'ailleurs à son pessimisme *(Les Hurleurs, La Ravine Saint-Gilles, Les Éléphants, Le Rêve du Jaguar).*

*La Fontaine aux lianes* et *Le Manchy* apportent sur sa jeunesse dans l'île de la Réunion des confidences qui restent discrètes, car il s'interdit l'exhibitionnisme des « montreurs » : « Dussé-je m'engloutir pour l'éternité noire, / Je ne te vendrai pas mon ivresse ou mon mal, / Je ne livrerai pas ma vie à tes huées... » *(Les Montreurs).*

**THÈMES**
Angoisse. Destin.
Mal, 2.
Mort. Exotisme.
Nature, 2, b. Souvenir.

---

**Poèmes saturniens**

Paul VERLAINE
1866

*Le Livre de poche
Poésie/Gallimard*

C'est le premier recueil publié par Verlaine qui se place, non sans humour, mais comme si le poète pressentait son avenir, sous le signe maléfique de Saturne.

Diverses influences se croisent dans ce recueil : celle du Parnasse (Leconte de Lisle, Gautier, Banville) dont l'*Épilogue* développe l'esthétique ; celle de Baudelaire dont Verlaine semble partager le Spleen (section *Melancholia*). Mais l'originalité de Verlaine apparaît aussi déjà dans les notations rapides des *Eaux-fortes* et surtout dans le flou musical des *Paysages tristes (Soleils couchants, Chanson d'automne, Le Rossignol).*

Dès l'époque des *Poèmes saturniens*, Verlaine définit son domaine poétique personnel : l'impressionnisme et les recherches musicales visant à libérer la sensibilité de la rhétorique.

**THÈMES**
Poète, 1, d. Destin, 1.
Ennui. Mélancolie.
Sensibilité. Sensations.
Nature, 2, b.

---

**Poésies**

André CHÉNIER
1819 (posthume)

*La Pléiade*

Les œuvres de ce poète guillotiné en 1794 nous sont presque toutes parvenues inachevées.

Elles comprennent surtout des imitations de la poésie antique placées sous le titre de *Bucoliques*, comme *La Jeune Tarentine* (trente vers), épigramme votive à graver sur la tombe d'une jeune fille noyée en mer, *L'Aveugle* (deux cent soixante-dix vers) où Chénier met en scène Homère, *Le Jeune Malade* (cent trente-huit vers), pièce lyrique sur la passion amoureuse dont souffre un jeune homme. Elles se terminent par des vers écrits en prison : des *Iambes* (quatre-vingt-huit vers) où Chénier dénonce la Terreur thermidorienne ; l'ode à *La Jeune captive*, jeu mondain mais émouvant inspiré par une compagne de captivité.

Chénier est un poète néo-classique, grand admirateur des Anciens qu'il se donne pour tâche d'imiter (cf. *Épître sur ses ouvrages),* leur empruntant sujets et procédés artistiques, et leur prenant encore au moins son titre quand il traite du présent *(Iambes).*

THÈMES
Grèce. Beauté.
Révolution.

**Poésies**

François
de MALHERBE
1587-1628

*Poésie/Gallimard*

Relativement peu abondante, l'œuvre de ce poète courtisan parvenu en 1605 à la dignité de poète officiel a cependant joué un rôle important dans le développement de la poésie française.

Après avoir sacrifié dans sa jeunesse au goût baroque italien quand il peignait la trahison du Christ par saint Pierre (*Les Larmes de saint Pierre*, 1587), il a renié ce style pour viser à la simplicité, à la rigueur et à la clarté.

Sans doute ne faut-il pas chercher une pensée originale dans les odes et les stances qu'il adresse à ses amis *(Consolation à M. du Perrier sur la mort de sa fille)* ou au souverain *(Prière pour le roi Henri le Grand allant en Limousin,* 1605, *Ode à la reine mère du roi pour l'heureux succès de sa régence,* 1610, *Pour le roi allant châtier la rébellion des Rochelois,* 1628). Il se contente de solenniser des lieux communs, mais son style offre une pureté et une tension soutenues que les auteurs classiques prendront pour modèle.

Ainsi, ce poète orgueilleux de sa maîtrise du langage (« Ce que Malherbe écrit dure éternellement... »), sans avoir laissé une œuvre précieuse en elle-même, se trouve avoir exercé sur la poésie française une influence déterminante pour deux siècles.

THÈME
Poète, 1, a.

**Poésies**

Stéphane
MALLARMÉ
1866-
1914 (posthume)

Malgré son peu d'étendue (mille cinq cents vers dont onze cents publiés par l'auteur), l'œuvre poétique de Mallarmé constitue le témoignage d'une aventure capitale qui a exercé une influence considérable à la fin du XIXe siècle et au début du XXe.

Mallarmé a commencé par imiter Baudelaire dont il reprend les thèmes (ennui, refus de la réalité, éva-

*Poésie/Gallimard*

sion spirituelle) dans la dizaine de poèmes qu'il donne au *Parnasse contemporain* de 1866 *(Les Fenêtres, Les Fleurs, L'Azur, Brise marine)*. Mais il a très tôt résolu de se «débaudelairiser», et son originalité va résider dans son refus de la poésie sentimentale et du culte parnassien de la perfection plastique, et dans l'affirmation de l'autonomie du langage considéré dans son pouvoir de nommer et de donner existence, par un acte de conscience totalement affranchi du hasard.

Sa production poétique fort rare reflète désormais le drame de la paralysie et de l'impuissance de l'esprit devant cette aspiration à l'absolu *(Hérodiade,* 1871; *Le Vierge, le vivace et le bel aujourd'hui,* 1885). Il n'évite pas l'écueil de l'hermétisme *(Ses purs ongles très haut dédiant leur onyx,* 1868; *Prose pour Des Esseintes,* 1884) et repousse toujours à plus tard la réalisation de son grand livre, «explication orphique de la terre» *(Autobiographie,* 1885). De ce projet, il ne subsiste que les vingt pages d'*Un coup de dés* (1914, posthume), où la recherche créatrice est poussée jusqu'au niveau de la typographie.

Cette relative stérilité n'a pas altéré la ferveur des amis et disciples fidèles qui, à partir de 1885, avaient pris l'habitude de se réunir tous les mardis chez le Maître, rue de Rome. Outre les poètes de la génération symboliste — Gustave Kahn, Georges Rodenbach, René Ghil, Henri de Régnier, Francis Viélé-Griffin —, Mallarmé a ainsi marqué de sa parole et de son exemple Gide, Claudel et Valéry.

THÈMES
Poète, 1, e. Ennui.
Beauté. Art.

---

## Poésies

Charles d'ORLÉANS

*Classiques Hatier*

Ce prince poète rompu aux jeux de la rhétorique courtoise (cf. *Le Roman de la Rose\**, première partie) a puisé dans les épreuves de sa vie l'inspiration d'émouvantes poésies. Captif en Angleterre pendant vingt-cinq ans après la défaite d'Azincourt (1415), il a, dans cette période, pris pour thèmes de ses ballades et de ses chansons le souvenir de sa Dame, Bonne d'Armagnac, qui devait mourir avant son retour *(Las! Mort, qui t'a fait si hardie),* le regret du pays de France *(En regardant vers le pays de France)* et l'espoir de la paix *(Priez pour la paix, douce Vierge Marie).*

Après sa libération en 1440, il chante en rondeaux, avec une souriante simplicité, la vie familière des châteaux, les paysages de la Loire et les saisons *(Le temps a laissé son manteau)*.

Un mélange de préciosité et d'émotion fait le charme de ces poésies.

THÈMES
Courtoisie. France.
Pays natal (Patrie, 1).
Nature, 2.

---

Les vers écrits par Rimbaud entre sa quinzième et sa dix-septième années se trouvent éclairés par son étrange destinée dont la légende et l'exégèse se sont emparées.

Commentant son fulgurant passage dans la poésie, son silence, ses vagabondages d'aventurier, sa fin de trafiquant colonial, chacun métamorphose la réalité en mythe de sa façon — les catholiques, les athées, les révoltés, les anarchistes, les poètes aussi —, si bien que Rimbaud tient moins de place par ce qu'il a dit que par ce qu'on a voulu lui faire dire.

Ses premiers vers (1869-1871) ne sont qu'une imitation de Musset, de Hugo, et surtout des Parnassiens, Banville, Leconte de Lisle, Coppée, auprès de qui il a tenté de figurer dans le recueil collectif *Le Parnasse contemporain (Credo in unam, Les Étrennes des orphelins, Le Forgeron, Le Buffet)*.

Mais dans ses poèmes de 1871, à partir de la Commune de Paris, il manifeste une violence qui détourne souvent les emprunts de leur sens primitif *(Chant de guerre parisien, L'Orgie parisienne, Les Mains de Jeanne-Marie, Oraison du soir)*. C'est à ces signes de révolte que l'on est attentif aujourd'hui, dès leurs manifestations les plus précoces *(A la musique, Les Assis, Les Poètes de sept ans)*. On cherche à suivre l'évolution du futur auteur d'*Une Saison en enfer*★ qui, dans ses lettres, proclame son égal refus de l'ordre social et des traditions littéraires : « Travailler maintenant, jamais, jamais, je suis en grève [...]. Je veux être poète, et je travaille à me rendre *voyant* [...]. » (A son ancien professeur Georges Izambard, 13 mai 1871.) « Le poète se fait *voyant* par un long, immense et raisonné *dérèglement* de *tous les sens*. [...] Ineffable torture [...] où il devient entre tous le grand malade, le grand criminel, le grand maudit — et le suprême Savant ! » (A son ami Paul Demény, 15 mai 1871.)

*Le Bateau ivre* est l'expression symbolique de ce désir de rompre les amarres et de courir toutes les

**Poésies**

Arthur RIMBAUD
Réunies à partir
de 1891

*Le Livre de poche
Poésie/Gallimard*

THÈMES
Enfance. Aventure.
Évasion. Révolte.
Poète, 1, e.
Imagination.

aventures. Prenons garde à la conclusion prémonitoire du poème qui peint l'échec de cette folle évasion, achevée dans le regret des «anciens parapets» et des rêves paisibles de l'enfance.

## Poésies

François VILLON
1456-1461

*Le Livre de poche
Nouveaux classiques
illustrés Hachette
Poésie/Gallimard*

L'œuvre de Villon consiste essentiellement en deux grands poèmes lyriques connus sous les titres de *Petit Testament* ou *Lais* (legs) et de *Grand Testament*.

Villon a écrit le *Petit Testament* (quarante strophes de huit octosyllabes) en 1456, à un moment où il quitte Paris, fuyant, dit-il, la sévérité de sa belle, mais esquivant en réalité les poursuites de la justice. Il y procède à une distribution de legs le plus souvent humoristiques à ses amis et même à ses ennemis.

Dans le *Grand Testament* (cent quatre-vingt-cinq strophes d'octosyllabes), selon la même fiction, songeant à Dieu et à la mort, il dresse en 1461 un bilan de sa vie d'«écolier qui a mal tourné». Regrettant sa jeunesse, il avoue la faillite de sa vie avec un mélange d'ironie et de détresse et sollicite pour ses fautes la miséricorde divine. Des ballades écrites à différentes époques viennent s'insérer dans ce testament : *Ballade pour prier Notre-Dame*, *Ballade des dames du temps jadis*, *Ballade des femmes de Paris*. C'est plus tard que Villon a écrit la *Ballade des pendus*, sans doute au moment où il fut condamné à mort à la suite d'une rixe.

THÈMES
Poète, 1, d. Destin, 1.
Faute. Mort. Salut.

Reflet pittoresque de la vie au XVe siècle, confessions d'une âme inquiète, les poésies de Villon nous touchent par la liberté toute moderne de leur lyrisme.

## Poésies nouvelles

Alfred de MUSSET
1840

*Poésie/Gallimard*

Sous ce titre adopté en 1840 sont réunies les poésies les plus célèbres de Musset. Elles sont intimement liées à son drame personnel — sentiment d'avoir gâché sa vie, nostalgie de la pureté — qui inspire aussi son théâtre (cf. *Les Caprices de Marianne\**, *Lorenzaccio\**).

*Rolla* (1833) est l'histoire d'un jeune homme au cœur noble et naïf, mais «venu trop tard dans un monde trop vieux» et qui cède à la corruption de son époque. Devenu le plus grand débauché de Paris, ruiné, il s'empoisonne chez sa maîtresse. A qui la faute, aux yeux de Musset? Au «mal du siècle», à la perte de toute foi et de tout idéal, dont il rend d'ailleurs Voltaire responsable.

*Lucie* (1835) est au contraire une élégie consacrée à la pureté de l'amour naissant dans une âme innocente.

Suivent les *Nuits*, d'abord publiées isolément, qui constituent un cycle lyrique sur l'amour et la souffrance dans la destinée du poète. Au cours d'une vie sentimentale agitée, la blessure la plus vive lui est restée de sa liaison avec George Sand. Premier poème composé après le drame de Venise, *La Nuit de Mai* (1835) est un dialogue entre le Poète et sa Muse qui cherche à le consoler en affirmant la fécondité poétique du malheur : « Les plus désespérés sont les chants les plus beaux... ». Dans *La Nuit de Décembre* (1835), « un pauvre enfant vêtu de noir », spectre de sa jeunesse, vient hanter le poète voué à la solitude par une nouvelle trahison féminine. Son dialogue avec sa Muse reprend dans *La Nuit d'Août* (1836) où l'emporte le désir de retrouver l'amour et le bonheur. Il se poursuit dans *La Nuit d'Octobre* (1837) où Musset, dominant mieux à peine, accepte l'expérience du malheur et accorde son pardon à l'infidèle. Le poème du *Souvenir* (1841) clôt ce cycle sur le thème du bonheur perdu mais perpétué par la mémoire.

Dans le même recueil, des poésies satiriques comme *Dupont et Durand* témoignent du goût persistant de Musset pour la fantaisie.

Mais ce sont les *Nuits* et *Souvenir* qui définissent le visage posthume de Musset.

THÈMES
Amour, 1, e.
Mal du siècle. Ennui.
Faute. Pureté.
Souffrance. Poète, 1, d.

---

Cette tragédie en cinq actes et en vers confronte l'héroïsme romanesque traditionnel et la vocation du martyre, les exigences de l'amour et celles de la grâce.

L'action se déroule dans la province romaine d'Arménie vers 250 après J.-C. Le seigneur arménien Polyeucte, qui vient d'épouser Pauline, fille de Félix, le gouverneur romain, s'apprête (I, 1) à se faire baptiser en secret (le christianisme est interdit). Pauline est encore troublée par un songe au cours duquel elle a vu son mari périr, victime des chrétiens, tandis que venait la railler un chevalier romain qu'elle a aimé naguère et qui passe pour mort, Sévère (I, 3). Là-dessus, on apprend l'arrivée de Sévère en Arménie. Félix, qui n'a

**Polyeucte**
Pierre CORNEILLE
1643

*Garnier-Flammarion*

pas voulu de lui pour gendre parce qu'il était pauvre, oblige sa fille à le recevoir car il est maintenant le favori de l'empereur Décie. Sévère et Pauline ne peuvent rappeler leur amour que pour y renoncer (II, 2). Polyeucte, qui admire la parfaite vertu de sa femme, s'engage dans un renoncement plus sublime encore. Exalté par son récent baptême, il « brise les idoles » lors d'une cérémonie publique au temple, sachant bien ce qu'il encourt.

Emprisonné par Félix qui a peur de Sévère, il refuse de renier sa foi, résiste aux supplications de Pauline malgré son amour pour elle (IV, 3), et, geste symbolique de rupture complète avec le monde, la confie à Sévère afin d'être libre de répondre à l'appel de Dieu (IV, 4). A la demande de Pauline, Sévère intervient en faveur de Polyeucte auprès de Félix, mais celui-ci croit à un piège et fait exécuter son gendre. Ce martyre entraîne deux conversions, celle de Pauline et celle de Félix, que touche la grâce.

THÈMES
Christianisme, 2.
Amour, 1, c. Héroïsme.
Foi. Grâce. Sacrifice.
Sainteté. Dieu.

Œuvre d'apologétique par certains traits, cette tragédie vient aussi compléter l'étude des conduites héroïques que Corneille a entreprise.

---

**La Porte étroite**

André GIDE
1909

*Folio*

Court récit romanesque inspiré à Gide par son éducation calviniste.

Jérôme, le narrateur, est épris depuis son enfance de l'aînée de ses cousines, Alissa, qui souffre de l'inconduite de sa mère et s'est réfugiée dans une ferveur religieuse ardente. Appliquée à se détacher du monde, Alissa se dérobe à tout projet d'union avec Jérôme. Quand elle découvre que sa jeune sœur Juliette aime aussi leur cousin, elle en prend prétexte pour s'effacer tout à fait. Ses vrais motifs sont religieux : « La route que vous nous enseignez, Seigneur, est une route étroite à n'y pouvoir marcher deux de front. » Jérôme est impuissant à la détourner de l'exaltation mystique qui la consume et la conduit bientôt à la mort. Plus tard, le journal laissé par Alissa révèle à Jérôme les souffrances secrètes de celle qu'il n'a pu retenir sur terre.

La conclusion tragique du récit, qui est sans rapport avec la vie réelle de Gide et de sa cousine Madeleine (*Si le grain ne meurt*★), traduit les excès de la tentation religieuse.

Symétriquement, dans *L'Immoraliste**, Gide a peint les excès auxquels peut conduire le rejet de toute loi et de toute contrainte.

THÈMES
Amour, 1, f.
Christianisme, 2. Dieu.
Foi. Pureté. Sacrifice.

---

Montherlant a présenté cette pièce en un acte comme le troisième volet de sa «trilogie catholique», après *Le Maître de Santiago** et *La Ville dont le prince est un enfant.*

**Port-Royal**

Henry
de MONTHERLANT
1954

*Folio*

L'action réside dans l'évolution morale des religieuses du célèbre couvent janséniste face aux persécutions dont elles furent l'objet de la part des autorités religieuses en 1664. Montherlant ramasse en une journée les événements des 21 et 26 août.

L'archevêque de Paris, M$^{gr}$ de Péréfixe, veut obtenir des religieuses la signature d'un «Formulaire» désavouant les thèses de Jansénius. Un visiteur, père d'une religieuse, montre qu'une partie de l'opinion souhaite cette soumission, mais le couvent résiste, et quand l'archevêque vient lui-même l'ordonner, il se heurte à un refus. Il décide de priver les religieuses des sacrements et fait transférer douze d'entre elles vers d'autres couvents.

Cette épreuve renforce sœur Marie-Françoise de l'Eucharistie dans l'intransigeance de sa foi : «Nous voulons la pureté. Nous n'aimons pas les demi-chrétiens.»

L'archevêque qui raille sa sainteté et se dit «obligé de regarder à hauteur d'homme» ne peut la faire céder. Sœur Angélique, après son départ, avoue en revanche «un doute... sur toutes les choses de la foi et de la Providence; un doute si l'ordonnance du monde est bien telle qu'elle nous justifie de vivre comme nous vivons». Toutefois, avant de quitter le couvent où reste sœur Marie-Françoise, elle réaffirme sa foi dans «la vérité de Dieu».

Cette pièce austère est propre à faire comprendre ce que fut le drame de Port-Royal : l'affrontement entre deux conceptions du christianisme, l'une mondaine et temporelle, l'autre éprise de spiritualité et d'absolu.

THÈMES
Christianisme, 2.
Jansénisme. Foi. Pureté.
Sainteté.

## Les Précieuses ridicules

MOLIÈRE
1659

*Nouveaux classiques
illustrés Hachette*

Pour cette comédie qui est la première de sa carrière parisienne après treize années en province (1645-1658), Molière avait choisi un sujet d'actualité fertile en comique : les précieuses. La préciosité a profondément marqué la vie mondaine et littéraire au XVIIe siècle. Les manifestations n'en furent pas toujours ridicules, car elles exprimaient le désir de réagir contre la grossièreté et d'affiner les mœurs ; mais elles donnaient aussi lieu à des excès évidents dont Molière s'amuse ici.

La Grange et Du Croisy, deux jeunes gens de bonne bourgeoisie, ont été mal reçus par Cathos et Magdelon, l'une nièce et l'autre fille du bourgeois Gorgibus, «pecques provinciales» grisées par «le bel air» de Paris et les romans précieux de Mlle de Scudéry (*Clélie★*). Le valet de La Grange, Mascarille, qui a aussi des prétentions, reçoit de son maître mission d'aller leur faire la cour. Il réussit à merveille auprès d'elles, en singeant de façon outrancière toutes les modes précieuses. Son ami Jodelet, qui le rejoint travesti en vicomte, ne les séduit pas moins, malgré sa balourdise et ses gauloiseries. Et l'on s'apprête à danser, mais les deux maîtres surgissent, armés de bâtons, et arrachent leur déguisement aux valets, à la grande confusion des deux précieuses.

Les techniques de la farce sont appliquées avec brillant à la satire des mœurs, et bien qu'il ne faille pas réduire la préciosité aux images qu'en donne la pièce, on a plaisir à voir défendre le bon sens et le naturel contre la sottise et la prétention.

THÈMES
Femme, 2. Préciosité.
Paris. Amour, 1, c.
Nature, 1.

---

## La Princesse de Clèves

Madame
de LAFAYETTE
1678

*Folio
Le Livre de poche*

Ce roman est le modèle d'un genre, le roman psychologique, en raison de la rigueur et de l'élégance avec lesquelles Mme de Lafayette y décrit le développement des passions et la vie du cœur.

L'action, dont l'idée est empruntée à *La Vie des hommes illustres* de Brantôme (1540-1614), se passe sous les règnes d'Henri II (1547-1559) et de François II (1559-1560). L'imagination est entraînée dans l'univers romanesque d'une cour où triomphent «la magnificence et la galanterie». Cette atmosphère explique la naissance de l'amour chez les héros, mais fait aussi ressortir par contraste le destin exceptionnel de Mme de

Clèves, paradoxalement appliquée en ces lieux à refuser de céder à sa passion.

La toute jeune M^lle de Chartres, «beauté parfaite» élevée par sa mère dans la crainte des dangers de la passion, épouse M. de Clèves sans pouvoir répondre à son amour autrement que par de l'estime et de la reconnaissance. Aussi son cœur est-il libre pour qu'elle s'éprenne du brillant duc de Nemours lorsqu'elle le rencontre à un bal au Louvre. Retenue par la pudeur, elle ne dit rien quand elle le voit lui dérober son portrait, mais prenant conscience de son inclination, elle dresse désormais entre elle et le duc, qui lui fait une cour passionnée, tous les obstacles possibles, sollicitant le secours de sa mère, puis de son mari à qui elle confesse les sentiments qu'elle combat. M. de Clèves trompé par l'audacieuse conduite de M. de Nemours qui essaie de rendre visite à M^me de Clèves à la campagne, est dévoré de jalousie, bien que la conduite de sa femme demeure irréprochable. Il meurt bientôt de chagrin.

Quelques mois plus tard, M^me de Clèves est mise en présence, par surprise, de M. de Nemours : elle lui avoue son amour, mais, invoquant son devoir et son repos, elle refuse d'épouser celui qu'elle tient pour responsable de la mort de son mari et se retire dans un couvent pour y mourir peu après, laissant «des exemples de vertu inimitables».

De nombreux traits de préciosité — idéalisation des personnages, goût des cas psychologiques — marquent le roman, mais on y appréciera surtout, servie par la sobriété du style de M^me de Lafayette, une vision pessimiste des passions qui lui donne la gravité d'une tragédie.

THÈMES
Cour. Amour, 1, c.
Femme, 1, a.
Passion, 1.
Souffrance, 1, a.
Jalousie. Vertu. Sacrifice.

---

**La Prose du Transsibérien**

*La Prose du Transsibérien et de la petite Jehanne de France* est la plus fréquemment citée des œuvres de Cendrars.

Ce poète de l'aventure y évoque, dans un tohu-bohu lyrique, le temps fiévreux de son adolescence où il parcourait l'Asie par le Transsibérien en compagnie d'un voyageur en bijouterie, le souvenir d'une prostituée montmartroise, «la petite Jehanne de France», venant traverser les images violentes de la Sibérie.

Blaise CENDRARS
1913

*Poésie/Gallimard*

THÈMES
Adolescence. Aventure.
Exotisme.

Dans l'édition originale, ce texte de quelques pages a été imprimé sans ponctuation, sur un dépliant illustré de deux mètres de haut. Il est devenu aussitôt le symbole des recherches poétiques nouvelles. C'est à l'imitation de Cendrars qu'Apollinaire a supprimé la ponctuation dans *Alcools*★.

## Les Provinciales

Blaise PASCAL
1656-1657

*Classiques Garnier*
*Classiques Larousse*

En janvier 1656 paraît une *Lettre écrite à un provincial par un de ses amis « sur le sujet des disputes présentes à la Sorbonne »*. C'est la première des lettres fictives, d'abord anonymes, puis signées Louis de Montalte, par lesquelles Pascal intervient aux côtés de ses amis jansénistes contre les jésuites, ou molinistes, du nom d'un théologien de la Compagnie de Jésus, Molina, auteur de l'*Accord du libre arbitre et de la grâce* (1588).

Les molinistes font crédit à la volonté humaine et considèrent qu'on peut faire son salut par ses propres forces et rendre «efficace» la grâce «suffisante» que Dieu accorde à chacun.

Les jansénistes, à la suite de l'évêque d'Ypres Jansénius, auteur d'un traité sur la grâce inspiré de saint Augustin, l'*Augustinus* (1640), sont au contraire persuadés de la faiblesse de l'homme qui, à leurs yeux, ne peut échapper au péché que par l'intervention permanente de Dieu.

En 1653, cinq propositions extraites de l'*Augustinus* ont été condamnées par le Pape, et la hiérarchie ecclésiastique, s'appuyant sur la faculté de théologie de la Sorbonne, tracasse les jansénistes pour qu'ils renient ces propositions hérétiques.

Pascal intervient au plus fort de la polémique pour répliquer aux adversaires des jansénistes sur le plan théologique (lettres I-IV) et dénoncer leur complaisance en matière de morale : il reproche aux jésuites d'émousser le sens de la responsabilité par la «casuistique» (c'est-à-dire l'art de distinguer les cas), l'indulgence aux actes au nom de la pureté des intentions, le principe de «la dévotion aisée» et le système des «restritions mentales» aux déclarations — relâchements destinés à accommoder la religion à la faiblesse des hommes et à la morale du monde : «point d'honneur» et duel, usure, trafic d'influence et corruption des juges, mensonge, parjure (lettres V-X). Ces thèmes sont repris avec vivacité dans les lettres suivantes dont les deux dernières reviennent au problème théologique de la grâce.

Le talent de Pascal fait de ces écrits de circonstance des modèles de littérature polémique. Mais surtout, *Les Provinciales* permettent de comprendre quel ferment de spiritualité profonde et de rigueur morale le jansénisme a été au XVIIe siècle et au-delà.

THÈMES
Religion, 2. Jansénisme.
Société. Bien. Mal.
Honneur. Argent.
Hypocrisie. Péché.
Grâce. Salut.

---

**Le Quart Livre**
François RABELAIS
1552

*Garnier-Flammarion*

Suite du *Tiers Livre\**, *Le Quart Livre des faits et dits héroïques du bon Pantagruel* relate le voyage de Panurge vers l'oracle de la Dive Bouteille, qu'il désire consulter pour savoir s'il doit se marier.

Pantagruel, Panurge et Frère Jean, qui ont pris une route inspirée des voyages de Jacques Cartier vers le Canada, visitent une série d'îles allégoriques : celle des Chicanous, les gens de justice (ch. XII-XVI), celle de Carêmeprenant, monstre ennemi de Nature (ch. XXIX-XXXII), celle des Papefigues, ennemis du Pape (ch. XLV-XLVII), celle des Papimanes, adorateurs du Pape (ch. XLVIII-LIV) et le manoir de Messer Gaster, l'estomac, qui gouverne le monde (ch. LVII-LXII). A ces étapes propices à la réflexion se mêlent des épisodes purement comiques comme celui des moutons de Panurge (ch. VI-VIII) ou de la tempête (ch. XVIII-XXIV), fantaisistes comme celui de l'île des Andouilles (ch. XXXV-XLII), ou fantastiques comme celui des paroles gelées (ch. LV-LVI).

Rabelais satisfait son goût pour l'invention verbale et la truculence tout en menant son combat d'humaniste engagé.

On hésite à attribuer à Rabelais *Le Cinquième et Dernier Livre des faits et dits héroïques du bon Pantagruel* (1562-1564, posthume) en raison d'un moindre bonheur dans la verve. C'est la suite des voyages merveilleux de Pantagruel et Panurge, avec encore des escales allégoriques dont les principales sont l'île Sonnante, qui représente Rome, et le pays des Chats Fourrés, image du monde des Parlements. Panurge interroge l'oracle de la Dive Bouteille qui lui répond joyeusement : *Trinch !* (Bois !).

THÈMES

Voyage, 2. Exotisme, 4.
Utopie. Justice, 2.
Religion, 2. Clergé.
Fanatisme. Ascétisme.
Nature, 1. Destin.

## Quatre vingt-treize

Victor HUGO
1874

*Classiques Garnier
Folio*

Dans cet ouvrage qui est son dernier roman, Hugo met la forme épique au service des idées qu'il s'est forgées peu à peu sur la Révolution française et l'histoire de l'humanité.

Monarchiste sous la Restauration et la monarchie de Juillet, il s'est converti en 1848 à l'idéal républicain qui situe en 1789 la naissance du monde à la lumière. Il ne renonce pas toutefois à juger la Révolution et a choisi l'année 1793 pour la mettre en procès.

Les personnages et les événements du roman sont symboliques. L'action débute dans les bocages de l'ouest où les Bleus et les Chouans se livrent une guerre inexpiable. La victime en est le peuple, représenté par Michelle Fléchard, veuve avec trois enfants, que le bataillon du Bonnet Rouge prend en charge malgré sa fidélité à la monarchie féodale. Bientôt apparaissent les protagonistes de ce combat de sang et d'idées : le terrible marquis de Lantenac, qui vient prendre la tête de la Vendée royaliste ; le capitaine Gauvain, son neveu, jeune aristocrate gagné à la République dont il incarne l'idéalisme généreux ; le représentant en mission Cimourdain, ancien prêtre et ex-précepteur de Gauvain, agent de l'absolutisme révolutionnaire. Au cours des combats, les trois enfants sont pris comme otages par les Vendéens assiégés dans une vieille forteresse seigneuriale, la Tourgue. Au moment où ils vont périr dans son incendie, Lantenac, qui avait pu fuir, touché par leur innocence, revient et les sauve : «Un cœur effrayant venait d'être vaincu [...] L'humanité avait vaincu l'inhumain.» Gauvain ne peut alors admettre que Lantenac, arrêté par Cimourdain, soit condamné à la guillotine : «Est-ce donc que la Révolution avait pour but de dénaturer l'homme?» Il aide le chef royaliste à fuir et prend sa place dans sa prison. Cimourdain le fait condamner à mort. Dans son cachot, il a une dernière conversation avec son ancien maître. Méditant sur «cet extraordinaire 93», il en absout la violence et affirme sa foi en l'avenir : «Sous un échafaudage de barbarie se construit un temple de civilisation.» Et à la république autoritaire voulue par Cimourdain, il oppose l'idéal d'une république généreuse attachée à libérer et élever les hommes. Cimourdain, fidèle à son intransigeance, le fait guillotiner, puis se suicide.

Les images simples, les personnages antithétiques, la recherche de symboles et la figuration dramatique des idées, la force des visions et des convictions, tout concourt à faire de ce roman un bon exemple de l'art épique et de la pensée idéaliste de Victor Hugo qui s'emploie non seulement à juger le passé mais aussi à enseigner les principes qui doivent désormais, à ses yeux, constituer la foi du monde.

THÈMES
Révolution. Monarchie.
Guerre, 1 et 2, a.
Fanatisme.
Violence. Peine de mort.
Peuple. Femme, 1, f.
Enfant. Humanité, 2.
Liberté. Justice.

**Regain**
Jean GIONO
1930

*Le Livre de poche*

Ce roman date de l'époque où l'amour de sa Provence avait conduit Giono à se faire le chantre de la vie pastorale. Venant après *Colline* et *Un de Baumugnes,* il constitue le troisième volet d'une trilogie intitulée *Pan* (du nom du dieu des bergers et des troupeaux).

A Aubignane, pauvre village des Basses-Alpes, il ne reste que trois habitants : la vieille Mamèche, qui a perdu son mari et son fils; l'ancien forgeron Gaubert, dont le fils est parti; et Panturle, un colosse, une force de la nature, qui vit seul, en sauvage, depuis la mort de sa mère. Un hiver, le vieux forgeron se résigne à aller habiter chez son fils et la Mamèche disparaît mystérieusement; mais la résurrection d'Aubignane se prépare, grâce à Mamèche qui avait promis à Panturle de lui ramener une femme : effrayés par la silhouette noire de la vieille qui court dans la lande, le rémouleur Gédémus et Arsule sa compagne viennent chercher refuge au village. Le printemps lui donnant de l'audace, Panturle enlève Arsule au rémouleur, et se remettant au labour grâce au dernier soc de Gaubert, fait pousser du blé sur le plateau réputé aride. Le village renaîtra comme le promet la naissance d'un enfant.

Dans cette fable dictée par la nostalgie d'un autre âge de la civilisation, Giono montre un grand talent de conteur et un sens rare des forces sauvages de la nature.

THÈMES
Paysans, 2. Terre, 1.
Nature, 2, b. Traditions.
Bonheur, 6, b.

**Les Regrets**
Joachim
Du BELLAY
1558

*Classiques Larousse
Poésie/Gallimard*

Déçu par son séjour en Italie auprès de son oncle, le cardinal Jean du Bellay, Joachim du Bellay a su faire de son désenchantement et de ses colères la matière de son œuvre poétique : «Je me plains à mes vers si j'ai quelque regret; / Je me ris avec eux, je leur dis mon secret, / Comme étant de mon cœur les plus sûrs secrétaires» (I). L'inspiration élégiaque et l'inspiration satirique sont ainsi associées dans ce recueil de sonnets, la première, qui semble seule annoncée par le titre, se fortifiant de la seconde.

Les sonnets qui ont proprement pour thème les regrets du poète sont les plus connus. Du Bellay y reconnaît qu'il a perdu l'ardeur de sa jeunesse et même, prétend-il, l'inspiration (VI, *Las! Où est maintenant ce mépris de Fortune?*), qu'il s'ennuie dans son exil romain (IX, *France, mère des arts, des armes et des lois*) et envie l'heureuse carrière de Ronsard à la cour d'Henri II (XVI, *Cependant que Magny suit son grand Avanson*), qu'il a la nostalgie de son pays natal (XXXI, *Heureux qui, comme Ulysse, a fait un beau voyage*) et que, parti pour l'Italie rêvant de savoir humaniste et de plaisirs, il a fait « un malheureux voyage » (XXXII, *Je me ferai savant en la philosophie*).

De là, du Bellay passe à la satire de la vie romaine et de la cour pontificale qui donne l'exemple de la corruption (LXXX, *Si je monte au Palais, je n'y trouve qu'orgueil*; LXXXI, *Il fait bon voir, Paschal, un conclave serré*; LXXXV, *Flatter un créditeur*; LXXXVI, *Marcher d'un grave pas, et d'un grave sourci*).

Sur les cent quatre-vingt-onze sonnets du recueil, seuls les cent vingt-sept premiers sont inspirés par l'Italie. Les suivants concernent son retour en France, ses impressions de route, et surtout Paris, la cour, le métier de poète, les réflexions satiriques alternant avec les propos de circonstance qu'exige sa situation de poète courtisan.

**THÈMES**
Moi, 2. Jeunesse.
Poète, 1, b. Voyage, 1.
Mélancolie. France.
Pays natal (cf. Patrie, 1).
Rome. Cour. Clergé.

En faisant de ses vers ses « papiers journaux », du Bellay a écrit le recueil de poèmes qui, de tous ceux du XVIe siècle, semble aujourd'hui le plus moderne.

---

## La Reine morte

Henry
de MONTHERLANT
1942

*Folio*

C'est avec cette pièce en trois actes et en prose que Montherlant, déjà connu comme romancier et essayiste, s'est imposé à l'attention comme dramaturge. L'action, inspirée d'une œuvre espagnole du XVIIe siècle, se déroule au Portugal au XIVe siècle.

Le vieux roi Ferrante désire, pour le salut de son royaume, faire épouser la fière infante de Navarre à son fils Pedro dont il redoute la médiocrité, mais celui-ci aime une dame de la cour, la douce Inès de Castro, et aspire seulement au bonheur privé (I, 3). Découvrant que son fils a déjà contracté un mariage secret avec Inès, Ferrante le jette en prison, cherche à faire annuler le mariage, et enfin prête l'oreille à son ministre Égas Coelho qui l'incite à faire assassiner Inès. La pièce montre comment cet homme intelligent, mais au cœur amer et sec, en viendra à cette extrémité. Bien qu'il éprouve de la sympathie pour Inès au point de lui confier son dégoût du pouvoir, il cédera à sa haine de la vie et à sa peur de paraître faible. Inès, qui est simple et généreuse, refuse de se défier de Ferrante. Pensant l'émouvoir, elle lui annonce qu'elle attend un enfant (III, 6) ; c'est cette confidence qui le décide à poster les assassins : « Acte inutile, acte funeste. Mais ma volonté m'aspire, et je commets la faute, sachant que c'en est une » (III, 7). Au moment où il justifie publiquement sa décision par la raison d'État, la mort le frappe, lui laissant le temps d'un aveu lucide : « J'ai fini de mentir » (III, 8). Tout le monde se détourne de lui pour entourer le corps d'Inès. Pedro la couronne reine.

La signification de ce drame tient tout entière dans la chute d'un homme faible sous ses airs de grandeur, et en qui le sens de l'humain est perverti par le pouvoir, l'orgueil et la solitude.

THÈMES
Bonheur, 6. Amour, 1, f. Pureté. Pouvoir. État. Néant.

---

*René* devait former un épisode des *Natchez* (cf. *Atala\**) ; Chateaubriand l'en a détaché pour illustrer, dans *Le Génie du christianisme\**, le chapitre *Du vague des passions* consacré à l'analyse de ce qui devait plus tard être appelé le « mal du siècle ». Puis il a séparé *René* du *Génie* en 1805 pour l'éditer avec *Atala*. La préface qu'il rédige alors dénonce encore le malaise moral de son temps dont il attribue la responsabilité à Rousseau : *René* doit, comme la tragédie de *Phèdre\**, montrer les ravages des passions dans les cœurs mal protégés contre eux-mêmes et contribuer à restaurer la morale chrétienne.

Un Français réfugié chez les Natchez, René, raconte sa vie à son père adoptif, l'Indien Chactas, et à un missionnaire, le Père Souël. Dès son enfance, ce jeune aristocrate a été marqué par le malheur et voué à la mélancolie. N'ayant pas connu sa mère, élevé sévèrement dans une province reculée, il ne trouve d'affection qu'auprès de sa sœur Amélie qui partage son goût pour la nature sauvage et la rêverie, et qui devient sa

## René

François-René de
CHATEAUBRIAND
1802

*Classiques Garnier
Folio*

confidente. (Pour cette partie du récit, Chateaubriand dramatise des traits de sa propre enfance; cf. *Mémoires d'outre-tombe*⋆.) Devant quitter le château familial à la mort de son père, il est tenté par la vie monastique, puis cherche, mais en vain, à se divertir en voyageant. Il ne trouve plus de secours dans la foi. Sa sœur paraît s'éloigner de lui. Après avoir habité Paris, il aspire à une vie simple et choisit un exil champêtre. La solitude et le spectacle de l'automne le jettent dans une folle exaltation qui le conduit à souhaiter la mort : «Levez-vous vite, orages désirés, qui devez emporter René dans les espaces d'une autre vie.» Sa sœur vient vivre auprès de lui, et ce sont quelques mois d'enchantement. Mais elle se retire soudain dans un couvent pour des raisons mystérieuses qu'il découvre le jour où elle prononce ses vœux : elle a fui devant la tentation de l'inceste. Éclairé par cette «affreuse vérité», le cœur «pétri d'ennui et de misère», il est alors parti pour l'Amérique.

Le Père Souël répond à René en lui adressant une sévère leçon : «Je ne vois qu'un jeune homme entêté de chimères...»; «La solitude est mauvaise à celui qui n'y vit pas avec Dieu...»; Amélie a expié sa faute, mais René se perd.

L'effet de cette œuvre ne fut pas celui que Chateaubriand prétendait en espérer. A la chute de l'Empire, René devint le modèle de toute une part de la jeunesse, ainsi que Chateaubriand le note avec ironie dans ses *Mémoires*⋆ (2ᵉ partie, livre I, 11). Il reste l'un des symboles de l'état d'âme romantique.

THÈMES
Mal du siècle (Ennui, 2).
Enfance. Adolescence.
Jeunesse. Sensibilité.
Nature, 2. Rêverie.
Mélancolie. Voyage.
Christianisme, 1.

## Les Rêveries du promeneur solitaire

Jean-Jacques ROUSSEAU
1782 (posthume)

*Classiques Garnier*
*Le Livre de poche*
*Folio*

Rousseau a rédigé ces pages entre l'automne de 1776 et sa mort. En les commençant, il prend soin de les distinguer de ses *Confessions*⋆ : «[...] je ne leur en donne plus le titre, ne sentant plus rien à dire qui puisse le mériter.» Après tant d'efforts angoissés, accomplis depuis 1765 pour se justifier devant la société, il se déclare enfin résigné à la solitude et décidé à écrire seulement pour lui-même, afin de fixer le souvenir de ses rêveries de promeneur : «Ces feuilles ne seront proprement qu'un informe journal de mes rêveries» *(Première Promenade)*.

«Je fais la même entreprise que Montaigne», ajoute-t-il. Cette comparaison est justifiée par la diversité du recueil où la rêverie prend souvent le caractère d'une libre causerie au cours de laquelle les vagabondages de l'esprit alternent avec des méditations plus soutenues. Mais l'originalité du volume réside dans l'analyse de l'état de rêverie proprement dit.

Dans la *Deuxième Promenade*, Rousseau peint ses promenades solitaires autour de Paris et conte une chute et un évanouissement suivi d'un heureux réveil (à comparer avec *Essais\**, II, 6). Dans la *Cinquième*, il évoque son séjour à l'île de Saint-Pierre en septembre 1765 et décrit — ces pages sont célèbres —, l'extase dans laquelle culminait sa rêverie lorsque des sensations douces, le soir, au bord du lac de Bienne, lui permettaient de «sentir avec plaisir (son) existence sans prendre la peine de penser». La *Septième* traite des plaisirs liés de la botanique et de la rêverie.

Dans les autres «promenades», Rousseau se révèle beaucoup plus prisonnier de lui-même qu'il ne veut bien le dire. Dans la *Troisième*, il réaffirme les convictions religieuses qu'il a exprimées dans la *Profession de foi du vicaire savoyard (Émile\*)*. Dans la *Quatrième*, il disserte sur la vérité et le mensonge, et justifie ses *Confessions\**. Dans la *Sixième*, il parle de la bonté ; dans la *Huitième* du bonheur qu'il peut encore trouver dans son infortune ; et dans la *Neuvième*, il lutte de nouveau contre le remords que lui laisse l'abandon de ses enfants. La *Dixième* et dernière, qui semble inachevée, est consacrée au souvenir de M^{me} de Warens, pour le cinquantième anniversaire de leur première rencontre (Pâques 1728). Rousseau allait mourir le 2 juillet 1778.

Leur richesse et leur qualité artistique placent les *Rêveries*, tout comme *Les Confessions\**, parmi les plus grandes œuvres autobiographiques.

THÈMES
Moi, 1. Rêverie.
Sensibilité. Sensations.
Bonheur, 4, b. Souvenir.
Nature, 2, b. Vieillesse.
Mélancolie.

## Rhinocéros

Eugène IONESCO
1959

*Folio*

Fidèle au système d'expression symboliste qui est un des principes de son théâtre, Ionesco fait ici du rhinocéros le symbole du mépris brutal de l'homme, dans une fable destinée à rappeler comment les pires monstres peuvent à tout moment reparaître dans la société et s'y installer.

Un dimanche matin, deux hommes sont assis à la terrasse d'un café : Bérenger, un employé banal, de caractère négligent, qui ne s'est jusqu'ici guère interrogé sur le sens de sa vie, et Jean, son ami, homme d'ordre, qui lui reproche son laisser-aller. Soudain surgit, au galop, un rhinocéros qui écrase un chat et disparaît. Puis, en sens contraire, passe un autre rhinocéros — à moins que ce ne soit le même... Les avis des témoins — le patron du café, la ménagère qui a perdu son chat, l'épicière, un vieux monsieur — sont flous et contradictoires. Seul Jean est formel et prétend que le premier, avec deux cornes sur le nez, était d'Asie, tandis que le second, avec une seule corne, était d'Afrique. Bérenger, qui ne s'est jamais intéressé aux rhinocéros, n'a pas d'idée sur le problème (acte I). Bientôt la présence de rhinocéros dans la ville est devenue un événement familier. Ils se font de plus en plus nombreux : on découvre que ce sont des habitants qui se métamorphosent. Jean est à son tour atteint de rhinocérite, sous les yeux de Bérenger : il verdit, une corne lui pousse et il se met à crier : « L'humanisme est périmé » (acte II). Bérenger défend farouchement sa personnalité alors que tout le monde passe peu à peu dans le camp des rhinocéros. Daisy, la dactylo de son bureau, dont il se croyait aimé, l'abandonne pour les rejoindre. Elle prétend vouloir « comprendre leur psychologie, apprendre leur langage ». « C'est nous, peut-être, les anormaux », dit-elle. Bérenger en arrive à douter de lui-même : « Ce sont eux qui sont beaux. J'ai eu tort ! Comme je voudrais être comme eux. » Cependant il ne capitulera pas : « Je suis le dernier homme, je le resterai jusqu'au bout » (acte III).

THÈMES
Fascisme.
Homme, 5, d.
Humanisme.

Ionesco, qui a raillé le théâtre engagé au service des « modes idéologiques », montre qu'il a choisi pour sa part la défense de l'homme.

---

## Le Rivage des Syrtes

Julien GRACQ
1951

*José Corti*

Affectant la forme d'un récit de faits historiques rédigé par l'un des acteurs des événements, ce roman est une sorte de fable politique en même temps qu'un très remarquable exercice de style.

Aldo, le narrateur, est un jeune patricien de la seigneurie imaginaire d'Orsenna, maintenant assoupie dans le souvenir de sa grandeur passée. Il est envoyé comme Observateur auprès des troupes que la cité maintient sur le rivage des Syrtes, face au Farghestan avec lequel elle est en guerre depuis trois siècles. Il y a longtemps que l'on ne se bat plus; le capitaine Marino, gouverneur de la citadelle de l'Amirauté, s'emploie, selon les ordres de son gouvernement, à éviter tout geste belliqueux. Dans l'atmosphère d'ennui et d'attente qui pèse sur les paysages déserts, Aldo se laisse fasciner par le mystère du Farghestan et entre peu à peu comme acteur dans une série d'événements qui, l'attrait de l'aventure et la soumission collective au destin aidant, conduisent à la reprise de la guerre.

Entraîné par son amie Vanessa, qui est venue s'installer au palais familial de Maremma pour fuir la sagesse et le sommeil d'Orsenna, il s'aventure jusqu'à l'île de Vezzano d'où l'on aperçoit le cône blanc du Tängri, image de l'inaccessible Farghestan. Puis les ordres même d'Orsenna devenant flous, il pousse une patrouille navale vers les côtes interdites, et essuie trois coups de canon.

Convoqué à Orsenna, Aldo n'est pas désavoué car «tout le monde a été complice dans cette affaire, tout le monde a aidé. Même quand il a pensé faire le contraire».

L'intérêt du roman est dans la peinture en quelque sorte intemporelle de phénomènes concernant les individus, les collectivités et la politique des États; la tentation des ruptures, la dilution des responsabilités, la fascination du tragique. Il est aussi dans la qualité poétique de son style qui semble refléter l'envoûtement mélancolique qui gouverne le destin d'Aldo et d'Orsenna.

THÈMES
Aventure. Guerre.
Liberté. Destin.
Responsabilité.

---

Giono a classé ce récit parmi ses *Chroniques romanesques*. Dans une préface écrite pour ce recueil en 1962, en pleine vogue du nouveau roman (cf. M. Butor, M. Duras, A. Robbe-Grillet), raillant le fait qu'on n'ose plus raconter d'histoires, il se flatte d'en offrir, mais souligne en même temps ses innovations formelles : «le thème même de la chronique me permet d'user de toutes les formes du récit, et même d'en inventer de nouvelles, *quand elles sont nécessaires* (et seulement quand elles sont exigées par le sujet)» (cf. *Le Moulin de Pologne*⋆).

Ici, le narrateur est un amateur de caractères qui s'attache à reconstituer ce qu'on a pu voir et savoir de la vie d'un capitaine de gendarmerie nommé Langlois à partir du jour où il est arrivé dans un village du Dauphiné pour une enquête. L'originalité du récit tient à

**Un Roi sans divertissement**
Jean GIONO
1947

*Folio*

ce que cet homme secret et tourmenté est exclusivement peint de l'extérieur, comme ont pu le voir ceux qui l'ont connu.

Pendant l'hiver de 1843, dans un village de la montagne pris dans la neige et le brouillard, des habitants disparaissent, victimes d'un assassin, si l'on en juge par les traces de sang, mais on ne retrouve pas leurs corps. Le capitaine Langlois, qui vient enquêter sans succès, est aussi singulier que ces crimes inexpliqués.

Il reparaît au début de l'hiver suivant, en congé pour trois mois, et s'installe au café de la Route que tient une ancienne prostituée surnommée Saucisse. Le mystérieux assassin le fascine : « Ce n'est pas un monstre. C'est un homme comme les autres », dit-il. Cet homme tout de même étrange, un villageois finit par le repérer alors qu'il descend d'un grand hêtre où il a caché ses victimes. On le suit. Il est du village voisin de Chichiliane. C'est M. V. Au lieu de le remettre à la justice, Langlois l'entraîne dans la forêt et le tue de deux coups de pistolet. Après quoi il démissionne.

Langlois s'installe alors au village définitivement. Il est commandant de louveterie. Il fréquente quelques amis, Saucisse, M<sup>me</sup> Tim et son mari, procureur royal et « connaisseur d'âmes ». Il se marie. Mais il ressort de tous les faits que Langlois est prisonnier d'une inquiétude foncière que l'affaire de M. V. semble avoir avivée. Sa hantise du sang et de la mort est trahie par des épisodes symboliques : la battue où il tue lui-même le loup de deux coups de pistolet, sa visite à une paysanne pour faire tuer une oie dont il regarde couler le sang dans la neige. Au soir de la scène de l'oie, il s'est suicidé en allumant un bâton de dynamite en guise de cigare.

Le mot de la fin est emprunté à Pascal : « Un roi sans divertissement est un homme plein de misères. » (*Pensées\**, Br. II, 142).

**THÈMES**
Ennui. Mort. Suicide.

---

**Le Roi
se meurt**

Eugène IONESCO
1962

*Folio*

Ionesco assure avoir écrit cette pièce pour se libérer de l'angoisse de la mort. C'est certainement l'une des œuvres les plus fortes de son théâtre.

Le roi Bérenger I<sup>er</sup> ne se doute pas encore qu'il va mourir, malgré divers signes révélateurs (arrêt du chauffage, tarissement du lait de la vache, fissure dans le mur). La reine Marguerite, sa première épouse, et son médecin vont entreprendre de l'éclairer pour qu'il meure dignement, tandis que la reine Marie, « seconde épouse du Roi, première dans son cœur », veut encore espérer et lui cacher la vérité.

Accueilli par le cri de « Vive le roi ! », Bérenger va tenter de nier sa décrépitude et d'affirmer sa puissance, mais ses ordres ne sont plus obéis et ses forces le trahissent. La peur le saisit. Les cris de révolte alternent avec les supplications. Puis vient la résignation. Il se met à parler de lui-même au passé, ses familiers mêlant leurs commentaires à ses souvenirs. Dans cette évocation de son règne, qui ne permet pas de déterminer s'il a été bon ou méchant, il devient peu à peu le symbole du règne de l'homme sur la terre et du destin de l'humanité. Sa mort semble en figurer la disparition : le spectacle se termine sur l'image du roi figé sur son trône au milieu de la scène vide.

Dans un langage théâtral typiquement contemporain — symbolisme, bouffonnerie, lyrisme, poésie —, *Le roi se meurt* est un mythe de la mort sans Dieu.

THÈMES
Homme, 5, c.
Humanisme. Mort.
Destin, 2.

---

Bien qu'ils datent de l'époque de la liaison de Verlaine avec Rimbaud, ces poèmes ne doivent rien à la technique de l'auteur d'*Une Saison en enfer*⋆ et des *Illuminations*⋆. Par le titre *Romances sans paroles,* qui reprend un vers du poème *A Clymène* (*Fêtes galantes*⋆), Verlaine attire l'attention sur les recherches musicales qu'il a entreprises dès ses *Poèmes saturniens*⋆, tout en restant fidèle à la versification traditionnelle. A ce sujet, on verra son *Art poétique,* composé en 1874 et publié dans *Jadis et naguère* (1885) : « De la musique avant toute chose / Et pour cela préfère l'Impair, [...] » ; « Prends l'éloquence et tords-lui son cou ! »

La première section, *Ariettes oubliées* (une ariette est une chansonnette), contient quelques-uns des poèmes les plus célèbres de Verlaine : *C'est l'extase langoureuse... Il pleure dans mon cœur..., O triste, triste était mon âme...* Les paysages y font l'objet d'une subtile composition symboliste (« Dans l'interminable / Ennui... L'ombre des arbres »). La section *Paysages belges* évoque la technique des peintres impressionnistes. La troisième section, *Birds in the night* (Oiseaux dans

**Romances sans paroles**
Paul VERLAINE
1874

*Le Livre de poche*
*Poésie/Gallimard*

la nuit), est liée aux difficiles rapports de Verlaine et de sa femme, ainsi que la dernière, *Aquarelles*.

Si Verlaine est resté étranger à l'ambition de voyance de Rimbaud, il a contribué à réduire l'écart entre l'âme et le langage dans la poésie moderne.

THÈMES
Sensibilité. Sensations.
Nature, 2, b.
Mélancolie. Rêve.

## Le Roman de la Rose

Guillaume de Lorris
1230-1240

Jean de Meun
1275-1280

*Folio*
*Garnier-Flammarion*

Ce « roman » est composé de deux parties fort différentes, ce qui n'a rien d'étonnant puisqu'elles sont dues à deux auteurs qui ont travaillé à quarante ans d'intervalle.

La première (quatre mille soixante-huit vers), écrite vers 1230-1240 par Guillaume de Lorris qui la dédie à sa dame, est un code de l'amour courtois développé sous forme d'allégorie. Le poète rapporte un songe de sa vingtième année au cours duquel il a atteint le verger d'Amour, dont Oisiveté lui a ouvert la porte, et où l'ont reçu diverses figures allégoriques, les unes aimables, comme le dieu d'Amour, Beauté, Courtoisie, Jeunesse, et prêtes à l'aider à approcher la plus belle Rose du jardin ; les autres hostiles, comme Danger et Jalousie, et résolues à le mettre à l'épreuve.

C'est là une figuration abstraite et souvent mièvre de la psychologie, et la Rose n'a plus que l'existence d'un objet idéal. Cependant, avec son récit Guillaume de Lorris a fixé la rhétorique amoureuse pour longtemps.

L'œuvre étant restée inachevée, Jean de Meun (ou Meung) lui a donné vers 1275-1280 une suite de dix-huit mille vers, menant à son terme l'intrigue imaginée par son prédécesseur, mais abandonnant la doctrine courtoise pour faire l'éloge de la sensualité naturelle dans le cadre d'une large réflexion philosophique et morale. Réaliste devant les passions, satirique à l'égard de la société, du pouvoir royal, des institutions chevaleresques, de l'hypocrisie des prêtres et des moines, donnant la parole à la Raison et à la Nature, Jean de Meun anticipe ainsi sur l'humanisme sceptique de la Renaissance.

Largement diffusé, *Le Roman de la Rose* était encore lu au XVIe siècle dans la version moderne qu'en avait donnée Marot en 1527.

THÈMES
Amour, 1, a. Courtoisie.
Nature, 1. Raison.
Mœurs. Société.
Chevalerie. Clergé.

## Le Roman de Renard

Fin du XIIᵉ-début du XIIIᵉ siècle

*Classiques Larousse
Garnier-Flammarion*

Divers auteurs, dont seulement trois sont identifiés (le premier en date est Pierre de Saint-Cloud), ont contribué, entre 1174 et 1205 environ, au «roman» de Renard le Goupil, dans lequel on distingue vingt-sept «branches» ou récits distincts.

Écrite dans un esprit de satire malicieuse et réaliste, cette œuvre transpose dans le monde animal l'organisation et les conflits de la société française féodale, et constitue ainsi une parodie des chansons de geste et des romans courtois (cf. *La Chanson de Roland★*, *Lancelot★*). Renard le rusé est un rebelle en révolte contre les lois chevaleresques, et prouve le plus souvent la supériorité de la tromperie et du cynisme sur la loyauté et la générosité.

Les plus anciennes branches, composées entre 1170 et 1190, contiennent les épisodes les plus connus qui mettent Renard aux prises avec Chantecler, le coq; Ysengrin, le loup; Brun, l'ours; Tibert, le chat; Tiécelin, le corbeau; Noble, le lion. Ils valent par leur gaieté héroï-comique et l'aimable peinture des mœurs et des caractères. La satire du monde humain est parfois plus développée, comme dans la première branche I où l'on voit Renard passer en jugement et échapper à la mort en partant en pèlerinage.

Les branches ultérieures présentent le plus souvent moins de bonheur.

Postérieurement au *Roman de Renard* proprement dit, Renard reparaît dans des contes satiriques et allégoriques : *Renard le Bestourné* (le mal tourné) de Rutebeuf (1261-1270), *Le Couronnement de Renard* (1295), *Renard le contrefait* (autour de 1325).

THÈMES
Chevalerie et courtoisie (parodie).
Classes sociales.
Héroïsme.

## Le Roman inachevé

Louis ARAGON
1956

*Poésie/Gallimard*

Recueil de poèmes lyriques d'inspiration autobiographique dans lequel Aragon chante et commente sa vie.

D'une façon tantôt allusive et voilée, tantôt plus narrative, il évoque son enfance et sa mère, la guerre de 1914, sa participation au surréalisme, la rencontre d'Elsa Triolet qui l'en détourne et l'amène au communisme, la guerre de 1939-1945, la Résistance. Il s'interroge sur le temps qui a fui : «Cette vie avait-elle un sens ou n'était-elle qu'une danse?» *(Le Mot «Vie»)*, revient sur tout ce qui a coloré les jours de son existence, «roman inachevé», comme dit ironiquement le titre, la quête du bonheur, les amitiés, les amours, la poésie, les espoirs, les engagements, les illusions, les découragements. Au terme du parcours, il demeure ferme dans sa foi communiste *(La Nuit de Moscou)*, cependant qu'Elsa reste au-dessus de tout : « L'amour que j'ai de toi garde son droit d'aînesse / Sur toute autre raison par quoi vivre est basé [...] / Elsa ma soif et ma rosée » *(Prose du Bonheur et d'Elsa)*.

Dans ces poèmes, Aragon se réclame résolument de la tradition lyrique française, use de toutes les variétés du vers régulier, l'octosyllabe, l'alexandrin, le vers de seize syllabes aussi, et, plus rarement, de la prose, imite Villon, Musset, Banville, Baudelaire, Verlaine, Apollinaire, Desnos. L'abondance et le jeu engendrent çà et là des facilités, mais l'aisance, le plaisir, la sincérité avec lesquels il manie la langue, les rythmes et les images emportent l'adhésion.

**THÈMES**
Souvenir. Amour.
Bonheur. Temps.

---

**Le Rouge
et le Noir
Chronique
de 1830**
STENDHAL
1830

*Classiques Garnier
Folio
Le Livre de poche*

Stendhal a conçu ce roman à partir d'un fait divers, l'affaire Berthet, relatée dans la *Gazette des Tribunaux* en décembre 1827. Antoine Berthet était un ancien séminariste, devenu précepteur, qui venait d'être guillotiné pour avoir tiré deux coups de pistolet sur la femme d'un notable, Mme Michoud, qui avait été sa maîtresse.

L'action du roman commence à Verrières, ville fictive du Jura, sous la Restauration. Fils d'un charpentier pauvre, Julien Sorel est remarqué pour son intelligence par le curé de Verrières, l'abbé Chélan, qui l'aide à s'instruire, puis le recommande à M. de Rênal, le maire de la ville, qui cherche un précepteur pour ses enfants. Julien, qui admire Napoléon, s'en cache soigneusement, car la restauration de l'ancien ordre monarchique et religieux est rigoureuse. Quelques années plus tôt, il serait entré dans l'Armée. Maintenant, si l'on est ambitieux, il faut choisir la carrière ecclésiastique, car le clergé est devenu tout-puissant. Le titre du roman est sans doute une allusion à ces deux voies de l'ambition. Julien est décidé à s'engager dans la seconde, en s'obligeant à l'hypocrisie nécessaire. Tout est pour lui exercice de sa volonté. Parce qu'il est intimidé autant qu'attiré par Mme de Rênal, la mère de ses élèves, il s'impose de la séduire. Cette jeune femme qui s'ennuie n'est pas insensible à son charme et à son audace, et lui cède. Julien, dénoncé à M. de Rênal, doit s'éloigner avant que le scandale n'éclate.

Il entre alors au séminaire de Besançon où il doute de son avenir parmi les intrigues qui opposent les membres de la Congrégation aux prêtres suspects de jansénisme comme l'abbé Pirard. Il étouffe dans cette atmosphère et se voit proposer avec joie un emploi de secrétaire, à Paris, auprès du marquis de la Mole. Dans le salon de la marquise, il côtoie de jeunes aristocrates vaniteux et nuls, comme le comte Norbert, leur fils. Leur fille Mathilde, qui méprise son milieu et admire l'énergie par nostalgie des mœurs de la Renaissance, se plaît à mettre à l'épreuve l'orgueil de Julien. Lui-même se fixe pour tâche de la conquérir. Il y réussit, et M. de la Mole va se résigner à laisser sa fille épouser ce roturier auquel on a procuré un brevet de lieutenant quand une lettre dictée à M$^{me}$ de Rênal par son confesseur vient dénoncer Julien comme un simple séducteur ambitieux. Profondément offensé, Julien part pour Verrières et tire deux coups de pistolet sur M$^{me}$ de Rênal, à l'église, pendant la messe. En prison, toute ambition abdiquée, il s'abandonne au bonheur d'aimer M$^{me}$ de Rênal qui, au mépris de toute convenance, est venue lui avouer la fidélité de son amour et lui rend visite chaque jour. Ni M$^{me}$ de Rênal, ni Mathilde de la Mole, accourue pour le défendre, ne peuvent le sauver de la guillotine. Imitant un geste cité dans une chronique du XVI$^e$ siècle, Mathilde emporte la tête de son amant pour l'ensevelir elle-même. M$^{me}$ de Rênal meurt trois jours après Julien en embrassant ses enfants.

On lira *Le Rouge et le Noir* comme l'histoire imaginaire d'une quête du bonheur où s'expriment des passions et des tentations typiquement stendhaliennes — ambition, goût de l'énergie, recherche de l'amour, rêve d'un libre abandon à la sensibilité —, tandis que la satire de la société vient dénoncer tout ce qui rend malheureusement le bonheur impossible.

THÈMES
Jeunesse.
Apprentissage.
Égotisme. Société.
Province. Paris.
Ambition. Énergie.
Napoléon. Clergé.
Noblesse.
Vie mondaine.
Cynisme. Hypocrisie.
Amour, 1, e.
Femme, 1, a.
Sensibilité. Bonheur.

---

Vaste fresque romanesque en vingt volumes dont l'unité est indiquée par le sous-titre : *Histoire naturelle et sociale d'une famille sous le Second Empire.* Zola en a conçu le projet dans l'hiver 1868-1869. Sous l'influence de l'*Introduction à la médecine expérimentale* de Claude

**Les Rougon-Macquart**
Émile ZOLA
1870-1892

Bernard et du *Traité philosophique et physiologique de l'hérédité naturelle* de Prosper Lucas, il se propose d'ajouter à la méthode de Balzac, qui procède essentiellement en historien, l'étude des données physiologiques héréditaires dans une famille. La préface du premier volume, *La Fortune des Rougon,* résume sa conception matérialiste des destinées : «[...] la famille que je me propose d'étudier a pour caractéristique le débordement des appétits, le large soulèvement de notre âge, qui se rue aux jouissances. Physiologiquement, ils sont la lente succession des accidents nerveux et sanguins qui se déclarent dans une race, à la suite d'une première lésion organique, et qui déterminent, selon les milieux, chez chacun des individus de cette race, les sentiments, les désirs, les passions, toutes les manifestations humaines, naturelles et instinctives, dont les produits prennent les noms convenus de vertus et de vices. Historiquement, ils partent du peuple, ils s'irradient dans toute la société contemporaine, ils montent à toutes les situations, par cette impulsion essentiellement moderne que reçoivent les basses classes en marche à travers le corps social [...]».

L'ancêtre qui a marqué cette famille est Adélaïde Fouque, paysanne provençale névrosée, qui a épousé son domestique Rougon, puis a pris pour amant un contrebandier ivrogne, Macquart *(La Fortune des Rougon).* La dispersion de ses descendants permet à Zola de peindre la société du Second Empire à tous ses niveaux : milieux politiques et financiers *(La Curée*★, *Son Excellence Eugène Rougon, L'Argent*); bourgeoisie *(Pot-Bouille);* monde du commerce *(Le Ventre de Paris*★, *Au bonheur des dames*); prolétariat ouvrier *(L'Assommoir*★, *Germinal*★); peuple des campagnes *(La Terre*★). La courtisane *(Nana),* l'artiste *(L'Œuvre),* le prêtre *(La Faute de l'abbé Mouret)* ont place dans cet univers. Le thème de l'hérédité est parfois très estompé comme dans *Germinal*★ ou *La Débâcle*★, et le lecteur, sinon Zola, le perd de vue pour s'intéresser à la peinture des milieux. Mais il a toute sa signification dans *La Bête humaine* où est étudiée la destinée d'un criminel, Jacques Lantier, l'un des enfants de Gervaise (cf. *L'Assommoir*★).

Bien que l'univers des *Rougon-Macquart* soit fort sombre, la foi dans la vie vient souvent l'éclairer. Cette foi est l'ultime leçon du dernier roman, *Le Docteur Pascal* : «L'avenir de l'humanité est dans le progrès de la raison par la science [...]», et Zola a souligné sa volonté de terminer sur une image de vie et d'espoir, «une mère allaitant son enfant».

Zola n'a pas rencontré tout de suite le succès. Il y est parvenu seulement avec *L'Assommoir*\* (1878) qui a fait de lui le maître d'une nouvelle école, celle des naturalistes, attachés, à son exemple, aux images humbles et aux vérités crues.

Aujourd'hui, *Les Rougon-Macquart* sont tenus, malgré l'inégalité des parties, pour une construction romanesque d'une puissance exceptionnelle où le don épique s'allie à l'observation pour animer une vision riche et forte de la société française à son entrée dans l'âge industriel et capitaliste moderne.

---

**Rue des Boutiques obscures**
Patrick MODIANO
1978

*Folio*

L'auteur reprend le thème de l'amnésique (cf. Giraudoux, *Siegfried et le Limousin;* Anouilh, *Le Voyageur sans bagages*) et bâtit, selon les techniques du roman policier, un ingénieux récit propre à alimenter la réflexion du lecteur sur les rapports de la mémoire et du moi.

Le héros-narrateur est un amnésique d'un certain âge, devenu détective privé, qui cherche à retrouver sa véritable identité et son passé. Sur de fragiles indices, un nom, une photo, un numéro de téléphone, il explore un monde flou d'étrangers et d'apatrides à l'identité incertaine, luttant contre les défaillances de mémoire, les réticences, la disparition des témoins. Il est interpelé un soir, dans un bar, sous le nom de Pedro McEvoy par un ancien jockey anglais, peut-être ivre, qui lui permet de reconstituer un peu du passé de ce personnage. Il l'adopte comme sien, sans que l'incertitude disparaisse car le jockey a ainsi achevé : «Dis-moi, Pedro, quel était ton vrai nom?»

Est-il vraiment l'homme qui, sous l'occupation allemande, a fui Paris avec un passeport dominicain à ce nom et essayé de passer en Suisse avec une certaine Denise Coudreuse? Sa mémoire (ou son imagination) s'arrête à une chute dans la neige, dans le blanc. A Paris, à Megève et jusque dans le Pacifique, à Bora-Bora, il tente de suivre des fils qui se rompent les uns après les autres. Dernière démarche encore possible quand s'arrête le récit, se rendre à Rome, rue des Boutiques obscures.

THÈMES
Moi. Souvenir. Temps.

Dans cette quête obstinée, le passé se dissout à mesure qu'il paraît se composer, à l'inverse de ce qui se passe chez Proust dans *A la recherche du temps perdu*\*, faute que la mémoire subjective fournisse le pivot d'une conscience et d'une identité vécues.

## Ruy Blas

Victor HUGO
1838

*Classiques Larousse
Nouveaux classiques
illustrés Hachette*

Dans ce drame en cinq actes et en vers, pour plaire à la fois aux femmes, aux penseurs et à la foule (préface), Victor Hugo a encore eu recours à l'Espagne (cf. *Hernani*\*), mêlant ensemble une sombre machination, le sublime d'une passion pure et la familiarité de la comédie.

La machination est l'œuvre d'un grand d'Espagne, Don Salluste de Bazan : disgracié par la reine (vers 169.), il imagine, pour se venger, de donner mission de la séduire à son valet Ruy Blas à qui il fait endosser l'identité de son cousin Don César de Bazan, personnage inconnu à la cour, car il a sombré dans la bohème et pris le nom de Zafari (I).

La passion sublime est celle que Ruy Blas nourrit justement en secret pour la reine, passion désespérée au point qu'il accepte le nom qui lui donne accès au palais.

La comédie est introduite surtout par Don César-Zafari, héros picaresque et généreux qui est l'une des plus heureuses créations d'Hugo.

Par la faveur de la reine qui, dans l'ennui de son palais, s'est mise à l'aimer à son insu (II), Ruy Blas devient premier ministre. Il sert si bien l'État (III, 2) que la reine lui avoue son amour et lui accorde un baiser (III, 3).

Mais Don Salluste surgit pour rappeler à Ruy Blas sa condition et son rôle (III, 5). Le retour bouffon de Don César, à l'acte IV, introduit une diversion dans le drame, et contrarie les plans de Don Salluste ; mais Ruy Blas, malgré son autorité dans l'État, est incapable de les déjouer : quand Don Salluste révèle à la reine qu'elle s'est éprise d'un laquais, il le perce de son épée (V, 3), puis s'empoisonne en réponse aux reproches de la reine humiliée. Cette dernière finit cependant par lui pardonner (V, 4).

Bien des invraisemblances ont été relevées dans cette pièce dont le caractère mélodramatique n'est que trop évident. Mais grâce au mouvement de l'action, au lyrisme de Ruy Blas et à la verve de Don César, elle reste l'un des drames romantiques qui passent le mieux la rampe.

THÈMES
Espagne. Cour. Corruption. Amour, 1, e. Femme, 1, a. Honneur. Souffrance. Désespoir. Peuple. Révolte. Justice. Bouffon.

---

Dans ce recueil, Verlaine a voulu témoigner de son retour à la sagesse et au catholicisme, après les désordres de sa liaison avec Rimbaud (cf. *Une Saison en enfer\**). Aussi se montre-t-il souvent appliqué. Il nous touche surtout quand il reste fidèle à l'esthétique des *Romances sans paroles\** (*Écoutez la chanson bien douce...*, *Je suis venu, calme orphelin...*, *Le ciel est par-dessus le toit...*, *Je ne sais pourquoi...*, *Le son du cor...*, *L'échelonnement des haies...*).

**Sagesse**

Paul VERLAINE
1881

*Le Livre de poche
Poésie/Gallimard*

THÈMES
Dessin. Faute. Dieu.

---

Le 10 juillet 1873, à Bruxelles, Verlaine tire un coup de revolver sur Rimbaud et le blesse légèrement. C'est la fin d'une amitié orageuse nouée en septembre 1871. Verlaine est arrêté et condamné à deux ans de prison. Rimbaud rentre dans sa famille près de Charleville et y achève les poèmes-confessions d'*Une Saison en enfer* qu'il fait imprimer sous la date «avril-août, 1873».

Dans la pièce liminaire, *Jadis, si je me souviens bien...*, Rimbaud dédie ces textes à Satan comme des «feuillets de (son) carnet de damné». Il y évoque la révolte absolue, déclarée dans ses lettres de 1871 (cf. *Poésies\**), qui, le dressant contre la société, l'a exilé du «festin» d'autrefois dont la nostalgie maintenant lui revient. *Sang païen* rappelle le défi qu'il a lancé à toutes les formes de l'ordre établi : «Prêtres, professeurs, maîtres, vous vous trompez en me livrant à la justice. Je n'ai jamais été de ce peuple-ci; je n'ai jamais été chrétien...»; «Oui, j'ai fermé les yeux à votre lumière. Je suis une bête, un nègre.» Sous le titre *Délires*, sont présentés les deux plans de sa révolte : son aventure avec Verlaine, «compagnon d'enfer» (*Vierge folle, L'Époux infernal*) et sa tentative poétique (*Alchimie du verbe*). Dans cette dernière pièce, Rimbaud décrit et juge, non sans ironie, sa volonté de se faire voyant et son ambi-

**Une Saison en enfer**

Arthur RIMBAUD
1873

*Garnier-Flammarion
Le Livre de poche
Poésie/Gallimard*

tion d'inventer « un verbe poétique accessible, un jour ou l'autre, à tous les sens » : « La vieillerie poétique avait une bonne part dans mon alchimie du verbe. » Plusieurs poèmes illustrent ses recherches : *Loin des oiseaux, des troupeaux, des villageoises...*; *Chanson de la plus haute tour* (« Qu'il vienne, qu'il vienne, / Le temps dont on s'éprenne »); *O saisons, ô châteaux !...*

Toute une dialectique de la faute et du salut anime le recueil, particulièrement *Nuit de l'enfer, L'Impossible, L'Éclair, Matin, Adieu*, ce qui a permis de s'interroger sur la conversion de Rimbaud au christianisme.

L'exégèse de ces textes violents et souvent obscurs reste difficile. On a longtemps voulu y voir l'adieu de Rimbaud à la poésie, mais les *Illuminations*★ sont vraisemblablement en partie postérieures.

THÈMES
Moi. 1. Révolte.
Aventure. Évasion.
Liberté, 1, b. Faute.
Pureté. Salut. Réalité.
Rêve. Imagination.
Poète, 1, d.

---

**Salammbô**

Gustave FLAUBERT
1862

*Classique Garnier
Folio*

Flaubert a entrepris *Salammbô* pour « vivre dans un sujet splendide et loin du monde moderne » : « Ce que j'entreprends est insensé et n'aura aucun succès dans le public. N'importe ! Il faut écrire pour soi, avant tout. C'est la seule chance de faire beau. » (Lettre, 11 juillet 1858). Une énorme documentation, un voyage en Afrique, cinq ans de travail ont produit cette épopée étrange et cruelle dont le cadre est Carthage, la rivale de Rome.

Au lendemain de la première guerre punique (IIIe siècle av. J.-C.), les mercenaires au service de Carthage, faute d'avoir reçu leur solde, se révoltent et, sous la conduite du Libyen Mâtho, mettent la cité en danger. Mâtho, qui pénètre dans Carthage attiré par la beauté de Salammbô, la fille d'Hamilcar, dérobe le voile sacré de la déesse Tanit auquel est lié, croit-on, le sort de la cité. Carthage éprouve effectivement de graves revers. Salammbô, qui est prêtresse de Tanit, se rend au camp de Mâtho et obtient de celui-ci la restitution du voile. Carthage reprend le dessus et se venge impitoyablement. Les mercenaires sont massacrés jusqu'au dernier. Le supplice de Mâtho est réservé pour fêter la victoire : Salammbô meurt d'émotion à ce spectacle dont on lui fait l'honneur.

Flaubert s'est livré à une fastueuse reconstitution du monde carthaginois. En outre, dans cet ouvrage « fait », disait-il, « pour les gens *ivres d'antiquités* », la peinture complaisante et raffinée de tant de massacres, de traîtrises et de supplices est d'un pessimisme avoué : «Il ne ressort de ce livre qu'un immense dédain pour l'humanité (il faut très peu la chérir pour l'avoir écrit).» (Lettre, 24 août 1861).

THÈMES
Histoire, 1, b. Exotisme.
Violence, 1. Homme, 4.

**Salavin (Vie et aventures de)**
Georges DUHAMEL
1920-1932

*Folio*

Cette suite romanesque en cinq volumes est consacrée à un petit employé parisien qui fait d'abord figure de velléitaire sans envergure et de raté mais que Duhamel a chargé peu à peu d'une signification plus riche et plus haute, lui prêtant l'ambition de la sainteté — d'une sainteté toute laïque — dans le cadre ingrat de sa vie banale. Aussi Duhamel a-t-il pu définir son œuvre achevée comme «l'histoire d'un homme qui, privé d'axe métaphysique, ne renonce quand même pas à la vie morale et n'a pas accepté de déchoir».

Dans *Confession de minuit* (1920), Louis Salavin se présente lui-même. A l'approche de la trentaine, ce célibataire doux et modeste est saisi de révolte contre la médiocrité de sa vie et de son caractère. Il voudrait devenir un héros, mais reste prisonnier de sa faiblesse et n'a su donner que dans l'incongru. C'est ainsi qu'il a cédé à l'envie irrépressible de toucher l'oreille de son patron qui l'a mis à la porte. Depuis, il s'enlise dans l'oisiveté, quoique sa mère ait seulement son travail de couturière pour le faire vivre. Il a refusé de se marier comme elle l'aurait souhaité et a quitté l'appartement familial pour chercher plus librement sa voie.

*Deux Hommes* (1924) montre l'échec d'une amitié nouée par Salavin, maintenant marié, avec un homme de son âge, Édouard Loisel, un chimiste dont la robustesse morale et le goût du bonheur finissent par l'humilier.

Le *Journal de Salavin* (1927) donne un sens plus précis au tourment du personnage qui déclare son dessein de s'élever à la sainteté, bien qu'il ait perdu la foi religieuse. Ses bonnes intentions sont bafouées par la réalité.

*Le Club des Lyonnais* (1929) confronte Salavin avec les activités d'un groupe communiste qui rêve de révolution sociale. Pour lui, seule son aventure morale personnelle continue de compter : «vous pouvez tout changer, si vous ne me changez pas, moi, par exemple, moi, Salavin, eh bien! vous n'aurez rien changé de tout. »

Le dernier volume, *Tel qu'en lui-même* (1932), peint son ultime tentative pour recommencer son existence à Tunis où, sous un nom d'emprunt, il tient une boutique de disques. Il soigne les malades à l'hôpital et trouve enfin son accomplissement dans l'exercice de la générosité. Sa mort est l'image de cette dernière étape de sa vie : il meurt des suites d'une blessure reçue au cours d'une courageuse intervention pour apaiser son employé arabe qui venait de commettre un meurtre.

**THÈMES**
Révolte, 1. Angoisse.
Amitié. Socialisme.
Sainteté. Destin 2.

Une des dernières phrases de Salavin aide à situer le personnage dans la réflexion humaniste de Duhamel : «La seule vertu de l'humanité, c'est son besoin de vertu. »

---

**La Sauvage**

Jean ANOUILH
1938

*Folio*

Ce drame en trois actes, classé par Anouilh dans ses *Pièces noires,* peint la révolte d'un être pur contre l'avilissement dont la pauvreté marque les médiocres et contre la bonne conscience des riches enfermés dans leur bonheur égoïste.

Une jeune violoniste pauvre, Thérèse Tarde, a fait la connaissance de Florent France, pianiste virtuose, issu d'une riche famille bourgeoise, qui, séduit par la force et la pureté de son caractère, s'est épris d'elle et veut l'épouser. Le père Tarde est un triste fantoche qui dirige un petit orchestre minable dont le pianiste, Gosta, non content d'être l'amant de M$^{me}$ Tarde, soupire maintenant pour sa fille. Pour Tarde et sa femme, ce mariage est une affaire inespérée. Thérèse lutte pour défendre son amour contre les calculs qu'ils étalent devant Florent. Quant à Florent, par habitude du bonheur, il croit pouvoir triompher de tout et apprivoiser sa «petite sauvage».

Mais, au deuxième acte, Thérèse, les nerfs à vif devant les simulacres de dignité de son père, se rebelle contre le bonheur que lui prépare Florent et cherche à le faire souffrir parce qu'il ne sait «rien d'humain». Une larme de Florent la retient au moment où elle s'apprête à fuir.

Au troisième acte, tandis que des ouvrières lui essaient sa robe de mariée, la sœur et la tante de Florent, par leurs bavardages sur le bonheur des pauvres qui travaillent, lui donnent honte de passer chez les riches. Quand Gosta, lamentable de désespoir, survient pour assassiner Florent, elle l'apaise et l'éloigne, mais ne supporte plus de trahir son passé : elle part discrètement, sans déranger Florent qui compose, faisant cet aveu : « Il y aura toujours un chien perdu quelque part qui m'empêchera d'être heureuse... »

Cette idée émouvante, la vigueur des dialogues et la satire sociale assurent l'efficacité dramatique de cette pièce qui est l'une des plus riches d'Anouilh.

THÈMES
Individu, 3. Société, 2. Bonheur, 5. Argent. Bourgeoisie, 3. Corruption. Révolte. Pureté. Enfance, 3.

---

## La Semaine sainte

Louis ARAGON
1958

*Coll. Blanche
Gallimard*

Il s'agit d'un roman historique malgré l'affirmation contraire de l'auteur. Néanmoins, ce dernier, tout en pratiquant le genre, s'est amusé à en dénoncer les artifices, et surtout en a dépassé le propos en faisant réflexion sur la situation des individus dans l'histoire.

Cette « semaine sainte » est celle de 1815 — du 18 mars, jour des Rameaux, au 25, jour de Pâques —, au cours de laquelle Napoléon, après avoir débarqué en Provence le 1er, venant de l'île d'Elbe, acheva sa marche sur Paris tandis que Louis XVIII s'enfuyait vers la Belgique. Aragon suit les événements du point de vue des personnages entraînés dans cette déroute.

Le héros central est le jeune peintre Théodore Géricault que son amour des chevaux et le hasard ont conduit à entrer dans les mousquetaires de la Maison du roi et qui accompagne Louis XVIII jusqu'à la frontière, bien que ses sympathies personnelles aillent plutôt au camp opposé.

Le roi lui-même, son frère le comte d'Artois (le futur Charles X), les princes du sang, les officiers et les grands personnages de la suite royale comme le duc de Richelieu, ancien gouverneur d'Odessa, les gardes de l'escorte où se rencontrent M. de Vigny et M. de Prat, que l'on appelle aussi M. de Lamartine, les bourgeois et les gens du peuple à Paris et dans les villes traversées, tous pourvus d'une identité et d'une personnalité, sont dépeints avec une extrême vraisemblance et un étonnant luxe de détails. Mais Aragon souligne lui-même ce que cette reconstitution a de fallacieux et doit à son expérience d'homme du XXe siècle. Il le fait en particulier à propos de « *la nuit des arbrisseaux* » où Théodore est témoin de la réunion clandestine d'ouvriers répu-

blicains autour d'un envoyé de Paris venu les persuader de se rallier à Napoléon. Aragon avoue qu'il y
transpose sa propre découverte des problèmes sociaux :
« Rien de tout cela n'a pu se passer en 1815. Les sources en sont évidentes. Ma vie [...]. L'expérience de toute
ma vie. » Alors pourquoi ce travail ? « Peut-être ai-je
repris cet étrange damas ancien de l'histoire [...] pour
m'arracher à cette vision simplifiée, linéaire, du monde
où j'achève une trajectoire, pour rechercher dans la
poussière les graines multiples de ce que je suis, de ce
que nous sommes, et surtout de ce qui va naître
de nous... »

Il est tout à fait conforme à l'esprit de la littérature
contemporaine d'avoir inclus dans le roman lui-même
ces réflexions sur la création littéraire. Aragon les a
systématisées dans son œuvre ultérieure *(La Mise à
mort, Blanche ou l'oubli).*

THÈMES
Histoire, 1, b.
Monarchie. Napoléon.
République. Classes
sociales. Ouvriers.
Jeunesse. Réalité. Art.

## Sermons

Jacques-Bénigne
BOSSUET
1659-1662

*Garnier-Flammarion*

Nous signalerons ici seulement trois sermons propres
à illustrer la prédication évangélique et l'éloquence
de Bossuet.

*Sur l'éminente dignité des pauvres dans l'Église de
Jésus-Christ* (1659). Le premier de ces sermons traite
de la réponse chrétienne à l'inégalité sociale : Dieu a
établi son Église pour « remettre quelque égalité entre
les hommes » ; il y reçoit les riches, mais à condition
qu'ils servent les pauvres et qu'ils contribuent à les soulager.

*Sur le mauvais riche ou sur l'impénitence finale*
(1662, Carême du Louvre). Alors que le problème de
la misère du peuple est aigu, Bossuet rappelle, devant
le roi et la cour, quels sont les devoirs sociaux du chrétien et dépeint la comparution du mauvais riche devant
Dieu : « La dureté de son cœur a endurci contre lui le
cœur de Dieu ; les pauvres l'ont déféré à son tribunal ;
son procès lui est fait au ciel... »

*Sur la mort* (1662, Carême du Louvre). En des termes qui font songer aux *Pensées** de Pascal, Bossuet trace une peinture grandiose de la précarité de
l'homme au regard du temps et de l'espace et fait
l'éloge de la dignité qu'il tire de l'immortalité de son
âme et de la vie éternelle.

THÈMES
Christianisme, 1. Dieu.
Justice. Égalité. Mort.

La première partie de ce livre est un essai sur le métier de soldat et sur la guerre. Vigny, qui a été officier de 1814 à 1827, n'est aucunement favorable à la guerre.

Ainsi, répondant à Joseph de Maistre qui la déclare «divine» (*Les Soirées de Saint-Pétersbourg*, 1821), Alfred de Vigny écrit : «La guerre est maudite de Dieu et des hommes mêmes qui la font et qui ont d'elle une secrète horreur.» Pour lui, le soldat est un «paria» que la société sacrifie à ses sombres besognes, un martyr de l'obéissance passive, et sa grandeur réside précisément dans sa servitude.

Trois nouvelles illustrent ces idées.

Dans *Laurette ou Le Cachet rouge,* Vigny présente un vieux capitaine qui reste brisé par le remords d'un crime qu'on lui a fait commettre, vingt ans plus tôt. Alors qu'il était commandant de vaisseau, au temps du Directoire, il reçut l'ordre d'embarquer deux déportés, un jeune poète et sa femme Laure.

Une lettre cachetée de rouge, à ouvrir au passage de l'Équateur, devait lui préciser leur sort : la lettre contenait l'ordre de fusiller le mari de Laure. Le commandant a obéi, malgré l'innocence évidente des jeunes gens et l'amitié qu'il avait nouée avec eux. Laure est devenue folle de douleur. Il l'a prise en charge, et, passé dans l'infanterie, ne s'en est jamais séparé : Laure l'a suivi, dans une petite charrette, tout au long de ses campagnes.

*La Veillée de Vincennes* peint l'humanité et la douceur d'un vieil adjudant qui va, au cours d'une ronde, être victime de l'explosion accidentelle d'une poudrière.

La dernière, *La Vie et la Mort du capitaine Renaud ou la Canne de jonc,* est la plus riche. Le capitaine Renaud a autrefois aimé la guerre et a cédé, devant Napoléon, à la tentation du séidisme, c'est-à-dire de l'obéissance aveugle. Mais un jour, pendant la campagne de 1814, au cours d'un assaut, il a tué un jeune élève officier russe, un enfant, dont la seule arme était une canne de jonc. Il a conservé cette canne et ne porte plus que cette arme dérisoire pour marquer son refus de tuer. Pendant la Révolution de juillet 1830, un gamin de Paris le blesse grièvement d'un coup de pistolet. Touché à mort, il prend l'enfant sous sa protection et pourvoit à son avenir «sous condition qu'il ne (sera) jamais militaire».

**Servitude et Grandeur militaires**
Alfred de VIGNY
1835

*La Pléiade*

THÈMES
Guerre, 2, a. Soldat.
Honneur. Stoïcisme.
Souffrance. Sacrifice.

La fin du livre appelle au culte de l'honneur, seule religion qui ait un sens pour l'homme moderne aux yeux de Vigny. Cette attitude d'inspiration stoïcienne se retrouve dans *Les Destinées★ (La Mort du loup)*.

## Le Siècle de Louis XIV

VOLTAIRE
1751

*Garnier-Flammarion*

Ce grand ouvrage, en projet dès 1732, a pour origine l'intention de critiquer le siècle de Louis XV en glorifiant celui de Louis XIV. Voltaire y a mis au point sa conception de l'histoire et poursuivi ses efforts pour définir un modèle de civilisation.

« Ce n'est pas seulement la vie de Louis XIV qu'on prétend décrire ; on se propose un plus grand objet. On veut essayer de peindre à la postérité, non les actions d'un seul homme, mais l'esprit des hommes dans le siècle le plus éclairé qui fût jamais » (ch. I).

L'étude chronologique des événements politiques et militaires du règne occupe encore la plus grande partie de l'ouvrage (ch. III-XXIV) ; mais la suite est consacrée aux mœurs, aux institutions, au développement des arts et des lettres, gloire du règne (ch. XXV-XXXIV). Quand il arrive aux affaires ecclésiastiques — jansénisme, Églises protestantes, quiétisme —, le futur auteur du *Traité de la tolérance★* se fait polémiste pour dénoncer la persistance de l'obscurantisme et du fanatisme au milieu des lumières (ch. XXXV-XXXVIII). Enfin, au dernier chapitre, intitulé *Disputes sur les cérémonies chinoises* (ch. XXXIX), Voltaire relate les rivalités des Jésuites et des Dominicains en Chine, puis oppose aux erreurs de Louis XIV des images édifiantes de l'empereur Young-tching assurant, en monarque éclairé, le bonheur de ses sujets par la paix, la tolérance et l'agriculture.

Ainsi, Voltaire a ouvert la voie aux curiosités de l'historien moderne en tâchant d'étudier la totalité de la civilisation française au XVIIe siècle, et il a bien servi l'histoire par son souci de vérité, car, s'il a contribué, par ses éloges, à créer le mythe du classicisme français, il ne cache pas les vices du règne de Louis XIV. En proposant une histoire critique, il est fidèle à sa croyance au progrès par l'information et le libre débat. Dans le même esprit il a écrit son *Essai sur les mœurs★*.

THÈMES
Histoire, 1, a.
Monarchie. Religion, 2.
Mœurs. Préjugés.
Gouvernement.
Fanatisme. Raison.
Progrès. Civilisation, 2.
France, 2, a.

Sous ce titre emprunté à un verset de la Bible qui évoque le grain de blé qui germe pour produire un nouvel épi, Gide raconte son enfance et les métamorphoses de sa jeunesse jusqu'à ses fiançailles avec sa cousine Emmanuelle, de son vrai nom Madeleine Rondeaux (1895).

**Si le grain ne meurt**
André GIDE
1926

*Folio*

Gide ne dédaigne pas les anecdotes pittoresques et parle avec tendresse de l'univers de son enfance, mais il est essentiellement attentif à l'élucidation de lui-même, à l'analyse des influences qui se conjuguent en lui et à tous les signes de la singularité que dès l'âge de douze ans il s'attribuait déjà : « Je ne suis pas pareil aux autres ! »

Le fait dominant de sa vie est la lutte qui se développe chez lui entre les contraintes de la morale calviniste et l'appel de la liberté. Le conflit éclate au grand jour quand il va soigner ses poumons en Afrique du Nord (octobre 1893). Il cède alors à la tentation de la sensualité, péché par excellence pour une conscience puritaine, d'abord avec une fille des oasis, puis avec de jeunes Arabes, bravant les interdits sans faire taire ses remords. Il reste même plus que jamais attaché à sa cousine Emmanuelle qu'il aime d'un pur amour depuis son enfance. A son retour en France, on célèbre leurs fiançailles : «... en Emmanuelle n'était-ce pas la vertu même que j'aimais ! C'était le ciel que mon insatiable enfer épousait. »

Ce livre qui fait songer aux *Confessions*\* de Rousseau par son souci de sincérité, par les conflits qui s'y révèlent et par le classicisme de la langue est un témoignage important sur l'époque où Gide a conçu *Les Nourritures terrestres*\* et sur les sources autobiographiques de *L'Immoraliste*\* et de *La Porte étroite*\*. Il fournit les clefs de ce «moi» que Gide interroge presque quotidiennement dans son *Journal,* tout en l'explorant dans ses œuvres de fiction.

THÈMES
Enfance. Adolescence. Jeunesse.
Apprentissage. Moi, 1.
Vie intérieure. Liberté.
Plaisir. Immoralisme.
Pureté. Mal, 1.
Exotisme.

---

Ce court récit publié clandestinement en 1942 sous l'occupation allemande a été écrit pour affirmer la personnalité de la France en face du nazisme.

**Le Silence de la mer**
VERCORS
1942

*Le Livre de poche*

Le narrateur et sa nièce habitent à la campagne une vieille maison pleine de livres qui résument la culture française. En novembre 1940, un officier allemand,

Werner von Ebrennac, vient loger chez eux, et, tout
en restant très discret, tente d'engager un dialogue. Ils
lui opposent le silence. Cependant il vient monologuer
chaque soir au coin du feu : il est compositeur, aime
la France, et veut croire au rapprochement franco-alle-
mand. Un voyage à Paris lui fait découvrir que les
Nazis veulent détruire la France et son âme sous le
couvert de la collaboration. Désespéré, il demande à
partir pour le front russe.

THÈMES
France. 2, d.
Résistance. Fascisme.

Cette œuvre de circonstance doit sa pérennité à sa
sobriété classique.

## Situations, II

Jean-Paul SARTRE
1948

*Gallimard*

Sous le titre *Situations,* Sartre a rassemblé des articles publiés à différentes dates, en particulier dans la
revue *Les Temps modernes.* Le tome II contient trois
essais qui touchent tous les trois à la situation de l'écrivain dans la société, à sa fonction et à ses devoirs.

Le premier, *Présentation des temps modernes,* est le
manifeste de la revue fondée par Sartre en 1945. Il
définit l'engagement de l'écrivain au service de la libération de l'homme.

Le deuxième, *La Nationalisation de la littérature,*
dénonce le danger que les écrivains se laissent prendre
aux honneurs publics et abdiquent leur rôle de contestation.

Le troisième, *Qu'est-ce que la littérature?* publié en
1947 dans *Les Temps modernes,* (réédité col. *Idées*)
répond systématiquement aux questions : «Qu'est-ce
qu'écrire? Pourquoi écrire? Pour qui écrit-on?» et
définit la «situation de l'écrivain en 1947». C'est
l'occasion d'analyses remarquables sur l'évolution des
rapports de l'écrivain et de la société.

Au XVIIᵉ siècle, selon Sartre, les écrivains «ont pour
métier de renvoyer son image à l'élite qui les entretient» et cette image est «purement psychologique
parce que le public classique n'a conscience que de
sa psychologie. »

Le XVIIIᵉ siècle, «chance unique», leur permet de
jouer un rôle critique qui correspond aux doutes de
l'aristocratie et aux revendications de la bourgeoisie qui
monte : «(la littérature) ne reflétera plus les lieux communs de la collectivité, elle s'identifie à l'Esprit, c'est-

à-dire au pouvoir permanent de former et de critiquer des idées. »

Le triomphe de la bourgeoisie au XIXᵉ siècle dépouille l'écrivain de ce rôle dynamique parce qu'il est trop lié à cette nouvelle classe privilégiée. Et s'il refuse de s'y asservir, c'est pour s'enfermer dans la littérature dont il prétend fonder la valeur sur l'inutilité. Sartre montre cette tentation de Baudelaire à Valéry (*Monsieur Teste*⋆) en passant par Flaubert, les Goncourt, Barrès, Mallarmé et le Gide des *Nourritures terrestres*⋆. Le surréalisme est à ses yeux l'aboutissement de cette impasse et il est particulièrement sévère pour lui : « A la limite il ne reste à la littérature qu'à se contester elle-même. C'est ce qu'elle fait sous le nom de surréalisme. »

Après l'examen de la façon dont les écrivains du XXᵉ siècle ont assumé leur situation dans la société, Sartre définit la sienne. Pour lui, décrire, narrer ou expliquer ne suffisent pas, il faut lier la littérature au *faire,* à l'action en faveur de la liberté et de la transformation du monde. Mais tout en attaquant la société bourgeoise, il marque ses distances vis-à-vis du parti communiste auquel il reproche de sacrifier les libertés de l'individu, et affirme sa totale indépendance politique.

Cette réflexion sur l'engagement et la responsabilité de l'écrivain montre combien Sartre a évolué depuis l'époque de *La Nausée*⋆. Il s'en expliquera dans *Les Mots*⋆.

THÈMES
Écrivain. Classes sociales. Engagement. Liberté, 1. Homme. 5.

---

Cette œuvre dramatique en quatre journées, écrite de 1919 à 1924, publiée en 1930, a été remaniée et raccourcie pour la scène en 1943, année de la première représentation. C'est à la version scénique, plus accessible, que nous renvoyons ici.

*Le Soulier de satin* est considéré comme l'œuvre maîtresse de Claudel qui en a fait la somme de ses réflexions sur l'amour humain, l'amour divin, les devoirs terrestres du chrétien, le sacrifice et le dépouillement, au fil d'une action touffue dont « la scène [...] est le monde et plus spécialement l'Espagne à la fin du XVIᵉ siècle, à moins que ce ne soit le commencement du XVIIᵉ siècle.

**Le Soulier de satin ou Le pire n'est pas toujours sûr**
Paul CLAUDEL
1930-1943

*Classiques Larousse*
*Folio* (vers. intégrale)
*La Pléiade* (vers. int. et vers. scénique)

C'est un drame d'amour à quatre personnages, dont le pivot est Dona Prouhèze, épouse de Don Pélage, capitaine général des Présides d'Espagne. Elle est aimée de Don Camille, un demi-maure, officier dans l'armée espagnole, dont elle repousse les avances (première journée, scène 3), et amoureuse du jeune Don Rodrigue de Manacor, mais elle se refusera toujours à lui par fidélité à la parole donnée devant Dieu. Tentée de s'enfuir pour rejoindre Rodrigue, elle dépose une de ses chaussures, un soulier de satin, entre les mains de la Vierge qui protège la maison de son mari : « Quand j'essaierai de m'élancer vers le mal, que ce soit avec un pied boiteux » (scène 5).

Dans le château où Prouhèze a retrouvé Rodrigue blessé dans un duel, Pélage vient opposer aux tentations du plaisir les impératifs du devoir : il faut servir l'Espagne : tandis que lui-même veillera sur les places du Nord du Maroc, elle se rendra à Mogador, dans le Sud, pour surveiller Don Camille qui n'est pas sûr (deuxième journée, scène 3). Elle obéit. On apprend que Rodrigue a de même accepté du roi la vice-royauté des Indes occidentales à condition que Prouhèze soit rappelée en Espagne. Le roi lui a imposé pour épreuve d'aller à Mogador porter cette proposition (scène 5). Rodrigue se lance à la poursuite de Prouhèze, décidé à «jouir du corps (de cette femme) et à s'en débarrasser ». Mais Prouhèze fait tirer le canon sur sa caravelle et refuse de le suivre : « Partez. Je reste » (scène 9). Cependant une scène allégorique, où apparaît « l'Ombre Double » de Prouhèze et de Rodrigue, suggère qu'ils se sont rencontrés et ont échangé un baiser (scène 10). Pendant leur sommeil, les deux héros méditent leur irrémédiable séparation ; Prouhèze : « Jamais! c'est là du moins lui et moi une chose que nous pouvons partager... Si je ne puis être son paradis, du moins je puis être sa croix ! » (scène 11).

Dans la seconde partie (dix ans plus tard), se poursuit cette ascension vers Dieu par l'amour et la souffrance dont une conversation de Prouhèze et de son ange gardien précise le sens (scène 4). Après la mort de Pélage, Prouhèze a épousé Camille qui, depuis, s'est fait musulman sous le nom d'Ochiali. Elle a appelé Rodrigue à son secours par une lettre qui court le monde depuis dix ans. Quand Rodrigue arrive enfin devant Mogador, elle refuse encore de le suivre, bien qu'Ochiali l'y ait autorisée si elle obtenait le retrait de la flotte de Rodrigue. Prouhèze confie à Rodrigue sa fille Sept-Épées, qu'elle a eue de Don Camille, et annonce qu'elle rentrera à Mogador pour sauter avec la citadelle, n'ayant été pour Rodrigue qu'une croix : *« une croix seulement ? Mais n'est-ce rien que cette croix que nous partageons avec Dieu !»*

Dans l'épilogue, encore dix ans plus tard, Rodrigue reparaît, complètement déchu. Il a même perdu une jambe et doit être vendu comme esclave. Mais il est détaché de tout et se sent libre. Personne ne voulant de lui, une sœur quêteuse l'accepte pour écosser les fèves dans son couvent.

De nombreux personnages secondaires contribuent à la diversification des thèmes et au foisonnement poétique de la pièce qui est conçue pour être jouée de façon continue avec accompagnement musical et changements de décor à vue.

THÈMES
Christianisme.
Amour, 1, f.
Foi, 1. Passions,1.
Souffrance, 2, a.
Sacrifice. Péché. Salut.
Providence.

---

Pour sujet de son premier roman, Bernanos a pris le drame du péché et du salut.

Il le met en scène à l'aide de deux figures complémentaires dans leur violent contraste : une toute jeune fille, Mouchette, qui se jette dans le péché de façon provocante et se voue à Satan, et l'abbé Donissan qui prête au démon la même réalité obsessionnelle, mais y puise son élan vers la sainteté. L'abbé Donissan arrache Mouchette à l'orgueil de sa faute et par conséquent à Satan, et, malgré son suicide, en accueille la dépouille dans son église. Puis on le voit continuer dans sa paroisse sa lutte contre le démon, et même connaître la tentation de la sainteté.

Ce livre tumultueux est l'œuvre d'un chrétien passionné qui reproche au monde moderne d'avoir perdu le sens du péché.

**Sous le soleil de Satan**

Georges BERNANOS
1926

*Classiques Larousse*
*La Pléiade*
*Seuil*

THÈMES
Christianisme, 2. Mal, 1.
Satan. Dieu, 1, a. Salut.
Sainteté. Prêtre.

---

Ce roman en quatre parties appartient aux *Scènes de la vie parisienne* de *La Comédie humaine\**. Il constitue la suite immédiate d'*Illusions perdues\**.

L'action de la première partie, *Comment aiment les filles,* commence en 1824. Le faux abbé Carlos Herrera, qui est en fait le forçat évadé Jacques Collin, alias

**Splendeurs et Misères des courtisanes**

Honoré de BALZAC
1838-1847

Vautrin, a recueilli Lucien de Rubempré au moment où il allait se jeter dans la Charente (*Illusions perdues*★, III). Exerçant sur sa nature féminine un ascendant qu'il n'avait pu prendre sur Rastignac (*Le Père Goriot*★), il l'a réintroduit dans la vie parisienne et nourrit le dessein de lui faire épouser la fille du duc de Grandlieu et de le lancer dans la diplomatie. « Tu es mon beau moi », lui dit-il.

Lucien s'éprend d'une ancienne prostituée, Esther Gobseck, ce qui contrarie ces plans. Reconnue en compagnie de Lucien par une bande de dandies (dont Rastignac), Esther tente de se suicider. Carlos Herrera la sauve et l'enferme dans une maison d'éducation où elle apprend à lire et à écrire mais dépérit d'amour frustré. Pour la rendre à Lucien, Herrera l'installe, sous la surveillance de trois de ses agents, le cocher Paccard, la femme de chambre Europe et la cuisinière Asie, dans une maison secrète où elle accepte de vivre cloîtrée. Les amants connaissent quatre années de bonheur.

Par une nuit d'août 1829, le baron Nucingen (*Le Père Goriot*★) aperçoit Esther. Il charge divers policiers, Corentin (*Les Chouans*★), Peyrade, Contenson, de la retrouver à tout prix. Herrera, jouant sur la passion d'Esther pour Lucien, la persuade de redevenir la Torpille pour exploiter le banquier.

La deuxième partie, *A combien l'amour revient aux vieillards,* peint cette exploitation et la lutte du faux abbé contre les policiers qui le soupçonnent. Au moment où tout paraît réussir à Carlos Herrera qui a fait racheter à Lucien le château de Rubempré, une lettre anonyme dénonce son futur gendre au duc de Grandlieu. Esther, par fidélité à son amant, s'empoisonne sans avoir eu le temps d'apprendre qu'elle héritait sept millions de son grand oncle l'usurier Gobseck. Herrera s'empresse de faire, au nom d'Esther, un faux testament en faveur de Lucien. Mais Lucien et lui sont arrêtés.

La troisième partie, *Où mènent les mauvais chemins,* consomme l'échec des deux associés. Tandis que l'abbé Carlos Herrera fait front adroitement, Lucien, interrogé par le juge Camusot, confirme les soupçons et a la faiblesse de s'indigner que son protecteur le donne pour son fils. Il se pend dans sa cellule alors que de puissants personnages mis en branle par la comtesse de Sérizy, qui l'aime et se compromet pour lui, viennent d'obtenir un non-lieu en sa faveur.

Dans la quatrième partie, *La Dernière Incarnation de Vautrin*, on voit celui-ci négocier sa liberté et, même un haut poste dans la police en échange de lettres compromettantes pour trois grandes familles. Il assiste aux obsèques de Lucien en compagnie de Rastignac, rend la raison à M^me de Cérizy en lui remettant une lettre de Lucien et peut se flatter de conserver du pouvoir pour s'être soustrait à celui des femmes : «Je régnerai toujours sur ce monde, qui, depuis vingt-cinq ans m'obéit.» Devenu l'adjoint de Bibi-Lupin, le chef de la police de sûreté, son ancien compagnon de bagne et son ennemi, il lui succède. Vers 1845, il prend sa retraite.

De Paris, Balzac ne peint que les extrêmes, la haute société et les bas-fonds, unis de façon trouble par l'argent, la sexualité et l'intrigue. Le souci du relief et du symbole l'emporte jusqu'à l'outrance sur celui de la vraisemblance d'une façon qui est très caractéristique de son art et de sa pensée.

THÈMES
Paris. Passions, 3. Argent. Pouvoir. Amour. Femme, 1, d. Corruption. Cynisme.

---

Le périple de Bougainville autour du monde (1766-1769; récit publié en 1771) ayant attiré l'attention sur un nouveau «bon sauvage», le Tahitien, Diderot, malgré son peu de sympathie pour les thèses de Rousseau *(Discours sur l'origine de l'inégalité\*)*, s'est amusé à exploiter «la fable de Tahiti» en imaginant ce *Supplément*.

Dans la première partie, en face de A., qui est sceptique, B., porte-parole de l'auteur, fait l'éloge du Tahitien qui «n'entend rien à nos usages, à nos lois», mais «en qui le sentiment de la liberté est le plus profond des sentiments».

Dans le deuxième, *Les Adieux du vieillard*, un sage tahitien dénonce la corruption introduite dans l'île par les Européens, et dresse le procès de la colonisation.

La troisième, *L'Entretien de l'aumônier et d'Orou*, et la quatrième, qui la complète, confrontent plaisamment, à l'occasion de l'hospitalité que reçoit un aumônier, la liberté sexuelle tahitienne avec les principes européens. Cependant Diderot ne prêche pas la libération des instincts, et, posant le problème du choix entre la nature et les lois, fait dire à B. : «Nous parlerons contre les lois insensées jusqu'à ce qu'on les réforme; et, en attendant, nous nous y soumettrons. Celui qui,

**Supplément au Voyage de Bougainville ou Dialogue entre A. et B.**
Denis DIDEROT
1796 (posthume)

*Classiques Garnier*
*Folio*
*Garnier-Flammarion*

de son autorité privée, enfreint une loi mauvaise, autorise tout autre à enfreindre les bonnes » (5<sup>e</sup> partie).

Ce texte a été publié pour la première fois en 1796 par un adversaire de Diderot qui en fait le modèle de la pensée philosophique dissolvante. Pour nous, il illustre seulement les oscillations de Diderot entre les spéculations théoriques et la morale pratique.

THÈMES
Bon sauvage. Nature, 1.
Coutumes. Lois.
Civilisation.
Mal, 1. Vertu.

## Sylvie

Gérard de NERVAL
1853

*Le Livre de poche*

Cette nouvelle, d'abord publiée en revue en 1853, puis reprise dans le recueil *Les Filles du feu* (1854), est peut-être la plus riche et la plus significative des œuvres de Nerval. Rédigée à la première personne, elle a la valeur d'une confession, et révèle les cheminements secrets de la vie sentimentale de ce poète dont la destinée est dominée par l'irréalisable désir de voir la réalité ressembler au rêve.

Le point de départ du narrateur est une « soirée perdue », d'abord dans un théâtre, pour apercevoir comme chaque soir une atrice en qui il poursuit « une image », puis dans un cercle où deux lignes d'un journal illuminent sa mémoire (comme fera plus tard une petite madeleine pour le héros de *A la recherche du temps perdu*\*). Cette rencontre accidentelle fait surgir de l'oubli une fête en Valois, devant un château, au temps de son adolescence ; il accompagnait Sylvie, « une petite fille du hameau voisin », mais les règles de la danse placèrent en face de lui « une blonde grande et belle, qu'on appelait Adrienne », et qui l'émut comme n'avait jamais fait Sylvie. « J'emportai cette double image d'une amitié tendre tristement rompue — puis d'un amour impossible et vague, source de pensées douloureuses... » Il apprit plus tard que la belle venue du château avait été consacrée par sa famille à la vie religieuse (ch. II).

« Ce souvenir à demi rêvé » lui révèle tout à coup ce qu'il cherche au théâtre : « Aimer une religieuse sous la forme d'une atrice !... Et si c'était la même ! » Regrettant d'avoir oublié Sylvie, il décide de partir sur-le-champ pour le Valois (ch. III). Pendant quatre chapitres, la course de la voiture sur la route se double d'un cheminement dans le passé parmi des souvenirs que la distance poétise. L'arrivée à Loisy à la fin d'un bal, dans la lumière du matin (ch. VIII), lui cause la déception propre aux pèlerinages : Sylvie est changée et va se marier avec le Grand Frisé, frère de lait de Gérard, la trace d'Adrienne est insaisissable, le passé est perdu.

Quand, postérieurement à ce voyage, il essaie encore d'en retrouver l'illusion en conduisant l'actrice, Aurélie, dans le pays d'Adrienne, c'est le même échec. Aurélie se détourne de lui : «Vous ne m'aimez pas. Vous attendez que je vous dise : La comédienne est la même que la religieuse; vous cherchez un drame...» (ch. XIII). Plus tard, Sylvie lui apprend la mort d'Adrienne.

Un résumé ne peut rendre la richesse et l'harmonie de cette narration qui livre quelques-unes des clefs du caractère de Nerval : sentimentalité nourrie de Rousseau (*La Nouvelle Héloïse*⋆) et de Goethe (*Werther*, 1774), obsession du passé, peur de la réalité, poursuite de rêves insaisissables, quête d'un paradis perdu et d'un inaccessible amour, angoisse conjuguée avec une religiosité confuse empruntée aux religions initiatiques du monde antique et à l'illuminisme moderne. Les mêmes thèmes se retrouvent dans *Les Chimères*⋆ et *Aurélia*⋆.

THÈMES
Souvenir. Destin, 1.
Enfance. Fête.
Amour, 1, e.
Femme, 1, a. Réalité.
Rêve.
Mélancolie.

## Le Tartuffe ou L'Imposteur

MOLIÈRE
1664-1669

*Folio*
*Nouveaux classiques illustrés Hachette*

Comédie en cinq actes et en vers. Pour parvenir à la jouer, Molière a dû soutenir une longue lutte contre une cabale conduite par la Compagnie du Saint-Sacrement, association pieuse qui prétendait surveiller les mœurs et stimuler la foi. Les dévots, qui lui étaient hostiles depuis la représentation de *L'École des femmes*⋆, lui reprochaient de calomnier la religion en peignant un escroc qui use du masque de la dévotion pour s'établir dans une famille. Interdite sous une première forme en 1664, puis en 1667, la pièce fut enfin jouée sans entraves en 1669 et obtint un grand succès.

Retardant l'entrée en scène de Tartuffe jusqu'à l'acte III (scène 2), Molière a soigneusement averti le public de la nature du personnage et de la naïveté d'Orgon, le bon bourgeois dévot qui l'a recueilli. Pour Orgon et pour sa mère, M^me Pernelle, Tartuffe est un saint. Pour Elmire, seconde femme d'Orgon, et pour les enfants de celui-ci, Damis et Marianne, pour Dorine, la «fille suivante» de Marianne, il n'est qu'un hypocrite. Cléante, frère d'Elmire, essaie vainement d'apprendre à Orgon à distinguer la vraie dévotion de la fausse : Orgon l'accuse de libertinage (I, 5), et, par bravade, décide de donner sa fille en mariage à son hôte dont le triomphe semble devoir être complet. Elmire tente alors d'intervenir auprès de l'intrus pour le détourner de ce mariage. Justifiant les soupçons de Dorine, Tartuffe prend occasion de cette démarche pour chercher à séduire Elmire (III, 3). Il frôle la catastrophe, car il est surpris par Damis, mais se tire d'affaire grâce à l'incroyable naïveté d'Orgon qui en vient à chasser son fils (III, 6). Pour le démasquer, Elmire lui tend un piège (IV, 5), et il succombe encore à la tentation. Enfin éclairé, Orgon veut l'expulser, mais il a imprudemment fait donation de ses biens à l'escroc qui le prie de quitter les lieux, et le menace de l'huissier (IV, 7). Tout s'arrange au cinquième acte, car Tartuffe était recherché par la police.

Tartuffe est devenu le symbole universel de l'hypocrisie, ce qui consacre la réussite de Molière dans la peinture de ce héros extraordinaire par son adresse, son audace et son cynisme. Le mérite de cette comédie est aussi de montrer comment, dans une société intolérante qui traque le libertinage de pensée, le zèle mène les plus sincères au fanatisme, et les rend complices des abus commis sous le masque privilégié de la dévotion (cf. *Dom Juan*⋆).

THÈMES
Hypocrisie.
Religion, 2, c.
Libertinage. Fanatisme.

## Le Temps du mépris

André MALRAUX
1936

Ce court récit est l'une des premières dénonciations des camps de concentration et des méthodes totalitaires à une date où l'Europe mesurait encore mal la nature du fascisme hitlérien et son mépris de l'homme.

Tombé aux mains de la police nazie, le militant communiste Kassner cache son identité et résiste de toute son énergie aux interrogatoires et aux coups. Parvenu au bord de la folie et à la tentation du suicide, il réussit à «durer» en pensant à sa femme, à la musique qu'il aime, à son action passée et à la liberté future du monde. Il est relâché tout à coup parce qu'un inconnu a, sous la torture, avoué être Kassner. Grâce à un avion de l'organisation communiste clandestine, il quitte l'Allemagne pour la Tchécoslovaquie où il retrouvera sa femme et surtout, au cours d'un meeting antifasciste, la chaleur de la fraternité virile qui fait le sens de sa vie.

Cette fraternité qu'il a déjà exaltée dans *La Condition humaine*⋆, Malraux la place désormais avant les tentations de l'individualisme : «Il est difficile d'être un homme. Mais pas plus de le devenir en approfondissant sa communion qu'en cultivant sa différence...» (Préface). Riposte au mépris des fascistes pour l'homme, la fraternité sera également le grand thème de *L'Espoir*★.

THÈMES
Fascisme. Homme, 5, d. Fraternité (cf. Solidarité). Communisme.

## La Tentation de saint Antoine

Gustave FLAUBERT
1874

*Classiques Garnier
Folio
Garnier-Flammarion*

La tentation de saint Antoine par le diable a servi de prétexte à Flaubert pour passer en revue tout ce qui, à travers les âges, a pu solliciter les hommes dans leur chair, leur cœur et leur esprit.

Flaubert a mis beaucoup de passion personnelle dans cette œuvre; mais ses amis Du Camp et Bouilhet, déconcertés par tant de lyrisme, condamnèrent sa tentative en 1849, le poussant à traiter un sujet réaliste (cf. *Madame Bovary*★). Flaubert reprit son projet en 1856 et aboutit en 1874 à la version définitive de *La Tentation de saint Antoine.*

L'œuvre revêt la forme d'un dialogue. Dans le dénuement de son ermitage égyptien, Antoine essaie de prier Dieu, mais des ombres lui apparaissent; des voix lui vantent les séductions des femmes, de l'argent, de la puissance; d'étranges rêves le visitent. Il est le favori de l'empereur Constantin, il devient le tout-puissant Nabuchodonosor, il reçoit la visite de la reine de Saba qui lui offre sa richesse et son amour. Un inquiétant personnage, qui s'est présenté comme son ancien disciple Hilarion, fait défiler devant lui toutes les sectes contemporaines et tous les dieux de l'histoire du monde, le Bouddha, la Bonne Déesse, Isis, Oannès, les dieux grecs, le dieu d'Israël. «Tous sont passés», dit Antoine. «Il reste moi», répond le faux Hilarion; «On m'appelle la Science.»

Mais l'ermite croit reconnaître le diable. Antoine est ensuite aux prises avec la Mort, la Luxure, le Sphinx, la Chimère, puis d'innombrables figures fantastiques, formes proliférantes de la matière avec laquelle, dans son délire, il finit par rêver de se confondre. Pourtant, le jour revenu, «Antoine fait le signe de la croix et se remet en prière».

Une lecture attentive permettra de déchiffrer parmi les tentations de saint Antoine celles de Flaubert lui-même.

THÈMES
Saint. Satan. Homme, 4, b. Dieux. Dieu. Science, 3. Mal. Matérialisme.

## La Terre

Émile ZOLA
1887

*Folio*
*Le Livre de poche*

A l'origine, le plan des *Rougon-Macquart*★ ne comportait pas de roman sur les paysans. C'est son installation à Médan (1878) qui semble avoir conduit Zola, en le rapprochant de la campagne, à reconnaître et combler cette lacune.

Ayant souvent reproché à George Sand (*La Mare au diable*★) et à Balzac (*Les Paysans*★) d'avoir ignoré « les vrais drames du village », Zola a présenté son livre d'abord comme une œuvre de vérité sociale : « J'y veux faire tenir tous nos paysans, avec leur histoire, leurs mœurs, leur rôle ; j'y veux poser la question sociale de la propriété... Toutes les fois maintenant que j'entreprends une étude, je me heurte au socialisme. Je voudrais faire pour le paysan avec *La Terre* ce que j'ai fait pour l'ouvrier avec *Germinal*★ ».

Mais il l'a aussi conçu comme un poème : « Ajoutez que j'entends rester artiste, écrivain, écrire le poème vivant de la terre, les saisons, les travaux des champs, les gens, les bêtes, la campagne entière. » (Lettre à Van Santen Kolff, 27 mai 1886.)

Zola a choisi de peindre la terre beauceronne, du côté de Cloyes. Le lien avec les *Rougon-Macquart* est établi par Jean Macquart, frère de Gervaise (*L'Assommoir*★), qui, à son retour de la campagne d'Italie de 1859, s'est placé comme valet dans une ferme. L'action repose sur les passions que suscite la possession de la terre, surtout chez les petits propriétaires. Quand le père Fouan se résigne à partager ses champs entre ses enfants, Jésus-Christ, braconnier ivrogne, Buteau, brute grossière, et Fanny, qui est bien mariée à un riche cultivateur, ceux-ci le dépouillent peu à peu de tout et guettent sa mort. C'est encore un héritage qui dresse Buteau et sa femme Lise contre Françoise, sœur de celle-ci, qui a épousé Jean, l'étranger, le gueux qu'on refuse d'admettre au partage. Buteau et Lise en viennent aux pires violences : Françoise meurt d'un coup de faux mis au compte d'un accident. Et quand ils s'aperçoivent que le père Fouan a été témoin de l'affaire, ils le tuent à son tour et mettent le feu à sa paillasse pour camoufler leur crime. Jean doit se résoudre à quitter le pays.

Excepté Françoise et Jean (dans *La Débâcle*★, celui-ci symbolisera la solidité de la France), il n'est guère d'êtres sains dans cette fresque des campagnes, que l'on considère les protagonistes ou les nombreuses figures secondaires, toutes d'un grand relief. Certains traits violents ont été ressentis comme des calomnies ou des outrances. Ils tiennent pour une part à une vision épique qui, si elle a été discutée dans son application aux mœurs, a été louée sans réserve quand elle anime la peinture de la Beauce tout au long des travaux et des jours.

THÈMES
Paysans. Terre. Argent.
Travail. Violence.

---

Sous ce titre aux résonances humanistes, Saint-Exupéry fait réflexion sur son métier de pilote, sur ses camarades de ligne, sur l'avion et sur les hommes.

Il se plaît particulièrement à citer tous ceux en qui il a trouvé une forme de grandeur : Mermoz ; son ami Guillaumet qui, tombé dans les Andes, a marché cinq jours dans la neige ; un vieux jardinier « lié » d'amour à sa tâche ; un esclave maure qui lutte pour sa liberté ; un combattant anonyme de l'Armée républicaine espagnole. Il travaille à dégager ce qui peut donner un sens à la vie d'un homme, et, réagissant contre les simples appétits matériels, valorise les notions d'énergie, de dignité et de loyauté. Quand il considère depuis son avion l'étrange beauté de la terre, le plus merveilleux lui semble la présence d' « une conscience d'homme » sur la planète. Son souci est de défendre les chances de l'homme contre la civilisation industrielle qui retire tout sens à sa vie et contre les idéologies guerrières qui le menacent dans l'Europe de 1939 (son livre paraît en février).

**Terre
des hommes**

Antoine
de SAINT-EXUPÉRY
1939

*Folio*

THÈMES
Métier. Camarades.
Énergie.
Solidarité. Homme, 5, d.

---

Drame en trois actes. L'action se déroule à Florence au moment où Colomb vient de découvrir le Nouveau Monde. Dans cette ville, où, sous Laurent le Magnifique, a triomphé le culte du plaisir et de la beauté, un moine, frère Jérôme Savonarole, s'empare du pouvoir et instaure la dictature du Christ-Roi afin de sauver les hommes du péché (1492).

Le premier acte peint la fièvre qui brûle la ville pendant le carnaval : le moine Fra Mariano et les honorables veuves Dame Margherita et Dame Clarisse ne songent qu'à la galanterie ; le marchand Minutello oppose vainement à ses filles Faustina et Lucciana des principes qu'il ne suit pas lui-même ; le jeune Silvio le lui prouve cruellement en l'amenant à faire la cour à Faus-

**La Terre
est ronde**

Armand SALACROU
1938

*Folio*

tina que dissimule un masque (scènes 1 et 2). Cependant frère Jérôme fait vœu dans sa cellule de sauver les Florentins de l'enfer (scène 3). Deux mois plus tard (scène 4), il a commencé d'établir son autorité. Faustina s'est enfuie à Rome où elle est la maîtresse d'un cardinal, tandis que Lucciana résiste mal aux entreprises de Silvio.

Au deuxième acte, l'ordre moral s'installe. Silvio, converti, a revêtu le froc (scène 1). Il mène les perquisitions au nom de Dieu, et vient tourmenter Lucciana qui est mariée au pharmacien Manente (scène 3).

Le troisième acte montre comment le fanatisme corrompt l'œuvre de Savonarole. La ville est terrorisée et excédée. Faustina, revenue de Rome, raille la foi de Silvio au nom du bonheur terrestre, et pousse Fra Mariano à défier Savonarole de s'offrir au jugement de Dieu sur le bûcher. (Si Dieu l'approuve, les flammes ne le brûleront pas.) Silvio prétend relever le défi et le crie dans la rue (scène 1). Savonarole se sent condamné par cette exigence de miracle (scène 2). La foule le renie en effet, et la scène finale le montre en prison face au bourreau qui torturait jusqu'alors en son nom. (Il périt ainsi en 1498.)

En 1938, le public a voulu voir dans la dictature de Savonarole des allusions aux dictatures fascistes. Niant toute intention politique, Salacrou a repris à son compte les propos d'un critique qui avait reconnu dans sa pièce « l'angoisse d'un problème éternel, celui de la lutte entre la chair et l'esprit, Dieu et le péché ».

THÈMES
Plaisir. Péché. Salut. Fanatisme.

## Thérèse Desqueyroux

François MAURIAC
1927

*Le Livre de poche*

Cette femme qui a tenté d'empoisonner son mari est sans doute la plus connue des héroïnes de Mauriac. Dans une première version, le roman prenait la forme d'une confession écrite adressée par Thérèse à un prêtre. Dans la version définitive, nous suivons l'héroïne au sortir du cabinet du juge d'instruction qui vient de signer un non-lieu de complaisance. Retournant vers la propriété familiale d'Argelouse, au fond de la forêt landaise, elle se prépare à affronter son mari et s'interroge pour voir clair en elle-même.

Thérèse ne parvient pas à « rendre ce drame intelligible ». « Elle a descendu une pente insensible. » Parce que c'était le vœu des familles, elle a épousé un riche propriétaire d'Argelouse, Bernard Desqueyroux, dont les deux mille hectares de pins ne la laissaient pas indifférente. Mais Bernard, uniquement préoccupé de résine et de chasse, l'a rapidement déçue. Une sourde révolte a commencé de couver en elle, à la manière du feu qui menace la lande en été. La naissance de sa fille n'a pu la divertir, et l'amour éperdu de sa belle-sœur Anne de la Trave pour un voisin de vacances, Jean Azévédo, est venu la déchirer d'une envie jalouse. Elle a été éblouie par ce garçon brillant, avide de liberté, que voulaient écarter les La Trave. Azévédo a-t-il compté pour quelque chose dans son geste ? Tout a commencé plutôt par accident, le jour d'un incendie de forêt, quand son mari, par distraction, s'est trop versé d'un médicament à l'arsenic, « sans qu'abrutie de chaleur Thérèse ait songé à l'avertir ». Il a été malade. Elle a renouvelé l'expérience, pour voir, puis continué, falsifiant des ordonnances, jusqu'au jour où Bernard a été transporté dans une clinique et sauvé de la mort.

Arrivée à Argelouse, devant son mari, elle n'a plus la force de parler. Elle voudrait seulement disparaître, mais se laisse dicter sa conduite et enfermer dans sa chambre. Bernard croit qu'elle a voulu le tuer pour être seule maîtresse des pins. Bientôt elle abdique toute volonté au point qu'il prend peur de son état et accepte qu'elle aille vivre à Paris (cf. *La Fin de la nuit*\*).

Outre une analyse très sobre du mystère d'un destin, le roman offre une peinture sévère de la bourgeoisie landaise prisonnière de ses passions matérialistes et de son conformisme.

THÈMES
Destin, 1. Mal, 1.
Bourgeoisie, 3, b.
Province.
Passions. Faute.

---

**Les Thibault**

Roger
MARTIN DU GARD
1922-1940

*Folio*

R. Martin du Gard trace l'histoire d'une famille de grande bourgeoisie parisienne depuis le début du siècle jusqu'à la guerre de 1914 qui vient détruire le confort matériel et moral dans lequel cette classe avait cru s'installer pour toujours.

Les premiers volumes de cette fresque, publiés de 1922 à 1929, conduisent à *La Mort du père*. Ce père est M. Oscar Thibault, incarnation parfois caricaturale du catholicisme bourgeois, attaché à l'argent, à l'ordre et aux honneurs. Son autorité écrasante pèse sur ses deux fils, surtout sur le plus jeune, Jacques, qui fait une fugue *(Le Cahier gris)* et se voit enfermer dans la « colonie pénitentiaire » que son père a fondée en qualité de président de l'Œuvre de Préservation Sociale

*(Le Pénitencier).* Jacques restera toujours un révolté incapable de trouver le bonheur, que ce soit dans l'amour, auprès de Gise, orpheline élevée chez les Thibault, ou de Jenny de Fontanin, sœur d'un ami d'enfance, ou dans la réussite intellectuelle, lorsqu'il est admis à l'École normale supérieure : il quitte alors brusquement Paris pour rejoindre en Suisse des groupes d'émigrés anarchistes et socialistes *(La Belle Saison, La Sorellina).*

Antoine, plus âgé, d'un caractère équilibré, s'insère au contraire tout naturellement dans la société bourgeoise et amorce une brillante carrière médicale. Son sérieux professionnel lui masque un peu sa bonne conscience de privilégié, mais, par son métier, il s'ouvre au monde et à la réflexion. Incroyant, il affronte avec lucidité les problèmes de la vie et de la mort sans que les lumières du positivisme éliminent toujours chez lui les réflexes moraux acquis (problème de l'euthanasie dans *La Consultation).*

Le personnage d'Antoine ne cesse d'acquérir de l'épaisseur, particulièrement dans *La Consultation,* récit d'une de ses journées.

*La Mort du père* confronte avec la mort M. Oscar Thibault qui se dépouille difficilement de son masque de catholique assuré et dominateur, mais aussi ses deux fils qui, quoique séparés de leur père par leur athéisme, redécouvrent les liens charnels qui les unissent à lui.

Les volumes suivants, publiés de 1936 à 1940, sont dominés par la guerre de 1914, et posent des problèmes qui sont capitaux pour une conscience moderne, ainsi que l'a souligné Camus (préface à l'édition de La Pléiade).

*L'Été 14* peint les groupes révolutionnaires que fréquente Jacques, et aborde le problème du socialisme et de ses chances de changer le monde et d'abord d'empêcher la guerre dont la montée est suivie, jour par jour, à travers les conversations et les événements comme l'assassinat de Jaurès et l'acceptation de la mobilisation par les socialistes. Antoine est mobilisé dans les services sanitaires, tandis que Jacques retourne en Suisse pour une action désespérée dans laquelle il périra : jeter d'un avion des tracts pacifistes sur les lignes franco-allemandes.

Dans l'épilogue, on retrouve Antoine, gravement gazé. Tandis que la guerre se prolonge interminablement, il suit la dégradation de ses poumons et médite sur sa vie et sur l'avenir du fils de Jacques et de Jenny, Jean-Paul. « Condamné à mourir, écrit-il dans son journal, sans avoir compris grand-chose à (lui-même) et au monde », il se suicide le 18 novembre 1918 tant qu'il a encore la force de le faire. La dernière pensée de son journal est pour le fils de Jacques.

Par sa grande loyauté intellectuelle et la rigueur de sa forme, cette œuvre est l'une des plus solides de l'entre-deux-guerres.

THÈMES
Familles. Mœurs.
Bourgeoisie.
Argent, 2, c.
Conformisme. Révolte.
Adolescence. Jeunesse.
Apprentissage. Métier.
Amour, 1, f.
Médecine. Homme, 5.
Athéisme. Mort.
Suicide.
Révolution. Socialisme.
Guerre, 2. Engagement.
Objection de conscience.

*Le Tiers Livre des faits et dits héroïques du noble Pantagruel* reprend l'histoire de ce héros au moment où il colonise la Dipsodie (cf. *Pantagruel\**). Le fils de Gargantua apparaît désormais comme une sorte de sage, simple conseiller de son ami Panurge dont les soucis fort comiques font la matière du conte.

Maintenant qu'il est châtelain en Dipsodie, Panurge désire se marier, mais il a peur d'être cocu (ch. IX). Il se met à prendre conseil autour de lui, ce qui donne lieu à une série de consultations burlesques où interviennent les sorts virgiliens (ch. XII), les songes (ch. XIV), la sibylle de Panzoust, vieille sorcière paysanne (ch. XVI-XVIII), le poète Raminagrobis (ch. XXI), Frère Jean (ch. XXVI-XXVIII), un médecin, un théologien, un légiste, un philosophe (ch. XXIX-XXXVI), le juge Bridoye « qui décidait par le sort des dés (ch. XXXIX-XLIII), et même le fol Triboulet (ch. XLIV-XLVI), sans pourtant que Panurge soit plus avancé.

Pantagruel et Panurge décident alors d'aller consulter l'oracle de la dive Bouteille (ch. XLVIII). Les préparatifs conduisent à l'éloge du chanvre, ici nommé Pantagruélion parce que, comme Pantagruel, il possède toutes les vertus. Cette digression inattendue et bouffonne, qui relève d'un genre alors à la mode, l'éloge paradoxal, prend le sens d'un hymne au génie inventif de l'humanité et au progrès (ch. LI).

Le récit du voyage de Pantagruel et de Panurge vers l'oracle est fait au *Quart Livre\**.

**Le Tiers Livre**
François RABELAIS
1546

*Folio*

THÈMES
Femme, 2. Destin.
Humanisme, 1 et 2.
Justice, 2. Progrès.

**Topaze**

Marcel PAGNOL
1928

*Presses Pocket*

Cette pièce en quatre actes est une farce sur le pouvoir de l'argent et la naïveté de ceux qui croient à la morale et à l'honnêteté. L'idée piquante est d'avoir imaginé que l'un de ces naïfs se convertit si bien aux vraies lois du monde qu'il bat sur son propre terrain l'aigrefin qui avait cru pouvoir l'utiliser.

Topaze, professeur à la pension Muche, enseigne que l'argent ne fait pas le bonheur, soupire vainement pour la fille du directeur et reçoit son congé parce qu'il refuse d'augmenter les notes d'un cancre (I).

En quête de leçons particulières, il vient offrir ses services à la tante de l'un de ses élèves, la belle Mme Suzy Courtois, qui est la maîtresse de Régis Castel-Bénac, conseiller municipal d'une grande ville et agent d'affaires habile à exploiter ses relations politiques. Justement l'homme de paille de celui-ci, Roger de Berville, est devenu trop exigeant au moment de passer avec la Mairie un fructueux marché de balayeuses automobiles : Topaze le remplacera (II, 1-6).

Quand Topaze s'aperçoit qu'il est l'agent d'un prévaricateur, son honnêteté se révolte, mais Suzy le fait taire (II, 11) et, peu à peu, il se laisse griser par la puissance que donne l'argent : les directeurs de journaux ne demandent qu'à vendre leur conscience (III, 6-7); M. Muche vient lui offrir la main de sa fille (III, 9-10); il reçoit les Palmes académiques en qualité d'« ingénieur », « pour services exceptionnels » (III, 11). Aussi, au bout de quelques mois, chasse-t-il Castel-Bénac (IV, 2), lui enlevant même Suzy (IV, 3). A son ancien collègue Tamise, inquiet des bruits qui courent sur la nature de ses affaires, il explique avec cynisme les ressorts de la société, et Tamise ébranlé songe à devenir le secrétaire de Topaze (IV, 4).

Les personnages ne sont que des pantins, mais le jeu satirique est mené avec verve, et sur un thème qui ne peut manquer de plaire.

THÈMES
Argent. Société.
Corruption.

---

**Le Tour du monde en 80 jours**

Jules VERNE
1872

Ce roman d'aventures compte parmi les plus connus de Jules Verne. Celui-ci en a sans doute puisé l'idée dans un article paru en 1870 dans *Le Magasin pittoresque* où il était démontré qu'on pouvait faire le tour du monde en quatre-vingts jours depuis le percement de l'isthme de Suez (1869).

*Le Livre de poche*

Dans le roman, le même calcul publié dans le *Morning Chronicle* conduit un gentleman anglais, Philéas Fogg, à parier avec ses amis du Reform-Club qu'il réussira le voyage dans ce délai. Il part immédiatement avec son domestique français Passepartout, sans se douter qu'il est suivi par un détective qui le soupçonne d'être l'auteur d'un vol considérable à la Banque d'Angleterre. Employant tous les moyens de transport, «paquebots, railways, voitures, yachts, bâtiments de commerce, traîneaux, éléphant», «l'excentrique gentleman» réussit à vaincre grâce à son flegme et à son énergie tous les obstacles que la nature et les hommes mettent sur son chemin, mais le détective qui l'a suivi jusqu'au bout l'arrête à son débarquement en Angleterre. Il lui faut une journée pour se disculper, et il croit avoir perdu son pari quand il s'avise qu'il a gagné vingt-quatre heures sur le calendrier en voyageant d'ouest en est. Il lui reste juste le temps de se rendre à son club où il se présente avec sa ponctualité habituelle à l'instant où expire le délai convenu.

La supériorité tranquille du héros, les séductions d'une aventure exotique, les prestiges associés de la débrouillardise et de l'efficacité technique, l'humour de l'auteur, ont fait le succès de ce récit qui traduit l'assurance de la civilisation européenne devant le monde au XIXe siècle.

**THÈMES**
Voyage. Aventure. Exotisme. Progrès.

---

Dans cette œuvre poétique en cinq parties, ce Flamand de culture française chante tous les liens qui le rattachent à son pays : les souvenirs de son enfance dans *Les Tendresses premières* (1904); le goût des paysages mornes de la Flandre maritime avec ses villages tristes et ses hommes rudes façonnés par la mer et le vent (*La Guirlande des dunes,* 1907); la pensée des «héros» qui ont marqué cette terre, Rubens, les Van Eyck, Charles le Téméraire, à côté desquels deux fleuves personnifiés, la Lys et l'Escaut, donnent lieu à la meilleure évocation (*Les Héros,* 1908); le sens des richesses de la vie banale (*Les Villes à pignons,* 1910); l'amour de la terre féconde (*Les Plaines,* 1911).

Émile Verhaeren écrit en vers libres rimés, disposés en laisses irrégulières. Au moment où le symbolisme laissait la poésie anémiée par le culte de la quin-

**Toute la Flandre**
Émile VERHAEREN
1904-1911

*Classiques Larousse*

tessence, il exprime avec puissance, sans peur du pro-
saïsme, comme avait fait Victor Hugo, la poésie des
réalités communes.

---

## Les Tragiques

Agrippa d'AUBIGNÉ
1616

*Garnier-Flammarion*

Ce poème de plus de neuf mille vers est une épopée
religieuse écrite pendant les guerres de Religion qui
ensanglantèrent la France au XVIᵉ siècle. L'auteur est
un gentilhomme calviniste passionné et intransigeant
qui, non content de combattre aux côtés d'Henri de
Navarre (dont il refusa d'admettre la conversion au
catholicisme en 1593), entreprit en 1577 cette grande
œuvre satirique et épique pour réclamer justice en
faveur de son parti et de sa foi. Il l'a publiée seulement en 1616, trop tard pour qu'on fît bon accueil à
un tel sujet, d'autant plus que son style tumultueux
parut archaïque.

Les titres des sept chants sont explicites : *Misère* ;
*Princes* (Catherine de Médicis, les rois et la cour dans
leurs crimes contre les Réformés) ; *La Chambre dorée*
(la Grande Chambre du Parlement de Paris qui rend
une si mauvaise justice) ; *Les Feux* (ceux des bûchers
où périrent les martyrs protestants) ; *Les Fers* (évocation des batailles et des massacres) ; *Vengeances et Jugement*
(pour appeler le jugement de Dieu sur les coupables).

Cette œuvre est touffue et désordonnée, mais
Agrippa d'Aubigné possède un remarquable tempérament de visionnaire. Il anime avec puissance toutes les
scènes qu'il décrit, et retrouve avec aisance le ton des
mythes bibliques, évoquant par exemple le remords de
Caïn (chant VI), le Jugement dernier et les supplices de l'enfer (chant VII) en des tableaux saisissants.
La beauté des *Tragiques* a été reconnue à partir du
XIXᵉ siècle où les romantiques, par réaction contre
le goût classique, ont réhabilité les œuvres d'esprit
baroque.

---

## Traité sur la tolérance

VOLTAIRE
1763

Voltaire a écrit ce plaidoyer en faveur de la tolérance
à l'occasion de l'affaire Calas : un négociant hugue-
not de Toulouse, Jean Calas, venait d'être roué le
9 mars 1762, pour avoir, selon l'accusation, étranglé et
pendu son fils Marc-Antoine, avec l'aide de sa famille,
parce que celui-ci voulait se convertir au catholicisme.

*La Pléiade*

Voltaire pense que Marc-Antoine Calas s'était suicidé. (Aujourd'hui cette mort reste énigmatique; on
revient plutôt à la thèse de l'assassinat, qui fut celle de
la famille, les Calas eux-mêmes et tout motif religieux
étant hors de cause.) En tout cas Voltaire démontre
l'invraisemblance de l'accusation, expliquant comment
le préjugé antiprotestant a faussé l'enquête et conduit
à la condamnation de Jean Calas.

De cette analyse des mécanismes du fanatisme religieux, il passe à l'éloge de la tolérance, qu'il considère
comme l'«apanage de la raison», et, terminant par une
prière célèbre au «Dieu de tous les êtres, de tous les
mondes et de tous les temps», il affirme, dans un esprit
déiste, son respect de toutes les religions et de toutes
les croyances (ch. XXIII).

Jean Calas fut réhabilité en 1765. «L'affaire Calas»
allait rester le symbole des crimes de l'intolérance religieuse, Jean Calas prenant place parmi les martyrs de
la liberté de pensée.

THÈMES
Religion, 2. Préjugés.
Justice, 2. Fanatisme.
Tolérance. Déisme.

---

Ce roman a pour cadre les îles anglo-normandes et
commence par une étude documentaire sur ces îles
où Hugo a trouvé refuge, d'abord à Jersey, puis à Guernesey, après le coup d'État du 2 décembre 1851.

**Les
Travailleurs
de la mer**
Victor HUGO
1866

*Folio*

Il ne relève pas du genre réaliste, contrairement à ce
que pourrait faire croire le titre. C'est un grand drame
dans la manière hugolienne, qui met en scène, comme
*Notre-Dame de Paris*★ et *Les Misérables*★, la lutte de
l'homme et de la fatalité et qui tend vers le grossissement épique.

Le héros principal est le marin Giliatt, un solitaire,
un «homme du songe», qui, sous des apparences rudes,
cache un esprit supérieur. Il aime en secret la jolie
Déruchette qui a tracé un jour, par jeu, les lettres de
son nom sur la neige. Elle est la nièce d'un armateur, Mess Letherrier, lui-même rude marin, qui croit
au progrès et possède *La Durande*, le premier bateau
à vapeur mis en service, en 182., entre Guernesey
et Saint-Malo.

Clubin, capitaine et pilote de *La Durande*, personnage trouble et jaloux, jette volontairement le navire
sur un écueil pour s'enfuir avec une grosse somme
dérobée à Mess Letherrier par un ancien associé.

L'armateur ruiné promet sa nièce à qui sauvera la machine de *La Durande*. Giliatt se lance solitairement dans cette entreprise titanesque et, au prix de terribles épreuves (il lui faut en particulier combattre une pieuvre géante), rapporte la machine dans sa barque, ainsi que l'argent volé qu'il a retrouvé sur le cadavre de Clubin.

Mais Déruchette aime en fait le jeune pasteur Ebenezer Caudray que Giliatt a naguère sauvé de la marée montante. Devant leur amour, Giliatt s'efface, facilite leur mariage et, suivant du regard, depuis le récif où il a sauvé son rival, le bateau qui emporte les nouveaux époux, il se laisse engloutir par les flots.

Giliatt a pu vaincre « l'anankè des choses » mais pas « la fatalité intérieure, l'anankè suprême, le cœur humain », évoqués par Hugo en tête de son récit.

L'œuvre est célèbre pour la peinture que Victor Hugo, avec une imagination de visionnaire, y a donnée de la mer.

**THÈMES**
Nature. Mer.
Fantastique.
Passions. Amour.
Héroïsme. Bien. Mal.
Progrès.
Destin. Fatalité.
Sacrifice. Suicide.

---

# Tristan et Iseut

BÉROUL et THOMAS
Seconde moitié
du XIIe siècle

*Classiques Garnier*
*Classiques Larousse*
*Le Livre de poche*

Le roman de Tristan et Iseut fait partie des romans dits bretons en raison de leur cadre (Armorique, Cornouailles, Galles, Irlande). Il nous en est parvenu diverses versions. Les plus importantes, bien qu'elles soient incomplètes, sont celles de Béroul, jongleur normand mal connu (quatre mille cinq cents octosyllabes), et celle de Thomas (trois mille octosyllabes) qui ont servi de noyau à la reconstitution de Joseph Bédier (1900).

Ce « beau conte d'amour et de mort » peint une passion irrésistible qui, le plus souvent, dans son déroulement fatal, contrevient aux lois de l'honneur chevaleresque.

Le jeune prince Tristan de Loonois est depuis toujours voué au malheur. Orphelin, élevé par son oncle le roi Marc de Cornouailles qui a fait de lui un chevalier accompli, il se distingue précocement en tuant en duel le Morholt, géant venu chercher un tribut de jeunes gens et de jeunes filles au nom du roi d'Irlande. Mais l'épée du Morholt lui laisse des blessures empoisonnées. Désespéré, il part sur une barque pour se livrer aux caprices des flots. Ceux-ci le portent en Irlande où il se présente comme le jongleur Tantris. La reine d'Irlande, sœur du Morholt, le guérit à l'aide de phil-tres magiques et le prie d'initier à la musique sa fille Iseut la Blonde. Tristan peut quitter le pays avant d'avoir été reconnu. En Cornouailles, le roi Marc a pro-mis devant son peuple d'épouser l'inconnue dont il a trouvé un cheveu d'or. Tristan songe à Iseut et va la chercher en Irlande. Cette fois, Iseut reconnaît en lui le meurtrier de son oncle et songe à le tuer; mais le charme de Tristan l'emporte, et Iseut est fort déçue que Tristan soit venu solliciter sa main pour le roi Marc. Sur le bateau du retour, Tristan et Iseut boivent par erreur le philtre préparé par la reine d'Irlande pour Iseut et le roi Marc : les voici à jamais unis d'un amour contre lequel leur volonté ne peut rien.

Le récit de Béroul commence aux soupçons du roi Marc; celui-ci surprend Tristan et Iseut après avoir feint une absence. Alors qu'on prépare un bûcher pour le brûler, Tristan réussit à s'échapper et délivre Iseut des lépreux à qui Marc l'a abandonnée.

Dans la forêt où ils vivent, Marc les découvre endor-mis, séparés par l'épée de Tristan; il renonce à les tuer et se contente d'échanger son épée contre celle de son neveu. Touchés de repentir, les amants sollicitent le pardon du roi; Iseut retourne à la cour, Tristan part pour l'étranger après avoir châtié en tournoi les enne-mis qui l'ont dénoncé (fin du récit de Béroul).

Thomas conte comment, passé en Bretagne, Tris-tan se laisse persuader d'épouser la sœur de son ami Kaherdin, Iseut aux Blanches Mains; mais il songe tou-jours à Iseut la Blonde et retourne vers elle sous des déguisements.

En Petite Bretagne, il est un jour blessé par une lance empoisonnée. Il envoie Kaherdin chercher Iseut la Blonde qui seule peut le guérir. Celle-ci s'embarque pour le rejoindre, mais un tragique mensonge d'Iseut aux Blanches Mains fait croire à Tristan qu'Iseut n'a pas répondu à son appel : il meurt avant l'arrivée d'Iseut qui, tenant son ami embrassé, le suit dans la mort (fin du récit de Thomas).

Le roi Marc, apprenant que Tristan et Iseut étaient victimes du philtre de la reine, leur pardonne et les réunit dans le même tombeau.

Chez Béroul, la passion de Tristan et Iseut, par son caractère fatal et charnel, est tout à fait étrangère à l'esprit courtois qui exige choix et raisonnement (cf.

*Lancelot★*). En développant les hésitations morales de Tristan, Thomas a au contraire maintenu un certain tour courtois dans cette aventure qui reste de toute façon le symbole de l'amour-passion voué au malheur.

---

**Tristes Tropiques**

Claude
LÉVI-STRAUSS
1955

*Presses Pocket*

Dans ce livre autobiographique, Lévi-Strauss retrace sa carrière de voyageur et d'ethnographe, et développe les réflexions sur l'homme que lui inspirent les civilisations différentes de la nôtre et particulièrement les sociétés primitives qu'il a étudiées au Brésil.

Déplorant l'expansion de la civilisation occidentale qui détruit la diversité du monde, il laisse entendre qu'il s'est lancé dans l'ethnographie par refus de la vie européenne (1re partie, ch. IV). Il envie la chance des explorateurs du XVIe siècle qui, malheureusement sans être préparés à les comprendre, découvraient des civilisations exotiques encore intactes, et peint avec amertume les «tristes tropiques» d'aujourd'hui, «tropiques bondés» du continent asiatique, «tropiques vacants» de l'Amérique indienne où subsistent — pour combien de temps encore? — les derniers «bons sauvages» qui ont fait rêver les moralistes du XVIe au XVIIIe siècle. Au Brésil, il a pénétré avec enthousiasme le plus loin possible dans la simplicité primitive, chez les Bororos, chez les Nambikwara, chez les Tupi-Kawahib, parents, selon lui, des Cannibales rencontrés par Montaigne à Rouen (*Essais★*, I, 31). L'étude de leurs structures sociales le conduit à évoquer Rousseau (*Discours sur l'origine de l'inégalité★*, *Du Contrat social★*). Renouvelant le procès de l'état social et glorifiant l'état de nature, il loue l'ethnographie de retirer à la civilisation européenne la vanité de se prendre pour le modèle universel.

Ce livre est très stimulant par la richesse de ses témoignages et le caractère passionné de ses thèses.

---

**Les Trois Mousquetaires**

Alexandre DUMAS
(père)
1844

Ce roman d'action, écrit en collaboration avec l'historien Auguste Maquet, a pour point de départ les *Mémoires de d'Artagnan*, œuvre de G.-C. Courtilz de Sandras (1709).

Les héros sont trois mousquetaires de Louis XIII, trois gentilshommes qui se dissimulent sous des surnoms, Athos (comte de la Fère), Porthos (du Vallon), Aramis (chevalier d'Herblay), auxquels vient se joindre un jeune Gascon industrieux et brave, d'Artagnan, qui sera le principal héros du roman.

Classiques Garnier
*Folio*
*Le Livre de poche*

Une vieille rivalité oppose les mousquetaires du roi aux gardes du cardinal de Richelieu, et, dans l'épisode essentiel du roman, les quatre amis vont sauver la reine Anne d'Autriche des perfides manœuvres de Richelieu. Pour cela, ils doivent aller chercher en Angleterre les ferrets de diamants qu'elle a donnés à son amant Buckingham et que le roi, sur une insinuation de son ministre, l'invite à porter au prochain bal de la cour.

Les mousquetaires se heurtent aux agents du cardinal et surtout à une redoutable aventurière, Milady, ancienne épouse d'Athos, mais, grâce à d'Artagnan, les ferrets parviennent à temps à la reine.

L'aisance du récit, la diversité des caractères, l'abondance des péripéties, ainsi qu'une rhétorique facile mettant en jeu les valeurs morales les plus éprouvées, ont valu un succès prodigieux à ce roman. Il reste le modèle d'un genre dans lequel Alexandre Dumas triompha. *Les Trois mousquetaires* comportent une suite : *Vingt Ans après* et *Le Vicomte de Bragelonne*.

THÈMES
Aventure. Amour. Héroïsme.

---

Cette farce en cinq actes a d'abord été écrite pour un théâtre de marionnettes, ce qui en explique l'énormité caricaturale.

**Ubu roi**
Alfred JARRY
1888

*Folio*
*Le Livre de poche*

Ancien roi d'Aragon, capitaine de dragons en Pologne, Ubu est un obèse fanfaron que sa femme, la mère Ubu, pousse à détrôner le roi Wenceslas pour s'enrichir.

Ubu parvient à ses fins et pressure nobles et financiers avec une énergie qui effraie la mère Ubu elle-même. Mais il est bientôt chassé par Bougrelas, fils du roi détrôné, qui revient avec l'appui du tsar de Russie.

Par ses jurons («Merdre!»), par sa bedaine qu'il appelle sa «gidouille», par sa «pompe à Phynances», ce personnage burlesque a conquis dans la mythologie littéraire le rang de symbole de la tyrannie bête et cruelle.

THÈMES
Pouvoir. Argent. Guerre.

## Variété

Paul VALÉRY
1924-1945

*Idées/Gallimard
La Pléiade*

Sous ce titre, Valéry a rassemblé à partir de 1924 les essais, préfaces et discours qu'il s'est laissé commander par les circonstances, au cours de sa carrière d'écrivain, tout en tâchant d'y conserver «le naturel de sa pensée».

Le premier volume commence par *La Crise de l'esprit*, article écrit en 1919 sur la civilisation européenne ébranlée par la guerre : «Nous autres, civilisations, nous savons maintenant que nous sommes mortelles». L'article suivant, *Note (ou l'Européen)*, extrait d'une conférence, analyse les composantes de l'esprit européen : le sens juridique romain, la réflexion morale chrétienne; la discipline de l'esprit grec, d'où est sortie la science. Puis viennent des préfaces : *Au sujet d'Adonis* (de La Fontaine), occasion de réflexion sur la poésie et l'art classique; avant-propos à *La Connaissance de la déesse* (recueil de poèmes de Lucien Favre) qui contient une étude du symbolisme; et un *Hommage* à Marcel Proust au moment de sa mort. La réédition de l'*Introduction à la méthode de Léonard de Vinci*, publiée à part en 1919, termine le recueil.

Quatre volumes ont suivi celui-ci. L'édition de La Pléiade (*Œuvres* de Valéry, t. I) classe aujourd'hui l'ensemble de ces textes par sujets littéraires, philosophiques, politiques, poétiques et esthétiques.

THÈMES
Civilisation. Europe.
Grèce. Rome.
Christianisme, 1.

---

## Vendredi ou les Limbes du Pacifique

Michel TOURNIER
1967

*Folio*

Michel Tournier récrit à sa façon l'histoire de Robinson Crusoé, publiée en 1719 par l'Anglais Daniel Defoe.

Le héros de Defoe est un aventurier qui va chercher fortune aux colonies, est jeté par un naufrage sur une île déserte, y passe vingt-huit ans de sa vie, la met en valeur, sauve de la mort un sauvage qu'il appelle Vendredi et qui devient son fidèle domestique, et, pour finir, rentre en Europe fort riche.

Chez Tournier, le héros connaît une évolution toute différente dans laquelle Vendredi joue un rôle essentiel que souligne le titre.

Robinson tente d'abord de construire un bateau pour s'échapper de son île, puis s'emploie à s'installer et à défendre son identité contre la solitude en reconstituant les usages de la civilisation anglaise. Il cultive les terres, amasse des provisions, construit une citadelle, un temple, un hôtel des monnaies, établit un cadastre, une charte, des règlements, s'impose des châtiments quand il y manque.

Mais l'île a une personnalité qui nie cet ordre. Et l'arrivée de Vendredi, qui, après avoir obéi docilement à Robinson, provoque sans le vouloir la destruction de son œuvre, l'entraîne dans un mode de vie plus libre où il découvre des relations nouvelles avec les éléments naturels et le temps. Quand un navire touche enfin l'île, Robinson refuse de la quitter tandis que Vendredi choisit de partir. Le mousse, qui était maltraité à bord, déserte pour rejoindre Robinson.

La «robinsonnade» de Tournier propose sous forme d'allégories une méditation sur la solitude, la société, la civilisation et l'état de nature. Sous le titre *Vendredi ou la Vie sauvage,* l'auteur en a donné, à l'usage des jeunes lecteurs, une version abrégée pour laquelle il a parfois déclaré avoir une préférence.

THÈMES
Société. Civilisation.
Nature. Univers.

---

Ce roman est le troisième des *Rougon-Macquart\**. Zola y associe un travail documentaire sur les Halles de Paris construites par Victor Baltard sous le second Empire à partir de 1854, une étude artistique de ce «sujet moderne» et une action politique et sociale qui illustre ses griefs contre Napoléon III et les classes sociales qui l'ont soutenu.

Un républicain déporté lors du coup d'État du Deux Décembre 1851, Florent, rentré clandestinement du bagne de Cayenne, arrive affamé aux Halles de Paris. Il se présente chez son demi-frère Quenu-Gradelle, maintenant patron prospère d'une charcuterie héritée d'un oncle commun. Maigre parmi les Gras, il est accueilli sans chaleur, surtout par sa belle-sœur Lisa, fille aînée des Macquart de Plassans et cousine du Saccard de *La Curée\**. Il s'installe chez les Quenu et se laisse persuader d'entrer aux Halles comme inspecteur de la marée. Il retrouve le soir, chez le marchand de vin Lebigre, quelques républicains qui se donnent des airs de conspirateurs, si bien qu'il est dénoncé à la police à la fois par Lebigre, par Lisa et par une vieille fille du quartier, M^lle Saget, et déporté à nouveau.

Zola peint avec soin le «ventre de Paris». Il le fait en journaliste attentif aux réalités techniques de la ville

**Le Ventre de Paris**
Émile ZOLA
1873

*Folio*
*Garnier-Flammarion*
*Le Livre de poche*

moderne, en moraliste appliqué à démasquer les comportements et les passions, en artiste grisé du spectacle des denrées déversées, qui compose des tableaux plastiques où les personnages entrent en harmonie avec les choses. Un de ses personnages, Claude Lantier, le relaie dans l'explication des formes, des lignes et des couleurs et le roman prend la portée d'un manifeste sur la beauté moderne, dans lequel se prolonge son action en faveur des peintres de l'avant-garde du moment, ses amis Courbet, Manet, Pissarro, Jongkind.

On cherche aujourd'hui dans *Le Ventre de Paris*★ un témoignage sur un monde disparu, mais il a d'abord été un témoignage sur la vie urbaine moderne.

THÈMES
Paris. Ville. Passions, 4.
Beauté.

---

**Victor-Marie, comte Hugo**

Charles PÉGUY
1910

*La Pléiade*

Essai publié en 1910 dans *Les Cahiers de la Quinzaine* dont Péguy était le fondateur.

Le début n'a rien à voir avec le titre : Péguy désire dissiper le différend qui vient de l'opposer à son ami Daniel Halévy à propos de l'affaire Dreyfus, et l'explique comme un malentendu de paysan à bourgeois. Longuement et avec chaleur, il évoque son enfance orléanaise · et ses ancêtres paysans, et les traditions morales de « l'ancienne France ». Il reprendra ces thèmes dans *L'Argent* (1913) pour préciser son hommage à sa famille et à ses premiers maîtres de l'école primaire et dénoncer comme fausses les valeurs nouvelles adorées dans le monde moderne « où l'argent est tout ».

Puis, brusquement, il passe à Hugo, et, de là, à Corneille et à Racine, parce qu'il rappelle ainsi, on l'apprend plus loin, « les trouvailles » qu'il faisait avec Halévy avant leur rupture. Son étude de *Polyeucte*★, ses propos sur « l'âme païenne » de Victor Hugo et la réussite de *Booz endormi* (*La Légende des siècles*★) achèvent de le dépeindre, attentif à la « mystérieuse insertion de l'éternel dans le temporel, du spirituel dans le charnel ».

Pour finir, Péguy plaide en faveur de la réconciliation, invitant Halévy à continuer le combat engagé contre la Sorbonne, qu'il accuse d'être tombée dans « la scolastique du matérialisme », lui proposant, en manière de boutade, de rallier « le parti Péguy » pour lutter contre « le parti intellectuel ».

Par son lyrisme et par ses thèmes, ce cahier est un bon échantillon de la prédication dans laquelle Péguy s'est passionnément engagé au sein du monde moderne.

THÈMES
Peuple. Terre. Tradition. Patrie. Dieu. Engagement.

---

Premier roman de Maupassant, qui s'est déjà fait connaître par des nouvelles, en particulier *Boule de suif* (1880, *Contes et nouvelles**).

## Une Vie
Guy de MAUPASSANT
1883

*Folio*

L'héroïne, Jeanne, fille du baron Le Perthuis des Vauds, sort du couvent à dix-sept ans, le 2 mai 1819, parfaitement ignorante du monde et pleine d'une immense attente. Disciple de J.-J. Rousseau, son père a voulu «la faire heureuse, bonne, droite et tendre». Au château familial des Peuples, en Normandie, la campagne la comble de bonheur, mais, très vite, la vie ne lui apporte que désillusions et malheurs.

Son mariage, conclu en quelques semaines, avec le vicomte Julien de Lamare est un échec complet. Julien la trompe avec Rosalie, sa sœur de lait, qui en attend un enfant. Jeanne veut se jeter du haut d'une falaise. L'abbé Picot, qui connaît les mœurs, lui prêche la résignation. On marie Rosalie à un paysan moyennant une ferme et Jeanne donne de son côté naissance à un fils, Paul, dit Poulet, qui devient tout pour elle. Julien la trompe encore avec la comtesse Gilberte de Fourville dont le mari se venge en poussant dans un ravin la cabane roulante de berger où il a surpris les amants. L'abbé Tolbiac, qui a remplacé le brave abbé Picot, ne sait que fulminer contre le péché et piétiner de rage une chienne en gésine ; le baron et Jeanne sauvent un chiot qu'ils appellent Massacre.

Poulet, sur qui Jeanne a reporté ses espoirs, la déçoit en tout et la ruine en se lançant dans de mauvaises affaires. Elle doit vendre les Peuples et se retirer dans une petite maison bourgeoise où Rosalie s'installe avec elle. Rosalie a en somme bien réussi : son fils a repris la ferme donnée par le baron, elle a des rentes et soutient son ancienne maîtresse désemparée. Les deux femmes recueillent la fille de Paul, et Rosalie a le mot de la fin : «La vie, voyez-vous, ça n'est jamais si bon ni si mauvais qu'on croit.»

Dans cette œuvre dont l'esprit et la forme sont marqués par Flaubert, Maupassant a mis sa vision pessimiste et passionnée de la société et de la vie.

THÈMES
Amour, 1, e. Bonheur. Destin. Mœurs.

**La Vie
de Marianne
ou les
Aventures de
Madame la
comtesse
de X...**

MARIVAUX
1731-1741

*Classiques Garnier*

Ce gros roman en onze parties publiées de 1731 à 1741 a été moins bien accueilli au XVIIIe siècle qu'il ne l'est aujourd'hui où l'on est attentif à l'originalité de Marivaux et aux enrichissements progressifs du genre romanesque.

Marianne est une orpheline de naissance présumée noble qui a dû lutter pour faire reconnaître sa « qualité ». Elle fait elle-même le récit de sa vie à cinquante ans passés, alors qu'elle est devenue comtesse.

Ayant seule survécu, outre un chanoine qui s'enfuit, lors de l'attaque d'un coche par des brigands, Marianne est recueillie, à l'âge de deux ans, par un prêtre de campagne et sa sœur. A leur mort, elle se trouve à quinze ans exposée aux dangers de Paris. Un ecclésiastique la confie à un dévot, M. de Climal, qui la place chez une lingère, Mme Dutour, et se met à lui témoigner une tendresse qui trahit son tartuffe (1re partie). Mais Marianne, victime d'une entorse à la sortie d'une église, est secourue par un élégant jeune homme, M. de Valville, qui s'éprend de ses grâces aussi vite qu'elle est touchée de ses charmes (2e partie).

A partir de là, le récit s'organise autour des amours contrariées de Marianne et de Valville. Mme de Miran, mère de Valville, malgré l'obstacle des convenances sociales, finit par consentir au mariage de son fils et de Marianne, tant les mérites de celle-ci sont éclatants (4e partie). M. de Climal, repenti, lui constitue une rente avant de mourir (5e partie). Mais la famille de Mme de Miran, découvrant que Marianne est d'origine inconnue, refuse de l'admettre et lui donne autoritairement à choisir entre le couvent et un mari d'un rang social obscur, en accord avec le sien (6e-7[e] parties).

Puis Valville se révèle momentanément infidèle quand il rencontre une jeune Anglaise amie de Marianne, Mlle Varthon (7e-8[e] parties). Le récit de la vie de Marianne s'arrête alors pour faire place à celui de la vie d'une religieuse qui la dissuade d'entrer au couvent par chagrin d'amour (9e-10[e]-11[e] parties). Le récit ne sera pas repris, et l'on ne saura pas comment Marianne a triomphé de sa mauvaise fortune.

Dans ce canevas d'un romanesque conventionnel, Marivaux a introduit quelques scènes d'un réalisme nouveau, comme la querelle d'un cocher de fiacre et d'une lingère (2e partie), dont le vocabulaire fut jugé choquant à l'époque. Mais l'intérêt essentiel réside dans la spirituelle lucidité qu'il a prêtée à son héroïne dans une société qui, exigeant seulement des jeunes filles qu'elles aient de la « naissance », des grâces et de la vertu, ne leur laisse pas grande liberté. Ce roman révèle des aspects caractéristiques de la condition féminine au XVIIIe siècle.

THÈMES
Femme, 2. Amour, 1, d. Préjugés.
Classes sociales. Mérite.

## La Voie royale

André MALRAUX
1930

*Le Livre de poche*

En 1924, Malraux se lançait dans une expédition archéologique en Indochine. Avec une large part d'invention, il en a tiré ce récit d'aventures qui jette le lecteur en pleine tragédie métaphysique comme font tous ses romans.

Le jeune orientaliste Claude Vannec veut aller reconnaître les temples bâtis sur une ancienne « voie royale » submergée par la jungle, entre le Cambodge et le Laos.

C'est un prétexte pour fuir l'Europe et la vie bourgeoise que lui préparait sa famille : l'aventure et ses épreuves lui importent plus que l'archéologie ou le profit à tirer de la vente de quelques sculptures. Sur le bateau, il est séduit par l'énergie d'un aventurier allemand, Perken, qui devient le principal héros du livre. Perken parle avec admiration d'un déserteur de l'armée française, Grabot, « parti régler certains comptes avec lui-même » en zone insoumise. Il cherche lui-même de l'argent pour se créer un royaume personnel « contre la civilisation » en armant les tribus des plateaux, comme aurait fait Grabot. Perken et Vannec unissent leurs entreprises qui prennent l'allure d'une partie jouée contre soi-même et contre la mort.

Après avoir découpé un bas-relief sur un temple, les deux hommes passent en pays moï pour chercher Grabot. Alors que celui-ci est devenu dans leur esprit le symbole de la liberté et de la force, ils le découvrent attaché à la meule d'un village moï, aveugle et complètement déchu. Tandis que Vannec est tenté de le tuer « pour chasser cette preuve de sa condition d'homme », Perken, exaspéré par cette image, affronte les Moïs et obtient la liberté du prisonnier, mais il s'est blessé au genou en tombant sur une fléchette empoisonnée et meurt avant d'avoir pu gagner son « royaume », que menace une voie ferrée en construction.

Par ses thèmes — aventure égotiste, obsession de la mort, exaltation de l'énergie —, ce roman révèle mieux

THÈMES
Homme, 5, c. Moi, 3, b.
Aventure, 3.
Révolte, 1. Absurde.
Énergie, 1, b.
Volonté de puissance.
Destin, 2. Mort, 2, b.

que *Les Conquérants*★ et *La Condition humaine*★, où le cadre historique et politique peut le masquer, que le drame de l'homme reste encore pour Malraux essentiellement individuel avant son expérience de la guerre d'Espagne (*L'Espoir*★).

## Vol de nuit

Antoine
de SAINT-EXUPÉRY
1931

*Folio*

Ce court récit romancé a été l'un des premiers, dans les débuts de l'aviation commerciale, à initier le grand public à la vie des pilotes de ligne et à une forme d'action typiquement moderne.

En Argentine, où l'on vient d'inaugurer les vols de nuit pour acheminer le courrier plus vite, un avion disparaît dans un orage nocturne. Le chef des vols, Rivière, s'interroge sur son droit d'engager ainsi la vie des pilotes et conclut à la nécessité de poursuivre l'entreprise.

Ce livre est intéressant par sa valeur documentaire, par la peinture qu'il donne de la terre vue d'avion (thème alors nouveau), et aussi parce qu'il pose le problème du chef et des valeurs au nom desquelles il peut disposer des hommes. Rivière se justifie en opposant aux visées d'un bonheur banal une morale du dépassement. Saint-Exupéry est un des écrivains modernes qui ont défendu une conception héroïque de l'homme et de l'action.

THÈMES
Action, 1. Métier.
Bonheur.
Héroïsme. Chef.
Nature, 2.

## Volupté

Charles-Augustin
SAINTE-BEUVE
1834

*Garnier-Flammarion*

Ce roman revêt la forme d'une confession rédigée à l'intention d'un jeune homme par un prêtre qui analyse et juge ses erreurs de jeunesse afin de le mettre en garde contre les passions.

Le héros, qui se prénomme Amaury, est un jeune noble breton qui, au lendemain de la Révolution, se trouve dans l'incertitude morale décrite par Chateaubriand sous le nom de « vague des passions » (cf. *René*★). Il ne sait pas saisir le bonheur calme qui s'offrirait à lui s'il épousait Amélie de Liniers, une jeune fille aimable et douce pour qui il a quelque penchant. Venant à faire la connaissance de M. de Couaën, un des chefs de la résistance royaliste en Bretagne, il noue avec Mme de Couaën, qui est plus âgée que lui, une amitié amoureuse passionnée. Lorsque M. de Couaën est arrêté à la suite d'une conspiration contre le Premier Consul, Amaury accompagne M^me de Couaën à Paris sans obtenir de celle-ci tout ce qu'appelle l'ardeur de son amour. Par dépit, il tombe dans les tentations de la débauche vulgaire, puis se laisse prendre à la coquetterie d'une mondaine, M^me R., qui s'amuse de son exaltation. Déçu par ces expériences malheureuses, il se tourne vers Dieu et se fait prêtre, si bien qu'il lui est donné d'assister M^me de Couaën au moment de sa mort et d'en recueillir la confession.

« Qui n'a pas eu sa M^me de Couaën est indigne de vivre », a écrit Balzac, qui, admirant le thème, mais blâmant le style de *Volupté*, a refait ce roman à sa façon dans *Le Lys dans la vallée**.

THÈMES
Mal du siècle.
Amour, 1, e.
Femme, 1. Religion, 4.

## Voyage au bout de la nuit
Louis-Ferdinand CÉLINE
1932

*Folio*

C'est ce roman qui a révélé Céline, sa révolte anarchisante et son style argotique et gouailleur, vigoureusement rythmé.

Le héros-narrateur, Ferdinand Bardamu, est une sorte de double de l'auteur. Du jour où il s'engage dans la cavalerie, en 1914, il est entraîné dans un tohu-bohu extraordinaire d'aventures qui lui font découvrir tous les vices de la civilisation. Le cavalier Bardamu perd vite ses illusions héroïques sur la route où son colonel, debout pour l'exemple, se fait faucher par un obus. Il ne songe plus qu'à sauver sa vie d'une partie absurde. Il cherche en vain un Allemand qui le fasse prisonnier, il tombe malade et devient à moitié fou. On le réforme comme n'étant plus bon à rien, mais il a « sauvé ses tripes ». Il fuit alors vers le Cameroun, pour y découvrir les dégradations de la colonisation. Quand il quitte l'Afrique, c'est — départ symbolique — ramant sur une galère espagnole dont le capitaine l'a acheté à un curé. Sa destination ne pouvait être que l'Amérique où il se retrouve dans la chaîne des usines Ford. Seule une prostituée, Molly, lui accorde un peu d'attention vraie et désintéressée. La nostalgie de Paris le prenant cependant, il rentre en France, conquiert son diplôme de médecin, et s'établit en banlieue à La Garenne-Rancy parmi les petites gens, employés, concierges, boutiquiers, qui croupissent dans leur grisaille et leurs calculs sordides. Bardamu ne fait plus que se défendre de sombrer dans cette veulerie qu'il peint fraternellement car il sait qu'il en porte en lui le germe.

THÈMES
Absurde. Guerre, 2.
Argent.
Vie moderne.
Peuple. Révolte.

Avec une faconde et une truculence inconnues dans la littérature française depuis Rabelais, Céline crie sa haine du monde moderne, monde absurde, monde gâté, où l'on n'aperçoit pas le bout de la nuit.

## Le Voyage de Monsieur Perrichon

Eugène LABICHE
1860

*Classiques Larousse*

Comédie légère en cinq actes sur le thème classique du bourgeois vaniteux.

M. Perrichon est un riche carrossier parisien, père d'une fille à marier, Henriette. Lors d'un voyage en Suisse où la famille Perrichon est allée découvrir la montagne, deux jeunes bourgeois, Armand et Daniel, font leur cour à Henriette... et à son père. Au cours d'une promenade sur un glacier, Armand a la chance de sauver M. Perrichon d'un accident; pour reprendre l'avantage, Daniel a l'idée de se faire sauver par M. Perrichon : bon calcul, car celui-ci, dont l'amour-propre est flatté, lui voue infiniment plus de reconnaissance qu'à Armand. Et lorsque Armand commet la maladresse d'empêcher un duel où M. Perrichon comptait donner de nouvelles preuves de son courage, Daniel semble l'emporter, mais il se vante trop haut de son stratagème, en termes cruels pour M. Perrichon qui l'entend et donne la préférence à Armand.

De l'adresse technique, de bons mots, une certaine finesse psychologique, telle est la formule de ce théâtre divertissant dans lequel Labiche a excellé.

THÈMES
Bourgeois.

## Les Yeux d'Elsa

Louis ARAGON
1942

*Seghers*

Aragon a rassemblé ici des poèmes écrits de décembre 1940 à février 1942 dans la douleur de la défaite, et pour affirmer la résistance nationale à l'invasion allemande.

Dans une préface au titre significatif : *Arma virumque cano...* (Je chante l'homme et ses armes..., premier vers de l'*Énéide*), il se justifie de retourner aux traditions de l'héritage poétique français, malgré ses amis surréalistes pour qui la poésie commence à Rimbaud ou à Tzara : il s'agit de faire entendre la voix de la France. Allusions aux œuvres du passé et transpositions lui permettent de chanter, malgré la censure, les malheurs du présent et l'espoir. Ses *Nuits* lui sont inspirées par le chagrin de la défaite. *Plainte pour le Grand Descor de France* est plus qu'un pastiche des poètes du XVe siècle. *Richard Cœur de Lion* et *Lancelot* parlent de souffrance, de sacrifice et de fidélité. En appendice *(La leçon de Ribérac)*, Aragon précise le sens de ce retour : «Sans doute de cet héroïsme d'aujourd'hui, de cette fidélité profonde, y a-t-il des milliers d'exemples vivants qui me dispenseraient de Perceval ou de Tristan. Mais en peut-on aujourd'hui parler?»

Quant à l'amour d'Elsa *(Les Yeux d'Elsa, Cantique à Elsa)*, il constitue une source de réconfort.

Ces vers accueillis avec ferveur à l'époque de la Résistance restent parmi ceux qui chantent le mieux dans la poésie moderne.

THÈMES
Patrie. Amour, 1, f.
Souffrance. Héroïsme.
Résistance.

---

Dans *Zadig*, qui est son premier conte philosophique important, Voltaire traite de la destinée humaine, du bien, du mal et du bonheur. Après avoir montré dans *Les Lettres philosophiques\** une confiance raisonnée dans la société, et chanté avec bravade les bienfaits de la civilisation dans le poème *Le Mondain* (1736), il réfute ici vigoureusement l'optimisme des Allemands Leibniz (1646-1716) et Wolff (1679-1754).

**Zadig**
VOLTAIRE
1747

*Folio
Garnier-Flammarion
Le Livre de poche*

Voltaire a imaginé un jeune Babylonien pourvu de toutes les qualités et de tous les privilèges qui assurent le bonheur, et s'est amusé à montrer que sa vie n'est qu'un tissu de mésaventures et de malheurs. Il promène son héros dans un Orient de fantaisie, le faisant un jour premier ministre et favori de la reine Astarté, le lendemain esclave du marchand Sétoc. Zadig éprouve que les femmes sont volages, les hommes envieux, menteurs et fourbes, les prêtres fanatiques, la justice aveugle. L'intelligence est méconnue, la générosité payée d'ingratitude, la méchanceté et les préjugés se dressent partout contre la raison. Tout s'arrange à la fin : Zadig rentre à Babylone et épouse la reine Astarté après l'avoir elle-même libérée de l'esclavage.

Malgré cette heureuse conclusion, la croyance en la bonté de la Providence a été mise à mal; Zadig se révolte contre la conduite de l'ermite qui en est le porte-parole.

Le procès de la Providence et de la société humaine prendra encore plus de force dans *Candide\** lorsque Voltaire peindra directement les réalités de son temps.

THÈMES
Destin. Bonheur. Mal, 2.
Providence. Femme, 1.
Justice, 2. Préjugés.
Religion, 2 et 3.
Fanatisme.
Déisme. Raison.

# Les thèmes

## Absurde

Aspect sous lequel se trouvent ressentis et définis par certains modernes la situation de l'homme dans le
monde et ses rapports avec sa destinée (*Destin, 2). Le sentiment de
l'absurde est lié à l'*athéisme et à la
crise des valeurs humanistes
(*Homme, 5, c) ; il peut engendrer
*angoisse, *désespoir et *révolte, mais
aussi se trouver dépassé dans une
réaffirmation de la valeur de
l'homme (*Homme, 5, d). Malraux, *La
Voie royale, La Condition humaine ;*
Céline, *Voyage au bout de la nuit ;*
Sartre, *La Nausée ;* Camus, *Le
Mythe de Sisyphe, Caligula, L'Étranger ;* Ionesco, *La Cantatrice chauve,
Amédée, Le Roi se meurt ;* Beckett,
*En attendant Godot.*

## Action

**1** Éloge de l'action :
*a)* valeur morale de l'action : cf.
*Énergie, *Héroïsme, *Engagement, *Liberté ;

*b)* utilité de l'action : cf. *Travail, *Progrès.

**2** Dévaluation de l'action :
*a)* du point de vue du *sage, du *saint ;

*b)* en face du *rêve.

## Adolescence

Age longtemps tenu pour inintéres-
sant, comme l'enfance, bien qu'il
soit fortement caractérisé (vivacité
des impressions et des sentiments,
goût de l'*aventure, exigence
d'absolu, propension au *rêve) et
qu'avec lui commence l'*apprentissage
de la vie.
Peintures d'adolescents : Rousseau,
*Émile, Confessions ;* Beaumarchais,
*Le Mariage de Figaro* (Chérubin) ;
Bernardin de Saint-Pierre, *Paul et
Virginie ;* Chateaubriand, *René,
Mémoires d'outre-tombe ;* Stendhal,
*La Chartreuse de Parme* (Fabrice) ;
Balzac, *Le Lys dans la vallée* (Félix

de Vandenesse) ; Rimbaud, *Poésies,
Une Saison en enfer ;* R. Rolland,
*Jean-Christophe ;* Alain-Fournier, *Le
Grand Meaulnes ;* Cendrars, *La
Prose du Transsibérien ;* Proust, *A
la recherche du temps perdu (A
l'ombre des jeunes filles en fleurs) ;*
Gide, *Si le grain ne meurt, Les Faux-
Monnayeurs ;* Colette, *La Maison de
Claudine ;* R. Martin du Gard, *Les
Thibault* (Jacques) ; Duhamel, *Chro-
nique des Pasquier ;* J. Romains,
*Les Hommes de bonne volonté (Les
Amours enfantines) ;* S. de Beau-
voir, *Mémoires d'une jeune fille ran-
gée.*

## Ambition

Volonté de conquérir la gloire, la
fortune, les honneurs, le pouvoir.
On parle d'*arrivisme* quand cette
volonté de « parvenir » est dépour-
vue de scrupules.
C'est un thème important chez les
peintres de la société : La Fontaine,
*Fables ;* Lesage, *Gil Blas ;* Saint-
Simon, *Mémoires ;* Stendhal, *Le
Rouge et le Noir, La Chartreuse de
Parme, Lucien Leuwen ;* Balzac, *Le
Père Goriot, Illusions perdues* et
toute *La Comédie humaine ;* Flau-
bert, *L'Éducation sentimentale ;*
Zola, *La Curée ;* Maupassant, *Bel-
Ami ;* J. Romains, *Les Hommes de
bonne volonté.*

## Amérique

**1** Le Nouveau Monde : terre exotique (*Exotisme, 2) ; terre du *bon sauvage ; terre des tentations brutales
(Montaigne, *Essais,* III, 6 ;
Montherlant, *Le Maître de Santiago*).

**2** Modèle politique : les États-
Unis : Tocqueville, *De la démocratie
en Amérique* (*Démocratie).

**3** Modèle de civilisation :
« création formidable » de « l'esprit
européen » : Valéry, *Variété I (La
Crise de l'esprit).*

## Amitié

Elle se distingue de la *camaraderie, car elle est plus intime.

**1** L'amitié vue par les moralistes : Montaigne, *Essais*, I, 28 ; La Rochefoucault, *Maximes* ; Molière, *Le Misanthrope*.

**2** Évocation d'amitiés vécues : Montaigne, *Essais*, I, 28 (La Boétie) ; S. de Beauvoir, *Mémoires d'une jeune fille rangée* (Zaza).

**3** Peintures littéraires de l'amitié, voir en particulier : Racine, *Andromaque* (Oreste et Pylade) ; La Fontaine, *Fables*, VIII, 11 ; *Les Deux Amis* ; Dumas, *Les Trois Mousquetaires* ; Balzac, *Illusions perdues* (David Séchard et Lucien Chardon) ; *Le Cousin Pons* (Pons et Schmucke) ; Alain-Fournier, *Le Grand Meaulnes* (Augustin Meaulnes et François Seurel) ; Duhamel, *Salavin (Deux hommes)* ; J. Romains, *Les Hommes de bonne volonté* (Jallez et Jerphanion).

## Amour

**1** L'amour est tantôt idéalisé sous l'influence du spiritualisme chrétien, faisant figure d'aventure privilégiée, tantôt dépeint avec la volonté de corriger ou de détruire cette idéalisation.

*a)* Moyen Age.
— L'amour courtois : le chevalier transfère à sa dame le respect et l'obéissance que l'honneur lui dicte à l'égard de son suzerain (*Courtoisie) ; l'amour prend un caractère sacré qui l'élève au-dessus de tout : Chrestien de Troyes, *Lancelot* ; Guillaume de Lorris, *Le Roman de la Rose* (1re partie).
— Un mythe de l'amour fatal et malheureux : *Tristan et Iseut*.
— Une réaction d'inspiration réaliste : Jean de Meun, *Le Roman de la Rose* (2e partie).

*b)* XVIe siècle.
La tradition courtoise nationale se conjugue avec l'influence de l'Italien Pétrarque (1304-1374) qui avait lui-même puisé aux sources courtoises françaises : Marot, *Poésies* ; Ronsard, *Amours*. Elle trouve un renfort dans la pensée néo-platonicienne qui présente l'amour profane comme une étape vers l'amour de Dieu : Marguerite de Navarre, *L'Heptaméron*. Dans cet ouvrage, certains « devisants » parlent au nom de la tradition réaliste dite gauloise.

*c)* XVIIe siècle.
— L'idéalisme romanesque et précieux fonde l'amour sur l'*honneur, la *générosité, le mérite et l'estime : H. d'Urfé, *L'Astrée* ; Corneille, *Le Cid* (Rodrigue-Chimène), *Cinna* (Émilie-Cinna), *Polyeucte* (Pauline-Sévère) ; Mlle de Scudéry, *Clélie* ; Racine, *Bérénice* (Tite-Bérénice-Antiochus).
— Le libertin raille cet idéalisme au nom du plaisir : Molière, *Dom Juan* ; ou au nom de la nature : Molière, *Les Précieuses ridicules, Les Femmes savantes*.
— La peinture de la passion se colore de pessimisme (*Passions, 1. Souffrance*, 1, *a*) : La Rochefoucault, *Maximes* ; Guilleragues, *Lettres portugaises* ; Mme de Lafayette, *La Princesse de Clèves* ; Racine, *Andromaque, Britannicus* (la violence de l'amour échappe aux conventions galantes).

*d)* XVIIIe siècle.
— Triomphe de l'amour dans la comédie : Marivaux, *Le Jeu de l'amour et du hasard, Les Fausses Confidences* ; Beaumarchais, *Le Barbier de Séville, Le Mariage de Figaro*.
— Le roman peint des passions absolues qui tirent leur dignité de leur force et de l'exaltation de la *sensibilité : Prévost, *Manon Lescaut* ; Rousseau, *La Nouvelle Héloïse* ; mais aussi le libertinage : Laclos, *Les Liaisons dangereuses* ; Diderot, *Jacques le Fataliste*.

*e)* XIXe siècle.

— A l'époque romantique, l'aventure par excellence est l'amour-passion, source de souffrance, plus souvent que de bonheur, car il s'accommode difficilement du réel :
● romans : Chateaubriand, *Atala ;* Stendhal, *Le Rouge et le Noir* (Julien Sorel-Mme de Rênal), *La Chartreuse de Parme* (Fabrice-Clélia) ; Sainte-Beuve, *Volupté* (Amaury-Mme de Couaën) ; Balzac, *Le Lys dans la vallée* (Félix de Vandenesse-Mme de Mortsauf) ; Musset, *La Confession d'un enfant du siècle* (Octave-Brigitte Pierson) ; Mérimée, *Carmen ;* Fromentin, *Dominique ;* Flaubert, *L'Éducation sentimentale* (Frédéric Moreau-Mme Arnoux).
● théâtre : Hugo, *Hernani, Ruy Blas ;* Dumas, *Antony ;* Musset, *Les Caprices de Marianne, On ne badine pas avec l'amour ;* Vigny, *Chatterton ;* E. Rostand, *Cyrano de Bergerac.*
● poésie lyrique et œuvres autobiographiques : Lamartine, *Méditations poétiques ;* Musset, *Poésies nouvelles ;* Nerval, *Sylvie, Les Chimères, Aurélia ;* Baudelaire, *Les Fleurs du mal.*

— Les écrivains peignent aussi les désillusions de l'amour, les dégradations de la passion et les réalités de la sensualité : Constant, *Adolphe ;* Balzac, *Splendeurs et misères des courtisanes, La Cousine Bette* (le Baron Hulot) ; Flaubert, *Madame Bovary ;* Goncourt, *Germinie Lacerteux ;* Zola, *La Curée ;* Maupassant, *Une Vie.*

*f)* XXe siècle.

— L'amour-passion reste un grand thème littéraire : Alain-Fournier, *Le Grand Meaulnes ;* Claudel, *Partage de midi, Le Père humilié, Le Soulier de satin ;* Apollinaire, *Alcools ;* Radiguet, *Le Diable au corps.* Peignent le bonheur dans l'amour : Giraudoux, *Amphitryon 38* (Alcmène-Amphitryon) ; Aragon, *Les Yeux d'Elsa, Le Roman inachevé ;* Vian, *L'Écume des jours.*

— Continuation de l'analyse réaliste de l'amour : Proust, *A la recherche du temps perdu ;* Colette, *la Naissance du jour ;* Aragon, *Les Cloches de Bâle ;* Druon, *Les Grandes Familles ;* Sartre, *La Nausée ;* Butor, *La Modification ;* Marguerite Duras, *Moderato cantabile.*

**2** Amour entre parents et enfants :
*a)* Amour maternel : Racine, *Andromaque ;* Hugo, *Les Misérables* (Fantine et Cosette), *Quatre-vingt-treize* (Michèle Fléchard et ses enfants) ; *La Légende des siècles* (Les Pauvres Gens) ; Colette, *La Maison de Claudine ;* Duhamel, *Chronique des Pasquier.*
*b)* Amour paternel : Balzac, *Le Père Goriot ;* Hugo, *Les Contemplations.*
*c)* Amour filial : Proust, *A la recherche du temps perdu* (Du côté de chez Swann, le narrateur, sa mère et sa grand-mère) ; Colette, *La Maison de Claudine, La Naissance du jour.*

## Amour-propre

Fait de la vie psychologique et morale qui peut être considéré :

**1** dans ses effets heureux : cf. *Honneur ;

**2** sous ses aspects défavorables : La Rochefoucault, *Maximes ;* Pascal, *Pensées.*

**3** sous ses aspects simplement piquants et amusants : Marivaux, *Le Jeu de l'Amour et du Hasard, Les Fausses Confidences.*

## Anarchisme

Attitude politique qui se caractérise par le refus de toute forme de gouvernement au nom de la liberté individuelle (*Individu, 3).

**1** Étude théorique du problème : Montesquieu, *Lettres persanes* (lettres XI-XIV).

**2** Peinture de l'anarchisme dans la réalité historique : Zola, *Germinal ;* Martin du Gard, *Les Thibault ;* Aragon, *Les Cloches de Bâle ;* Malraux, *Les Conquérants, L'Espoir* (confrontation de l'anarchisme et de la discipline révolutionnaire communiste).

## Angoisse

État d'oppression morale qui a pour cause le sentiment du non-sens de la vie et la peur de la *mort. Plus violente que l'*ennui, l'angoisse est l'un des effets de la conscience de l'*absurde de la condition humaine.
Pascal, *Pensées ;* Rousseau, *Les Confessions ;* Nerval, *Aurélia ;* Baudelaire, *Les Fleurs du mal ;* Huysmans, *A rebours ;* Duhamel, *Salavin ;* Malraux, *La Condition humaine ;* Bernanos, *Journal d'un curé de campagne ;* Sartre, *La Nausée, Les Mouches ;* Camus : *Caligula ;* Beckett, *En attendant Godot ;* Ionesco, *Amédée ou Comment s'en débarrasser ;* Ajar, *L'Angoisse du roi Salomon.*

## Antiquité

Cf. *Grèce, *Rome.

## Apprentissage

L'apprentissage de la vie est le thème de nombreux romans qui peignent des adolescents et des jeunes gens au moment où, ayant quitté l'univers limité et souvent protégé de l'enfance, ils essaient leur liberté et font leur éducation sentimentale et sociale : Lesage ; *Gil Blas ;* Marivaux, *La Vie de Marianne ;* Stendhal, *Le Rouge et le Noir* (Julien Sorel), *La Chartreuse de Parme* (Fabrice del Dongo), *Lucien Leuwen* (Lucien) ; Balzac, *Le Père Goriot* (Rastignac), *Le Lys dans la vallée* (Félix de Vandenesse), *Illusions perdues* (Lucien de Rubempré, David Séchard) ; Flaubert, *L'Éducation sentimentale* (Frédéric Moreau) ;

Barrès, *Le Culte du Moi ;* R. Rolland, *Jean-Christophe ;* Proust, *A la recherche du temps perdu* (le narrateur) ; R. Martin du Gard, *Les Thibault* (Antoine et Jacques Thibault) ; Gide, *Les Faux-Monnayeurs* (Bernard Profitandieu, Olivier Molinier) ; Jules Romains, *Les Hommes de bonne volonté* (Jerphanion, Jallez) ; Duhamel, *Chronique des Pasquier* (Laurent Pasquier).
Les œuvres autobiographiques sont aussi à envisager comme des récits d'apprentissage : Rousseau, *Les Confessions ;* Chateaubriand, *Mémoires d'outre-tombe ;* Gide, *Si le grain ne meurt ;* S. de Beauvoir, *Mémoires d'une jeune fille rangée.*

## Argent

**1** L'argent et l'individu : l'argent suscite l'avarice et durcit le cœur de l'usurier : Molière, *L'Avare* (Harpagon) ; Balzac, *Eugénie Grandet* (le père Grandet), *Les Paysans* (Rigou). Il fait naître le souci : La Fontaine, *Fables*, VIII, 2 *(Le Savetier et le Financier).* Il entraîne la tromperie : *La Farce de Maître Pathelin ;* Molière, *Les Fourberies de Scapin.* Il engendre la vanité : Molière, *Le Bourgeois gentilhomme ;* Labiche, *Le Voyage de Monsieur Perrichon.* Il dégrade les cœurs et même les sentiments familiaux : *Fabliaux ;* Balzac, *Le Père Goriot, Le Cousin Pons ;* Zola, *La Terre ;* Claudel, *Le Pain dur ;* Mauriac, *Le Nœud de vipères ;* Anouilh, *La Sauvage.* Dans la littérature, le *bourgeois est presque toujours un homme gâté par son argent.

**2** L'argent et la vie sociale :

*a)* XVIᵉ-XVIIᵉ siècles : des abus liés à l'argent : Montaigne, *Essais*, I, 31 *(Des cannibales) ;* Bossuet, *Sermons (Sur le mauvais riche) ;* La Bruyère, *Caractères*, VI *(Des biens de fortune),* critique vigoureuse des financiers.

*b)* XVIIIe siècle : dénonciation de la corruption générale engendrée par l'argent : Montesquieu, *Lettres persanes;* Rousseau, *Discours sur les sciences et les arts, Discours sur l'origine de l'inégalité;* Voltaire, *Candide* (seul l'Eldorado échappe à ce mal); Diderot, *Le Neveu de Rameau, Jacques le Fataliste.*

*c)* A partir du XIXe siècle, analyse du rôle économique et social de l'argent, forme essentielle de la puissance moderne (*Capitalisme) : Stendhal, *Lucien Leuwen;* Balzac, *Eugénie Grandet, César Birotteau* (commerce, spéculation moderne), *Illusions perdues* (3e partie surtout), *Les Paysans* (l'argent dans la société rurale); Flaubert, *L'Éducation sentimentale;* Erckmann-Chatrian, *Maître Gaspard Fix;* Zola, *La Curée;* R. Martin du Gard, *Les Thibault* (M. Oscar Thibault); Pagnol, *Topaze;* Céline, *Voyage au bout de la nuit;* J. Romains, *Les Hommes de bonne volonté* (peinture des milieux d'affaires); Malraux, *La Condition humaine* (Ferral); Duhamel, *Chronique des Pasquier (La Passion de Joseph Pasquier);* Aragon, *Les Cloches de Bâle;* Druon, *Les Grandes Familles* (les Schoudler).

### Armée

Cf. *Guerre, *Soldat.

### Arrivisme

Cf. *Ambition.

### Art et création artistique. Artifice

Dans des œuvres autres que les essais de critique littéraire et artistique : Huysmans, *A rebours;* Proust, *A la recherche du temps perdu* (création littéraire : Bergotte; peinture : Elstir; musique : Vinteuil; signification de l'art); Gide, *Les Faux-Monnayeurs* (création roma-

nesque); Valéry, *Eupalinos* (architecture), *Charmes* (inspiration et poésie); Malraux, *La Condition humaine* (le recours à la création artistique et le peintre Kama); Sartre, *La Nausée* (le projet d'écrire de Roquentin), *Les Mots;* Aragon, *La Semaine sainte* (romancier et réalité).

### Ascétisme

Recherche de la perfection personnelle au moyen de privations qui mortifient le *corps. C'est une des formes de la vocation chrétienne, une des voies de la recherche de Dieu (cf. vies exemplaires des ermites et des *saints).
L'ascétisme est l'objet de critiques au nom de la nature (*Nature, 1) : Rabelais, *Le Quart Livre* (satire de Carême-prenant); Montaigne, *Essais,* III, 13 *(De l'expérience).*

### Athéisme

Négation de l'existence de Dieu.

**1** Rare jusqu'au XVIIe siècle, l'athéisme est alors tenu pour scandaleux (*Libertin). Bayle affirme la dignité morale des athées *(Pensées sur la comète).*

**2** Au XVIIIe siècle, l'athéisme reste poursuivi par les gouvernements. L'*Encyclopédie* le condamne à l'article *Athéisme* (abbé Yvon), mais dénonce bien plus vigoureusement l'*intolérance. Voltaire en rend responsable les fanatiques *(Dictionnaire philosophique).* Diderot, qui développe un système de pensée athée et matérialiste, est emprisonné pour sa *Lettre sur les aveugles.*

**3** A partir du XIXe siècle, l'athéisme devient courant. Il est le fait des «libres penseurs». Le problème de la *libre pensée* est discuté par R. Rolland *(Jean-Christophe),* R. Martin du Gard *(Jean Barois, les Thibault),* Duhamel *(Chronique des*

*Pasquier, Cécile parmi nous).* L'athéisme s'accompagne parfois de la tentation de l'\*immoralisme ou du sentiment de l'\*absurde. L'\*humanisme moderne est souvent athée.

## Autorité politique

Thème de réflexion philosophique et politique : il s'agit de déterminer la source de l'autorité politique (nature, Dieu, force, ou peuple). Effleuré par Montaigne *(Essais, I, 31, Des cannibales),* le problème a fait l'objet de débats fondamentaux au XVIIIe siècle : *Encyclopédie* (article *Autorité politique*) ; Rousseau, *Discours sur l'origine de l'inégalité, Du contrat social.*

## Avarice

Cf. \*Argent, 1.

## Aventure

**1** Beaucoup d'écrivains visent à distraire en contant les aventures de héros aux prises avec les hasards et les dangers du monde : Chrestien de Troyes, *Lancelot* ; Lesage, *Gil Blas* ; Marivaux, *La Vie de Marianne* ; Dumas, *Les Trois mousquetaires* ; Jules Verne, *Le Tour du monde en 80 jours.*

**2** Dans les contes, l'enchaînement des aventures comporte une intention didactique : Rabelais, *Gargantua, Pantagruel* ; Fénelon, *Les Aventures de Télémaque* ; Voltaire, *Zadig, Candide.*

**3** L'aventure constitue en elle-même une \*évasion, une quête de l'inconnu. Aussi le thème de l'aventure intervient-il dans les œuvres qui peignent les conflits de l'adolescence et de la jeunesse : Rimbaud, *Poésies (Le Bateau ivre),* Une Sai-son en enfer* ; Cendrars, *La Prose du Transsibérien* ; Alain-Fournier, *Le Grand Meaulnes.*

L'aventure permet au héros de s'éprouver lui-même : Malraux, *Les Conquérants, La Voie royale* ; Giono, *Le Hussard sur le toit* ; Gracq, *Le Rivage des Syrtes.*

## Barbare

Les Grecs qualifiaient de *barbare* tout ce qui était étranger au monde grec. Devenu méprisant, le terme a été appliqué à toute nation extérieure à ce qu'on tient pour la vraie \*civilisation (les États musulmans d'Afrique étaient appelés les États barbaresques jusqu'au XVIIIe siècle). Le mythe du \*bon sauvage réfute le préjugé ordinaire contre la « barbarie » des civilisations primitives. Le terme reçoit parfois une signification imagée subjective : Barrès, *Le Culte du Moi (Sous l'œil des Barbares).*
Le domaine barbare est exploité comme source de beauté à l'époque romantique par réaction contre l'esthétique classique et académique : Hugo, *La Légende des siècles* ; Leconte de Lisle, *Poèmes barbares,* Rimbaud, par \*révolte, le valorise : *Une Saison en enfer (Mauvais Sang).*

## Beau. Beauté

**1** Thème d'œuvres poétiques ou romanesques : Ronsard, *Amours, Odes* ; Chénier, *Poésies* ; Gautier, *Émaux et camées* ; Hugo, *Les Contemplations* ; Baudelaire, *Les Fleurs du mal* ; Zola, *Le Ventre de Paris* ; Apollinaire, *Alcools, Calligrammes* ; Valéry, *Album de vers anciens* ; Proust, *A la recherche du temps perdu* ; Colette, *La Naissance du jour* ; Éluard, *Capitale de la douleur.*

**2** Objet de réflexion dans des essais : Du Bellay, *Défense et illustration de la langue française* ; Boileau, *Art poétique* ; Chateaubriand, *Le Génie du christianisme* ; Hugo, *Cromwell (préface de)* ; Baudelaire, *Curiosités esthétiques* ; Breton, *Manifestes du surréalisme.*

## Bêtes

**1** Personnages de contes et de fables peints à l'image de l'homme : *Roman de Renard* ; La Fontaine, *Fables*.

**2** Symboles moraux : Musset, *Poésie nouvelles* (*Nuit de mai* : le pélican) ; Vigny, *Les Destinées (La Mort du loup)* ; Baudelaire, *Les Fleurs du mal (L'Albatros)*.

**3** Les bêtes décrites pour elles-mêmes : Leconte de Lisle, *Poèmes barbares* ; Colette, *La Maison de Claudine, La Naissance du jour*.

**4** Récits de chasse : Maupassant, *Contes et Nouvelles* ; Druon, *Les Grandes Familles* (chasse à courre).

**5** Les bêtes dans la vie campagnarde : G. Sand, *La Mare au diable* ; Zola, *La Terre*.

**6** Bestiaire fantastique : Lautréamont, *Les Chants de Maldoror* ; Michaux, *L'Espace du dedans* ; Hugo, *Les Travailleurs de la mer* (la pieuvre).

## Bien

Cf. *Mal, 1 et 2.

## Bizarre

Est bizarre tout ce qui s'écarte des usages et des normes.

**1** Domaine exclu par l'esthétique classique (Boileau, *Art poétique*), mais déjà abordé par l'art baroque qui cherche la rupture avec l'esthétique régulière définie à l'époque de la Renaissance.

**2** Il est exploré au contraire avec prédilection à partir du romantisme comme une variété précieuse du pittoresque ou du laid : Balzac, *La Peau de chagrin* (bric-à-brac d'antiquaire) ; Baudelaire, *Curiosités esthétiques*

(«Le Beau est toujours bizarre.» *Exposition universelle de 1855*), *Petits Poèmes en prose* ; Rimbaud, *Une Saison en enfer (Délire II)* ; Villiers de l'Isle-Adam, *Contes cruels* ; Apollinaire, *Alcools, Calligrammes* (recherche de l'insolite) ; Breton, *Manifestes du surréalisme*.

## Bonheur

**1** Moyen Age.
Dans la poésie épique, le bonheur est lié à l'accomplissement du service de Dieu et du suzerain : *La Chanson de Roland*. Dans la littérature courtoise, il est lié au service de la dame aimée : cf. *Amour, 1 a.

**2** XVIᵉ siècle.
L'*humanisme revalorise la notion de bonheur terrestre par opposition à celle de *salut. Le problème du bonheur est revu à la lumière des morales antiques (*Épicurisme, *Stoïcisme, *Sage, *Nature, 1) : Rabelais, *Gargantua* (abbaye de Thélème) ; Ronsard, *Odes, Amours* ; Montaigne, *Essais*, III, 13.

**3** XVIIᵉ siècle.
*a)* Restent dans le courant humaniste : Molière, *L'École des femmes, Le Malade imaginaire* ; La Fontaine, *Fables*.

*b)* Réaction hostile : Pascal, *Pensées*. Cf. *Jansénisme.

**4** XVIIIᵉ siècle.

*a)* Développement d'une conception nouvelle : le bonheur est le fruit des progrès de la civilisation (*Civilisation, 2) ; il faut corriger et perfectionner la société en s'appliquant à rendre les hommes heureux (*Progrès, *Société, 3).
Montesquieu, *Lettres persanes* ; Voltaire, *Lettres philosophiques, Zadig, Essais sur les mœurs, Candide* ; *Encyclopédie*.

*b)* Tout en collaborant à cette entreprise collective, Rousseau dresse en face de cette conception la notion de bonheur par la vie naturelle et la préservation de la sensibilité, donnant ainsi au bonheur le caractère d'une aventure personnelle (*Sensibilité, *Moi, *Rêverie) : *La Nouvelle Héloïse, Confessions, Rêveries.*

**5** XIXe siècle.

*a)* Quêtes personnelles du bonheur :
— Marquées de l'influence de Rousseau (divorce entre l'*action et le *rêve) : Chateaubriand, *René* (*Mal du siècle) ; Sénancour, *Oberman* ; Balzac, *Le Lys dans la vallée* ; Nerval, *Sylvie* ; Baudelaire, *Les Fleurs du mal* ; Fromentin, *Dominique* ; Flaubert, *L'Éducation sentimentale.*
— Soutenues par l'*ambition et le goût de l'*action : Stendhal, *Le Rouge et le Noir, La Chartreuse de Parme, Lucien Leuwen* ; Balzac, *La Peau de chagrin, Le Père Goriot* (Rastignac), *Illusions perdues.*
— Rêve bucolique : George Sand, *La Mare au diable.*

*b)* Suite de l'action des philosophes humanistes du XVIIIe siècle : cf. *Progrès.

*c)* Nouvelles quêtes égotistes à la fin du siècle : Barrès, *Le Culte du Moi* ; Gide, *Les Nourritures terrestres, L'Immoraliste* (disponibilité).

**6** XXe siècle.

*a)* L'idée de bonheur subit la crise qui affecte l'optimisme humaniste (*Homme, 5, c, *Absurde), mais reste défendue par les écrivains fidèles à la tradition humaniste (*Homme, 5, a) ; en particulier : Giraudoux, *Amphitryon 38, Intermezzo* ; J. Romains, *Les Hommes de bonne volonté.*

*b)* Quêtes personnelles en marge de ce débat : Alain-Fournier : *Le Grand Meaulnes* ; Proust, *A la recherche du temps perdu* ; Colette, *La Maison de Claudine, La Naissance du jour* ; Giono, *Regain, Le Hussard sur le toit.*

*c)* Bonheur et société de consommation : Pérec, *Les Choses* ; Le Clezio, *La Guerre.*

## Bon sauvage

Mythe moral et poétique qui prend forme au XVIe siècle par fusion du thème antique de l'Age d'or et de peintures optimistes des tribus primitives d'Amérique. Le «bon sauvage» semble toucher encore à l'état de nature, ce qui fait sa valeur exemplaire (*Nature). Montaigne s'en sert le premier pour critiquer la société européenne et la notion de *civilisation : *Essais*, I, 31 *(Des cannibales).*
Au XVIIIe siècle, Rousseau, citant Montaigne, reprend ce thème de façon retentissante : *Discours sur les sciences et les arts* ; *Discours sur l'origine de l'inégalité.* Voltaire le raille (*Essais sur les mœurs, Introduction* ; *Lettres* à Rousseau), mais présente un Huron de sa façon dans *L'Ingénu.* Diderot en propose une variante, le bon Tahitien : *Supplément au voyage de Bougainville.*
Au XIXe siècle, Chateaubriand, tout en se défendant de suivre Rousseau, esquisse, dans *Atala*, «l'épopée de l'homme de la nature».
Au XXe siècle, résurgence du thème chez Lévi-Strauss, avec *Tristes Tropiques.*

## Bouffon

Fou du roi : Ghelderode, *Escurial.*
Personnages ayant adopté une attitude de bouffon : Panurge (Rabelais, *Pantagruel*) ; Jean-François Rameau (Diderot, *Le Neveu de Rameau*) ; don César de Bazan (Hugo, *Ruy Blas*) ; le baron de Clappique (Malraux, *La Condition humaine*).

## Bourgeois. Bourgeoisie

**1** Moyen Age et XVIe siècle. Les bourgeois (artisans, marchands et titulaires de charges, habitant les bourgs et les villes, étrangers à la fois à la *noblesse, au *clergé et au travail de la terre) sont dépeints dans les œuvres d'inspiration réaliste : *Le Roman de Renard ; Fabliaux ; La Farce de Maître Pathelin ;* Marguerite de Navarre, *L'Heptaméron.*

**2** XVIIᵉ et XVIIIᵉ siècles. Les valeurs bourgeoises fondamentales (économie, *travail et vertu) s'opposent aux valeurs aristocratiques (*héroïsme, ostentation, dissipation). Cependant, la bourgeoisie, gagnant en importance, tend à imiter la *noblesse avec qui elle entre en rivalité. Le bourgeois est tantôt ridiculisé (inélégance, avarice, vanité), tantôt loué (sérieux, solidité morale) : Molière, comédies ; La Bruyère, *Caractères.* La haute bourgeoisie est englobée dans les critiques qui visent les abus sociaux (fortunes insolentes des fermiers généraux) : *Caractères ;* Diderot, *Le Neveu de Rameau.*

**3** Après la Révolution de 1789 qui a consolidé la puissance de la bourgeoisie, le roman de mœurs peint abondamment cette classe. Celle-ci est parfois encore jugée en fonction des usages aristocratiques, mais plus souvent au nom de principes plus généraux : on lui reproche son amour de l'*argent, son *matérialisme, son *conformisme moral et intellectuel, son *égoïsme social.

*a)* XIXᵉ siècle. Stendhal, *Lucien Leuwen* (haute bourgeoisie parisienne) ; Balzac, *La Comédie humaine,* surtout *Eugénie Grandet, César Birotteau, Le Cousin Pons, Les Paysans ;* Flaubert, *Madame Bovary, L'Éducation sentimentale ;* Labiche, *Le Voyage de Monsieur Perrichon ;* Zola, *Les Rougon-Macquart (la Curée) ;* Maupassant, *Contes et Nouvelles.*

*b)* XXᵉ siècle : Gide, *Les Caves du Vatican ;* Proust, *A la recherche du temps perdu* (les Verdurin) ; Martin

du Gard, *Les Thibault ;* Mauriac, *Thérèse Desqueyroux, La Fin de la nuit, Le Nœud de vipères ;* Aragon, *Les Cloches de Bâle ;* Anouilh, *La Sauvage ;* Sartre, *La Nausée ;* Beauvoir, *Mémoires d'une jeune fille rangée.*

## Camaraderie

Lien de familiarité naissant d'habitudes et d'activités communes ; s'il ne s'agit pas d'un lien choisi comme dans l'*amitié, il peut cependant parfois conduire à celle-ci.
— Camaraderie d'école : Alain-Fournier, *Le Grand Meaulnes ;* J. Romains, *Les Hommes de bonne volonté* (Jallez et Jerphanion ; Laulerque et Clanricard).
— Camaraderie de guerre : Barbusse, *Le Feu ;* Malraux, *L'Espoir.*
— Camaraderie dans le travail et l'action : Saint-Exupéry, *Terre des hommes ;* Aragon, *Les Cloches de Bâle.*

## Capitalisme

«Système de production dont les fondements sont l'entreprise privée et la liberté du marché» (Larousse encyclopédique). Les œuvres littéraires en peignant les mécanismes qui évoluent avec la société industrielle : Balzac, *Eugénie Grandet, Le Père Goriot, César Birotteau, Illusions perdues ;* Zola, *Les Rougon-Macquart, Germinal, La Curée ;* J. Romains, *Les Hommes de bonne volonté ;* Aragon, *Les Cloches de Bâle ;* Duhamel, *Chronique des Pasquier (La Passion de Joseph Pasquier) ;* Druon, *Les Grandes Familles.* Cf. *Argent, 2, c.

## Cathédrale

Thème né au XIXᵉ siècle, d'une réflexion sur l'esthétique de la religion chrétienne et sur l'art du Moyen Age : Chateaubriand, *Le Génie du christianisme ;* Hugo, *Notre-Dame de Paris.*

## Chef

Thème lié aux problèmes de l'*action et de l'*engagement dans les tâches collectives : Saint-Exupéry, *Vol de nuit, Citadelle ;* Malraux, *L'Espoir.*

## Chevalerie

Idéal moral de la société aristocratique au Moyen Age (*honneur, service, *héroïsme, *foi, *sacrifice) : *La Chanson de Roland ; Tristan et Iseut ;* Chrestien de Troyes, *Lancelot ;* Joinville, *Histoire de saint Louis ;* Froissart, *Chroniques ;* Hugo, *La Légende des siècles.* Réflexions critiques et parodies : *Le Roman de Renard ;* Jean de Meun, *Le Roman de la Rose ;* Rabelais, *Gargantua, Pantagruel* (parodies des romans héroïques).

## Christianisme

**1** Illustrations, justifications et interprétations du christianisme : *Le Jeu d'Adam ;* Arnoul Gréban, *Le Mystère de la Passion ;* Rabelais, *Gargantua* (évangélisme, foi personnelle nourrie de la méditation de l'Évangile et affranchie du rituel) ; Calvin, *Institution de la religion chrétienne* (fondement de l'Église réformée calviniste) ; Montaigne, *Essais,* II, 12 *(Apologie de Raymond Sebond) ;* Pascal, *Provinciales, Pensées ;* Bossuet, *Sermons, Discours sur l'histoire universelle ;* La Bruyère, *Caractères,* XVI ; Voltaire, *Lettres philosophiques ;* Chateaubriand, *Le Génie du christianisme, Atala, René ;* Valéry, *Variété (Note).*

**2** Vocations chrétiennes (*Foi) :

*a)* Cf. *Sainteté.

*b)* Voir aussi : Sainte-Beuve, *Volupté ;* Lamartine, *Jocelyn ;* Claudel, *L'Annonce faite à Marie, L'Otage, Le Père humilié, Le Soulier de satin ;* Gide, *La Porte étroite ;* Bernanos, *Sous le soleil de Satan, Journal d'un curé de campagne ;*

Mauriac, *Le Nœud de vipères ;* Montherlant, *Le Maître de Santiago, Port-Royal, Le Cardinal d'Espagne.*

**3** Conflits marquant l'histoire du christianisme : cf. *Religion, 2.

## Civilisation

Débat sur la notion de civilisation.

**1** Analyse critique :
*a)* en liaison avec le mythe de l'homme naturel (*Bon sauvage, *Barbare) : Montaigne, *Essais,* I, 31 ; Rousseau, *Discours sur les sciences et les arts, Discours sur l'origine de l'inégalité ;* Diderot, *Supplément au voyage de Bougainville ;* Lévi-Strauss, *Tristes Tropiques ;* Tournier, *Vendredi ou les Limbes du Pacifique ;*
*b)* en liaison avec la crise des valeurs humanistes dans le monde moderne (*Homme, 5) : Valéry, *Variété I (La Crise de l'esprit).*

**2** Effort pour concevoir un idéal : *Humanisme, *Progrès.

## Classes sociales

**1** Avant 1789, la définition des classes sociales découle de distinctions juridiques (Noblesse, Clergé, Tiers État) que viennent nuancer la situation de fortune et le prestige social des emplois, non sans que le préjugé nobiliaire pèse sur la société et l'emporte sur la considération du *mérite* personnel. Cette situation — admise ou contestée — sert de thème principal ou secondaire aux œuvres suivantes : Molière, *Le Misanthrope, Le Bourgeois gentilhomme ;* La Fontaine, *Fables ;* La Bruyère, *Caractères,* VI-IX ; Montesquieu, *Lettres persanes ;* Lesage, *Gil Blas ;* Marivaux, *La Vie de Marianne ;* Voltaire, *Lettres philosophiques ;* Rousseau, *La Nouvelle Héloïse ;* Diderot, *Le Neveu de Rameau, Jacques le Fataliste ;* Beaumarchais, *Le*

*Barbier de Séville, Le Mariage de Figaro.*

**2** Après la Révolution de 1789, le souvenir de ces hiérarchies subsiste, mais tend à s'estomper au profit de nouvelles distinctions essentiellement économiques : Stendhal, *Le Rouge et le Noir, Lucien Leuwen* ; Balzac, *La Comédie humaine* ; Flaubert, *Madame Bovary, L'Éducation sentimentale* ; Zola, *Les Rougon-Macquart* ; Proust, *A la recherche du temps perdu* ; J. Romains, *Les Hommes de bonne volonté* ; Aragon, *Les Cloches de Bâle, La Semaine sainte* ; Anouilh, *La Sauvage.* Cf. *Noblesse, *Clergé, *Cour, *Bourgeoisie, *Peuple, *Paysans, *Ouvriers, *Préjugés, *Égalité, *Justice.

## Clergé

**1** Satire des moines et des prêtres : Jean de Meun, *Le Roman de la rose* ; Rabelais, *Gargantua, Le Quart Livre* ; Marguerite de Navarre, *L'Heptaméron* ; La Fontaine, *Fables,* VII, 3 (*Le Rat qui s'est retiré du monde*), VII, 11 (*Le Curé et le Mort*) ; Lesage, *Gil Blas* ; Voltaire, *Zadig, Candide* ; Stendhal, *Le Rouge et le Noir.*

**2** Prêtres exemplaires à quelque titre : Hugo, *Les Misérables* (Mgr Myriel) ; Lamartine, *Jocelyn* (abbé Jocelyn) ; R. Martin du Gard, *Jean Barois* (abbé Joziers) ; Claudel, *L'Otage* (abbé Badilon) ; Bernanos, *Journal d'un curé de campagne* (le curé d'Ambricourt), *Sous le soleil de Satan* (abbé Donissan).

## Communisme

Régime social fondé sur la mise en commun des moyens de production et des biens de consommation (cf. *Socialisme). Ce mot évoque aujourd'hui le système politique marxiste instauré d'abord en Russie, puis dans un certain nombre d'États

dits *socialistes*. La conception communiste de l'homme, de la société et de l'État est mise en débat dans les œuvres suivantes : J. Romains, *Les Hommes de bonne volonté (Cette Grande lueur à l'Est)* ; Malraux, *Les Conquérants, La Condition humaine, Le Temps du mépris, L'Espoir* ; Vailland, *Drôle de jeu* ; Sartre, *Les Mains sales.*

## Conformisme

Obéissance passive aux opinions et aux usages du groupe auquel on appartient. Le conformisme est générateur de *préjugés et de *fanatisme. Il est l'ennemi de l'*esprit critique, mais le *sage en masque sa liberté critique intime : Montaigne, *Essais,* I, 23 ; Descartes, *Discours de la méthode* (morale provisoire).
Les moralistes et les peintres de la société dénoncent le conformisme (*Préjugés).

## Corps

**1** Le christianisme enseigne la domination du corps par l'esprit : cf. *Ascétisme.

**2** Ce principe est combattu par divers écrivains : Montaigne, *Essais,* III, 13 (acceptation épicurienne du corps) ; Gide, *L'Immoraliste* (réhabilitation d'inspiration païenne et naturiste) ; Valéry, *La Jeune Parque, Eupalinos, Charmes* (réconciliation de l'esprit et du corps).

## Corruption

Moralistes et peintres de la société dénoncent la corruption des mœurs : Prévost, *Manon Lescaut* ; Rousseau, *Discours sur les sciences et les arts* ; Voltaire, *Candide, L'Ingénu* ; Diderot, *Le Neveu de Rameau* ; Laclos, *Les Liaisons dangereuses* ; Balzac, *La Peau de chagrin, Le Père Goriot, Illusions perdues, Splendeurs et misères des courtisanes, La Cousine Bette, Le*

Cousin Pons ; Musset, *Lorenzaccio, Poésies nouvelles* ; Hugo, *Ruy Blas* ; Zola, *La Curée, L'Assommoir* ; R. Rolland, *Jean-Christophe* ; Pagnol, *Topaze* ; Aragon, *Les Cloches de Bâle* ; Anouilh, *La Sauvage* ; Druon, *Les Grandes Familles.*

## Cour

Thème important surtout avant 1789, la cour :

**1** offre un champ d'observation privilégié aux satiriques, moralistes et mémorialistes : *Roman de Renard* ; Du Bellay, *Regrets* (cour pontificale) ; La Fontaine, *Fables* ; La Bruyère, *Caractères* ; Saint-Simon, *Mémoires* ; Lesage, *Gil Blas* ; Stendhal, *La Chartreuse de Parme* ;

**2** fournit un cadre romanesque : Mme de Lafayette, *La Princesse de Clèves* ; ou dramatique : Corneille, *Cinna* ; Racine, *Britannicus, Bérénice* ; Hugo, *Ruy Blas.*

## Courtoisie

Au Moyen Age, ensemble des règles régissant la vie de cour et particulièrement les devoirs du chevalier envers sa dame : *Tristan et Iseut* ; Chrestien de Troyes, *Lancelot* ; Guillaume de Lorris, *Le Roman de la Rose* ; Froissart, *Chroniques.* Cf. *Amour, 1, a.

## Coutumes

Les coutumes, que l'usage suffit à établir, régissent les *mœurs et donnent autant que les *lois son visage à une société. Leur arbitraire a été dénoncé par tous ceux qui se sont attachés à l'étude critique de la vie sociale (cf. *Civilisation, 1, a. *Société, 1 et 2) : Montaigne, *Essais*, I, 23 ; Pascal, *Pensées* ; Montesquieu, *Lettres persanes* ; Voltaire, *L'Ingénu* ; Diderot, *Supplément au voyage de Bougainville.*

## Cynisme

**1** Doctrine de l'école philosophique fondée par Antisthène (444-365 av. J.-C.) et illustrée par Diogène (413-327 av. J.-C.).
Les cyniques enseignaient le mépris de la civilisation et des conventions sociales, et pratiquaient l'ascétisme.

**2** Par extension, mépris des convenances et de la morale. Montaigne le critique dans l'action politique *(Essais*, III, 1, *De l'utile et de l'honnête).* Molière le peint chez un grand seigneur libertin *(Dom Juan),* Laclos chez les roués du XVIIIe siècle *(Les Liaisons dangereuses),* Stendhal chez Julien Sorel *(Le Rouge et le Noir),* le comte Mosca, Gina del Dongo et Fabrice *(La Chartreuse de Parme).* Balzac montre en lui une constante de la vie sociale de son époque *(Le Père Goriot, Illusions perdues, Splendeurs et misères des courtisanes).* Il est lié à la *corruption de la société.

## Déisme

Conception de Dieu indépendante de toute Église et fondée, soit sur un raisonnement philosophique, soit sur une intuition du cœur : cf. *Dieu, 1, a.

## Démocratie

Système politique dans lequel la souveraineté appartient au peuple.

**1** Théorie du système : Montesquieu, *De l'esprit des lois* ; Rousseau, *Discours sur l'origine de l'inégalité, Du contrat social* ; Tocqueville, *De la démocratie en Amérique.*

**2** Incarnation historique de la démocratie : cf. *République, 2.

**3** Défense de la démocratie : cf. *Fascisme, *Despotisme.

## Désespoir

Thème lié à la peinture du *malheur. Il se rencontre :

a) dans la tragédie, le drame et le roman : Racine, *Andromaque, Phèdre* ; Vigny, *Chatterton* ; Hugo, *Hernani, Ruy Blas, Les Travailleurs de la mer* ;

b) dans la poésie lyrique : cf. *Ennui. Chateaubriand, *René* ; Lamartine, *Méditations* ; Musset, *Poésies nouvelles* ; Hugo, *Les Contemplations* ; Baudelaire, *Les Fleurs du mal* ; Rimbaud, *Une Saison en enfer* ; Mallarmé, *Poésies* ;

c) dans la réflexion morale sur l'homme : cf. *Angoisse, *Absurde.

## Despotisme

Pouvoir absolu et arbitraire.
Critiques et satires du despotisme : Rabelais, *Gargantua* (Picrochole) ; Fénelon, *Aventures de Télémaque* (Salente) ; Montesquieu, *Lettres persanes* (histoire des troglodytes), *De l'Esprit des Lois* ; Rousseau, *Du contrat social* ; Stendhal, *La Chartreuse de Parme* ; Hugo, *Châtiments* (contre Napoléon III) ; Jarry, *Ubu roi*.
Voltaire n'a envisagé le despotisme éclairé que pour accélérer le progrès. Tocqueville *(De la démocratie en Amérique)* exprime la crainte que ne se développe dans les démocraties un despotisme nouveau, celui de l'*État et de l'administration.

## Destin

Ce terme désigne :
a) une puissance supérieure, plutôt cruelle, qui déterminerait de façon irrévocable le cours des événements, à la manière de la *fatalité* antique qui, pour les Grecs, est indépendante des dieux ;

b) un enchaînement d'événements inévitables, attribués tantôt à la fatalité, tantôt à la volonté divine (celle des dieux, de Dieu, de la *Providence), tantôt au hasard.

Le problème du destin est lié à ceux de la *liberté, de la *grâce, du *mal, de la *mort, de l'*absurde et du sens de l'*histoire.

On le trouve envisagé :

1 en fonction de la croyance en une volonté divine : Racine, *Andromaque, Phèdre* (langage de l'Antiquité grecque) ; Pascal, *Pensées* (cf. *Jansénisme) ; Bossuet, *Discours sur l'histoire universelle* (éloge de la Providence) ; Voltaire, *Zadig, Candide* (mise en cause de la Providence) ; Rousseau, *Confessions* ; Lamartine, *Méditations* ; Hugo, *Notre-Dame de Paris, Les Contemplations, L'Homme qui rit, Les Travailleurs de la mer* ; Chateaubriand, *Mémoires d'outre-tombe* ; Nerval, *Les Chimères, Sylvie* ; Baudelaire, *Les Fleurs du mal, Petits Poèmes en prose* ; Vigny, *Poèmes antiques et modernes, Les Destinées* ; Verlaine, *Poèmes saturniens, Sagesse* ; Mauriac, *Thérèse Desqueyroux, La Fin de la nuit* ;

2 dans une perspective athée : Diderot, *Jacques le Fataliste* ; Maupassant, *Une vie* ; Duhamel, *Salavin* ; Giraudoux, *La Guerre de Troie n'aura pas lieu, Électre* ; Malraux, *La Voie royale, La Condition humaine* ; Sartre, *Les Mouches, Huis clos* ; Camus, *Le Mythe de Sisyphe, Caligula, L'Étranger, La Peste* ; Giono, *Le Moulin de Pologne* ; Gracq, *Le Rivage des Syrtes* ; Beckett, *En attendant Godot* ; Ionesco, *Le roi se meurt*.

## Déterminisme

Lien de nécessité qui enchaîne les faits existants de telle sorte qu'ils ne peuvent pas être autres qu'ils ne sont. Cf. *Liberté, 1, a.

## Dieu. Dieux

**1** Dieu : Être suprême, créateur et maître de l'univers selon les religions monothéistes et les philosophies déistes.

*a)* Le Dieu biblique et chrétien : cf. *Christianisme.

*b)* Le Dieu des philosophes (*Déisme) : Descartes, *Discours de la méthode*; Voltaire, *Zadig, Candide, Traité de la tolérance*; Rousseau, *Émile (Profession de foi du vicaire savoyard).*
Aux yeux des croyants, Dieu exerce sur les hommes la tutelle de sa *Providence. Il est nié par les athées (*Athéisme).

**2** Dieux :
*a)* Dieux gréco-romains mis en scène dans des fictions théâtrales inspirées des légendes antiques (Racine, *Phèdre*; Giraudoux, *La Guerre de Troie n'aura pas lieu*; Sartre, *Les Mouches*) et dans l'épopée (Hugo, *La Légende des siècles*).

*b)* D'autres dieux interviennent dans les œuvres touchant aux problèmes religieux : Voltaire, *Zadig*, XII *(Le Souper)*; Nerval, *Aurélia, Les Chimères*; Flaubert, *La Tentation de saint Antoine*.

## Droit

Ensemble des *lois qui régissent la vie en société. Le *droit naturel* est formé des règles idéales que l'on fonde sur la notion de nature. Les lois qui régissent les sociétés constituent le *droit positif*.
Il est dans la tradition humaniste de défendre le respect du droit contre ce qui le nie : Montaigne, *Essais* III, 1; Pascal, *Pensées* (rapports de la justice et de la force); Montesquieu, *De l'Esprit des Lois*; Voltaire, *Essais sur les mœurs*; Rousseau, *Du contrat social, Encyclopédie*. Cf. *Progrès, *Égalité, *Justice.

## Écrivain

Situation et fonction de l'écrivain : cf. *Poète, *Philosophe, *Engagement, *Art et création artistique.
Écrivains apparaissant comme tels dans leurs œuvres autobiographiques : Rousseau, *Confessions*; Chateaubriand, *Mémoires d'outre-tombe*; S. de Beauvoir, *Mémoires*; Sartre, *Les Mots*. L'écrivain, personnage d'œuvres de fiction : Vigny, *Chatterton*; Balzac, *Illusions perdues* (Lucien de Rubempré, Daniel d'Arthez); Proust, *A la recherche du temps perdu* (Bergotte); Gide, *Les Faux-Monnayeurs* (Edouard); J. Romains, *Les Hommes de bonne volonté* (Georges Allory, Claude Vorge).

## Éducation

**1** Le problème de l'éducation, dans ses rapports avec la conception de l'*homme, de la *société et même de la *civilisation, est traité dans un certain nombre d'œuvres fondamentales auxquelles on revient toujours : Rabelais, *Pantagruel*, ch. VIII (lettre de Gargantua à Pantagruel), *Gargantua*, ch. XXI-XXIV (éducation de Gargantua); Montaigne, *Essais*, I, 26 *(De l'institution des enfants)*; Rousseau, *Émile ou De l'éducation*.
Voir aussi : Molière, *L'École des femmes, Les Femmes savantes*; Rousseau, *La Nouvelle Héloïse*; *L'Encyclopédie*; Diderot, *Le Neveu de Rameau*.

**2** Nombre d'œuvres peignent une éducation (cf. *Apprentissage), parfois dans une intention pédagogique : Fénelon, *Télémaque*.

## Égalité

Problème philosophique, politique, juridique et économique qui conduit à une réflexion sur les structures des sociétés.

**1** XVIe siècle.
Montaigne montre l'étonnement des cannibales devant les inégalités de fortune en France : *Essais*, I, 31.

**2** XVIIe siècle.
Les moralistes protestent contre l'inégalité économique quand elle devient scandaleuse : Bossuet, *Sermons* ; La Fontaine, *Fables* ; La Bruyère, *Caractères*, VI *(Des biens de fortune)*. Ils commencent aussi, au nom du mérite personnel, à attaquer l'inégalité juridique : *Fables, Caractères*.

**3** XVIIIe siècle.
La lutte s'engage contre l'inégalité juridique qui s'exprime dans les privilèges et les préjugés sociaux : l'inégalité économique reste au second plan : Montesquieu, *Lettres persanes, De l'Esprit des Lois* ; Voltaire, *Lettres philosophiques, Candide, Dictionnaire philosophique* ; Beaumarchais, *Le Mariage de Figaro*. Rousseau pose l'ensemble du problème : *Discours sur l'origine et les fondements de l'inégalité*. On dénonce l'*esclavage.

**4** XIXe et XXe siècles.

*a)* L'égalité juridique et politique s'incarne dans la *démocratie.

*b)* Le problème de l'inégalité économique n'est pas résolu pour autant : Hugo, *Les Misérables* ; Erckmann-Chatrian, *Maître Gaspard Fix* ; Zola, *L'Assommoir, Germinal* ; Vallès, *L'Insurgé* ; R. Rolland, *Jean-Christophe* ; Aragon, *Les Cloches de Bâle*. (Cf. *Socialisme).

*c)* Une autre forme d'inégalité préoccupante affecte le destin des civilisations : celle qui oppose les pays « développés » et les pays « en voie de développement » : Lévi-Strauss, *Tristes Tropiques*.

## Égotisme

Terme adopté par Stendhal, d'après l'anglais *egotism,* pour désigner l'étude attentive de soi *(Souvenirs d'égotisme,* 1823, récit de sa vie de 1821 à 1823). Cf. *Moi, 3. b.

## Énergie

**1** Exaltation de l'énergie individuelle :

*a)* en liaison avec une inspiration stoïcienne (*Stoïcisme) : Montaigne, *Essais,* I, 14-20 ; Vigny, *Les Destinées* ; Camus, *La Peste* ;

*b)* en liaison avec le goût de l'*héroïsme ou tout au moins de l'*action : Corneille, *Le Cid, Cinna* ; Stendhal, *Le Rouge et le Noir, La Chartreuse de Parme, Lucien Leuwen* ; Balzac, *Le Père Goriot* (Vautrin, Rastignac) ; Barrès, *Le Culte du Moi* ; Malraux, *La Voie royale, Les Conquérants* ; Saint-Exupéry, *Vol de nuit, Terre des hommes, Citadelle* ; Giono, *Le Hussard sur le toit*.

**2** Exaltation de l'énergie nationale : cf. *Patrie, *France.

## Enfance

**1** Age de l'*éducation.

**2** Age de la vie décrit dans son originalité :

*a)* parfois comme une époque de souffrances : Balzac, *Le Lys dans la vallée* ; R. Rolland, *Jean-Christophe* (avec cependant une part d'émerveillement). Est posé aussi, sur le plan social, le problème de la protection de l'enfance contre l'injustice et la dureté de la société : E. Sue, *Les Mystères de Paris* ; Hugo, *Les Misérables* ; Zola, *L'Assommoir, Germinal* ;

*b)* le plus souvent comme un âge heureux : Rousseau, *Confessions* ; Chateaubriand, *Mémoires d'outre-tombe* ; Stendhal, *La Chartreuse de Parme* (enfance de Fabrice) ; Nerval, *Sylvie* ; Proust, *A la recherche du temps perdu* (enfance de Marcel) ;

Gide, *Si le grain ne meurt ;* Colette, *La Maison de Claudine ;* Duhamel, *Chronique des Pasquier ;* S. de Beauvoir, *Mémoires d'une jeune fille rangée ;* Sartre, *Les Mots.*

**3** De la nostalgie de l'enfance sont nées des représentations mythiques des privilèges de l'enfance (innocence, pureté, imagination) : Hugo, *Les Misérables* (Cosette, Gavroche), *Quatre-vingt-treize* (les enfants de Michèle Fléchard) ; Baudelaire, *Les Fleurs du mal* («le vert paradis des amours enfantines »), *Curiosités esthétiques* («Le génie n'est que l'enfance retrouvée à volonté ») ; Rimbaud, *Poésies, Une Saison en enfer, Illuminations ;* Anouilh, *Antigone.*

## Engagement

Terme introduit au XXᵉ siècle pour désigner le fait de «participer activement, suivant ses convictions profondes, à la vie de la communauté humaine en acceptant d'engager sa conscience, sa réputation, ses biens » *(Robert).*
Le *sage de la tradition antique tend à se dégager de la *société, bien qu'il y remplisse honnêtement ses obligations : Montaigne, *Essais,* III, 10 *(De ménager sa volonté).* Au XVIIIᵉ siècle, le *philosophe* se fait au contraire un devoir de servir la société (*Société, 3).
Au XIXᵉ siècle, la même attitude se retrouve chez divers écrivains : Michelet, *Le Peuple ;* Hugo, *Les Châtiments, Les Misérables ;* Zola, *L'Assommoir, Germinal.* Le scandale de Panama (1890-1893) et l'affaire Dreyfus (1894-1906) entraînent des engagements vigoureux au service de la justice : Anatole France, *Les Opinions de Monsieur Jérôme Coignard ;* Zola, *J'accuse ;* Péguy, *Victor-Marie, comte Hugo.*
Au XXᵉ siècle, le devoir d'engagement est mis en valeur, par réaction contre l'*individualisme, comme une

affirmation de *liberté et de *solidarité : R. Martin du Gard, *Les Thibault* (Jacques) ; Malraux, *Le Temps du mépris, L'Espoir ;* Camus, *La Peste ;* Sartre, *Les Mouches, Situations, II* *(Présentation des « temps modernes»), Les Mots ;* S. de Beauvoir, *Mémoires.* La lutte contre le fascisme, la Seconde Guerre mondiale et la défense des libertés contre le totalitarisme expliquent l'importance contemporaine de l'idée d'engagement. Cf. *Résistance.

## Ennui

État moral de malaise et d'insatisfaction qui empêche qu'on prenne intérêt à rien. L'ennui est souffrance alors que la *mélancolie est douce.

**1** Pascal *(Pensées)* : les hommes s'ennuient dès qu'ils sont privés de divertissement, «car ils sentent alors leur néant ».

**2** L'ennui est un état d'âme spécifiquement romantique et moderne.

*a)* Pratiquement absent chez Rousseau, qui peint seulement la *rêverie mélancolique et douce, il apparaît chez ses disciples dont la mélancolie se colore de désespoir. Chateaubriand l'analyse sous le nom de *vague des passions (René, Le Génie du christianisme).* Le mal de René devient *le mal du siècle :* Constant, *Adolphe ;* Lamartine, *Méditations ;* Musset, *La Confession d'un enfant du siècle, Poésies nouvelles ;* Sainte-Beuve, *Volupté ;* Flaubert, *Madame Bovary, L'Éducation sentimentale.*

*b)* Pour Baudelaire, il est le *spleen : Les Fleurs du mal.* Il reste le thème favori de la génération des symbolistes : Verlaine, *Poèmes saturniens ;* Laforgue, *Les Complaintes ;* Mallarmé, *Poésies ;* Huysmans, *A rebours.*

**3** Au XXᵉ siècle, le sentiment de l'*absurde lui donne une acuité nouvelle : Sartre, *La Nausée;* Camus, *L'Étranger.* Les romanciers peignent les nuances de l'ennui : Giono, *Un Roi sans divertissement;* Gracq, *Le Rivage des Syrtes;* Marguerite Duras, *Moderato cantabile.*

## Épicurisme

Doctrine du philosophe athénien Épicure (341-270 av. J.-C.). C'est une philosophie complète qui donne de l'univers une explication matérialiste, éliminant toute intervention divine. Dans les temps modernes, on en a surtout retenu la morale. Pour Épicure, « le plaisir est le principe et la fin de la vie heureuse »; mais seuls sont légitimes les *désirs naturels et nécessaires* (satisfaire avec sobriété sa faim et sa soif); les *désirs naturels et non nécessaires* (nourritures et boissons rares) sont déjà à refréner; quant aux *désirs non naturels et non nécessaires,* ils sont condamnables. L'épicurisme permet de vivre en accord avec la nature (*Nature, 1).

Montaigne concilie l'épicurisme avec sa foi de chrétien en identifiant la nature à la volonté divine (*Essais,* III, 13). Pascal le critique et l'assimile au *libertinage (Pensées).* Voltaire affecte parfois un épicurisme provocant *(Le Mondain).*

A l'exemple des poètes latins Lucrèce (98-55 av. J.-C.) et Horace (65-8 av. J.-C.), les poètes français ont chanté la conception épicurienne du bonheur : Ronsard, *Odes, Amours* (« Cueillez dès aujourd'hui les roses de la vie »); La Fontaine, *Fables,* XI, 4 *(Le Songe d'un habitant du Mogol).*

Certains modernes font l'apologie du plaisir sans référence particulière à l'épicurisme : cf. *Plaisir.

## Esclavage

Il a été énergiquement dénoncé par les philosophes du XVIIIᵉ siècle qui visent la *traite* des Noirs alors en pleine expansion au nom de la mise en valeur des colonies d'Amérique : Montesquieu, *De l'Esprit des Lois,* 3ᵉ partie, livre XV; Voltaire, *Candide,* XIX (le nègre de Surinam); *Encyclopédie* (articles *Nègres, Population).* Cf. *Liberté, 2, a.

## Espagne

Elle apparaît dans la littérature française comme une terre haute en couleur qui produit des caractères violents. C'est le pays de l'*honneur et des *passions fortes : Corneille, *Le Cid;* Hugo, *Hernani, Ruy Blas, La Légende des siècles (Bivar, Le Petit Roi de Galice, La Rose de l'infante);* Mérimée, *Carmen;* Montherlant, *Le Maître de Santiago, Le Cardinal d'Espagne;* le pays des aventures picaresques : Lesage, *Gil Blas.*

La guerre civile de 1936 en a fait le champ d'expérience de la violence moderne : Malraux, *L'Espoir.*

## Esprit

L'esprit de l'homme, l'intelligence : Valéry, *Monsieur Teste, Charmes.*

## Esprit critique

Capacité intellectuelle d'examiner librement tout ce qui s'offre à l'esprit, avec un souci de vérité, sans *préjugés,* en sachant douter des jugements préétablis et de soi-même. Son contraire est le *conformisme. Ne pas le confondre avec l'*esprit de critique* qui n'est qu'une propension au dénigrement.

**1** Du XVIᵉ au XVIIIᵉ siècle, le mérite de beaucoup d'œuvres est d'avoir revendiqué et enseigné le libre exercice de l'esprit critique. Montaigne, *Essais;* Descartes, *Discours de la méthode;* Fontenelle, *Entretiens sur la pluralité des mondes;* Bayle, *Pensées sur la comète;* Montesquieu, *Lettres persanes;*

Voltaire, *Lettres philosophiques,
Essai sur les mœurs, Dictionnaire
philosophique;* Diderot, *Encyclopédie;* Rousseau, *Discours.*

**2** La défense des droits de l'esprit
critique n'est jamais achevée. C'est
l'honneur de la littérature et de la
philosophie d'y veiller.

## État

**1** Le problème fondamental est
celui des rapports de l'État et de
ses membres : Rousseau, *Discours
sur l'origine de l'inégalité, Du contrat social.* Le renforcement de
l'autorité de l'État risque de détruire
les libertés des individus (\*Liberté,
2, a), danger analysé par Tocqueville *(De la démocratie en Amérique)* : cf. \*Despotisme, 2. L'État
devient *totalitaire* quand il étend son
contrôle à tous les domaines au
détriment des libertés individuelles.

**2** Refus de l'autorité de l'État :
cf. \*Anarchisme.

**3** Conflits entre la raison d'État et
la morale individuelle : Racine, *Bérénice;* Giraudoux, *Électre;* Anouilh,
*Antigone.*

## Europe

**1** Réflexion sur la civilisation européenne, parfois par comparaison
avec d'autres (cf. \*Amérique, \*Bon sauvage, \*Civilisation) : Montaigne, *Essais;*
Bossuet, *Discours sur l'histoire universelle;* Montesquieu, *Lettres persanes;* Voltaire, *Essai sur les
mœurs;* Diderot, *Encyclopédie,
Supplément au voyage de Bougainville;* Tocqueville, *De la démocratie
en Amérique;* Valéry, *Variété (Note
ou l'Européen);* J. Romains, *Les
Hommes de bonne volonté;* Lévi-
Strauss, *Tristes Tropiques.*

**2** Réflexion sur l'idée politique
d'unité européenne : à étudier dans
les écrits politiques spécialisés aux-

quels il n'était pas possible de faire
place dans cet ouvrage.

## Évasion

Le désir de fuir le monde où l'on
vit est un thème littéraire fréquent,
la création littéraire constituant elle-
même souvent un mode d'évasion.
L'ailleurs désiré peut être situé dans
l'espace (\*Aventure, \*Exotisme, \*Voyage),
dans le temps (\*Souvenir), dans l'imaginaire (\*Rêve).

## Exotisme

Dans ce qui est *exotique*, c'est-à-
dire étranger au climat, aux mœurs
et à la culture de la région du monde
où l'on vit, on cherche une \*évasion et
un renouvellement du \*beau.

**1** Exotisme africain et oriental
(depuis toujours) : chaleur, couleur,
paysages insolites, oasis, désert,
jungle, bestiaire merveilleux, mœurs
nonchalantes et violentes, Maures,
Noirs, Turcs, Persans, etc. *La Chanson de Roland;* Joinville, *Histoire de
saint Louis;* Molière, *Le Bourgeois
gentilhomme;* Montesquieu, *Lettres
persanes;* Voltaire, *Zadig, Candide;*
Hugo, *Les Orientales, La Légende
des siècles;* Leconte de Lisle, *Poèmes antiques, Poèmes barbares;*
Flaubert, *Salammbô;* Baudelaire,
*Les Fleurs du mal;* Verne, *Le Tour
du monde en 80 jours;* Gide, *Les
Nourritures terrestres, L'Immoraliste, Si le grain ne meurt.*

**2** Exotisme américain (à partir du
XVIe siècle) : mythe du \*bon sauvage,
terres vierges, Indiens.
Montaigne, *Essais,* I, 31; Voltaire,
*Candide;* Prévost, *Manon Lescaut;*
Chateaubriand, *Atala;* J. Verne, *Le
Tour du monde en 80 jours;* Super-
vielle, *Gravitations.*

**3** Exotisme tahitien (XVIIIe siècle);
douceur de vivre. Diderot, *Supplément au Voyage de Bougainville.*

**4** Exotisme imaginaire, inspiré des précédents.
Rabelais, *Le Quart Livre* ; Lautréamont, *Les Chants de Maldoror* ; Michaux, *L'Espace du dedans*.

**5** Réaction contre le mirage de l'exotisme. Lévi-Strauss : *Tristes Tropiques*.

## Famille

**1** Vie de famille :
— idéalisée : Rousseau, *La Nouvelle Héloïse* ;
— peinte avec nostalgie et tendresse (œuvres autobiographiques et souvenirs d'enfance) : Hugo, *Les Feuilles d'automne*, *Les Contemplations* ; Proust, *A la recherche du temps perdu (Du côté de chez Swann)* ; Colette, *La Maison de Claudine* ;
— peinte avec ironie dans la comédie : Molière, *l'Avare, Le Malade imaginaire* ; avec sévérité dans les romans de mœurs qui en démasquent les réalités cruelles : Balzac, *La Cousine Bette, Le Cousin Pons* ; Mauriac, *Thérèse Desqueyroux, Le Nœud de vipères* ; Druon, *Les Grandes Familles*.

**2** Destinée des membres d'une famille : c'est le thème de nombreux romans. Zola, *Les Rougon-Macquart* ; R. Martin du Gard, *Les Thibault* ; Duhamel, *Chronique des Pasquier* ; M. Druon, *Les Grandes Familles*.

## Fanatisme

Manifestation violente d'un *préjugé, le fanatisme est combattu par tous les esprits attachés aux *libertés de l'homme et à la *tolérance. Montaigne, *Essais* ; Molière, *Tartuffe* ; Bayle, *Pensées sur la comète* ; Montesquieu, *Lettres persanes* ; Voltaire, *Lettres philosophiques, Zadig, Le Siècle de Louis XIV, Essai sur les mœurs, Candide, Traité sur la tolé-

rance, Dictionnaire philosophique* ; Diderot, *Encyclopédie* ; Hugo, *Quatre-vingt-treize* ; A. France, *Les Dieux ont soif* ; R. Martin du Gard, *Jean Barois* ; J. Giraudoux, *La Guerre de Troie n'aura pas lieu* ; A. Salacrou, *La Terre est ronde*.

## Fantastique

Ordre de faits étrangers à la réalité commune et qui paraissent surnaturels. Le fantastique est l'objet d'une utilisation littéraire à partir de l'époque romantique : Balzac, *La Peau de chagrin* ; Mérimée, *La Vénus d'Ille* (cf. *Colomba et autres nouvelles*) ; Hugo, *Les Contemplations, La Légende des siècles, Les Travailleurs de la mer* ; Villiers de l'Isle-Adam, *Contes cruels* ; Maupassant, *Contes (le Horla)*. Le fantastique attire les esprits qui se réfugient dans l'*imaginaire : Lautréamont, *Les Chants de Maldoror* ; Rimbaud, *Illuminations* ; Michaux, *L'Espace du dedans*.

## Fascisme

Forme de régime politique dictatorial apparu au XXᵉ siècle d'abord en Italie (Mussolini) ; doctrine tirée de cet exemple : J. Romains, *Les Hommes de bonne volonté* ; Malraux, *Le Temps du mépris, L'Espoir* ; Salacrou, *La Terre est ronde* ; Vercors, *Le Silence de la mer* ; S. de Beauvoir, *Mémoires d'une jeune fille rangée* ; Ionesco, *Rhinocéros*.

## Fatalité

Cf. *Destin.

## Faute

Manquement à un devoir moral. C'est le *péché* pour un chrétien. Le sentiment de la faute, du péché, tient à la conscience du *mal. Celle-ci engendre souvent la nostalgie de la *pureté et le désir de *rachat* —

de *rédemption* pour le chrétien qui aspire à faire son *salut,* c'est-à-dire à être affranchi du mal par la *grâce divine et à échapper à la damnation qui attend le pécheur. L'attitude inverse de complaisance au mal peut se rencontrer (cf. *Satanisme) : c'est une forme de *révolte métaphysique.

— Villon, *Poésies* : confession du premier « poète maudit ».
— Pascal, *Provinciales, Pensées ;* Racine, *Phèdre* (influence du *jansénisme).
— Rousseau, *Émile (Profession de foi du Vicaire savoyard), Confessions* : religion naturelle et conscience des fautes personnelles.
— Musset, *Lorenzaccio, Poésies nouvelles ;* Baudelaire, *Les Fleurs du mal ;* Rimbaud, *Une Saison en enfer ;* Verlaine, *Sagesse* : de la débauche romantique au thème du « poète maudit » (cf. *Poète).
— Hugo, *Notre-Dame de Paris, Les Misérables* (rédemption de Jean Valjean), *La Légende des siècles.*
— Péguy, *Ève ;* Claudel, *Partage de midi, Le Soulier de satin ;* Salacrou, *La Terre est ronde ;* Mauriac, *Thérèse Desqueyroux, La Fin de la nuit, Le Nœud de vipères ;* Bernanos, *Sous le soleil de Satan, Journal d'un curé de campagne ;* Montherlant, *Le Maître de Santiago, Port-Royal* : chrétiens entre l'appel de Dieu et la tentation du monde, entre le péché et la *grâce.

## Femme

**1** Envisagée dans sa condition traditionnelle (amante, épouse, mère) :

*a)* Objet d'amour et amoureuse (amour courtois, galant, romanesque, romantique). Voir surtout : *Tristan et Iseut ;* Chrestien de Troyes, *Lancelot ;* Guillaume de Lorris, *Le Roman de la Rose ;* Ronsard, *Amours ;* Marguerite de Navarre, *L'Heptaméron ;* H. d'Urfé, *L'Astrée ;* Corneille, *Le Cid, Polyeucte ;* Mlle de

Scudéry, *Clélie ;* Molière, *Dom Juan* (done Elvire) ; Racine, *Bérénice ;* Mme de Lafayette, *La Princesse de Clèves ;* Rousseau, *La Nouvelle Héloïse ;* Sainte-Beuve, *Volupté ;* Balzac, *Le Lys dans la vallée* (Mme de Mortsauf) ; Stendhal, *le Rouge et le Noir* (Mme de Rênal, Mathilde de la Mole), *La Chartreuse de Parme* (Gina del Dongo, Clélia Conti), *Lucien Leuwen* (Mme de Chasteller) ; Nerval, *Sylvie ;* Vigny, *Les Destinées (La Maison du berger) ;* Baudelaire, *Les Fleurs du mal ;* Flaubert, *Madame Bovary, L'Éducation sentimentale* (Mme Arnoux) ; Alain-Fournier, *Le Grand Meaulnes ;* Butor, *La Modification.*

*b)* Réaction réaliste (la femme donnée pour volage, méchante et jalouse selon la tradition gauloise) : *Fabliaux ;* Rabelais, *Le Tiers Livre ;* Molière, *Le Médecin malgré lui ;* Voltaire, *Zadig,* I-III.

*c)* Mondaine, frivole et même perverse : Molière, *Le Misanthrope* (Célimène) ; Musset, *La Confession d'un enfant du siècle, Les Caprices de Marianne ;* Balzac, *Le Père Goriot* (Anastasie de Restaud, Delphine de Nucingen), *Illusions perdues* (Mme de Bargeton) ; Zola, *La Curée* (Renée Saccard) ; Proust, *À la recherche du temps perdu* (Odette de Crécy) ; Aragon, *Les Cloches de Bâle* (Diane de Nettencourt) ; Giraudoux, *La Guerre de Troie n'aura pas lieu* (Hélène).

*d)* Violente, ambitieuse, jalouse, dégradée par la passion : Racine, *Andromaque* (Hermione), *Britannicus* (Agrippine), *Phèdre* (Phèdre) ; Balzac, *La Cousine Bette* (Bette, Mme Marneffe).
Cas particulier de la courtisane réhabilitée par la passion : Prévost, *Manon Lescaut* (introduction du thème) ; Balzac, *Illusions perdues* (l'actrice Coralie), *Splendeurs et Misères des courtisanes* (Esther) ; Mérimée, *Carmen.*

*e)* Peinte dans sa beauté plastique : Gautier, *Émaux et camées* ; Valéry, *Album de vers anciens*, *La Jeune Parque*.

*f)* Mère protectrice, épouse fidèle : Racine, *Andromaque* (Andromaque) ; Hugo, *Quatre-vingt-treize* (Michèle Fléchard) ; Péguy, *Ève* (Ève, mère de l'humanité) ; Colette, *La Maison de Claudine* (la mère de l'auteur) ; Giraudoux, *La Guerre de Troie n'aura pas lieu* (Andromaque), *Amphitryon 38* (Alcmène) ; Duhamel, *Chronique des Pasquier* (la mère).

*g)* Sœur, amie, confidente, consolatrice : Chateaubriand, *Mémoires d'outre-tombe* (Lucile, sœur de l'auteur) ; Balzac, *Illusions perdues* (Ève Chardon) ; Barrès, *Le Culte du Moi* (Le Jardin de Bérénice).

**2** Débats et conflits au sujet de la place de la femme dans la société (éducation et vocation) : Mlle de Scudéry, *Clélie* ; Molière, *Les Précieuses ridicules*, *L'École des femmes*, *Les Femmes savantes* (pour la fidélité à la nature et à la tradition) ; Marivaux, *La Vie de Marianne* (destin d'une orpheline « sans naissance ») ; Rousseau, *La Nouvelle Héloïse*, *Émile* (vocation de la femme selon la nature) ; Hugo, *Les Misérables*, *Quatre-vingt-treize* (protection de la femme dans une société juste) ; Aragon, *Les Cloches de Bâle* (problème de l'émancipation féminine) ; S. de Beauvoir, *Mémoires d'une jeune fille rangée* (une émancipation ; cf. *Le Deuxième sexe*).

**3** La femme dans la vie active, hors de son rôle traditionnel.
*a)* Jusqu'au XVIIIe siècle, une femme est rarement définie par un métier (servantes de comédie, comédiennes).
*b)* A partir du XIXe siècle, elle est dépeinte dans des tâches extérieures à la maison : paysannes (Zola, *La Terre*), ouvrières (Hugo, *Les*

*Misérables* ; Zola, *L'Assommoir*, *Germinal*), étudiantes, intellectuelles, médecins, militantes de partis politiques (Malraux, *La Condition humaine* : May ; Aragon, *Les Cloches de Bâle* ; S. de Beauvoir, *Mémoires d'une jeune fille rangée*).

## Fête

Moment exceptionnel de la vie sociale.

**1** Saisi au niveau de la peinture des mœurs.
*a)* Fêtes populaires : Flaubert, *Madame Bovary*, 1re partie, ch. IV (noce à la campagne) ; Zola, *L'Assommoir*, ch. III (noce de Gervaise) ; Baudelaire, *Petits Poèmes en prose* (Le Vieux saltimbanque).
*b)* Fêtes mondaines, bals, spectacles : Balzac, *Illusions perdues* ; Flaubert, *Madame Bovary*, 1re partie, ch. VIII (bal au château de la Vaubyessard) ; Zola, *La Curée* ; Maupassant, *Bel-Ami* ; Proust, *A la recherche du temps perdu*, *Le Côté de Guermantes* (soirée à l'Opéra).

**2** Conçu au niveau de l'imagination et du rêve : Nerval, *Les Filles du feu* (Sylvie) ; Gautier, *Émaux et camées* ; Verlaine, *Fêtes galantes* ; Alain-Fournier, *Le Grand Meaulnes*.

## Foi

**1** Peintures et analyses de la foi en Dieu.
*a)* Foi chrétienne : cf. *Christianisme, 1 et 2 ; *Péché ; *Salut ; *Grâce.
*b)* Foi déiste : cf. *Déisme et *Dieu, 1, b.

**2** Conflit de la foi et de la *libre pensée* : cf. *Athéisme.

## France

**1** Réflexion (souvent critique) sur l'esprit français : Montesquieu, *Lettres persanes* ; Voltaire, *Lettres philosophiques*.

**2** Affirmation de la personnalité de la France : (cf. *Patrie).

*a)* Avant 1789, la France comme modèle de civilisation au siècle des Lumières : Voltaire, *Le Siècle de Louis XIV.* Cf. *Civilisation, 2.

*b)* La France de la Révolution de 1789, fille aînée de la liberté, porte-flambeau des principes humanitaires : Michelet, *Le Peuple, Histoire de France ;* Hugo, *Les Châtiments, Quatre-vingt-treize ;* Stendhal, *La Chartreuse de Parme* (cf. *République, 2, b).

*c)* Après la défaite de 1870 devant l'Allemagne, la foi dans la mission de la France est réaffirmée en réplique aux nationalismes étrangers : Zola, *La Débâcle.*

*d)* Dès avant la guerre de 1914-1918, pendant et après cette guerre, certains écrivains cherchent à s'élever au-dessus du nationalisme : R. Rolland, *Jean-Christophe ;* Barbusse, *Le Feu ;* R. Martin du Gard, *Les Thibault ;* J. Romains, *Les Hommes de bonne volonté.*

*e)* La guerre de 1939-1945 rend la priorité à la défense de la France : Vercors, *Le Silence de la mer ;* Aragon, *Les Yeux d'Elsa, La Diane française.*

## Fraternité

Forme sous laquelle est exaltée la *solidarité humaine par certains écrivains préoccupés de trouver à hauteur d'homme un sens à la vie : Saint-Exupéry, *Terre des hommes ;* Malraux, *La Condition humaine, Le Temps du mépris, L'Espoir ;* Camus, *La Peste.*

## Générosité

Au XVIIe siècle, qualité morale de celui « qui a l'âme grande et noble et (...) préfère l'honneur à tout autre intérêt » (Furetière, 1690). Cf. *Honneur. C'est un thème important dans les œuvres qui reflètent la morale aristocratique du temps : Corneille, *Le Cid, Cinna, Polyeucte ;* Racine, *Bérénice ;* Mme de Lafayette, *La Princesse de Clèves.*
Le mot a perdu ce sens aujourd'hui.

## Gouvernement

**1** Réflexions sur l'art de gouverner, sans mise en cause du régime existant : Rabelais, *Gargantua ;* La Bruyère, *Caractères,* X ; Fénelon, *Les Aventures de Télémaque :* Anatole France, *Les Opinions de Monsieur Jérôme Coignard.*

**2** Débat sur les types de gouvernement (à partir du XVIIIe siècle) : cf. *Autorité politique, *Monarchie, *Despotisme, *Démocratie, *République, *Communisme, *Socialisme, *Fascisme.

**3** Refus de toute forme de gouvernement : cf. *Anarchisme.

## Grâce

Dans la religion chrétienne, aide apportée par Dieu à chaque homme pour le sauver du *péché. Les chrétiens sont partagés sur la façon de concevoir la grâce et de la concilier avec la *liberté humaine.
Calvin, *Institution de la religion chrétienne ;* Corneille, *Polyeucte ;* Pascal, *Provinciales, Pensées* (cf. *Jansénisme) ; Mauriac, *Le Nœud de vipères ;* Bernanos, *Journal d'un curé de campagne.*

## Grèce

**1** La Grèce antique, source de la civilisation occidentale : cf. *Humanisme, 1, *Épicurisme, *Stoïcisme, *Scepticisme, *Sage (un modèle : Socrate). Voir aussi : Valéry, *Variété (Note ou L'Européen).*

**2** La Grèce antique, domaine poétique et légendaire : Ronsard, *Odes ;* Racine, *Andromaque, Phèdre ;* Fénelon, *Les Aventures de Téléma-*

que ; Chénier, *Poésies* ; Leconte de Lisle, *Poèmes antiques* ; Hugo, *La Légende des siècles* ; Giraudoux, *Électre, La Guerre de Troie n'aura pas lieu, Amphitryon 38* ; Anouilh, *Antigone* ; Sartre, *Les Mouches.*

## Guerre

**1** Idéalisation de la guerre par fidélité à la tradition épique (cf. *Héroïsme) : *Chanson de Roland* ; Corneille, *Le Cid* ; Balzac, *Les Chouans* (tendance à transformer la guerre de Vendée en épopée romanesque) ; Stendhal, *La Chartreuse de Parme* (Fabrice se fait de la guerre une idée héroïque, mais la perd à Waterloo ; cf. *Guerre, 2, b*) ; Hugo, *Châtiments* (l'épopée républicaine et impériale) ; *Les Misérables,* 2ᵉ partie, livre I (Waterloo), *La Légende des siècles, Quatre-vingt-treize.*

**2** Refus de l'illusion épique.

*a)* Contestation de la valeur de la guerre au nom de l'idéal humaniste et pacifiste : Rabelais, *Gargantua* (la guerre picrocholine) ; La Bruyère, *Caractères,* X *(Du souverain ou De la république)* ; Voltaire, *Candide,* II-III, *Dictionnaire philosophique* ; Vigny, *Servitude et grandeur militaires* ; Hugo, *Les Misérables,* 2ᵉ partie, livre II ; A. France, *Les Opinions de Monsieur Jérôme Coignard* ; R. Rolland, *Jean-Christophe* ; Barbusse, *Le Feu* ; R. Martin du Gard, *Les Thibault (L'Été 14)* ; cf. *Objection de conscience ; Aragon, *Les Cloches de Bâle* ; J. Romains, *Les Hommes de bonne volonté* (XV, *Prélude à Verdun ;* XVI, *Verdun*) ; Giraudoux, *La Guerre de Troie n'aura pas lieu.*

*b)* Peinture des guerres dans leur réalité : Montaigne, *Essais,* II, 12 (guerres de Religion) ; Stendhal, *La Chartreuse de Parme* (Waterloo) ; Rimbaud, *Poésies (Le Dormeur du val)* ; Zola, *La Débâcle* (1870) ; Barbusse, *Le Feu* (1914) ; Apollinaire, *Calligrammes* ; R. Martin du Gard,

*Les Thibault (L'Été 14* et *Épilogue)* ; Louis-Ferdinand Céline, *Voyage au bout de la nuit* (1914) ; J. Romains, *Les Hommes de bonne volonté (Verdun)* ; Malraux, *La Condition humaine* (guerre révolutionnaire en Chine en 1927), *L'Espoir* (guerre d'Espagne de 1936).

## Hasard

Cf. *Destin.

## Héroïsme. Héros

**1** L'héroïsme est le fait de celui qui risque sa vie pour une cause qui la dépasse (*Dieu, suzerain, *Patrie, *Honneur, *Liberté, *Justice). On pense traditionnellement qu'il se prouve :

*a)* par l'excellence à la guerre (*Soldat ; *Napoléon, héros guerrier) : *La Chanson de Roland* ; Corneille, *Le Cid* ; Stendhal, *La Chartreuse de Parme* ; Hugo, *Châtiments (O ! Soldats de l'an deux)* ; Aragon, *La Diane française* ;

*b)* toutes les fois qu'on agit au mépris de la mort : Corneille, *Cinna, Polyeucte* ; Hugo, *Les Travailleurs de la mer* (Gilliatt) ; Anouilh, *Antigone.*

**2** L'idée d'exception l'emportant sur celle de service, l'héroïsme prend la forme de l'exaltation de l'*énergie : Malraux, *La Voie royale* ; Giono, *Le Hussard sur le toit.* On trouve soutenue la théorie paradoxale de l'héroïsme dans le crime : Diderot, *Le Neveu de Rameau.*

**3** En raison de l'orgueil et du mépris de l'humanité commune qu'implique souvent l'élan vers la prouesse héroïque, l'héroïsme est l'objet de critiques :

*a)* d'inspiration chrétienne. Pascal *(Pensées)* discrédite l'éthique héroïque comme toutes les grandeurs mondaines, opposant le *saint au héros ; Racine *(Phèdre)* montre dans la volonté d'héroïsme un dangereux orgueil ;

b) d'inspiration humaniste. Montaigne oppose au conquérant qui gagne des batailles le *sage qui met de l'ordre en lui-même (*Essais,* III, 13). Voltaire préfère les grands hommes serviteurs du *progrès aux héros « saccageurs de provinces » (*Essai sur les mœurs*).

**4** Anti-héros : *Bouffon, 1.

## Histoire

**1** Ensemble des événements historiques.

a) La réflexion sur leur signification constitue la *philosophie de l'histoire.* L'histoire est considérée :
— comme l'œuvre de la *Providence : Bossuet, *Discours sur l'histoire universelle ;*
— comme le champ d'action des hommes qui en font leur œuvre (*Humanisme, *Progrès) : Voltaire, *Le Siècle de Louis XIV, Essai sur les mœurs ;* Michelet, *Histoire de France ;*
— comme porteuse en elle-même d'une nécessité qui dirige l'évolution des sociétés et constitue « le sens de l'histoire » (disciples de Hegel, 1770-1831, et de Marx, 1818-1883). L'usage que le socialisme révolutionnaire marxiste fait de cette théorie est discuté : J. Romains, *Les Hommes de bonne volonté.*

b) Les historiens établissent et étudient les faits. Les mémorialistes apportent leur témoignage : Saint-Simon, *Mémoires ;* Chateaubriand, *Mémoires d'outre-tombe.* Les romanciers en peignent des aspects. C'est l'intention délibérée du roman historique qui vise un passé nettement révolu ; en outre, depuis le XIXe siècle, beaucoup de romanciers se font les historiens de leur temps, décrivent le passé récent et même l'histoire en train de se faire. Balzac, *La Comédie humaine ;* Stendhal, *La Chartreuse* de Parme ;* Hugo, *Notre-Dame de Paris, Les Misérables, Quatre-vingt-treize ;* Flaubert, *Salammbô ;* Zola, *Les Rougon-Macquart (La Débâcle) ;* A. France, *Les Dieux ont soif ;* R. Martin du Gard, *Les Thibault (L'Été 14) ;* J. Romains, *Les Hommes de bonne volonté ;* Malraux, *Les Conquérants, La Condition humaine, l'Espoir ;* Aragon, *Les Cloches de Bâle, La Semaine sainte.*

**2** Science dont les historiens définissent les méthodes. Le caractère scientifique de l'histoire est mis en doute par certains qui accueillent de ce fait avec scepticisme les enseignements qu'on essaie d'en tirer. A. France, *Les Opinions de Monsieur Jérôme Coignard ;* Valéry, *Variété (Discours sur l'histoire).*

## Homme

Thème central de toute pensée humaniste (*Humanisme, 2 et 3).

**1** XVIe siècle.
Réhabilitation de l'homme sous l'influence de la pensée antique (*Épicurisme, *Stoïcisme, *Scepticisme) : Rabelais, *Gargantua, Pantagruel ;* Montaigne, *Essais,* III, 13.

**2** XVIIe siècle.
a) Exaltation de l'homme : Corneille, *Le Cid, Cinna, Polyeucte ;* cf. *Héroïsme.
b) Critique et dévaluation de l'homme. Pascal, *Pensées ;* La Rochefoucauld, *Maximes ;* cf. *Jansénisme. Peinture sévère : La Bruyère, *Caractères.*
c) Acceptation de l'homme tel qu'il est : cf. *Honnête homme.

**3** XVIIIe siècle.
Défense de l'homme, action en faveur de sa *liberté et de son *bonheur, foi dans son intelligence et son avenir (cf. *Progrès, *Esprit critique) : Montesquieu, *Lettres persanes ;* Voltaire, *Lettres philosophiques*

(25e lettre, contre Pascal), *Micromégas ;* Diderot, *Encyclopédie ;* Rousseau, *Discours sur les sciences et les arts, Discours sur l'origine de l'inégalité, Émile* (bonté de l'homme de la nature).

**4** XIXe siècle.

*a)* Foi en l'homme et dans le progrès humain : V. Hugo, *Les Misérables, La Légende des siècles, Quatre-vingt-treize ;* J. Michelet, *Histoire de France ;* Zola, *Germinal.*
*b)* Doute et pessimisme : Vigny, *Les Destinées ;* Baudelaire, *Les Fleurs du mal ;* Flaubert, *Salammbô, La Tentation de saint Antoine, Bouvard et Pécuchet ;* Maupassant, *Une Vie.*

**5** XXe siècle.

*a)* Fidélité à la tradition humaniste : R. Rolland, *Jean-Christophe ;* R. Martin du Gard, *Les Thibault ;* Duhamel, *Chronique des Pasquier ;* Giraudoux, *La Guerre de Troie n'aura pas lieu, Amphitryon 38 ;* J. Romains, *Les Hommes de bonne volonté.*
*b)* L'homme devant Dieu : Claudel, *L'Annonce faite à Marie, L'Otage, Le Soulier de satin ;* Mauriac, *Le Nœud de vipères ;* Bernanos, *Journal d'un curé de campagne.*
*c)* Visions tragiques de la solitude humaine, la foi humaniste en crise : Céline, *Voyage au bout de la nuit ;* Malraux, *La Voie royale, La Condition humaine ;* Sartre, *La Nausée ;* Camus, *Caligula, L'Étranger ;* Beckett, *En attendant Godot ;* Ionesco, *Le Roi se meurt.* cf. *\*Absurde, \*Violence, \*Révolte).*
*d)* Nouveaux appels à la défense de l'homme : Malraux, *Le Temps du mépris, L'Espoir ;* Saint-Exupéry, *Terre des hommes ;* Camus, *Le Mythe de Sisyphe, La Peste ;* Sartre, *Les Mouches, Situations, Le Diable et le Bon Dieu ;* Ionesco, *Rhinocéros ;* Le Clezio, *La Guerre.*

## Honnête homme

Modèle intellectuel et moral d'inspiration aristocratique qui se substitue à l'idéal chevaleresque à partir du XVIe siècle (Montaigne, *Essais*) et surtout au XVIIe siècle. L'honnête homme possède le sens de l'honneur, mais calque sa conduite sur les convenances sociales (\*Société, 3) plus que sur les valeurs héroïques ou même simplement romanesques qui comportent toujours quelque goût de l'exceptionnel. L'*honnête homme* et l'*honnêteté* sont l'objet de débats chez Pascal *(Pensées),* Molière *(Le Misanthrope),* La Bruyère *(Caractères).*
Au-delà du XVIIe siècle, on a continué de se référer à ce type social comme à un modèle d'équilibre et d'élégance.

## Honneur

Principe de conduite morale qui tient une place importante :

**1** dans les conduites participant de l'idéal chevaleresque et courtois ou simplement des bienséances mondaines : cf. \*Chevalerie, \*Courtoisie, \*Générosité, \*Héroïsme, 1 ; \*Soldat, 1 ; \*Honnête homme. Voir aussi : Hugo, *Hernani, Ruy Blas, La Légende des siècles ;* Rostand, *Cyrano de Bergerac ;*

**2** dans la morale humaniste qui accorde à l'ensemble des hommes la dignité morale dont seule une aristocratie a commencé par se prévaloir : Rabelais, *Gargantua* (abbaye de Thélème, réservée encore à une aristocratie) ; Bayle, *Pensées sur la comète* (morale athée fondée sur la \*raison et sur l'honneur) ; Camus, *La Peste.*

## Humanisme

Terme entré dans l'usage au XIXe siècle (forgé sur *humaniste,* 1539) pour désigner :

**1** le mouvement intellectuel qui se développe au XVIe siècle en faveur de l'étude des auteurs grecs et latins et de la conception antique de l'homme : Rabelais, *Gargantua, Pantagruel* ; Du Bellay, *Défense et illustration de la langue française* ; Montaigne, *Essais* ;

**2** le souci, ravivé alors au contact des auteurs anciens, de prendre l'homme pour critère et fin de ses réflexions et de ses actions : cf. *Homme ;

**3** tout système philosophique animé de ce souci : cf. *Homme.

## Humanité

**1** Destinée de l'humanité :
— d'un point de vue théologique (chute et rédemption) : Hugo, *Les Feuilles d'automne, Les Contemplations, La Légende des siècles* ; Péguy, *Ève ;*
— d'un point de vue historique (évolution de la civilisation) : cf. *Histoire, 1 ; *Progrès.

**2** L'humanité comme critère d'action : cf. *Homme, *Humanisme, *Liberté, *Progrès.

## Hypocrisie

Simulation intéressée de sentiments et d'opinions ; le poids des contraintes sociales (cf. *Intolérance) l'encourage : Molière, *L'École des femmes, Tartuffe, Dom Juan* ; Stendhal, *Le Rouge et le Noir, Lucien Leuwen.*

## Imaginaire. Imagination

**1** *L'imagination* est tenue en suspicion par Montaigne (*Essais,* II, 12) et Pascal *(Pensées)* parce qu'elle empêche d'atteindre la vérité.

**2** Elle est au contraire présentée par Baudelaire comme «la reine des facultés», source de la création artistique *(Curiosités esthétiques, Le Salon de 1859).* Certains poètes postérieurs en viennent à privilégier systématiquement l'imaginaire qui devient un thème important de la poésie moderne : Rimbaud, *Poésies (Le Bateau ivre), Une Saison en enfer, Illuminations* ; Lautréamont, *Les Chants de Maldoror* ; Breton, *Manifestes du surréalisme* ; Michaux, *L'Espace du dedans.*

## Immoralisme

Refus de la conception commune du bien et du mal (cf. *Mal, 1), et même refus de toute règle morale : Molière, *Dom Juan* ; Laclos, *Les Liaisons dangereuses* ; cf. *Libertinage ; Diderot, *Le Neveu de Rameau* ; Gide, *Les Nourritures terrestres, L'Immoraliste, Les Caves du Vatican, Si le grain ne meurt.*
Encore que l'idée de transgression ne soit pas absente de l'immoralisme, celui-ci est différent du *satanisme qui suppose la croyance au dualisme du bien et du mal, de Dieu et de Satan.

## Individu. Individualisme

L'individu, personne définie isolément dans son originalité propre par rapport à un groupe, et l'individualisme, tendance à l'affirmation de soi contre les exigences de la collectivité, ont largement bénéficié de la réflexion littéraire depuis le XVIe siècle.

**1** Droits de l'individu (cf. *Liberté, 2, a ; *Esprit critique) : Montaigne, *Essais* (bréviaire d'individualisme) ; Montesquieu, *De l'Esprit des Lois* ; Voltaire, *Traité sur la tolérance, Dictionnaire philosophique* ; Rousseau, *Émile, Du contrat social* ; Diderot, *Encyclopédie.*

**2** Exaltation de la singularité de l'individu : cf. Moi*, *Égotisme, *Énergie, *Bonheur.

**3** Étude des conflits entre la collectivité et l'individu.

*a)* Individu et *État : Tocqueville, *De la démocratie en Amérique;* Giraudoux, *Électre;* Anouilh, *Antigone.*

*b)* Individu et disciplines collectives (cf. *Anarchisme, *Fascisme, *Communisme, *Solidarité, *Responsabilité, *Engagement) : J. Romains, *Les Hommes de bonne volonté* (XVIII, *La Douceur de la vie;* XIX, *Cette grande lueur à l'Est;* XX, *Le Monde est ton aventure);* Malraux, *Les Conquérants, Le Temps du mépris, La Condition humaine, L'Espoir;* Vailland, *Drôle de jeu;* Sartre, *Les Mains sales.*

*c)* Individu et déterminisme social (cf. *Conformisme, *Hypocrisie, *Préjugés) : Diderot, *Le Neveu de Rameau.* Refus de ce déterminisme : cf. *Révolte.

## Inégalité

Cf. *Égalité.

## Insolite

Cf. *Bizarre, 2.

## Instant

Le prix de l'instant est un thème épicurien lié à la conscience du *temps qui fuit : Ronsard, *Odes, Amours.* Le culte de l'instant s'oppose à celui du *souvenir (Gide, *Les Nourritures terrestres)* et au thème du regret (Colette, *La Naissance du jour).* La mémoire affective peut restituer des instants privilégiés : Proust, *A la recherche du temps perdu (Du côté de chez Swann,* épisode de la madeleine).

## Jalousie

**1** Sentiment douloureux qui naît lorsque l'amour est inquiet ou frustré (cf. *Passions, 1) : Béroul et Thomas, *Tristan et Iseut;* La Rochefoucauld, *Maximes;* Racine, *Andromaque* (jalousie d'Hermione, de Pyrrhus), *Phèdre* (Phèdre elle-même); M^me de Lafayette, *La Princesse de Clèves* (le prince de Clèves); Molière, *L'École des femmes* (Arnolphe), *Le Misanthrope* (Alceste); Beaumarchais, *Le Barbier de Séville* (le docteur Bartholo), *Le Mariage de Figaro* (le comte Almaviva, Figaro); Stendhal, *La Chartreuse de Parme* (le comte Mosca, la duchesse Sanseverina); Proust, *A la recherche du temps perdu* (Swann à cause d'Odette de Crécy, le narrateur à cause d'Albertine); Robbe-Grillet, *La Jalousie.*

**2** Sentiment haineux d'envie lié à des rivalités sociales : Saint-Simon, *Mémoires;* Balzac, *Le Père Goriot* (Anastasie et Delphine), *La Cousine Bette.*

## Jansénisme

Doctrine théologique de Cornélius Jansénius (1585-1638), évêque d'Ypres, qui, dans un traité, l'*Augustinus* (1640), interprète dans son sens le plus sévère la pensée de saint Augustin, rompant au détriment de la *liberté humaine l'équilibre admis par la tradition catholique entre la *grâce divine et le libre arbitre des hommes. Pascal prend la défense de ses amis jansénistes contre les jésuites dans *Les Provinciales.* Après la condamnation de l'*Augustinus* par le Pape (1653), le couvent de Port-Royal, qui était devenu le foyer principal du jansénisme, a été l'objet de persécutions : expulsions de religieuses (cf. Montherlant, *Port-Royal),* et enfin, en 1710, démolition de la maison de la vallée de Chevreuse. Voltaire traite de ce conflit dans *Le Siècle de Louis XIV,* et évoque souvent ses prolongements au XVIII^e siècle (*Candide,* XXII; *L'Ingénu,* X). L'esprit janséniste a exercé une influence large et durable : cf. Racine, *Phèdre;* Mauriac, *Thérèse Desqueyroux.*

## Jeunesse

Age où, après le premier apprentissage de l'*apprentissage de l'*adolescence, se poursuit et s'achève la découverte de la vie (cf. *Apprentissage) : disponibilité, *sensibilité, désir d'*action, d'*amour, *ambition, enthousiasme, *rêve, *révolte, insatisfaction, illusions en sont les traits les plus caractéristiques qui se mêlent de façons diverses. Voir en particulier : Du Bellay, *Regrets,* Corneille, *Le Cid ;* Prévost, *Manon Lescaut ;* Rousseau, *Confessions ;* Chateaubriand, *René, Mémoires d'outre-tombe ;* Sénancour, *Oberman ;* Stendhal, *Le Rouge et le Noir, La Chartreuse de Parme, Lucien Leuwen ;* Musset, *Les Caprices de Marianne, Lorenzaccio, Poésies nouvelles ;* Balzac, *La Peau de chagrin, Le Père Goriot, Le Lys dans la vallée, Illusions perdues ;* Hugo, *Hernani, Les Contemplations ;* Flaubert, *L'Éducation sentimentale ;* Fromentin, *Dominique ;* Barrès, *Le Culte du Moi ;* Gide, *Les Nourritures terrestres ;* R. Rolland, *Jean-Christophe ;* R. Martin du Gard, *Les Thibault ;* Duhamel, *Chronique des Pasquier ;* J. Romains, *Les Hommes de bonne volonté ;* Aragon, *La Semaine sainte.*

## Justice

**1** L'idée de justice. Définition par référence au *droit naturel* et au *droit positif* (cf. *Droit). Incertitude de la notion de justice : Montaigne, *Essais,* I, 23 ; II, 12 ; Pascal, *Pensées ;* A. France, *Les Opinions de Monsieur Jérôme Coignard.*

**2** L'institution judiciaire.
*a)* Satire des juges : *La Farce de Maître Pathelin ;* Rabelais, *Le Tiers Livre, Le Quart Livre ;* Beaumarchais, *Le Mariage de Figaro.*
*b)* Dénonciation de la torture : Montaigne, *Essais,* II, 5 *(De la conscience) ;* Voltaire, *Traité sur la tolérance, Dictionnaire philosophique.*

*c)* L'exercice de la justice et la société, le problème de la peine de mort : Voltaire, *Traité sur la tolérance ;* E. Sue, *Les Mystères de Paris ;* V. Hugo, *Les Misérables, Quatre-vingt-treize ;* Camus, *L'Étranger, La Peste.*

**3** L'exigence de justice en face de la raison d'État (cf. *Individu, 3) : Giraudoux, *Électre ;* Anouilh, *Antigone.*

**4** Justice sociale : cf. *Égalité.

**5** Justice de Dieu : cf. *Providence.

## Liberté

**1** Sur le plan philosophique et moral : capacité d'agir volontairement en dehors de toute détermination étrangère.
*a)* Problème philosophique de la nature de la liberté : cf. *Destin, *Mal, *Providence.
— Interprétation chrétienne : la liberté humaine a besoin du soutien de la *grâce divine, thèse interprétée avec la plus extrême rigueur par les jansénistes (cf. *Jansénisme).
— Liberté et déterminisme d'un point de vue matérialiste : Diderot, *Le Rêve de d'Alembert, Jacques le Fataliste ;* Gide, *Les Caves du Vatican* (l'« acte gratuit » de Lafcadio). Interprétation existentialiste : la liberté est dans la prise de conscience et dans l'action (cf. *Engagement) : Camus, *Le Mythe de Sisyphe ;* Sartre, *La Nausée* (liberté encore sans emploi), *Les Mouches* (liberté et action), *Huis clos, Le Diable et le Bon Dieu* (responsabilité) ; S. de Beauvoir, *Mémoires d'une jeune fille rangée.*
*b)* Problème moral de l'usage de la liberté : cf. *Individualisme, *Immoralisme, *Révolte, *Libertin, *Honneur, *Humanisme, *Progrès, *Solidarité. L'humanisme oriente la liberté vers la conquête de biens matériels et moraux qui soient au service de l'homme.

**2** Sur le plan politique et social.

*a)* Liberté des personnes, libertés individuelles et collectives de pensée, d'opinion, d'expression, d'association : cf. *Esprit critique, *Fanatisme, *Tolérance, *Justice, *Démocratie, *République, *Esclavage.

*b)* Liberté nationale : cf. *Patrie, *Résistance, *Révolution. Lutte pour l'indépendance nationale : Stendhal, *La Chartreuse de Parme;* V. Hugo, *Les Orientales.*

## Libertin. Libertinage

**1** Au XVIIᵉ siècle, un libertin est un libre penseur, un athée. L'*athéisme est l'objet d'un préjugé hostile tel que ce libertinage de pensée passe pour s'accompagner d'immoralisme, de libertinage dans les mœurs. L'Église traque le libertinage : Molière, *Tartuffe* (Orgon, qui est dévot, accuse son beau-frère Cléante de libertinage). Les *Essais* de Montaigne font figure de « bréviaire des libertins ». Ceux-ci sont sévèrement traités par Pascal *(Pensées),* et La Bruyère *(Caractères,* XVI, *Des esprits forts).* Molière accorde de la grandeur à Don Juan, mais maintient le châtiment qui lui est traditionnellement infligé *(Dom Juan).*

**2** Plus tard, dans la notion de libertinage, l'idée de corruption morale l'emporte. Au XVIIIᵉ siècle, le libertin prend le nom de *roué* (digne du supplice de la roue) : Laclos, *Les Liaisons dangereuses.* Depuis le XIXᵉ siècle, la littérature peint souvent des libertins, leur conduite allant de la simple corruption du jouisseur : Balzac, *Illusions perdues* (Rastignac, Lucien de Rubempré), *La Cousine Bette* (le baron Hulot) ; Musset, *La Confession d'un enfant du siècle, Les Caprices de Marianne* (Octave), *Poésies nouvelles* (Rolla), à la *révolte contre la société : Vailland, *Drôle de jeu* (Marat).

Le thème de la libre pensée est dès lors disjoint de celui du libertinage (cf. *Athéisme, 3).

## Libre pensée

Cf. *Libertin, *Athéisme, 3.

## Lois

**1** Mise en doute de la valeur des lois et de la possibilité de les fonder en raison (analyses sceptiques) : Montaigne, *Essais,* I, 23 ; II, 12 ; Pascal, *Pensées;* Diderot, *Supplément au Voyage de Bougainville.*

**2** Réflexion visant à perfectionner les lois et à les fonder rationnellement : cf. *Droit, *Justice, *Égalité, *Gouvernement.

## Mal

**1** Le mal est d'abord, dans le langage courant, « ce qui est contraire à la loi morale » *(Robert) :* cf. *Faute, *Immoralisme, *Péché, *Satanisme, *Vertu. La relativité des *coutumes et des *lois a été souvent montrée.

**2** La métaphysique désigne également ainsi tout ce qui, sur le plan physique et sur le plan moral, vient signifier l'imperfection de l'homme et son incapacité d'accéder au bien et au *bonheur.
— Explication du mal par le dogme chrétien du péché originel : cf. *Christianisme, 1. Voir : Pascal, *Pensées.*
— La conscience du mal, ferment de spiritualité : cf. *Christianisme, 2. Voir aussi Baudelaire, *Les Fleurs du mal.*
— Comment concilier la bonté de Dieu avec l'existence du mal physique (tremblement de terre) et du mal moral (*Fanatisme, *Violence des hommes) : cf. *Providence.
— L'homme est bon par nature ; c'est la société qui le corrompt : Rousseau, *Discours sur les sciences*

et les arts, *Discours sur l'origine de l'inégalité.*
— Recours au *stoïcisme : Vigny, *Les Destinées.*
— Espoir de rédemption : cf. *Faute. Hugo, *Les Contemplations, La Légende des siècles.*
— Révolte contre l'absurde : cf. *Absurde.

## Mal du siècle

Cf. *Ennui, 2.

## Malheur

**1** Source d'émotion morale et esthétique : amours malheureuses, ambitions déçues, destinées brisées, Cf. *Amour, *Destin, *Mort.

*a)* Au Moyen Age, les romans peignent des héros malheureux : *Tristan et Iseut, Lancelot.*

*b)* Au XVII⁰ siècle, le malheur est idéalisé dans la tragédie (Corneille, *Le Cid ;* Racine, *Andromaque, Bérénice, Phèdre*) et dans le roman (H. d'Urfé, *L'Astrée ;* Mⁱⁱᵉ de Scudéry, *Clélie ;* Mᵐᵉ de Lafayette, *La Princesse de Clèves*).

*c)* A partir de Rousseau, le malheur et la souffrance constituent des titres de grandeur *(La Nouvelle Héloïse).* Le héros romantique est prédestiné au malheur *(Hernani, Ruy Blas, Lorenzaccio, Chatterton, Antony).* Baudelaire écrit : «je ne conçois guère (...) un type de beauté où il n'y ait du malheur» *(Journaux intimes).* Le rôle de maudit exemplaire est assumé par le poète (cf. *Poète).

*d)* La littérature moderne offre une vision le plus souvent pessimiste de la condition humaine (cf. *Absurde, *Homme, 5).

**2** Problème moral et philosophique : pourquoi l'homme est-il malheureux? Cf. *Destin, *Mal, *Providence. Pascal, *Pensées ;* Voltaire, *Zadig, Candide ;* Vigny, *Les Destinées ;*

Hugo, *Les Contemplations, La Légende des siècles ;* Camus, *Caligula, La Peste ;* Giono, *Un Roi sans divertissement, Le Moulin de Pologne.*

**3** Problème social : cf. *Pauvre, *Peuple. E. Sue, *Les Mystères de Paris ;* Hugo, *Les Misérables ;* Zola, *Les Rougon-Macquart.*

## Matérialisme

**1** «Dotrine selon laquelle il n'existe d'autre substance que la matière» *(Larousse encyclopédique).* Voir : Diderot, *Le Rêve de d'Alembert ;* Flaubert, *La Tentation de saint Antoine.*

**2** Par extension, goût des jouissances matérielles : Vigny, *Chatterton ;* Villiers de l'Isle-Adam, *Contes cruels ;* Claudel, *L'Otage, Le Pain dur, Le Père humilié.*

## Médecin. Médecine

**1** Satires :
Fabliaux *(Le Vilain Mire) ;* Molière, *Dom Juan, Le Médecin malgré lui, Le Malade imaginaire ;* J. Romains, *Knock.*

**2** Le médecin, homme de devoir et de science :
R. Martin du Gard, *Les Thibault* (docteur Antoine Thibault) ; Duhamel, *Chronique des Pasquier* (docteur Laurent Pasquier) ; Camus, *La Peste* (docteur Rieux).

## Mélancolie

Ce thème a eu la même fortune que la peinture de la *sensibilité.

**1** Jusqu'en 1750, il apparaît peu : Du Bellay, *Regrets.*

**2** Rousseau fait découvrir le charme de la mélancolie : *La Nouvelle Héloïse, Confessions, Rêveries.* Elle est typiquement romantique : «C'est le bonheur d'être triste» (Hugo). Chateaubriand, *René ;* Sénancour, *Oberman ;* Lamartine, *Méditations poétiques ;* Hugo, *Les Feuilles d'automne, Les Contemplations ;* Nerval, *Sylvie ;* Fromentin, *Dominique ;* Flaubert, *L'Éducation sentimentale.* Mais elle prend aisément une forme maladive : cf. *Mal du siècle, *Ennui.

**3** Les symbolistes expriment de nouvelles nuances de la mélancolie : Verlaine, *Poèmes saturniens, Les Fêtes galantes, Romances sans paroles ;* Laforgue, *Les Complaintes ;* Valéry, *Album de vers anciens ;* Apollinaire, *Alcools.*

## Mer

Symbole de la puissance, de la permanence et de la vie : Hugo, *Les Contemplations ;* Valéry, *Charmes ;* Supervielle, *Gravitations ;* Saint-John Perse, *Amers.* (cf. *Nature, 2).
La mer vue dans ses aspects violents et fantastiques : Hugo, *Les Travailleurs de la Mer, L'Homme qui rit ;* Rimbaud, *Poésies (Le Bateau ivre) ;* Lautréamont, *Les Chants de Maldoror.*

## Mère

Cf. *Femme, 1, f.

## Mérite

Cf. *Classes sociales, 1.

## Métier

**1** Images des métiers, dignité des métiers : cf. *Travail.

**2** Servitudes et possibilités d'accomplissement personnel : Zola, *L'Assommoir, Germinal ;* R. Martin du Gard, *Les Thibault (La Consultation) ;* Duhamel, *Chronique des Pasquier ;* J. Romains, *Les Hommes de bonne volonté ;* Saint-Exupéry, *Vol de nuit, Terre des hommes ;* Aragon, *Les Cloches de Bâle.*

## Misère

Dans la société de pénurie du passé, le pauvre et le mendiant sont des types sociaux familiers dont la misère est acceptée comme une fatalité. La morale en enseigne le respect au nom de Dieu (cf. Molière, *Dom Juan,* III, 2 : scène du pauvre ; Hugo, *Les Contemplations : Le Mendiant).* Les écrivains ont contribué à poser le problème de la pauvreté et de la misère en termes de justice sociale et politique : La Bruyère, *Caractères ;* Sue, *Les Mystères de Paris ;* Hugo, *Les Misérables ;* Zola, *L'Assommoir, Germinal.* Cf. *Égalité.

## Modernité

Cf. *Vie moderne.

## Mœurs

Thème inépuisable pour les moralistes, satiriques, chroniqueurs et romanciers. Voir surtout :

**1** Moyen Age : *Le Roman de Renard, Fabliaux.*

**2** XVIe siècle : Rabelais, *Gargantua.*

**3** XVIIe siècle : Molière (l'ensemble de son théâtre) ; La Fontaine, *Fables ;* La Bruyère, *Caractères.*

**4** XVIIIe siècle : Montesquieu, *Lettres persanes ;* Lesage, *Gil Blas ;* Marivaux, *Le Jeu de l'Amour et du Hasard, La Vie de Marianne, Les Fausses Confidences ;* Prévost, *Manon Lescaut ;* Voltaire, *Candide, L'Ingénu ;* Diderot, *Le Neveu de Rameau, Jacques le Fataliste.*

**5** XIXe-XXe siècle : Stendhal, *Le Rouge et le Noir, Lucien Leuwen ;* Balzac, *La Comédie humaine ;* Flaubert, *Madame Bovary, L'Éducation sentimentale, Bouvard et Pécuchet ;*

Zola, *Les Rougon-Macquart;* Maupassant, *Contes et nouvelles, Une Vie, Bel-Ami;* Proust, *A la recherche du temps perdu;* R. Martin du Gard, *Les Thibault;* J.-Romains, *Les Hommes de bonne volonté;* Duhamel, *Chronique des Pasquier;* Aragon, *Les Cloches de Bâle.*

## Moi

L'étude du *moi* est liée au développement de l'*individualisme.

**1** Œuvres autobiographiques : s'y mêlent le souci de connaissance et de sagesse au nom du «Connais-toi toi-même» de Socrate, le désir de se justifier et le plaisir de s'entretenir de soi : Montaigne, *Essais;* Rousseau, *Confessions, Rêveries du promeneur solitaire;* Chateaubriand, *Mémoires d'outre-tombe;* Rimbaud, *Une Saison en enfer;* Gide, *Si le grain ne meurt;* S. de Beauvoir, *Mémoires.*

**2** Poésie lyrique personnelle : Du Bellay, *Regrets;* Lamartine, *Méditations poétiques;* Musset, *Poésies nouvelles;* Hugo, *Les Feuilles d'automne, Les Contemplations;* Nerval, *Les Chimères;* Baudelaire, *Les Fleurs du mal;* Apollinaire, *Alcools;* Supervielle, *Gravitations,* Aragon, *Le Roman inachevé.*

**3** Œuvres vouées par leurs auteurs à l'étude d'eux-mêmes ou des problèmes de la personnalité.

*a)* Œuvres lyriques : Rousseau, *La Nouvelle Héloïse* (cf. *Sensibilité);* Sénancour, *Oberman;* Valéry, *Album de vers anciens* (Narcisse), *La Jeune Parque, Charmes.*

*b)* Œuvres porteuses d'une morale égotiste privilégiant l'individu supérieur (cf. *Égotisme, *Énergie) : Stendhal, *Le Rouge et le Noir, La Chartreuse de Parme, Lucien Leuwen;* Barrès, *Le Culte du Moi;* Gide, *Les Nourritures terrestres, L'Immoraliste;*

Malraux, *La Voie royale, Les Conquérants;* Giono, *Le Hussard sur le toit.*

*c)* Œuvres d'un caractère analytique : Proust, *A la recherche du temps perdu;* Valéry, *Monsieur Teste;* Sartre, *La Nausée;* Modiano, *Rue des Boutiques obscures.*

*d)* Œuvres peignant les conflits du moi et de la société : cf. *Individu, *Révolte, 1.

## Monarchie

Régime politique dans lequel l'*autorité politique est exercée par un seul homme — un roi ou un empereur —, avec transmission généralement héréditaire du pouvoir : Rabelais, *Gargantua* (le bon roi, Grandgousier, et le mauvais roi, Picrochole) ; La Bruyère, *Caractères,* X ; Montesquieu, *Lettres persanes, De l'Esprit des Lois;* Voltaire, *Lettres philosophiques, Le Siècle de Louis XIV, Essai sur les mœurs;* Rousseau, *Du contrat social.*

## Mort

Un des thèmes majeurs à toutes les époques : redoutée, consolatrice, ou désespérante, elle est de toute façon le sceau du *destin, le signe fondamental du *mal métaphysique (cf. *Mal, 2).

**1** La mort décrite et interprétée d'un point de vue chrétien ou spiritualiste : *La Chanson de Roland; Tristan et Iseut;* Villon, *Poésies;* d'Aubigné, *Les Tragiques;* Pascal, *Pensées;* Bossuet, *Sermons;* Rousseau, *La Nouvelle Héloïse;* Lamartine, *Méditations poétiques, Jocelyn;* Balzac, *Le Père Goriot, Le Lys dans la vallée;* Nerval, *Aurélia;* Hugo, *Les Contemplations;* Baudelaire, *Les Fleurs du mal;* Claudel, *l'Annonce faite à Marie;* Mauriac, *Le Nœud de vipères;* Bernanos, *Journal d'un curé de campagne.*

**2** La mort envisagée en dehors

des assurances de la religion chrétienne :

*a)* dans l'esprit des philosophies antiques : Montaigne, *Essais*, I, *13* (\*Épicurisme), I, 14-20 (\*Stoïcisme) ; Ronsard, *Odes, Amours* (\*Épicurisme) ; La Fontaine, *Fables*, VIII, *1, La Mort et le Mourant* (\*Épicurisme) ; Vigny, *Les Destinées (La Mort du loup* \*Stoïcisme) ;

*b)* dans le cadre de l'athéisme moderne : Barbusse, *Le Feu ;* Valéry, *Charmes ;* Martin du Gard, *Les Thibault (la Mort du père) ;* Malraux, *Les Conquérants, La Voie royale, La Condition humaine, L'Espoir ;* Camus, *Caligula, L'Étranger, La Peste ;* Vian, *L'Écume des jours ;* Giono, *Un Roi sans divertissement, Le Moulin de Pologne ;* Ionesco, *Le Roi se meurt.*

**3** Le suicide : cf. ce mot.

**4** L'euthanasie : R. Martin du Gard, *Les Thibault (La Consultation, La Mort du père).*

**5** La peine de mort : cf. \*Justice, 2, c.

## Moyen Age

Sujet en faveur au XIXᵉ siècle ; les éléments du thème sont : foi, \*cathédrale gothique, croisade, \*chevalerie ; superstitions, sorcellerie ; splendeurs et misères. Chateaubriand, *Le Génie du christianisme ;* Vigny, *Poèmes antiques et modernes (Le Cor) ;* Hugo, *Notre-Dame de Paris, La Légende des siècles* (IV, *Le Cycle héroïque chrétien ;* V, *Les Chevaliers errants).*

## Musicien. Musique

Voir R. Rolland, *Jean-Christophe* (le héros lui-même) ; Proust, *A la recherche du temps perdu* (la musique de Vinteuil ; Swann et «la petite phrase de Vinteuil») ; Duhamel, *Chronique des Pasquier* (la pianiste Cécile).

## Napoléon

Présent dans la littérature du XIXᵉ siècle comme personnage historique et surtout comme mythe héroïque (soldat de la Révolution, conquérant) : Stendhal, *Le Rouge et le Noir, La Chartreuse de Parme, Lucien Leuwen ;* Balzac, *La Comédie humaine ;* Vigny, *Servitude et grandeur militaires ;* Hugo, *Châtiments ;* Chateaubriand, *Mémoires d'outre-tombe.* Est encore dépeint au XXᵉ siècle : Aragon, *La Semaine sainte.*

## Nature

**1** Notion d'ordre métaphysique et moral : principe premier animant la vie du monde. Ce principe est une règle de pensée pour beaucoup : cf. \*Épicurisme, \*Stoïcisme ; mythe du \*bon sauvage. On l'oppose aux notions de \*civilisation et de culture. *Roman de la Rose* (2ᵉ partie) : Rabelais, *Le Quart Livre ;* Montaigne, *Essais ;* Molière, *Les Précieuses ridicules, L'École des femmes, Les Femmes savantes, Le Malade imaginaire ;* Rousseau, *Discours, Émile ;* Diderot, *Supplément au Voyage de Bougainville, Jacques le Fataliste ;* Bernardin de Saint-Pierre, *Paul et Virginie ;* Hugo, *Les Feuilles d'automne ;* Gide, *Les Nourritures terrestres, L'Immoraliste ;* Lévi-Strauss, *Tristes Tropiques ;* Tournier, *Vendredi ou les Limbes du Pacifique.*
Le prestige de ce principe se retrouve lorsqu'on envisage la nature au sens 2.

**2** Domaine constitué par le paysage terrestre et sa vie en dehors des interventions humaines. Le sentiment de la nature est le mouvement de sensibilité qui porte les hommes vers le domaine de la nature.

*a)* Jusqu'au XVIIIᵉ siècle, le sentiment de la nature n'occupe qu'une place modeste dans la littérature : Charles d'Orléans, *Poésies;* Ronsard, *Odes.*

b) A partir de Rousseau, il est à la mode.

— Rapports de la sensibilité et de la nature (cf. *Rêverie, *Mélancolie) : Rousseau, *La Nouvelle Héloïse, Les Confessions, Rêveries;* Bernardin de Saint-Pierre, *Paul et Virginie;* Sénancour, *Oberman;* Chateaubriand, *Atala, René, Mémoires d'outretombe;* Lamartine, *Méditations poétiques, Jocelyn;* Balzac, *Le Lys dans la vallée;* Stendhal, *La Chartreuse de Parme;* Hugo, *Les Feuilles d'automne, Les Contemplations;* Leconte de Lisle, *Poèmes barbares;* Fromentin, *Dominique;* Vigny, *Les Destinées;* Verlaine, *Poèmes saturniens, Romances sans paroles;* Gide, *Les Nourritures terrestres, L'Immoraliste;* Verhaeren, *Toute la Flandre;* Proust, *A la recherche du temps perdu;* Colette, *La Maison de Claudine, La Naissance du jour;* Giono, *Regain, Le Hussard sur le toit.*
— Interrogation du langage de la nature : Nerval, *Aurélia;* Baudelaire, *Les Fleurs du mal (Correspondances);* Hugo, *Les Contemplations;* Proust, *A la recherche du temps perdu.*
—Dialogue de l'esprit et de la nature : Valéry, *Album de vers anciens, Charmes;* Supervielle, *Gravitations.*
— Peinture de la vie rurale : cf. *Terre.

**3** Certains opposent vigoureusement l'art à la nature : Baudelaire, *Curiosités esthétiques;* Huysmans, *A rebours.*

## Néant

**1** Néant de l'homme par rapport à Dieu : Pascal, *Pensées;* Montherlant (qui s'est intéressé à l'expression chrétienne de ce sentiment, bien qu'il déclare ne pas avoir la foi),

*Le Maître de Santiago, Le Cardinal d'Espagne.*

**2** Sentiment du néant d'un point de vue athée : cf. *Absurde.

## Noblesse

L'un des trois ordres dans la société française d'avant 1789 (cf. *Classes sociales). Sa règle morale est l'honneur, mais elle est constamment critiquée en raison de ses privilèges et de ses travers (préjugé nobiliaire, oisiveté, morgue, parasitisme) : Molière, *Dom Juan;* La Fontaine, *Fables;* La Bruyère, *Caractères,* VIII et IX ; Cf. *cour; Montesquieu, *Lettres persanes;* Marivaux, *L'Ile des Esclaves;* Voltaire, *Lettres philosophiques, Candide;* Diderot, *Jacques le Fataliste;* Beaumarchais, *Le Mariage de Figaro.*

## Objection de conscience

Refus de porter les armes au nom d'un idéal philosophique ou religieux : R. Rolland, *Jean-Christophe (Dans la maison);* R. Martin du Gard, *Les Thibault (L'Été 14).*

## Ouvriers

**1** Jusqu'au XIXᵉ siècle, les œuvres littéraires peignent seulement des artisans : cf. *Peuple.

**2** A partir du développement de la société industrielle au XIXᵉ siècle.

a) Mentions secondaires : Stendhal, *Le Rouge et le Noir* (famille de Julien Sorel) ; Balzac, *Illusions perdues* (le père Séchard) ; Flaubert, *L'Éducation sentimentale* (réunions politiques en 1848).

b) Peintures précises d'ouvriers, problèmes de la condition ouvrière : E. Sue, *Les Mystères de Paris;* Hugo, *Les Misérables* («la dégradation de l'homme par le prolétariat») ; Erckmann-Chatrian, *Maître Gaspard Fix* (ouvriers verriers) ; Zola,

*L'Assommoir* (ouvriers parisiens), *Germinal* (mineurs du Nord) ; J. Romains, *Les Hommes de bonne volonté* (I, *Le 6 octobre,* début. VI, *Les Humbles*) ; Aragon, *Les Cloches de Bâle* (grèves en province et à Paris), *La Semaine sainte* (ouvriers en 1815 et problème de la condition ouvrière au XXᵉ siècle). La pensée socialiste a pris naissance à partir de l'analyse de la condition ouvrière (cf. *Socialisme).

## Paix

Cf. *Guerre, 2, a.

## Paris

C'est la ville par excellence. Tous les caractères de la vie urbaine y ont acquis une dimension mythique.

**1**  Au XVIIᵉ siècle, achève de s'affirmer le privilège de Paris, monde distinct de la *Cour (La Bruyère, *Les Caractères,* VII, *De la Ville*), déjà fiévreux et bruyant qui constitue « le grand bureau des merveilles, le centre du bon goût, du bel esprit et de la galanterie » *(Les Précieuses ridicules).

**2**  Au XVIIIᵉ siècle, les traits de Paris se précisent : la capitale, avec sa vie intense, symbolise la civilisation (Montesquieu, *Lettres persanes ;* Voltaire, *Lettres philosophiques),* mais devient aussi le creuset des passions et des vices (Prévost, *Manon Lescaut ;* Voltaire, *Candide,* XXII, *L'Ingénu ;* Diderot, *Le Neveu de Rameau).

**3**  Au XIXᵉ siècle, Paris, qui a fait la révolution de 1789 (*Révolution), se distingue de plus en plus du reste de la France (*Province) et attire les jeunes provinciaux ambitieux : Julien Sorel *(Le Rouge et le Noir),* Eugène de Rastignac, *(Le Père Goriot),* Lucien de Rubempré *(Illusions perdues),* Frédéric Moreau *(L'Éducation sentimentale).* En raison de sa crois-

sance, la capitale fait figure de Babel moderne où se côtoient la richesse insolente et la misère, où s'accomplissent des drames extraordinaires et se goûte une vie d'une intensité neuve (cf. *Vie moderne) : Balzac, *La Comédie humaine,* surtout *Le Père Goriot, Illusions perdues ;* E. Sue, *Les Mystères de Paris ;* Baudelaire, *Les Fleurs du mal (Tableaux parisiens), Petits Poèmes en prose ;* Goncourt, *Germinie Lacerteux ;* V. Hugo, *Les Misérables ;* E. Zola, *La Curée, L'Assommoir ;* Villiers de l'Isle-Adam, *Contes cruels ;* Maupassant, *Contes et nouvelles, Bel-Ami.*

**4**  Au XXᵉ siècle, Paris reste présenté comme un univers à part où la vie est d'une qualité inimitable : Apollinaire, *Alcools, Calligrammes ;* Breton, *Nadja ;* J. Romains, *Les Hommes de bonne volonté,* I *(Le 6 octobre) ;* III *(Les Amours enfantines).*

## Passions

L'*amour, la *jalousie, l'*ambition, le désir de gloire, la haine, l'*avarice sont parmi les passions le plus souvent dépeintes. Employé absolument, le mot *passion* désigne l'amour.

**1**  La sagesse antique (cf. *Sage) et la morale chrétienne considèrent les passions comme des preuves de faiblesse et des causes de désordre : Pascal, *Pensées ;* La Rochefoucauld, *Maximes ;* La Fontaine, *Fables,* XII, 1 *(Les Compagnons d'Ulysse).* Cf. *Souffrance, 1, a et 2, a.

**2**  Les morales héroïques exaltent cependant certaines passions (amour, honneur, ambition, désir de surpassement) comme autant de signes de la qualité d'une âme : cf. *Énergie, 1, b.

**3**  A partir du XVIIIᵉ siècle, du fait

de la valorisation de la *sensibilité, les passions fortes trouvent leur justification et leur dignité dans leur sincérité : Prévost, *Manon Lescaut ;* Hugo, *Hernani, Ruy Blas ;* Dumas, *Antony ;* Stendhal, *Le Rouge et le Noir, La Chartreuse de Parme ;* Mérimée, *Colomba, Carmen ;* Musset, *Poésies nouvelles.* La passion devient même l'excuse de l'immoralisme ou du crime ; mais la condamnation traditionnelle des effets de la passion subsiste même chez ceux qui en peignent la force fascinante : Hugo, *Notre-Dame de Paris* (Claude Frollo) ; Balzac, *La Peau de chagrin* (Raphaël de Valentin), *Eugénie Grandet* (Grandet), *Illusions perdues* (Lucien de Rubempré, Coralie), *Splendeurs et misères des courtisanes* (Lucien, Esther, Vautrin-Herrera), *La Cousine Bette* (Bette, le baron Hulot).

**4** A partir de Flaubert, la tendance à l'analyse clinique et à la peinture réaliste dépouille souvent les passions de leur prestige pour ne laisser subsister que leurs manifestations douloureuses et dégradantes : Flaubert, *Madame Bovary, L'Éducation sentimentale ;* Goncourt, *Germinie Lacerteux ;* Zola, *La Curée, La Terre ;* Maupassant, *Contes et nouvelles ;* Proust, *A la recherche du temps perdu* (Swann, le narrateur) ; Mauriac, *Thérèse Desqueyroux, Le Nœud de vipères ;* Druon, *Les Grandes Familles.*

## Patrie. Patriotisme

Le mot *patrie* désigne tantôt la terre natale, tantôt la communauté nationale à laquelle on appartient. Le patriotisme est l'amour de la patrie, accompagné du sentiment des devoirs que l'on a envers elle.

**1** Thème du pays natal (liens sentimentaux et charnels) ; Charles d'Orléans, *Poésies ;* du Bellay, *Regrets ;* Verhaeren, *Toute la* Flandre ; Péguy, *Victor-Marie, comte Hugo.*

**2** Thème politique de la patrie.

*a)* Au XVIIIe siècle, les philosophes superposent à l'idée de patrie la république des Lumières et opposent au patriote d'esprit étroit le citoyen de l'univers : Voltaire, *Dictionnaire philosophique.*

*b)* La Révolution française renforce l'idée traditionnelle de patrie en substituant à la subordination des sujets à l'égard du souverain la notion de devoir civique à l'égard de la France (décret sur la patrie en danger, 11 juillet 1792) : V. Hugo, *Quatre-vingt-treize ;* A. France, *Les Dieux ont soif.*

*c)* Au XIXe siècle, la restauration de la monarchie française par les souverains d'Europe appliqués à effacer les traces de la Révolution de 1789 a deux effets :

— La légende de *Napoléon bénéficie de la réaction de l'orgueil patriotique contre l'étranger.

— La patrie devient un thème essentiel de l'idéal républicain : Michelet, *Le Peuple, Histoire de France ;* Hugo, *Les Châtiments.* Ce patriotisme est conçu non pas comme le rival, mais comme le serviteur de l'idéal humanitaire de fraternité : cf. *France, 2, b.

*d)* A la fin du XIXe siècle, la défaite de 1870 ayant avivé le nationalisme, la patrie et le patriotisme deviennent des thèmes politiques majeurs ; la littérature reflète ces préoccupations : Zola, *La Débâcle ;* R. Martin du Gard, *Jean Barois* (affaire Dreyfus). Des écrivains cherchent à s'élever au-dessus des passions patriotiques étroites : R. Rolland, *Jean-Christophe.*

*e)* Ce dernier effort se poursuit après la guerre de 1914 : R. Martin du Gard, *Les Thibault ;* J. Romains, *Les Hommes de bonne volonté.*

*f)* La guerre de 1939-1945 a rendu

momentanément la priorité au patriotisme traditionnel : cf. *France, 2, e. *Résistance.
Depuis la Seconde Guerre mondiale, l'évolution du monde a conduit à concevoir des solidarités et des devoirs à un autre niveau que celui de la patrie : cf. *Europe, 2.

## Pauvre. Pauvreté

Cf. *Misère.

## Paysans

La vie et le caractère des paysans font l'objet :

**1** de peintures pittoresques, comiques ou satiriques : *Le Roman de Renard, La Farce de Maître Pathelin ;* Rabelais, *Gargantua,* XXV ; Molière, *Dom Juan, Le Médecin malgré lui ;* La Fontaine, *Fables,* IX, 4 *(Le Gland et la Citrouille) ;* Balzac, *Les Chouans ;* Maupassant, *Contes et nouvelles ;*

**2** d'éloges systématiques (cf. *Terre, 1) : George Sand, *La Mare au diable ;* Giono, *Regain ;*

**3** d'études d'esprit réaliste (cf. *Terre, 2) : La Bruyère, *Caractères,* XI *(De l'homme) ;* La Fontaine, *Fables,* I, 16 *(La Mort et le Bûcheron) ;* Diderot, *Jacques le Fataliste ;* Balzac, *Les Paysans ;* Flaubert, *Madame Bovary* (la noce, les comices) ; Zola, *La Terre ;* Maupassant, *Contes et nouvelles.*

## Péché

Cf. *Faute.

## Peine de mort

Cf. *Justice, 2, c.

## Peuple

**1** Jusqu'au XVIIIᵉ siècle, le peuple occupe une place réduite dans la peinture des classes sociales (cf. *Paysan, *Soldat, *Valet, *Ouvrier, *Pauvre).
Prennent la défense du peuple : Bossuet, *Sermons (Sur le mauvais riche) ;* La Fontaine, *Fables,* I, 16 *(La Mort et le Bûcheron).* Peignent les rapports de classe entre les privilégiés et le peuple : Marivaux, *L'Île des Esclaves ;* Prévost, *Manon Lescaut ;* Diderot, *Jacques le Fataliste* (comédie sociale) ; Beaumarchais, *Le Barbier de Séville, Le Mariage de Figaro* (revendication de l'homme du peuple, Figaro).

**2** A partir du XIVᵉ siècle, le peuple est l'objet de peintures plus larges : cf. *Ouvrier, *Paysan, et voir également : Michelet, *Le Peuple ;* Goncourt, *Germinie Lacerteux ;* Hugo, *Quatre-vingt-treize ;* Péguy, *Victor-Marie, comte Hugo.*
Des notions nouvelles sont introduites par les analyses socialistes de la société (prolétaire, prolétarisation, exploitation du peuple, lutte des classes) : cf. *Socialisme.

## Philosophe

**1** Aux XVIᵉ et XVIIᵉ siècles, on tend à confondre ce type d'homme avec le *sage : Montaigne, *Essais ;* La Fontaine, *Fables.*

**2** Au XVIIIᵉ siècle, des préoccupations nouvelles définissent le philosophe : culte de la *Raison, exercice de l'*esprit critique, service de la *société et du *progrès (cf. *Encyclopédie,* article *Philosophe*). Il constitue un modèle auquel on se réfère constamment : Montesquieu, *Lettres persanes ;* Voltaire, *Lettres philosophiques, Zadig, Micromégas ;* Diderot, *Le Neveu de Rameau.*

**3** Au-delà, le philosophe perd ce caractère familier pour prendre celui de technicien de la philosophie.

## Plaisir

**1** Souverain bien dans la morale épicurienne : cf. *Épicurisme.

**2** Tentation tenue pour dangereuse par la morale chrétienne (cf. *Péché).

**3** Objets des recherches et des réflexions de divers égotistes : cf. *Libertin; voir aussi Barrès, *Le Culte du Moi*; Gide, *Les Nourritures terrestres*, *L'Immoraliste*, *Si le grain ne meurt*.

## Poète

**1** Personnage assumé par les auteurs lorsqu'ils se mettent en scène dans leur poésie.

*a)* Courtisan et maître du bien dire : Marot, *Poésies*; Malherbe, *Poésies*.
*b)* Favori des Muses, inspiré des Dieux : Du Bellay, *Regrets*; Ronsard, *Odes*; La Fontaine, *Fables*.

*c)* Rêveur, ami des plaisirs, chantre de la beauté et de l'amour : Ronsard, *Odes, Amours*; La Fontaine, *Fables*.

*d)* Être sensible et vulnérable, prédestiné au malheur : Villon, *Poésies*; Lamartine, *Méditations poétiques*; Musset, *Poésies nouvelles*. Naissance du mythe du «poète maudit» (cf. *Malheur, 1, c) : Baudelaire, *Les Fleurs du mal*; Verlaine, *Poèmes saturniens*; Rimbaud, *Une Saison en enfer*; Laforgue, *Les Complaintes*; Mallarmé, *Poésies*.

*e)* Esprit supérieur, à l'écoute du monde, «visionnaire» communiquant avec le surnaturel et l'invisible; «écho» et «mage» : Hugo, *Les Orientales*, *Les Feuilles d'automne*, *Les Contemplations (Les Mages)*. Mystique déchu des régions pures de l'idéal : Baudelaire, *Les Fleurs du mal*; Mallarmé, *Poésies*. «Voyant» : Rimbaud, *Poésies*, *Une Saison en enfer*, *Illuminations*; Lautréamont, *Les Chants de Maldoror*. Spectateur émerveillé : Apollinaire, *Alcools, Calligrammes*; Supervielle, *Gravitations*. Maître de l'imaginaire : Michaux, *L'Espace du dedans*. Officiant d'une célébration : Saint-John Perse, *Amers*. Témoin lyrique : Aragon, *Le Roman inachevé*.

*f)* Artiste lucide, maître des artifices du langage : Valéry, *Charmes*; Ponge, *Le Parti pris des choses*. Jongleur soumis aux mots et aux images : Éluard, *Capitale de la douleur*.

**2** Personnage de fictions : Vigny, *Chatterton*; Balzac, *Illusions perdues (Les Deux Poètes)*; Cocteau, *Orphée*.

## Pouvoir

**1** Exercice du pouvoir politique : Corneille, *Cinna*; Racine, *Britannicus*; Stendhal, *La Chartreuse de Parme* (Ranuce-Ernest IV, Mosca), Lucien Leuwen (2ᵉ partie); Jarry, *Ubu roi*; Montherlant, *La Reine morte*, *Le Cardinal d'Espagne*; Yourcenar, *Mémoires d'Hadrien*.

**2** Goût de la puissance, volonté de puissance : Balzac, *Le Père Goriot*, *Illusions perdues* (Vautrin, Rastignac); J. Romains, *Knock*; Malraux, *Les Conquérants* (Garine), *La Voie royale* (Perken), *La Condition humaine* (Ferral).

## Préciosité

Comme mouvement de revendication féministe propre au milieu du XVIIᵉ siècle : Mᴵˡᵉ de Scudéry, *Clélie*; Molière, *Les Précieuses ridicules*, *Les Femmes savantes*.

## Préjugés

Les préjugés, opinions préconçues héritées du milieu où l'on vit, sont adoptés par *conformisme et peuvent conduire au *fanatisme. Ils sont les ennemis de l'*esprit critique. Ils se manifestent dans tous les domaines.

**1** Préjugés moraux et religieux : Molière, *Tartuffe*; Bayle, *Pensées* sur la comète ; Voltaire, *Lettres phi-losophiques, Zadig, Candide, Traité sur la tolérance ; Encyclopédie ;* Gide, *Les Caves du Vatican.*

**2** Préjugés sociaux (cf. *Classes sociales) : Molière, *Le Bourgeois gen-tilhomme ;* Marivaux, *La Vie de Marianne ;* Voltaire, *Lettres philoso-phiques ;* Rousseau, *La Nouvelle Héloïse, Émile, Confessions ;* Dide-rot, *Jacques le Fataliste ;* Stendhal, *Le Rouge et le Noir ;* Balzac, *La Comédie humaine ;* Hugo, *Les Misé-rables* (contre l'ancien forçat et tous les misérables) ; Martin du Gard, *Les Thibault ;* Mauriac, *Le Nœud de vipères.*

**3** Préjugés raciaux : cf. *Esclavage. Antisémitisme : R. Martin du Gard, *Jean Barois* (affaire Dreyfus).

## Prêtre

Cf. *Clergé.

## Progrès

Le thème du progrès, c'est-à-dire de la marche de l'humanité vers de plus grands pouvoirs et de plus grandes chances de bonheur, est lié à celui de la confiance en la nature humaine (cf. *Humanisme, 2 et 3 ; *Homme).

**1** Au XVIᵉ siècle, l'idée de pro-grès apparaît dans la pensée de la Renaissance : Rabelais, *Pantagruel,* chapitre VIII (lettre de Gargantua à Pantagruel), *Le Tiers Livre,* cha-pitre LI (éloge du Pantagruélion).

**2** Elle est incluse dans la volonté cartésienne de faire de la science un moyen de maîtriser la nature : Descartes, *Discours de la méthode,* 6ᵉ partie ; Fontenelle, *Entretiens sur la pluralité des mondes.*

**3** Au XVIIIᵉ siècle, naît vraiment le désir systématique de transformer le monde au lieu de s'en accommo-der comme fait le *sage de la tra-

dition antique ; la *raison, l'*esprit criti-que et la *science sont exaltés comme des forces de progrès : Montes-quieu, *Lettres persanes ;* Voltaire, *Lettres philosophiques ; Encyclo-pédie.* Si Rousseau met en doute le progrès moral *(Discours sur les sciences et les arts),* il fournit les principes raisonnés d'une société plus juste *(Du contrat social).* La foi dans le progrès inspire la vision huma-niste de l'histoire (cf. *Histoire, 1, b).

**4** Au XIXᵉ siècle, la croyance au progrès est au cœur de l'idéal démocratique (cf. *Démocratie) : Michelet, *Histoire de France ;* Hugo, *Châtiments, Les Misérables, La Légende des siècles, L'Homme qui rit, Quatre-vingt-treize.* Le progrès scientifique et technique suscite les fictions de Jules Verne : *Le Tour du monde en 80 jours, De la Terre à la Lune.*

**5** La croyance au progrès est mise en cause au XXᵉ siècle dans la criti-que de l'optimisme humaniste hérité des siècles précédents : cf. *Homme, 5 ; *Absurde.

## Providence

Dans la pensée chrétienne, action infaillible par laquelle Dieu gouverne le monde. La conception de la Pro-vidence pose deux problèmes : comment concilier la bonté divine avec l'existence du *mal? la volonté de Dieu avec la *liberté des hommes ?

**1** Éloge de la Providence : Bos-suet, *Discours sur l'histoire univer-selle ;* Lamartine, *Jocelyn* (8ᵉ épo-que) ; Claudel, *L'Annonce faite à Marie, Le Soulier de satin.*

**2** Mise en cause de la Providence : Voltaire, *Zadig, Candide ;* Camus, *La Peste* (prêche du P. Paneloux).

## Province

Thème spécifique opposé à celui de *Paris. Éléments caractéristiques :

immobilisme, lenteur, conformisme, mais sérieux ; calme et bonheur, mais aussi ennui ; archaïsme tantôt pittoresque, tantôt ridicule. Stendhal, *Le Rouge et le Noir, Lucien Leuwen ;* Balzac, *La Comédie humaine, Eugénie Grandet, Le Lys dans la vallée, Illusions perdues, Les Paysans ;* Flaubert, *Madame Bovary ;* Fromentin, *Dominique ;* Daudet, *Les Lettres de mon moulin ;* Zola, *Les Rougon-Macquart ;* Maupassant, *Contes et nouvelles ;* Proust, *A la recherche du temps perdu* (peinture de Combray) ; Colette, *La Maison de Claudine ;* Mauriac, *Thérèse Desqueyroux, Le Nœud de vipères ;* J. Romains, *Les Hommes de bonne volonté* (VIII, *Province*) ; Sartre, *La Nausée ;* S. de Beauvoir, *Mémoires d'une jeune fille rangée.*

## Pureté

État moral étranger au *mal.

**1** Privilège de l'enfant : cf. *Enfance.

**2** État auquel aspirent les êtres épris d'absolu et tourmentés par un sentiment de culpabilité (cf. *Péché, *Faute) : Musset, *La Confession d'un enfant du siècle, Les Caprices de Marianne, Lorenzaccio, Poésies nouvelles ;* Baudelaire, *Les Fleurs du mal ;* Hugo, *L'Homme qui rit ;* Rimbaud, *Une Saison en enfer ;* Gide, *La Porte étroite, Si le grain ne meurt ;* Anouilh, *Antigone, La Sauvage ;* Giraudoux, *Électre ;* Montherlant, *La Reine morte, Le Maître de Santiago, Port-Royal, Le Cardinal d'Espagne ;* Sartre, *Les Mains sales.*

## Rachat

Cf. *Faute.

## Raison

Jean de Meun lui donne la parole (*Le Roman de la Rose,* 2e partie). Montaigne met sa valeur en doute (*Essais,* II, 12), mais surtout affirme le droit d'en user (cf. *Esprit critique). Les *libertins, au XVIIe siècle, l'opposent à la religion : Molière, *Dom Juan.* Descartes fonde la philosophie et la connaissance scientifique sur le bon usage de la raison : *Discours de la méthode.* Désormais, « la raison est à l'égard du philosophe ce que la grâce est à l'égard du chrétien » (*Encyclopédie,* article *Philosophe*) : Bayle, *Pensées sur la comète ;* Fontenelle, *Entretiens sur la pluralité des mondes ;* Montesquieu, *Lettres persanes* (lettres XCVII), *De l'Esprit des Lois ;* Voltaire, *Lettres philosophiques, Essais sur les mœurs, Dictionnaire philosophique* (réédité en 1769 sous le titre *La Raison par alphabet*) ; Diderot, *Encyclopédie ;* Rousseau, *Émile.* Le rationalisme est pour l'avenir solidement établi malgré l'hostilité de la tradition religieuse (cf. *Science, 3 ; *Libre pensée).

## Réalité

**1** Depuis l'époque romantique, elle est ressentie comme une cause d'insatisfaction et de souffrance par opposition au *rêve et à l'*imaginaire. Les poètes cherchent à passer au-delà pour atteindre la *surréalité. La réalité remporte aussi d'heureuses victoires sur le rêve : Giraudoux, *Intermezzo, Amphitryon 38.*

**2** La réalité vue comme objet de connaissance et d'interprétation pour l'écrivain : Proust, *A la recherche du temps perdu ;* Gide, *Les Faux-Monnayeurs ;* Aragon, *La Semaine sainte ;* Ponge, *Le Parti pris des choses ;* Robbe-Grillet, *La Jalousie.*

**3** La réalité et l'illusion théâtrale : Corneille, *L'Illusion comique ;* Genet, *Les Bonnes.*

## Religion

Pour l'essentiel, la littérature française reflète ce problème sous les aspects qu'il revêt dans un pays de tradition chrétienne.

**1** Illustrations, apologie et interprétations de la religion chrétienne : cf. *Christianisme, 1 ; *Grâce ; *Providence.

**2** Conflits religieux : cf. *Fanatisme, *Tolérance, *Préjugés, 1.

*a)* Catholiques et protestants. Guerres de Religion au XVIe siècle : Rabelais, *Le Quart Livre* (Papefigues et Papimanes) ; Montaigne, *Essais ;* d'Aubigné, *Les Tragiques.* Persécutions frappant les protestants au XVIIe et au XVIIIe siècle : Voltaire, *Le Siècle de Louis XIV, L'Ingénu, Traité sur la tolérance.*

*b)* Querelle du jansénisme : cf. *Jansénisme.

*c)* L'Église contre le libertinage : cf. *Libertin.

*d)* L'Église contre la libre pensée (cf. *Athéisme, 3) : R. Martin du Gard, *Jean Barois.*

**3** Refus des religions établies :

*a)* Déisme philosophique : Voltaire, *Zadig* (ch. XII), *Traité sur la tolérance, Dictionnaire philosophique.*
— «Religion naturelle» : Rousseau, *La Nouvelle Héloïse, Émile (Profession de foi du vicaire savoyard), Confessions* (VI, séjour aux Charmettes).

*b)* Athéisme : voir ce mot.

**4** Vocations religieuses : cf. *Foi, *Christianisme, 2 ; *Sainteté ; *Péché ; *Salut ; *Grâce.

## République

**1** Au sens ancien d'*État :* cf. *État.

**2** Régime politique dans lequel, la souveraineté appartenant au peuple, l'exécutif et le législatif procèdent de l'élection.

*a)* Étudié dans ses principes : cf. *Démocratie.

*b)* Peint dans la réalité historique française :
— la naissance héroïque et violente de la République (Ire République, septembre 1792-mai 1804) : Balzac, *Les Chouans ;* Stendhal, *La Chartreuse de Parme* (l'épopée républicaine en Italie) : Hugo, *Châtiments (O soldats de l'an deux), Quatre-vingt-treize ;* A. France, *Les Dieux ont soif ;*
— l'idéal républicain au XIXe siècle : Michelet, *Le Peuple, Histoire de France ;* Hugo, *Châtiments, Les Misérables* (Enjolras), *Quatre-vingt-treize ;* Flaubert, *L'Éducation sentimentale ;* Erckmann-Chatrian, *Maître Gaspard Fix ;* Vallès, *L'Insurgé ;* Aragon, *La Semaine sainte ;*
— l'idéal républicain et les problèmes politiques au début du XXe siècle : J. Romains, *Les Hommes de bonne volonté.*

## Résistance

Résistance à l'occupation allemande pendant la Seconde Guerre mondiale : Aragon, *Les Yeux d'Elsa, La Diane française ;* Vercors, *Le Silence de la mer ;* Vailland, *Drôle de jeu.* Cf. *Engagement, *Patrie, 6.

## Responsabilité

Principe moral particulièrement mis en valeur par certains modernes en même temps que les notions de *solidarité et d'*engagement. Sartre, *Les Mouches, Huis clos, Situations, Le Diable et le Bon Dieu, Les Mots ;* Camus, *La Peste ;* S. de Beauvoir, *Mémoires d'une jeune fille rangée.*

## Rêve

C'est à partir du XIXe siècle que s'est développé l'intérêt pour le rêve sous ses différents aspects.

**1** Activité de l'esprit pendant le sommeil, hors du contrôle de la volonté : Nerval, *Aurélia ;* Proust, *A la recherche du temps perdu ;* Breton, *Manifestes du surréalisme.*

**2** Complaisance à se forger des fictions à l'état de veille. C'est un aspect important de la *vie intérieure, proche de la *rêverie, mais impliquant un rejet plus net de la *réalité, car il procède de l'insatisfaction et du désir d'*évasion : Nerval, *Les Chimères, Sylvie ;* Flaubert, *Madame Bovary ;* Baudelaire, *Les Fleurs du mal (Le Reniement de saint Pierre), Petits Poèmes en prose ;* Huysmans, *A rebours ;* Alain-Fournier, *Le Grand Meaulnes ;* Giraudoux, *Intermezzo ;* Butor, *La Modification.* Cette activité de l'esprit peut être considérée comme un moyen privilégié d'atteindre des vérités cachées à la *raison, une sorte de *surréalité : Hugo, *Les Feuilles d'automne, Les Contemplations, La Légende des siècles ;* Rimbaud, *Une Saison en enfer, Illuminations ;* Breton, *Manifestes du surréalisme, Nadja ;* Michaux, *L'Espace du dedans.*

### Rêverie

Vagabondage de l'esprit cédant à des sollications affectives hors du contrôle de l'attention, la rêverie est devenue un thème littéraire à partir de Rousseau *(Confessions, Rêveries).* C'est un élément essentiel de la *vie intérieure. La *sensibilité fait sa richesse, elle se nourrit de *souvenirs ou du spectacle de la *nature, peut se nuancer de *mélancolie ou d'*ennui, se prolonger en *rêve : Sénancour, *Oberman ;* Chateaubriand, *René, Le Génie du Christianisme* («le vague des passions») ; Hugo, *Les Feuilles d'automne, Les Contemplations ;* Nerval, *Sylvie ;* Baudelaire, *Les Fleurs du mal, Petits Poèmes en prose ;* Verlaine, *Poèmes saturniens, Les Fêtes galantes, Romances sans paroles ;* Proust, *A la recherche du temps perdu.*

### Révolte

Refus d'adhérer à un ordre social, moral, métaphysique, ressenti comme injuste ou absurde.

**1** La révolte comme fait individuel : Molière, *Dom Juan* (cf. *Libertin) ; Baudelaire, *Les Fleurs du mal* (cf. *Satanisme) ; Rimbaud, *Poésies, Une Saison en enfer ;* Gide, *Les Nourritures terrestres, l'Immoraliste* (cf. *Immoralisme) ; R. Rolland, *Jean-Christophe ;* Breton, *Manifestes du surréalisme ;* Malraux, *Les Conquérants, La Voie royale ;* Céline, *Voyage au bout de la nuit ;* Anouilh, *La Sauvage, Antigone ;* Sartre, *La Nausée, Le Diable et le Bon Dieu ;* Camus, *Caligula, Le Mythe de Sisyphe ;* Vian, *L'Écume des jours ;* S. de Beauvoir, *Mémoires d'une jeune fille rangée.*

**2** La révolte comme fait collectif : cf. *Résistance, *Révolution.

### Révolution

Nous pensons ici à toute entreprise exprimant une révolte et visant à transformer l'État et la société par une action violente contre l'ordre existant (cf. *Violence).

**1** Pour les Français, l'idée de révolution s'est trouvée longtemps incarnée dans la Révolution de 1789 : Stendhal, *La Chartreuse de Parme ;* Balzac, *La Comédie humaine ;* Chateaubriand, *Mémoires d'outre-tombe ;* Hugo, *Châtiments, Quatre-vingt-treize ;* Michelet, *Histoire de France ;* A. France, *Les Dieux ont soif ;* Claudel, *l'Otage.*

**2** Autres révolutions et espoirs révolutionnaires (cf. *Socialisme, *Communisme) : Hugo, *Les Misérables* (3e partie, livre IV : l'étudiant Enjolras ; 4e partie : émeutes de 1832). 1848 : Flaubert, *L'Éducation sentimentale.* Commune de Paris (1871) : Vallès, *L'Insurgé ;* Zola, *La*

*Débâcle*. Révolution russe de 1917 :
J. Romains, *Les Hommes de bonne
volonté*. Chine : Malraux, *Les Conquérants, La Condition humaine*.
Espagne (1936) : Malraux, *L'Espoir*.

## Rome

**1** La Rome antique, source de la
civilisation occidentale, modèle politique, moral, intellectuel et artistique
(cf. *Humanisme, *Épicurisme, *Stoïcisme) :
du Bellay, *Les Antiquités de Rome*;
Ronsard, *Odes*; Montaigne, *Essais*;
Corneille, *Cinna, Polyeucte*; Racine,
*Britannicus, Bérénice*; Bossuet, *Discours sur l'histoire universelle*;
Montesquieu, *De l'Esprit des Lois*;
Rousseau, *Discours sur les sciences
et les arts* (mythe du vieux Romain);
Hugo, *La Légende des siècles*;
Valéry, *Variété* (*Note ou L'Européen*); Yourcenar, *Mémoires
d'Hadrien*.

**2** La Rome chrétienne : Du Bellay,
*Regrets*; Rabelais, *Le Quart Livre*;
J. Romains, *Les Hommes de bonne
volonté* (XII, *Mission à Rome*).

## Sacrifice

Renoncement à soi-même, à ses
intérêts et à ses sentiments en
faveur d'autrui ou de valeurs plus
hautes (cf. *Honneur, *Vertu, *Dieu,
devoir du *soldat, *Patrie). Le sacrifice
a de la grandeur (cf. *Héroïsme) et
se trouve parfois recherché comme
un moyen de rachat (cf. *Faute, *Souffrance, 2, b).
Corneille, *Le Cid, Polyeucte*; Racine,
*Andromaque, Bérénice*; Mᵐᵉ de
Lafayette, *La Princesse de Clèves*;
Rousseau, *La Nouvelle Héloïse*;
Lamartine, *Jocelyn*; Vigny, *Servitude et Grandeur militaires*; Balzac,
*Le Père Goriot*; Gide, *La Porte
étroite*; Claudel, *L'Otage,
L'Annonce faite à Marie, Le Soulier
de satin*; Mauriac, *Le Nœud de vipères, La Fin de la nuit*.

## Sage. Sagesse

Le sage est un type humain idéal
emprunté à l'*Antiquité gréco-latine
(cf. *Épicurisme, *Stoïcisme, *Scepticisme),
alors que le *saint est un modèle
chrétien. La réflexion sur le sage et
la sagesse occupe une grande place
dans les œuvres moralistes.
Montaigne, *Essais*; Pascal, *Pensées*
(y est dénoncée l'insuffisance des
sagesses antiques); La Fontaine,
*Fables*; La Bruyère, *Caractères*, II;
Lesage, *Gil Blas*; Voltaire, *Candide*,
XXX. A partir du XVIIIᵉ siècle, la
conception antique de la sagesse
perd du terrain devant le désir
moderne de transformer le monde
(cf. *Progrès, *Philosophe, *Engagement) et
devant l'idée que l'individu trouve
son accomplissement dans l'*action
(cf. *Énergie). Voir cependant. Yourcenar, *Mémoires d'Hadrien*.

## Saint. Sainteté

La sainteté est une qualité morale
définie par l'Église catholique qui
accorde le titre de saint et de sainte,
après leur mort, aux hommes et aux
femmes qui se sont élevés au-dessus de l'humanité commune par la
pureté de leur vie et le sacrifice
exemplaire qu'ils en ont fait à Dieu.
Tandis que le *héros reste toujours
orgueilleux de ce qu'il est, le propre
du saint est de se libérer de l'amour
de soi pour se donner entièrement à
l'amour de Dieu.
Joinville, *Histoire de saint Louis*;
Pascal, *Pensées* (les trois
«ordres»); Corneille, *Polyeucte*;
Flaubert, *La Tentation de saint
Antoine*; Claudel, *L'Annonce faite à
Marie* (Violaine); Duhamel, *Salavin*
(comment être un saint sans Dieu);
Bernanos, *Sous le soleil de Satan* (la
tentation de la sainteté chez un prêtre); Montherlant, *Port-Royal* (la tentation de la sainteté chez les religieuses de Port-Royal); Camus, *La
Peste* (Tarrou : un saint sans Dieu).

## Salut

Cf. *Faute.

## Satan. Satanisme

Satan, le chef des anges rebelles, le tentateur, l'adversaire de Dieu, le maître de l'enfer, constitue un thème moral et artistique traditionnel : *Le Jeu d'Adam;* Flaubert, *La Tentation de saint Antoine;* Bernanos, *Sous le soleil de Satan.*
Le culte de Satan, ou satanisme, est une mode de l'époque romantique : Baudelaire, *Les Fleurs du mal;* Lautréamont, *Les Chants de Maldoror;* Huysmans, *A rebours.*

## Scepticisme

**1** Doctrine philosophique consistant à tenir le vrai pour inaccessible et à s'abstenir de tout jugement affirmatif ou négatif. Pyrrhon (365-275 av. J.-C.) est le plus célèbre des sceptiques grecs. Montaigne *(Essais)* a «essayé» le scepticisme, mais ne s'y est pas arrêté. Descartes est ennemi du scepticisme et travaille à établir des certitudes : dans le *Discours de la méthode,* l'étape du doute n'est qu'une hypothèse provisoire. Pascal *(Pensées)* combat les sceptiques ou pyrrhoniens. Au scepticisme humaniste, Sartre oppose l'*engagement : *Les Mouches.*

**2** Perdant son sens rigoureux, le mot désigne le goût du libre examen (cf. *Esprit critique) : A. France, *Les Opinions de Monsieur Jérôme Coignard.*

## Science. Sciences

**1** Science et esprit scientifique au service de la connaissance et du progrès (cf. *Raison, *Progrès, *Civilisation) : Descartes, *Discours de la méthode;* Bayle, *Pensées sur la comète;* Fontenelle, *Entretiens sur la pluralité des mondes;* Montes-

quieu, *Lettres persanes;* Voltaire, *Lettres philosophiques; Micromégas;* Diderot, *Encyclopédie.*

**2** Critique des sciences : Rousseau, *Discours sur les sciences et les arts;* Flaubert, *Bouvard et Pécuchet;* A. France, *Les Opinions de Monsieur Jérôme Coignard.*

**3** Conflit de la science et de la religion : Flaubert, *La Tentation de saint Antoine;* R. Martin du Gard, *Jean Barois;* Duhamel, *Chronique des Pasquier;* cf. *Libre pensée.

**4** Anticipation scientifique (science-fiction). Un précurseur : Jules Verne *(De la Terre à la Lune).*

## Sensations

L'exploration du domaine des sensations, c'est-à-dire des impressions des sens, s'est développée avec la curiosité pour ce qui est de nature subjective (cf. *Sensibilité).
Elle est exceptionnelle avant le XVIIIe siècle : Montaigne, *Essais,* II, 6 (chute de cheval); II, 12 (vertige). Rousseau en révèle les ressources : *La Nouvelle Héloïse,* I, 23; *Confessions; Rêveries du promeneur solitaire,* V. Depuis, la notation de sensations neuves, modes de communion authentique avec le monde, est devenue l'une des vocations de la littérature : Chateaubriand, *Mémoires d'outre-tombe;* Baudelaire, *Les Fleurs du mal, Petits Poèmes en prose;* Rimbaud, *Une Saison en enfer (Délires II), Illuminations;* Verlaine, *Poèmes saturniens, Romances sans paroles;* Gide, *Les Nourritures terrestres, L'Immoraliste;* Apollinaire, *Alcools;* Cendrars, *La Prose du Transsibérien;* Proust, *A la recherche du temps perdu (Du côté de chez Swann);* Colette, *La Maison de Claudine, La Naissance du jour.* Certains cherchent une évasion dans des sensations artificielles : Huysmans, *A*

rebours ; Michaux, *L'Espace du dedans.*

## Sensibilité

Vers la fin du XVIIIe siècle, la capacité d'éprouver intensément sentiments et impressions devient un thème à la mode sous l'influence de Rousseau : *La Nouvelle Héloïse, Émile, Confessions, Rêveries.* La peinture de la sensibilité de l'âme est le grand sujet des œuvres préromantiques et romantiques : cf. *Rêverie, *Mélancolie, *Ennui, *Rêve, *Sensations.
Postérité immédiate de Rousseau : Bernardin de Saint-Pierre, *Paul et Virginie* ; Sénancour, *Oberman* ; Chateaubriand, *René* ; Lamartine, *Méditations* ; Balzac, *Le Lys dans la vallée* ; Nerval, *Sylvie.*

## Sincérité

**1** Cf. *Hypocrisie. Voir, en particulier, Molière, *Le Misanthrope.*

**2** La sincérité dans une œuvre autobiographique : Rousseau, *Les Confessions* ; Gide, *Les Faux-Monnayeurs.*

## Socialisme

«Ensemble des doctrines qui visent à une réforme radicale de l'organisation des sociétés humaines par la suppression des classes sociales grâce à la collectivisation des moyens de production et d'échange» *(Larousse encyclopédique).* Le «socialisme scientifique» de Marx *(Manifeste du parti communiste,* 1848) a inspiré le mouvement communiste international qui vise, dans son intention initiale, à prendre le pouvoir afin d'installer la dictature du prolétariat qui préparera, par le renforcement de l'*État, l'avènement de la société sans classes (cf. *Communisme). Le *socialisme libertaire,* à la différence du précédent, rêve de l'abolition de l'*État au nom de la

liberté individuelle ; c'est une variante de l'*anarchisme. A côté du *socialisme révolutionnaire* (cf. *Révolution) se sont développés des *socialismes réformistes* qui veulent modifier la société par la voie légale.
Voir surtout : Vallès, *L'Insurgé* ; Zola, *Germinal* ; R. Rolland, *Jean-Christophe* ; R. Martin du Gard, *Les Thibault (L'Été 14)* ; J. Romains, *Les Hommes de bonne volonté* (XIX, *Cette grande lueur à l'Est*) ; Malraux, *l'Espoir* ; Aragon, *Les Cloches de Bâle* ; Vailland, *Drôle de jeu.*

## Société

**1** État social par opposition à état de nature (cf. *Nature, 1, *Bon sauvage) : Montaigne, *Essais,* I, 31 *(Des cannibales)* ; Rousseau, *Discours sur les sciences et les arts, Discours sur l'origine de l'inégalité, Contrat social* ; Voltaire, *L'Ingénu* ; Diderot, *Jacques le Fataliste, Supplément au voyage de Bougainville* ; Lévi-Strauss, *Tristes Tropiques.*

**2** Arbitraire et imperfection des structures de la société (cf. *Coutumes, *Lois, *Classes sociales, *Justice, *Égalité) ; hypocrisie et corruption de la société (cf. *Conformisme, *Préjugés,* *Fanatisme) ; poids de la société sur l'individu (cf. *Révolte, 1, *Liberté, 2, *Individu).

**3** Service de la société : l'*honnête homme se plie à ses conventions.
A partir du XVIIIe siècle, se développe une sorte de religion du devoir civil : «La société civile est, pour ainsi dire, une divinité pour (le philosophe) sur la terre» *(Encyclopédie,* Article *Philosophe*). Cf. *Philosophe, *Engagement, *Solidarité, *Socialisme, *Communisme.

## Soldat

**1** Envisagé comme un type d'homme supérieur et exemplaire : il exerce un métier noble (cf. *Guerre,

1) et reste fidèle à l'idéal chevaleresque (\*honneur, courage, esprit de \*sacrifice). Vigny, *Servitude et grandeur militaires*; Stendhal, *Le Rouge et le Noir*, *La Chartreuse de Parme* (prestige de la carrière des armes auprès de Julien Sorel et de Fabrice del Dongo, en liaison avec leur admiration pour \*Napoléon); Balzac, *Les Chouans*; Hugo, *Châtiments (O soldats de l'an deux)*.

**2** Peint de façon réaliste, dans sa condition véritable : cf. \*Guerre, 2.

## Solidarité

Principe de conduite morale enseigné par la tradition humaniste.

**1** Il s'exprime dès le XVIIIe siècle dans la volonté de transformer le monde pour le bien de tous (cf. \*Progrès) et au XIXe siècle sous forme d'idéalisme social et humanitaire (Michelet, *Histoire de France*, *Le Peuple*; Hugo, *Les Misérables*, *La Légende des siècles*; Vigny, *Les Destinées*).

**2** Au XXe siècle, sous l'effet des épreuves de l'histoire, il est particulièrement valorisé par réaction contre l'\*individualisme, conjointement avec l'idée de \*responsabilité et le devoir d'\*engagement : R. Martin du Gard, *Les Thibault*; J. Romains, *Les Hommes de bonne volonté*; Aragon, *Les Cloches de Bâle*; Saint-Exupéry, *Terre des hommes*, *Citadelle*; Malraux, *La Condition humaine*, *Le Temps du mépris*, *L'Espoir*; Sartre, *Les Mouches*, *Le Diable et le Bon Dieu*; Camus, *La Peste*; S. de Beauvoir, *Mémoires d'une jeune fille rangée (La Force de l'âge)*; Ajar, *L'Angoisse du roi Salomon*.

## Souffrance

**1** Peinture de la souffrance : cf. \*Malheur, \*Destin.

*a)* Passions et souffrance : cf. \*Passions, 1 et 4. L'amour est par excellence la passion qui fait souffrir (cf. \*Amour, 1 ; \*Jalousie) : Béroul, *Tristan et Iseut*; Racine, *Andromaque*, *Phèdre*; Guilleragues, *Lettres portugaises*; Mme de Lafayette, *la Princesse de Clèves*; Prévost, *Manon Lescaut*; Rousseau, *La Nouvelle Héloïse*; Constant, *Adolphe*; Hugo, *Ruy Blas*; Musset, *La Confession d'un enfant du siècle, Poésies nouvelles*; Balzac, *Eugénie Grandet, Le Lys dans la vallée*; Flaubert, *Madame Bovary, L'Éducation sentimentale*; Fromentin, *Dominique*; Goncourt, *Germinie Lacerteux*; Apollinaire, *Alcools*; Claudel, *Partage de midi*; Proust, *A la recherche du temps perdu*.
Si l'idée de culpabilité s'attache à la passion, on passe à l'idée de punition (cf. ci-dessous, 2, a).

*b)* Société et souffrance : cf. \*Misère, \*Justice, 3 ; \*Égalité, 4. Les parias de la société. Le poète : Vigny, *Chatterton* (cf. \*Poète maudit). L'inventeur : Balzac, *Illusions perdues (Les Souffrances de l'inventeur)*. Le \*soldat : Vigny, *Servitude et grandeur militaires*. L'\*enfant, la \*femme, le \*peuple, l'\*ouvrier : E. Sue, *Les Mystères de Paris*; Hugo, *Les Misérables*; Zola, *L'Assommoir, Germinal*.

*c)* Guerre et souffrance : cf. \*Guerre, 2 ; surtout Zola, *La Débâcle*; Barbusse, *Le Feu*; Romains, *Les Hommes de bonne volonté (Verdun)*.

**2** Signification de la souffrance : cf. \*Mal, \*Providence, \*Absurde.

*a)* Châtiment et réhabilitation par la souffrance (idée chrétienne) : \*Angoisse, \*Faute, \*Sacrifice, \*Rachat. Rousseau, *La Nouvelle Héloïse*; Balzac, *Le Lys dans la vallée*; Nerval, *Aurélia*; Hugo, *Notre-Dame de Paris, Les Contemplations, Les Misérables, La Légende des siècles*; Baudelaire, *Les Fleurs du mal (Bénédiction), Petits Poèmes en prose*; Péguy, *Ève*; Claudel, *L'Otage*,

*L'Annonce faite à Marie, Le Soulier de satin ;* Bernanos, *Journal d'un curé de campagne ;* Mauriac, *La Fin de la nuit, Le Nœud de vipères.*

b) Révolte contre la souffrance : Voltaire, *Candide ;* Vigny, *Les Destinées ;* R. Martin du Gard, *Les Thibault ;* Malraux, *La Condition humaine ;* Camus, *Caligula, La Peste.*

## Souvenir

Les souvenirs sont des éléments de la *vie intérieure, un aliment pour la *sensibilité qui les préfère souvent au présent et cherche à les fixer pour nier la fuite du *temps. Rousseau, *Confessions, Rêveries ;* Lamartine, *Méditations poétiques ;* Chateaubriand, *Mémoires d'outre-tombe ;* Musset, *Poésies nouvelles (Souvenir) ;* Nerval, *Sylvie ;* Hugo, *Les Feuilles d'automne, Les Contemplations ;* Baudelaire, *Les Fleurs du mal ;* Fromentin, *Dominique ;* Verlaine, *Poèmes saturniens ;* Apollinaire, *Alcools ;* Proust, *A la recherche du temps perdu* (mécanisme de la mémoire affective) ; Colette, *La Maison de Claudine ;* L. Aragon, *Le Roman inachevé ;* P. Modiano, *Rue des Boutiques obscures.*
Gide oppose au culte des souvenirs la saveur de l'*instant présent : « Le plus beau souvenir ne m'apparaît que comme une épave du bonheur » *(Les Nourritures terrestres).*

## Stoïcisme

Doctrine du philosophe grec Zénon de Citium (336-264 av. J.-C.) et de ses disciples. C'est un système philosophique complet dont la partie la plus connue est la morale. Celle-ci place la sagesse dans le respect de la nature (cf. *Nature, 1) avec lequel se confond la raison, et valorise la lucidité et la maîtrise de soi. Le stoïcisme a été « essayé » par Montaigne *(Essais),* critiqué par Pascal *(Pensées)* et loué par Vigny *(Les Destinées).*

## Suicide

**1** Réflexions morales sur le suicide : Montaigne, *Essais,* II, 3 *(Coutume de l'île de Céa) ;* Rousseau, *La Nouvelle Héloïse,* III, 21 et 22 ; Chateaubriand, *Atala ;* R. Martin du Gard, *Les Thibault (Épilogue) ;* Camus, *Le Mythe de Sisyphe.*

**2** Peintures dramatiques ou romanesques : Racine, *Andromaque* (Hermione), *Phèdre* (Phèdre) ; Hugo, *Hernani* (Hernani et dona Sol), *Ruy Blas* (Ruy Blas), *Les Travailleurs de la mer* (Giliatt) ; Vigny, *Chatterton ;* Balzac, *Illusions perdues, Splendeurs et misères des courtisanes* (Lucien de Rubempré) ; Flaubert, *Madame Bovary* (Emma Bovary) ; Giono, *Un Roi sans divertissement.*

## Surnaturel

Voir : Hugo, *Les Contemplations, La Légende des siècles ;* Nerval, *Les Chimères, Aurélia ;* Rimbaud, *Une Saison en enfer, Illuminations ;* Villiers de l'Isle-Adam, *Contes cruels ;* Cocteau, *Orphée.* Cf. *Fantastique, *Surréalité.

## Surréalité

Ordre de faits que certains poètes modernes — les surréalistes — s'efforcent de saisir au-delà de la réalité : Breton, *Manifestes du surréalisme, Nadja.* Sans user de ce mot, des écrivains antérieurs ont déjà exploré ce domaine : cf. *Fantastique, *Surnaturel.

## Temps

Ressenti dans son inéluctable écoulement, il constitue un thème lié :

**1** à la conscience de la fragilité de l'homme et à la pensée de la *mort : Ronsard, *Odes, Amours ;* Du Bellay, *Les Antiquités de Rome, Regrets ;* Lamartine, *Méditations poétiques ;* Chateaubriand, *Mémoires d'outre-*

tombe ; Hugo, *Les Feuilles d'automne*, *Les Contemplations* ; Baudelaire, *Les Fleurs du mal* ; Apollinaire, *Alcools* ; Proust, *A la recherche du temps perdu* ; Supervielle, *Gravitations* ; Aragon, *Le Roman inachevé* ; Modiano, *Rue des Boutiques obscures* ;

**2**   à la quête des *souvenirs ;

**3**   au culte de l'*instant.

## Terre

Le travail de la terre et la vie des champs constituent :

**1**   un thème poétique : Rousseau, *La Nouvelle Héloïse,* V, 7 (Les vendages à Clarens) ; Lamartine, *Jocelyn* ; George Sand, *La Mare au diable* ; Hugo, *Les Contemplations* ; Verhaeren, *Toute la Flandre* ; Giono, *Regain* ;

**2**   un sujet réaliste : Flaubert, *Madame Bovary* ; Zola, *La Terre* ; Maupassant, *Contes et nouvelles.*

## Tolérance

Respect de la liberté de chacun en matière de religion, d'opinions politiques ou philosophiques. Cf. *Fanatisme, *Société, 2.

## Traditions

Les traditions, manières de penser et de vivre héritées du passé, inspirent des évocations nostalgiques par réaction contre l'évolution de la société : George Sand, *La Mare au diable* (tradition paysanne) ; Daudet, *Les Lettres de mon moulin* (tradition provençale) ; Verhaeren, *Toute la Flandre* (tradition flamande) ; Péguy, *Victor-Marie, comte Hugo* (tradition populaire française) ; Claudel, *L'Annonce faite à Marie, L'Otage* (tradition chrétienne) ; Giono, *Regain* (traditions de la terre).

## Travail

**1**   Jusqu'au XVIe siècle, la littérature a peint les hommes seulement dans leurs loisirs ou dans des activités réputées nobles (guerre). On ne donne des images de gens au travail que pour leur pittoresque et ne mentionne le métier d'un homme que pour définir sa condition sociale : *Le Roman de Renard, La Farce de Maître Pathelin* ; Rabelais, *Gargantua* (marchands et paysans).

**2**   Le thème de la *dignité du travail,* introduit au XVIIe siècle (La Fontaine, *Fables* ; La Bruyère, *Caractères),* progresse à partir du XVIIIe siècle, en même temps que décline la dignité de l'oisiveté : Voltaire, *Lettres philosophiques, Candide, Encyclopédie* ; Rousseau, *La Nouvelle Héloïse, Émile* ; Hugo, *Les Misérables* ; Zola, *Germinal* ; Aragon, *Les Cloches de Bâle* ; J. Romains, *Les Hommes de bonne volonté.* La dignité du travail est devenue une des valeurs morales fondamentales du monde moderne.

**3**   Pour l'étude des *hommes au travail,* cf. *Paysan, *Ouvrier, *Métier.

## Univers

L'homme devant l'univers : Pascal, *Pensées,* XV (*Disproportion de l'homme,* « les deux infinis ») ; Fontenelle, *Entretiens sur la pluralité des mondes* ; Voltaire, *Micromégas* ; Hugo, *Les Contemplations* ; Valéry, *Charmes* ; Supervielle, *Gravitations* ; Tournier, *Vendredi ou les Limbes du Pacifique.*

## Utopie

Le nom de l'île fictive, où Thomas More situe en 1516 sa république idéale, sert à qualifier tout pays imaginaire dont l'organisation morale, sociale ou politique est proposée à la réflexion du lecteur.

**1** Utopie pastorale et galante : H. d'Urfé, *L'Astrée.*

**2** Utopies politiques et sociales : Rabelais, *Le Quart Livre* (îles allégoriques ; à noter aussi que, par sa mère Badebec, Pantagruel descend du roi des Amaurotes en Utopie) ; Montaigne, *Essais*, I, 31 (*Des cannibales*, vision utopique du pays des bons sauvages) ; Fénelon, *Les Aventures de Télémaque* (Salente) ; Montesquieu, *Lettres persanes* (les Troglodytes) ; Marivaux, *L'Île des Esclaves* ; Voltaire, *Candide* (Eldorado) ; Rousseau, *La Nouvelle Héloïse* (Clarens).

## Valet

Valets de comédie : Molière, *Dom Juan* (Sganarelle), *L'Avare* (La Flèche), *Le Bourgeois gentilhomme* (Covielle), *Les Fourberies de Scapin* (Scapin) ; Marivaux, *L'Île des Esclaves* (Arlequin), *Le Jeu de l'Amour et du Hasard* (Arlequin), *Les Fausses Confidences* (Dubois) ; Beaumarchais, *Le Barbier de Séville*, *Le Mariage de Figaro* (Figaro).
Valets dans les récits romanesques : Lesage, *Gil Blas* ; Diderot, *Jacques le Fataliste.*

## Vertu

Disposition à la rigueur morale fondée sur une conscience scrupuleuse du bien, du *mal et des convenances. Les vertus en sont les manifestations particulières ; cependant, pour La Rochefoucauld, « nos vertus ne sont le plus souvent que des vices déguisés » *(Maximes).*
Du XVIIe au XIXe siècle, la littérature romanesque exalte la lutte de la vertu contre la *passion chez les héroïnes : Mme de Lafayette, *La Princesse de Clèves* ; Marivaux, *La Vie de Marianne* ; Rousseau, *La Nouvelle Héloïse* ; Balzac, *Le Lys dans la vallée.*

Les *libertins raillent et bafouent la vertu : Molière, *Dom Juan ;* Laclos, *Les Liaisons dangereuses.*
Rousseau la défend contre la *corruption du monde et l'incarne dans l'homme naturel : *Discours sur les sciences et les arts, Émile.* Diderot plaide en sa faveur *(Le Neveu de Rameau),* mais il montre aussi qu'elle constitue, comme l'ensemble de la morale, une notion toute relative *(Supplément au voyage de Bougainville)* et que le déterminisme pourrait lui enlever tout sens *(Le Rêve de d'Alembert).* Aujourd'hui, les problèmes moraux sont définis en d'autres termes : cf. *Honneur, *Pureté, *Responsabilité, *Solidarité.

## Vieillesse

La vieillesse est l'objet :

**1** de représentations symboliques (éléments du thème : expérience, sagesse, bonhomie ; lassitude, souffrance ; autoritarisme, raideur). La comédie exploite les traits défavorables de la vieillesse : Molière, *L'Avare* (Harpagon), *Tartuffe* (Mme Pernelle) ; le roman et le drame, ses traits émouvants : Hugo, *Hernani* (Don Ruy Gomez) ; Balzac, *Le Père Goriot ;* la poésie, son prestige moral : La Fontaine, *Fables ;*

**2** de réflexions fondées sur l'expérience : Montaigne, *Essais,* III, 2 *(Du repentir) ;* III, 13 *(De l'expérience) ;* Rousseau, *Rêveries ;* Chateaubriand, *Mémoires d'outre-tombe ;* Colette, *La Maison de Claudine, La Naissance du jour ;* S. de Beauvoir, *Mémoires (La Force des choses) ;* Ajar, *L'Angoisse du roi Salomon.*

## Vie intérieure

On entend par là le domaine subjectif et secret des pensées, des sentiments, de l'imagination et du rêve (cf. *Moi, *Sensibilité, *Sensations, *Mélancolie, *Ennui, *Rêve, *Rêverie, *Souvenir, *Imagination, *Amour). Il s'oppose à celui de la vie sociale et de l'*action.

Citons parmi les grands peintres de la vie intérieure : Rousseau, *Confessions, Rêveries;* Sénancour, *Oberman;* Stendhal, *Le Rouge et le Noir, La Chartreuse de Parme;* Balzac, *Le Lys dans la vallée;* Chateaubriand, *Mémoires d'outre-tombe;* Nerval, *Sylvie, Aurélia;* Baudelaire, *Les Fleurs du mal;* Flaubert, *L'Éducation sentimentale;* Alain-Fournier, *Le Grand Meaulnes;* Valéry, *La Jeune Parque, Charmes;* Proust, *A la recherche du temps perdu;* Gide, *Si le grain ne meurt;* Mauriac, *Thérèse Desqueyroux;* Butor, *La Modification.*

## Vie moderne

Au XIXe siècle, l'originalité spécifique de la vie moderne, telle qu'elle est saisie dans la vie urbaine (cf. *Ville, *Paris), devient un thème favori des écrivains.

**1** Balzac s'en fait l'historien *(La Comédie humaine).* Beaucoup de romanciers l'imiteront : Zola, *Les Rougon-Macquart;* J. Romains, *Les Hommes de bonne volonté.*

**2** Le rôle des machines et des techniques est tantôt exalté (J. Verne, *Le Tour du monde en 80 jours, De la Terre à la Lune),* tantôt critiqué (Villiers de l'Isle-Adam, *Contes cruels).*

**3** Baudelaire prêche aux artistes la quête systématique de la «modernité» *(Curiosités esthétiques)* et la pratique lui-même avec un goût particulier pour l'insolite et le *bizarre *(Petits Poèmes en prose).* Ainsi fait également Apollinaire *(Alcools).* Au XXe siècle, la poésie de la modernité est devenue un des thèmes majeurs de l'art. On peint aussi les aspects négatifs du monde indus-triel et de la société de consommation : Céline, *Voyage au bout de la nuit;* Vian, *L'Écume des jours;* Pérec, *Les Choses;* Le Clezio, *La Guerre.*

## Vie mondaine

Le thème est lié à la naissance de la vie de salon, au XVIIe siècle. Voir surtout : Molière, *Les Précieuses ridicules, Le Misanthrope;* La Bruyère, *Caractères;* Montesquieu, *Lettres persanes;* Laclos, *Les Liaisons dangereuses;* Stendhal, *Le Rouge et le Noir, Lucien Leuwen;* Balzac, *La Peau de chagrin, Le Père Goriot, Illusions perdues;* Flaubert, *L'Éducation sentimentale;* Zola, *La Curée;* Proust, *A la recherche du temps perdu;* Aragon, *Les Cloches de Bâle.*

## Ville

Dans la littérature française, le thème de la ville se confond le plus souvent avec celui de *Paris.

**1** Pour le peintre de mœurs, la ville concentre les activités et les passions des hommes. Milieu artificiel, où la *nature est détruite, elle est le symbole de la *vie moderne.

**2** Riche d'une beauté spécifique, la ville constitue un thème artistique inépuisable (cf. *Vie moderne) :
— villes réelles : cf. *Paris ;
— villes sans nom : Rimbaud, *Illuminations (Villes);* Le Clezio, *La Guerre.*

## Violence

**1** Thème épique (souvent associé à celui de la *guerre) : d'Aubigné, *Les Tragiques;* Hugo, *Les Orientales, Les Châtiments, La Légende des siècles;* Flaubert, *Salammbô.*

**2** Problème moral et politique.

*a)* Confondu jusqu'à la Révolution de 1789 avec ceux de la *guerre et du *fanatisme.

*b)* En partie distinct depuis. Problème de la violence révolutionnaire et contre-révolutionnaire : Hugo, *Quatre-vingt-treize;* Zola, *La Débâcle;* A. France, *Les Dieux ont soif;* Malraux, *Les Conquérants, La Condition humaine, L'Espoir;* Sartre, *Les Mains sales.* Violence des régimes fascistes : cf. *Fascisme.

*c)* Une réponse : la *non-violence* (cf. *Objection de conscience).

## Volonté de puissance

Cf. *Pouvoir, 2.

## Voyage

**1**  Voyages réels, accomplis par goût de la découverte, désir d'*aventure et d'*évasion; art de voyager : Du Bellay, *Regrets;* Montaigne, *Essais,* III, 9 *(De la vanité);* Rousseau, *Les Confessions,* IV ; Chateaubriand, *Mémoires d'outre-tombe;* Lévi-Strauss, *Tristes Tropiques.*

**2**  Voyages imaginaires :

*a)* Enquêtes satiriques et quêtes philosophiques : Rabelais, *Le Tiers Livre, Le Quart Livre;* Montesquieu, *Lettres persanes;* Voltaire, *Zadig, Micromégas, Candide;* Diderot, *Supplément au voyage de Bougainville.*

*b)* Rêves d'*aventure et d'*évasion : Baudelaire, *Les Fleurs du mal (Invitation au voyage), Petits Poèmes en prose;* Rimbaud, *Poésies (Le Bateau ivre);* J. Verne, *Le Tour du monde en 80 jours, De la Terre à la Lune;* Proust, *A la recherche du temps perdu* (Balbec, Venise); Michaux, *L'Espace du dedans.*

# Table alphabétique des auteurs

CENDRARS (Frédéric Sauser, dit Blaise)
1897-1961

*La Prose du Transsibérien,* 1913

CHATEAUBRIAND (François-René de)
1768-1848

*Atala,* 1801
*René,* 1802
*Le Génie du christianisme,* 1802
*Mémoires d'outre-tombe,* 1848-1850

CHÉNIER (André) 1762-1794

*Poésies,* 1819

CHRÉTIEN DE TROYES vers 1135-
vers 1183

*Lancelot,* vers 1170

CLAUDEL (Paul) 1868-1955

*Partage de midi,* 1906
*L'Otage,* 1911
*L'Annonce faite à Marie,* 1912
*Le Pain dur,* 1918
*Le Père humilié,* 1920
*Le Soulier de satin,* 1930-1943

COCTEAU (Jean) 1889-1963

*Orphée,* 1926

COLETTE (Gabrielle Colette, dite)
1873-1954

*La Maison de Claudine,* 1922
*La Naissance du jour,* 1928

CONSTANT DE REBECQUE (Benjamin)
1767-1830

*Adolphe,* 1816

CORNEILLE (Pierre) 1606-1684

*L'Illusion comique,* 1636
*Le Cid,* 1636
*Cinna,* 1640
*Polyeucte,* 1643

DAUDET (Alphonse) 1840-1897

*Les Lettres de mon moulin,* 1866-1869

DESCARTES (René) 1596-1650

*Discours de la méthode,* 1637

DIDEROT (Denis) 1713-1784

*Lettre sur les aveugles,* 1749
*L'Encyclopédie,* 1751-1772
*Le Neveu de Rameau,* 1821
*Entretiens de d'Alembert et Diderot,*
1782-1830
*Jacques le Fataliste,* 1796
*Supplément au voyage de Bougainville,*
1796

DRUON (Maurice) né en 1918

*Les Grandes Familles,* 1947-1951

DU BELLAY (Joachim) 1522-1560

*Défense et illustration de la langue française,* 1549
*Les Antiquités de Rome,* 1558
*Les Regrets,* 1558

DUHAMEL (Georges) 1884-1966

*Vie et aventures de Salavin,* 1920-1932
*Chronique des Pasquier,* 1933-1941

DUMAS (Alexandre) 1803-1870

*Antony,* 1831
*Les Trois mousquetaires,* 1844

DURAS (Marguerite) née en 1914

*Moderato cantabile,* 1958

ÉLUARD (Eugène Grindel, dit Paul)
1895-1952

*Capitale de la Douleur,* 1926

ERCKMANN-CHATRIAN (Émile
ERCKMANN, 1822-1899, et Alexandre
CHATRIAN, 1826-1890)

*Maître Gaspard Fix,* 1875

*La Farce de Maître Pathelin,*
vers 1465

FÉNELON (François de Salignac de la
Mothe-Fénelon) 1651-1715

*Les Aventures de Télémaque,* 1699

FLAUBERT (Gustave) 1821-1880

*Madame Bovary,* 1856
*Salammbô,* 1862
*L'Éducation sentimentale,* 1869
*La Tentation de saint Antoine,* 1874
*Bouvard et Pécuchet,* 1881

FONTENELLE (Bernard Le Bouvier de)
1657-1757

*Entretiens sur la pluralité des mondes,*
1686

FRANCE (Anatole Thibault, dit Anatole) 1844-1924

*Les Opinions de Monsieur Jérôme
Coignard,* 1893
*Les Dieux ont soif,* 1912

FROISSART (Jean) vers 1333-après 1400

*Chroniques de France, d'Angleterre (...)
et lieux d'alentour,* fin du XIVe siècle

FROMENTIN (Eugène) 1820-1876

*Dominique,* 1862

GARY (Romain) [pseud. AJAR (Émile)]
1914-1980

*L'Angoisse du roi Salomon,* 1979

GAUTIER (Théophile) 1811-1872
*Émaux et camées,* 1852

GENET (Jean) 1910-1986
*Les Bonnes,* 1947

GHELDERODE (Michel de) 1898-1962
*Escurial,* 1922

GIDE (André) 1869-1951
*Les Nourritures terrestres,* 1897
*L'Immoraliste,* 1902
*La Porte étroite,* 1909
*Les Caves du Vatican,* 1914
*Les Faux-Monnayeurs,* 1925
*Si le grain ne meurt,* 1926

GIONO (Jean) 1895-1970
*Regain,* 1930
*Un Roi sans divertissement,* 1947
*Le Hussard sur le toit,* 1951
*Le Moulin de Pologne,* 1952

GIRAUDOUX (Jean) 1882-1944
*Amphitryon 38,* 1929
*Intermezzo,* 1933
*La Guerre de Troie n'aura pas lieu,* 1935
*Électre,* 1937

GONGOURT (Edmond, 1822-1896, et
Jules, 1830-1870, Huot de)
*Germinie Lacerteux,* 1865

GRACQ (Louis Poirier, dit Julien) né
en 1910
*Le Rivage des Syrtes,* 1951

GRÉBAN (Arnoul) vers 1420-1471
*Le Mystère de la Passion,* vers 1450

GUILLAUME de Lorris, vers 1200-
1210-après 1240
*Le Roman de la Rose* (1re partie),
1230-1240

GUILLERAGUES (Gabriel-Joseph de
Lavergne de), 1625-1685
*Lettres portugaises,* 1669

HUGO (Victor) 1802-1885
*Préface de Cromwell,* 1827
*Les Orientales,* 1829
*Hernani,* 1830
*Les Feuilles d'automne,* 1831
*Notre-Dame de Paris,* 1831

*Ruy Blas,* 1838
*Châtiments,* 1853
*Les Contemplations,* 1856
*La Légende des siècles,* 1859-1877-1883
*Les Misérables,* 1862
*Les Travailleurs de la mer,* 1866
*L'Homme qui rit,* 1869
*Quatre-vingt-treize,* 1874

HUYSMANS (Georges Charles, dit Joris-
Karl) 1848-1907
*A rebours,* 1884

IONESCO (Eugène) né en 1912
*La Cantatrice chauve,* 1950
*Amédée ou Comment s'en débarrasser,*
1954
*Rhinocéros,* 1959
*Le Roi se meurt,* 1962

JARRY (Alfred) 1873-1907
*Ubu roi,* 1888

JEAN de Meun (ou Meung, Jean Clo-
pinel ou Chopinel, dit) vers 1240-
vers 1305
*Le Roman de la Rose* (2e partie)
1275-1280

JOINVILLE (Jean, sire de) vers 1224-
1317
*Histoire de saint Louis,* 1305-1309

LABICHE (Eugène) 1815-1888
*Le Voyage de Monsieur Perrichon,* 1860

LA BRUYÈRE (Jean de) 1645-1696
*Les Caractères,* 1688

LACLOS (Pierre Choderlos de)
1741-1803
*Les Liaisons dangereuses,* 1782

LAFAYETTE (Marie-Madeleine Pioche
de La Vergne, Mme de) 1634-1693
*La Princesse de Clèves,* 1678

LA FONTAINE (Jean de) 1621-1695
*Fables,* 1668-1678-1679-1694

LAFORGUE (Jules) 1860-1887
*Les Complaintes,* 1885

LAMARTINE (Alphonse de) 1790-1869
*Méditations poétiques,* 1820
*Jocelyn,* 1836

LA ROCHEFOUCAULD (François de Mar-
cillac, duc de) 1613-1680
*Maximes,* 1665

LAUTRÉAMONT (Isidore Ducasse, dit le comte de) 1846-1870

*Les Chants de Maldoror,* 1869

LE CLEZIO (Jean-Marie) né en 1940

*La Guerre,* 1970

LECONTE DE LISLE (Charles-Marie Lecomte, dit) 1818-1894

*Poèmes antiques,* 1852
*Poèmes barbares,* 1862

LESAGE (Alain-René) 1668-1747

*Histoire de Gil Blas de Santillane,* 1715-1735

LEVI-STRAUSS (Claude) né en 1908

*Tristes Tropiques,* 1955

MALHERBE (François de) 1555-1628

*Poésies,* 1587-1628

MALLARMÉ (Stéphane) 1842-1898

*Poésies*

MALRAUX (André) 1901-1976

*Les Conquérants,* 1928
*La Voie royale,* 1930
*La Condition humaine,* 1933
*Le Temps du mépris,* 1935
*L'Espoir,* 1937

MARIVAUX (Pierre Carlet de Chamblin de) 1688-1763

*L'Ile des Esclaves,* 1725
*Le Jeu de l'Amour et du Hasard,* 1730
*La Vie de Marianne,* 1731-1741
*Les Fausses Confidences,* 1737

MAROT (Clément) 1496-1544

*Œuvres poétiques*

MARTIN DU GARD (Roger) 1881-1958

*Jean Barois,* 1913
*Les Thibault,* 1922-1940

MAUPASSANT (Guy de) 1850-1893

*Contes et Nouvelles,* 1880-1890
*Une Vie,* 1883
*Bel-Ami,* 1885

MAURIAC (François) 1885-1970

*Thérèse Desqueyroux,* 1927
*Le Nœud de vipères,* 1932
*La Fin de la nuit,* 1935

MÉRIMÉE (Prosper) 1803-1870

*Le Carrosse du Saint-Sacrement,* 1829
*Colomba,* 1840
*Carmen,* 1845

MICHAUX (Henri) 1899-1984

*L'Espace du dedans,* 1944

MICHELET (Jules) 1798-1874

*Histoire de France,* 1833-1877
*Le Peuple,* 1846

MODIANO (Patrick) né en 1947

*Rue des Boutiques obscures,* 1978

MOLIÈRE (Jean-Baptiste Poquelin, dit) 1622-1673

*Les Précieuses ridicules,* 1659
*L'École des femmes,* 1662
*Tartuffe,* 1664-1669
*Dom Juan,* 1665
*Le Médecin malgré lui,* 1666
*Le Misanthrope,* 1666
*L'Avare,* 1668
*Le Bourgeois gentilhomme,* 1670
*Les Fourberies de Scapin,* 1671
*Les Femmes savantes,* 1672
*Le Malade imaginaire,* 1673

MONTAIGNE (Michel Eyquem de) 1533-1592

*Essais,* 1580-1588-1595

MONTESQUIEU (Charles-Louis de Secondat, baron de La Brède et de) 1689-1755

*Lettres persanes,* 1721
*De l'Esprit des Lois,* 1748

MONTHERLANT (Henry de) 1896-1972

*La Reine morte,* 1942
*Le Maître de Santiago,* 1948
*Port-Royal,* 1954
*Le Cardinal d'Espagne,* 1960

MUSSET (Alfred de) 1810-1857

*Les Caprices de Marianne,* 1833
*On ne badine pas avec l'amour,* 1834
*Lorenzaccio,* 1834
*La Confession d'un enfant du siècle,* 1836
*Poésies nouvelles,* 1840

NAVARRE (Marguerite de) 1492-1549

*L'Heptaméron,* 1559

NERVAL (Gérard Labrunie, dit Gérard de) 1808-1855

*Sylvie,* 1853
*Les Chimères,* 1854
*Aurélia,* 1855

ORLÉANS (Charles d') 1394-1465

*Poésies*

PAGNOL (Marcel) 1895-1974
*Topaze,* 1928

PASCAL (Blaise) 1623-1662
*Les Provinciales,* 1656-1657
*Pensées sur la religion et quelques autres sujets,* 1670

PÉGUY (Charles) 1873-1914
*Victor-Marie, comte Hugo,* 1910
*Ève,* 1913

PEREC (Georges) 1936-1982
*Les Choses,* 1965

PONGE (Francis) né en 1899
*Le Parti pris des choses,* 1942

PRÉVERT (Jacques) 1900-1977
*Paroles,* 1945

PRÉVOST (Antoine-François Prévost d'Exiles, dit l'abbé) 1697-1763
*Manon Lescaut,* 1731

PROUST (Marcel) 1871-1922
*A la recherche du temps perdu,* 1913-1927

RABELAIS (François) 1494-1533
*Pantagruel,* 1532
*Gargantua,* 1534
*Le Tiers Livre,* 1546
*Le Quart Livre,* 1552

RACINE (Jean) 1639-1699
*Andromaque,* 1667
*Britannicus,* 1669
*Bérénice,* 1670
*Phèdre,* 1677
*Athalie,* 1691

RADIGUET (Raymond) 1903-1923
*Le Diable au corps,* 1923

RIMBAUD (Arthur) 1854-1891
*Poésies*
*Une Saison en enfer,* 1873
*Illuminations,* 1886

ROBBE-GRILLET (Alain) né en 1922
*La Jalousie,* 1957

ROLLAND (Romain) 1866-1944
*Jean-Christophe,* 1904-1912

ROMAINS (Louis Farigoule, dit Jules) 1885-1972
*Knock,* 1923

*Les Hommes de bonne volonté,* 1932-1946

*Le Roman de Renard,* entre 1174 et 1205

RONSARD (Pierre de) 1524-1585
*Odes,* 1550-1552-1555
*Les Amours,* 1552-1555-1578

ROSTAND (Edmond) 1868-1918
*Cyrano de Bergerac,* 1897

ROUSSEAU (Jean-Jacques) 1712-1778
*Discours sur les sciences et les arts,* 1750
*Discours sur l'origine et les fondements de l'inégalité,* 1755
*La Nouvelle Héloïse,* 1761
*Du contrat social ou Principes du droit politique,* 1762
*Émile ou De l'éducation,* 1762
*Les Confessions,* 1782
*Les Rêveries du promeneur solitaire,* 1782

SAINTE-BEUVE (Charles-Augustin) 1804-1869
*Volupté,* 1834

SAINT-EXUPÉRY (Antoine de) 1900-1944
*Vol de nuit,* 1931
*Terre des hommes,* 1939
*Citadelle,* 1948

SAINT-JOHN PERSE (Alexis Leger, dit) 1887-1975
*Amers,* 1957

SAINT-SIMON (Louis de Rouvroy, duc de) 1675-1755
*Mémoires,* 1829-1830

SALACROU (Armand) né en 1899
*La Terre est ronde,* 1938

SAND (Aurore Dupin, baronne Dudevant, dite George) 1804-1876
*La Mare au diable,* 1846

SARTRE (Jean-Paul) 1905-1980
*La Nausée,* 1938
*Les Mouches,* 1943
*Huis clos,* 1944
*Les Mains sales,* 1948
*Situations, II (Qu'est-ce que la littérature?),* 1948
*Le Diable et le Bon Dieu,* 1951
*Les Mots,* 1964

SCUDÉRY (Madeleine de) 1607-1701
*Clélie, histoire romaine,* 1654-1660

SENANCOUR (Étienne Pivert de) 1770-1846
*Oberman*, 1804

STENDHAL (Henri Beyle, dit) 1783-1842
*Le Rouge et le Noir*, 1830
*La Chartreuse de Parme*, 1837
*Lucien Leuwen*, 1894

SUE (Marie-Joseph Sue, dit Eugène) 1804-1857
*Les Mystères de Paris*, 1842-1843

SUPERVIELLE (Jules) 1884-1960
*Gravitations*, 1925

THOMAS
*Tristan et Iseut*, seconde moitié du XIIᵉ siècle

TOCQUEVILLE (Charles Alexis Clérel de) 1805-1859
*De la démocratie en Amérique*, 1835-1840

TOURNIER (Michel) né en 1924
*Vendredi ou les Limbes du Pacifique*, 1967

URFÉ (Honoré d') 1567-1625
*L'Astrée*, 1607-1627

VAILLAND (Roger) 1907-1965
*Drôle de jeu*, 1945

VALÉRY (Paul) 1871-1944
*Monsieur Teste*, 1896
*La Jeune Parque*, 1917
*Album de vers anciens*, 1920
*Charmes*, 1922
*Eupalinos*, 1923
*Variété*, 1924-1944

VALLÈS (Jules) 1832-1885
*L'Insurgé*, 1886

VERCORS (Jean Bruller, dit) né en 1902
*Le Silence de la mer*, 1942

VERHAEREN (Émile) 1855-1916
*Toute la Flandre*, 1904-1911

VERLAINE (Paul) 1844-1896
*Poèmes saturniens*, 1866
*Fêtes galantes*, 1869
*Romances sans paroles*, 1874
*Sagesse*, 1881

VERNE (Jules) 1828-1905
*De la Terre à la Lune*, 1865
*Le Tour du monde en 80 jours*, 1872

VIAN (Boris) 1920-1959
*L'Écume des jours*, 1947

VIGNY (Alfred de) 1797-1863
*Poèmes antiques et modernes*, 1826-1837
*Chatterton*, 1835
*Servitude et Grandeur militaires*, 1835
*Les Destinées*, 1864

VILLIERS DE L'ISLE-ADAM (Auguste) 1838-1889
*Contes cruels*, 1883

VILLON (François) 1431-après 1463
*Poésies*, 1456-1461

VOLTAIRE (François-Marie Arouet, dit) 1694-1778
*Lettres philosophiques ou Lettres anglaises*, 1734
*Zadig*, 1747
*Le Siècle de Louis XIV*, 1751
*Micromégas*, 1752
*Essai sur les mœurs*, 1756
*Candide*, 1759
*Traité sur la tolérance*, 1763
*Dictionnaire philosophique*, 1764
*L'Ingénu*, 1767

YOURCENAR (Marguerite de Crayencour, dite Marguerite) 1903-1987
*Mémoires d'Hadrien*, 1951

ZOLA (Émile) 1840-1902
*Les Rougon-Macquart*, 1870-1893
*La Curée*, 1871
*Le Ventre de Paris*, 1873
*L'Assommoir*, 1877
*Germinal*, 1885
*La Terre*, 1887
*La Débâcle*, 1892

*Imprimé en France,* par l'Imprimerie Hérissey, Évreux (Eure) — N° 47201
Dépôt légal : N° 1737-01-1989 — Collection N° 16 — Édition N° 04

**16/5383/1**